Das Buch

Missouri in den 50er-Jahren: Wie in jedem Sommer kommen die längst erwachsenen Töchter von Matthew und Callie Soames für zwei Wochen zurück auf die Farm ihrer Eltern. Eine schmerzhaft schöne Reise zurück in die Vergangenheit beginnt.

Wenn die Mondblumen blühen ist die wunderbare Geschichte einer Familie, die gemeinsam älter wird, über Kinder, die das Haus verlassen und wieder zurückkommen, über Mut, Eitelkeit, Verzicht, neue Chancen und das Gefühl, zueinander zu gehören, was auch immer geschieht.

»*Wenn die Mondblumen blühen* traf damals absolut den Nerv der Zeit und bescherte Jetta Carleton einen Riesenerfolg auf der ganzen Welt. Und heute? Können wir uns neu verlieben in ihre quicklebendigen Figuren. Oder zum ersten Mal – mit voller Wucht.«
Brigitte

Die Autorin

Jetta Carleton, 1913–1999, veröffentlichte nur einen Roman. *Wenn die Mondblumen blühen* wurde ein Welterfolg und erreichte auch in Deutschland Platz eins der Bestsellerliste.

Die Übersetzerin

Eva Schönfeld (1919–1988) übersetzte aus dem Englischen, dem Französischen und dem Italienischen, darunter Werke von Daphne du Maurier, Somerset Maugham und Erica de Jong.

Jetta Carleton

Wenn die Mondblumen blühen

Roman

Aus dem
Amerikanischen von
Eva Schönfeld

Verlag Kiepenheuer
& Witsch

1. Auflage 2011

Titel der Originalausgabe: *The Moonflower Vine*
Copyright © Simon & Schuster, 1962
All rights reserved
Aus dem Amerikanischen von Eva Schönfeld
© 2009, 2011 by Verlag Kiepenheuer & Witsch GmbH & Co. KG, Köln
Alle Rechte vorbehalten. Kein Teil des Werkes darf in irgendeiner Form
(durch Fotografie, Mikrofilm oder ein anderes
Verfahren) ohne schriftliche Genehmigung des Verlages
reproduziert oder unter Verwendung elektronischer Systeme
verarbeitet, vervielfältigt oder verbreitet werden.
Umschlaggestaltung: Barbara Thoben, Köln
Umschlagmotiv: akg-images
Gesetzt aus der Adobe Garamond
Satz: Pinkuin Satz und Datentechnik, Berlin
Druck und Bindung: Kösel GmbH & Co. KG, Krugzell
ISBN 978-3-462-04269-6

Inhalt

Die Familie

Mein Vater hatte eine Farm im westlichen Teil von Missouri, unterhalb des Stromes, wo sich das Ozark-Plateau zu den weiten Ebenen hinabsenkt. Die Gegend wird kreuz und quer von Bächen durchflossen; üppiges Weideland steigt aus waldigen Tälern ins Sonnenlicht und endet an schroff abfallenden Kalksteinfelsen. Es ist eine anmutige Landschaft. Sie reißt einen nicht zu lauter Bewunderung hin, wie manche Gegenden es tun, aber sie hat etwas sehr Gewinnendes. Ihre Liebhaber belohnt sie mit Gelassenheit, mit Mais und Dattelpflaumen, Brombeeren, Schwarznüssen, Blaugras und Heckenrosen. Ein Land, in dem man sein Auskommen finden kann. Die Farm lag mitten darin: achtzig Hektar an einem trägen braunen Flüsschen, das ›Little Tebo‹ hieß.

Das neunzehnte Jahrhundert näherte sich seinem Ende, als meine Eltern, Matthew und Callie Soames, die Farm übernahmen. Sie waren damals jung vermählt und hielten ihren Einzug mit einem Teekessel, einem Federbett und einem Maultiergespann. Später übersiedelten sie in die Kleinstadt, in der mein Vater Schullehrer war, und verbrachten nur manchmal den Sommer auf der

Farm. Dann aber, nach vielen Jahren, kehrten sie für immer zurück, gaben dem Haus einen neuen Anstrich, stützten die alte graue Scheune ab, kauften einen Bullen und einen Butan-Tank und wirtschafteten so vergnügt herum, als wären sie muntere Zwanzigjährige und kein altes Ehepaar in den Siebzigern.

Meine Schwestern und ich besuchten sie regelmäßig auf der Farm. Wir kamen jeden Sommer – Jessica aus den Ozarks, Leonie aus einer kleinen Stadt in Kansas und ich aus New York, wo ich beim Fernsehen arbeitete, das damals noch neu und für meine Familie sehr geheimnisvoll war. Für mich und bis zu einem gewissen Grade auch für meine Schwestern bedeuteten diese Besuche etwa das Gleiche wie die alljährliche Steuererklärung: eine Unbequemlichkeit, die wir auf uns nehmen mussten. Es gab immer so vieles, was uns mehr gelockt hätte als eine Reise in die Vergangenheit. Doch so alt wir waren, unsere Eltern führten noch immer das Kommando. Sie forderten ihren Tribut, und wir zahlten ihn.

Waren wir aber erst einmal zu Hause, so fühlten wir uns ausgesprochen glücklich. Wir fielen mühelos in die alte Lebensweise zurück, rissen unsere alten Witze, angelten im Bach, aßen so viel Sahne, wie wir konnten, und wurden faul und fett. Es waren Wochen friedlicher Unwirklichkeit. Das Leben, das wir sonst lebten, wurde auf Eis gelegt, wir vergaßen die Außenwelt und besannen uns auf die Bande der Familie. Dass wir uns unterschiedlich entwickelt hatten und getrennte Wege gingen, spielte dabei keine Rolle; sobald wir uns in der vertrauten Umgebung befanden, genossen wir das Zusammensein.

Ich entsinne mich besonders eines Sommers Anfang der Fünfzigerjahre. Jessicas und Leonies Ehemänner waren diesmal nicht bei uns; der eine war Farmer, der andere Mechaniker, und beide hatten sich nicht freimachen können. Nur Leonies Sohn war mitgekommen, Soames, ein gut aussehender, hoch aufgeschossener Junge, der eben achtzehn geworden war. In ein paar Wochen sollte er zur Luftwaffe einrücken, und Leonie litt sehr unter diesem Gedanken. Nach seinem Fortgang würde so viel Unerledigtes, Ungesagtes zurückbleiben, dass keiner von ihnen jemals Gelegenheit hätte, es nachzuholen. Es war traurig, nicht nur für sie, sondern auch für uns, zumal in Korea noch immer gekämpft wurde. Der Krieg, an sich schon eine ständige Sorge, trug erheblich dazu bei, uns den Abschied von Soames zu erschweren. Wir konnten das eine nicht vom anderen trennen. Und doch – hier auf dem Lande, weltabgeschieden, war es uns möglich, vorübergehend beides zu vergessen. Eine Tageszeitung gab es nicht, und das Radio wurde nie angedreht. Was wir zufällig an Neuigkeiten hörten, klang so unwirklich, dass es uns nichts anzugehen schien. Nur die Düsenjäger, die täglich von einem nördlichen Militärflugplatz her über uns hinwegbrausten, erinnerten an die drohende Gefahr. Bald aber hatten wir uns sogar an sie gewöhnt. Ihre Schatten huschten wie harmlose Wolkenschatten über Wiese und Hof. Die Farm war ein kleines Eiland im Meer des Sommers. Der ferne Krieg, in dem so viele junge Männer ihr Leben verloren, regte uns weniger auf als eine Mordgeschichte in der Nachbarschaft.

Ganz in der Nähe, nur eine oder zwei Meilen die Straße hinauf, war ein alter, einsiedlerischer Farmer namens Corcoran niedergeschossen worden – von seinem einzigen Sohn, einem schwachköpfigen, erst kürzlich aus der Armee entlassenen Jungen. Meine Eltern hatten den Alten am Morgen nach der Tat gefunden: Er lag unter dem Bett, beiseitegeschoben wie ein überflüssiger Teppich, mitleidlos seinem Schicksal preisgegeben. Ein Fünkchen Leben war noch in ihm, und so fuhren sie ihn die zwanzig Meilen zum nächsten Krankenhaus. Meine Mutter saß hinten im Wagen und hatte den Kopf des alten Mannes in ihren Schoß gebettet.

Das alles war kurz vor unserer Ankunft geschehen. Am vorletzten Ferientag kam wieder einmal die Rede darauf.

»Der arme Kerl«, sagte meine Mutter. »Für ihn wär's ein Segen, wenn er endlich sterben könnte.«

Mein Vater nickte. »Finde ich auch. Ist ja keiner da, der sich um ihn kümmert.«

»Er war immer ein grässlicher alter Nörgler, aber deswegen verdient er noch lange nicht, so zu leiden.«

»Wie alt ist er?«, erkundigte ich mich.

»Mindestens siebzig«, antwortete Mama in einem Ton, als könnte Mr. Corcoran ihr Großvater sein.

»Haben sie den Jungen schon erwischt?«, fragte Soames.

»Noch nicht.«

»Möchte wissen, wie er dazu gekommen ist.«

»Keine Ahnung«, sagte Papa. »Allerdings soll der Alte sehr streng mit ihm gewesen sein.«

»Ach, da wird viel geredet«, warf Mama ein. »Dass er den Jungen im Räucherhaus angekettet hat und so weiter. Ich glaube kein Wort davon.«

»Nichts als Klatsch und Tratsch«, erklärte Papa. »Der Alte hat die Leute gegen sich aufgebracht, und deshalb wollen sie ihm eins auswischen. Ungehobelt und grob war er ja, aber schlecht – nein, das kann man nicht sagen.«

»Bestimmt nicht. Der Junge ist eben nicht ganz richtig im Kopf, daran liegt's. Ich möchte bloß wissen, wie der in die Armee gekommen ist.«

»Da passt er doch hin«, meinte Soames grinsend und stand auf.

»Ach, du!« Mama gab ihm einen Klaps auf die Kehrseite seiner Jeans. »Lieber Himmel, wir haben ja noch kein Spülwasser heiß gemacht!«

So endete das Gespräch über die Bluttat in der Nachbarschaft. Wir rafften uns von unseren Stühlen auf, allesamt bis zum Platzen vollgefuttert. Es hatte Lendenbraten gegeben, junge Erbsen in Rahmsauce, in Butter gedünstete grüne Tomaten und als Nachtisch eine Karamelltorte. Unsere Mutter kochte gut und reichlich, wie es auf dem Lande üblich ist, und gegessen wurde mittags um zwölf.

»Das hat wieder mal geschmeckt«, lobte Jessica. »Ich wollte, ich hätte drei Mägen wie eine Kuh.«

»Ich auch«, sagte Leonie und nahm die letzte Tomate von der Platte.

»Nach der Torte?«, fragte ich.

»Ich muss immer mit was Pikantem abschließen.«

»Du hast Speck angesetzt«, bemerkte Papa und tätschelte im Vorbeigehen Leonies Schulter.

»Wo willst du denn hin?«, rief Mama ihm nach.

»Nur eben auf die Veranda.«

»Vergiss aber nicht, dass du heute Nachmittag noch Eis aus der Stadt holen musst. Du oder Soames, einer von euch.«

»Das mache ich, Oma!« Soames nahm jede Gelegenheit wahr, meinen Sportwagen zu fahren.

»Willst du schon wieder in die Stadt, Liebling?«, mischte sich Leonie ein. »Warum bleibst du nicht lieber zu Hause und kümmerst dich um das Scheunendach? Mutter wäre so stolz auf dich, wenn du mal eine Arbeit fertig machtest.«

»Ich mache sie ja fertig.«

»Was du heute kannst besorgen, das verschiebe nicht auf morgen. Außerdem wollen wir doch morgen zum Honigbaum.«

»Ich weiß.«

»Und draußen steht ein ganzer Stapel Schindeln, die du überhaupt noch nicht angerührt hast.«

»Weiß ich, Mutter. Die kommen schon noch an die Reihe.«

»Bestimmt nicht, wenn du dauernd in die Stadt fährst.«

»Ach, lass ihn doch«, sagte Papa. »Auf dem Dach ist es furchtbar heiß, nicht wahr, mein Junge? Wir fahren nachher zusammen.«

»Wartet aber nicht zu lange«, mahnte Mama. »Wir möchten die Eiscreme zurechtmachen, bevor die Mondblumen aufblühen.«

»Ach, bis dahin sind wir zehnmal zurück.«

»Na hoffentlich.« Sie wandte sich uns Töchtern zu. »Heute Abend kriegen wir zwei Dutzend Blüten. Ich hab die Knospen vorhin gezählt; so viele waren's noch nie. Und jetzt sagt mal, Kinder, was nehmen wir morgen alles zum Picknick mit? Darüber müssen wir uns ja allmählich klar werden.«

Wir besprachen das beim Geschirrspülen. Papa war vor Kurzem im Wald auf einen hohlen Baum gestoßen, in dem sich wilde Bienen angesiedelt hatten. Nun wollten wir die Bienen ausräuchern, den Baum aufhacken und den Honig herausholen. Nach der Arbeit würden wir angeln und schwimmen und am schattigen Flussufer ein Picknick veranstalten. Unsere Eltern hatten sich das als festlichen Abschluss unseres zweiwöchigen Besuchs ausgedacht. Während wir noch überlegten, ob wir uns für Pommes frites oder Kartoffelsalat entscheiden sollten, läutete das Telefon im Esszimmer; zweimal kurz, einmal lang.

»Das ist für uns«, sagte Mama.

»Ich geh schon!«, rief Papa von draußen. Gleich darauf kam er an die Küchentür. »Jake Latham hat angerufen, Mama. Er und Fanny und die Barrows und noch ein paar andere gehen morgen rüber zu Corcorans Farm. Jake sagt, das Heu muss eingebracht werden. Und die Pfirsiche sind auch so weit.«

»Ach, sagt er das?« Mama lächelte sanft ironisch. »Wird ja so langsam Zeit, dass er was für seinen alten Nachbarn tut. Ist bestimmt das erste Mal.«

»Besser spät als nie. *Absit invidia*.«

»Und wir sollen wohl kommen und helfen, wie?«

»Ja, das möchte er gern.«

»Hoffentlich hast du ihm gesagt, dass wir nicht können.«

»Ich habe gesagt, ich würde mal sehen.«

Mama schaute ihn an, als zweifle sie an seinem Verstand. »Aber wir wollen doch morgen zum Honigbaum!«

»Ja, gewiss, nur …«

»Hast du ihm das nicht gesagt?«

»Nein …«

»Warum nicht?«

Papa wand sich. »Weil … na ja, ich glaube kaum, dass Jake einen Honigbaum für eine ausreichende Entschuldigung hält.«

»Du meine Güte! Was geht uns Jakes Meinung an?«

»Ich möchte nicht, dass man uns mangelnde Hilfsbereitschaft vorwirft«, erklärte Papa in lehrerhaftem Ton.

»Ach was, mangelnde Hilfsbereitschaft! Das trifft wohl eher auf die anderen zu. Die haben noch nie was für ihn getan. Immerhin finde ich's nett, dass sie jetzt einspringen wollen. Ich würde ja auch gern helfen, aber können sie nicht wenigstens bis Montag warten?«

»Das war meine erste Frage. Jake sagt, da passt es ihm nicht.«

»Und morgen passt es *uns* nicht. Wir haben unseren Plan für morgen fix und fertig.«

»Ich weiß.« Papa sah tief bekümmert aus. »So leid mir's tut, ich glaube, ich kann einfach nicht ablehnen. Geht ihr morgen zu eurem Picknick, und ich geh allein rüber und helfe.«

»Das wäre ungerecht«, meinte Jessica. »Wenn, dann gehen wir alle. Deine großen Töchter können auch helfen.«

»Kommt nicht infrage«, widersprach Mama energisch. »Keiner von uns geht. Wär ja noch schöner, wenn wir uns von denen alles verderben ließen! Sie haben Leute genug, auch ohne uns, und sie können sich ruhig mal ein bisschen anstrengen.«

»Sie werden uns für furchtbar selbstsüchtig halten«, wandte Papa ein.

»Sollen sie. Das müssen wir eben in Kauf nehmen.«

»Also gut. Wenn du so denkst, habe ich nichts mehr zu sagen.« Papa setzte seinen Hut auf und entfernte sich mit einer Miene edler Resignation. Er war offenbar sehr erleichtert.

Wir trockneten den Rest des Geschirrs ab, und dann zog sich Mama zu einem Mittagsschläfchen zurück. Soames war wieder an seine Dachdeckerarbeit gegangen. Leonie lief hinaus, um den ›guten Jungen‹ zu loben.

»Arme alte Leonie«, sagte Jessica kopfschüttelnd. »Sie *zwingt* ihn ja geradezu, das blöde Dach fertig zu machen.«

»Aber mit ihren dauernden Ermutigungsreden wird

sie's nicht schaffen«, erwiderte ich. »Wenn sie nicht bald den Mund hält, kriegt er einen Wutanfall und haut ab, wie üblich.«

»Ja, und dann hat er wieder Gewissensbisse, der arme Junge.«

»Und steigert sich immer mehr in seine Wut hinein.«

»Und sie ist überzeugt, dass er sie nicht liebt, sonst hätte er ihr doch den Willen getan.«

»Genauso war's mit den Gesangsstunden«, bemerkte ich. Leonie hatte gebettelt, gebohrt, ermutigt, befohlen, hatte jede mütterliche List angewandt, um aus Soames einen Sänger zu machen. Ihr Wunsch war verständlich, denn der Junge hatte eine schöne Stimme. Mit Fleiß und Ausdauer hätte er es wahrscheinlich zu etwas gebracht. Aber er interessierte sich nun mal nicht für Gesang … und auch sonst eigentlich für nichts außer Fliegen und Autofahren.

»Die Ärmsten«, seufzte Jessica. »Sie tun mir alle beide so leid. Ich kann's kaum mit ansehen.«

»Wir müssen Leonie ins Haus zurücklocken, damit sie ihn in Ruhe lässt. Ich werde Klavier spielen. Das wirkt todsicher.«

Wir gingen ins Wohnzimmer und gruben ein paar vergilbte Notenhefte aus. Ich setzte mich an das alte, verschrammte Klavier und nahm ›Cupidos Schelmereien‹ in Angriff, ein Stück, das ich als Kind innig geliebt hatte. Der Fingersatz machte mir einige Mühe, und die Melodie wurde immer wieder von der Begleitung übertönt.

Leonie kam herein, die Hände auf die Ohren gepresst. »Auwei, auwei!«, stöhnte sie wie das Komikerpaar Amos und Andy. »Rück mal zur Seite.«

Sie spielte ›Cupidos Schelmereien‹ mit Schwung und Ausdruck zu Ende und ließ einige andere Stücke folgen – Lieder voller Schmerz und Leid und abendlicher Wehmut, deren Text Jessica und ich mit viel Gefühl sangen. Wir fanden das ungemein witzig. Mittendrin stimmte der herrenlose Köter, der schon die ganze Woche bei uns herumlungerte, ein lautes Geheul an.

Ich ging auf die Veranda, um ihn zu trösten. »Armer Kerl! Ich wollte, du könntest mir deine Adresse sagen.«

»Eine jämmerliche Kreatur«, urteilte Jessica. »Er ist ein netter kleiner Hund. Ich mag ihn.«

»Er hat Flöhe.«

»Dafür kann er nichts.«

»Was ist eigentlich aus dem Bärtigen geworden?«, fragte Jessica.

»Was … ein Hund mit Bart?«

»Na, jedenfalls erinnerte er mich an einen Hund. Ich meine den seltsamen jungen Mann, den du vorigen Sommer mitgebracht hast.«

»Ach, der! Den habe ich nicht mitgebracht, er ist ganz von allein gekommen. Er machte eine Wanderung.«

Leonie kicherte. »Jawohl, in Tennisschuhen!«

»Und ohne Socken«, fügte Jessica hinzu.

»Ich weiß noch, er roch so komisch.«

»Wundert dich das? Sie lässt sich doch immer mit solchen Vagabunden ein.«

Sie lachten in teuflischer Einmütigkeit – selig, dass sie wieder einmal auf den strubbligen Anarchistentypen herumhacken konnten, die sich, oft sehr gegen meinen Willen, an mich zu hängen pflegten.

»Weißt du noch, wie ihm der Hirsebrei immer im Bart klebte?« Jessica prustete vor Lachen.

»Er hat mit dem Bart den Teller aufgewischt!«

»Darum war er auch dauernd von Fliegen umschwärmt.«

»Jetzt hört aber auf!«, schrie ich. »Er war ein hochgeistiger Mensch.«

»Hochgeistig!«, wiederholte Leonie verächtlich. »Er rümpfte die Nase über *Shakespeare!*«

»Schsch – weckt Mama nicht auf!« Wir kicherten jetzt alle drei wie toll, ohne besonderen Grund.

»Gott, ist mir heiß«, sagte Jessica. »Ich dampfe untenrum. Komm, wir gehen zur Badewanne.«

Die einzige Badewanne der Farm war eine teichartige Erweiterung des Baches. Wir nahmen Handtücher und Seife mit und schlenderten über das östliche Weideland auf die Schlucht zu, durch die sich das Wasser einen Weg gebahnt hatte. Dort sprudelte eine Quelle aus der Brunnenröhre, die Papa in den Uferhang getrieben hatte; daneben hing ein Becher an einem Birkenast. Unser Vater schwor auf die gesundheitsfördernde Wirkung von Quellwasser, Wabenhonig und Sonnenschein. Wir rutschten das Steilufer hinunter und hockten uns im Sand auf die Fersen. Hier unten war die Luft angenehm kühl und duftete süß.

Jessica reichte mir einen Becher Wasser. »Gut für die Nieren.«

Sie und ich tranken um die Wette – konnte man sich innerlich ersäufen? –, bis Leonie uns Einhalt gebot. »Ihr werdet noch in die Badewanne machen«, sagte sie. Wir wateten zu der Stelle, wo der Bach breiter und tiefer wurde. Das Wasser war so klar, dass man die flirrenden Blattschatten auf dem glatten Sandsteingrund sehen konnte. Wir zogen uns aus und hängten die Kleider über die Ginsterbüsche. Jessica kreischte auf, als das eisige Wasser ihre Hüften erreichte. Die vorsichtige Leonie ging Schritt für Schritt hinein, nachdem sie sich Handgelenke und Kniekehlen befeuchtet hatte. Ich rutschte aus und fiel mit einem Plumps in den Bach. Bald hatten wir uns an die Kälte gewöhnt. Wir seiften uns ab, tauchten und planschten und alberten dabei, als wären wir kleine Jungen statt erwachsener Frauen. Jessica war fast fünfzig und Leonie nicht viel jünger; ich, der Nachzügler, näherte mich den Dreißig. Aber keine von uns benahm sich entsprechend oder war sich auch nur ihres Alters bewusst. In den Ferien führten wir uns immer wie Kinder auf, weil unsere Eltern uns so am liebsten sahen.

Das eiskalte Wasser rötete unsere Körper. »Sind wir nicht hübsch?«, fragte ich plötzlich.

Wir hörten mit dem Geplätscher auf und betrachteten einander. »Wir sind sogar sehr hübsch«, bestätigte Jessica. »Ein durchaus erfreulicher Anblick.«

Sie war ein bisschen zu dick und ich ein bisschen zu dünn, aber wir hatten alle drei weiche Linien und eine makellose Haut, die unsere Glieder straff umspannte. Hier im Freien, von Sonnenlicht überflutet, waren wir Schönheiten, und es kam uns ganz natürlich vor, dass wir es aussprachen. Nachdem wir aus dem Wasser gestiegen waren, setzten wir uns auf eine Steinplatte und rieben uns mit den Handtüchern warm und trocken.

»Ich wollte, Mama und Papa ließen sich endlich eine Wasserleitung legen«, sagte Leonie. »Findet ihr nicht auch, dass sie eine brauchen?«

»Hm, ich weiß nicht recht«, meinte Jessica. »Sie sind zeit ihres Lebens ohne Wasserleitung ausgekommen und vermissen sie wohl gar nicht.«

»Aber sie würden sich bestimmt daran gewöhnen.«

»Warum wollt ihr so hoch hinaus?«, fragte Jessica im gewichtigen Basston unseres Vaters. »Was uns genügt, dürfte wohl jedem genügen.«

Wir lachten, und ich dachte an die Stadt zurück, in der ich aufgewachsen war. Dort hatten sich nur der Bankdirektor und der Kaufmann eine Abwasseranlage und die dauernden Reparaturen an der Pumpe im Keller leisten können. Die gewöhnlichen Sterblichen behalfen sich, so gut es eben ging. Ich erinnerte mich an unsere Küche frühmorgens im Winter: Kohleneimer, über die man stolperte, der Mülleimer neben der Tür, der dampfende Wasserkessel auf dem großen schwarzen Herd, Papa, der sich am Küchentisch rasierte, und ich selbst, im Unterrock, über die graue Emailleschüssel gebeugt (Hals und Achselhöhlen wurden täglich gewaschen), während Mama schon den Frühstücksspeck briet, dessen Fettspritzer auf der Herdplatte zischten. Nein, die Küche war kein hübscher Raum. Sie war Badezimmer, Esszimmer, Waschküche und Speisekammer, entweder abwechselnd oder alles zugleich. Und man machte sich gar nichts daraus – das heißt, solange man das Großstadtleben nicht kannte. Nach jeder Berührung mit der Zivilisation fiel es einem schwerer, bei klirrendem Frost auf der Toilette im Hof zu sitzen oder das bewusste Töpfchen im Schlafzimmer zu dulden.

So schlimm war es jedoch nur im Winter. Im Sommer fand das Leben draußen statt. Man konnte baden; man konnte im Schatten des Pfirsichbaumes am Waschbrett stehen; man konnte auf der Hinterveranda bügeln. Die Kanonenöfchen kamen ins Räucherhaus, und auf allen Tischen standen Blumen. Freilich, die Wassereimer mussten nach wie vor gefüllt und entleert werden, aber man brauchte keine Kohlen zu holen und keine Asche hinauszuschleppen. Und der Nachttopf wurde nicht mehr benötigt; man suchte vor dem Schlafengehen das Örtchen im Hof auf – ein angenehmer Spaziergang an milden Sommerabenden.

Leonies Stimme riss mich aus meinen Träumereien. »Trotzdem, ich finde, sie sollten das Haus ein bisschen modernisieren, wenn sie hier bleiben wollen.«

»Lange können sie sowieso nicht mehr bleiben«, sagte Jessica.

»Sie denken anders darüber.«

»Mag sein, aber sie können es nicht, die Guten. Sie sind zu alt für die Farm. Übrigens würde uns eine

Wasserleitung nicht halb so viel Spaß machen wie das hier.«

Sonnenlicht flimmerte durch die Eichenblätter. Irgendwo, tiefer im Wald, erzählte ein Kardinal unermüdlich, was für ein hübscher Vogel er sei. *»Pretty bird, pretty bird!«*, rief er. Jessica saß auf einem blauen Handtuch und hielt ihre Knie umschlungen. Ihre Haut war noch rosig vom Wasser, und die runde Kehrseite glich einem großen Pfirsich. Sie sah aus wie Bouchers Diana oder eine Badende von Renoir. Aber ich hütete mich, ihr das zu sagen; sie hätte mich ausgelacht und gefragt, ob Buh-Scheh mit Buh-Schah verwandt wäre, oder irgend so etwas. Ihr genügte es, das zu sein, was sie in ihren Alltagskleidern war – eine Frau in mittleren Jahren, die nicht viel auf ihr Äußeres gab und dringend ein Korsett brauchte.

Ich betrachtete meine andere Schwester, die schimmernd braun in der Sonne saß. Wie ein frisch gelegtes braunes Ei, dachte ich. Von uns dreien war Leonie die beneidenswert Pigmentierte, die gar nicht genug Sonne bekommen konnte, eine Blondine mit brünettem Teint. Und je mehr sich ihre Haut bräunte, desto heller wurde ihr Haar. Es floss ihr jetzt offen über die Schultern, seidig und silbrig wie junge Maisfasern. Eine Frau, die so aussieht, sagte ich mir, dürfte nicht den Charakter einer Missionarin haben – sie hätte Besseres verdient. Aber Leonie war, mehr als wir anderen, mit dem Erbteil unserer Ahnen geschlagen, jenen vom Höllenfeuer getriebenen Wanderpredigern, die sich von Kentucky und Indiana her mit dem Wort Gottes durch die Wildnis gekämpft hatten. Die Heilige Schrift war das Gesetz, das Licht und der Weg, und von Liebe war darin kaum die Rede. Nichts konnte diese glutäugigen Fanatiker beirren, die Missouri und dem zwanzigsten Jahrhundert entgegenstrebten und alles beseitigten, was ihnen im Wege stand. Und ebenso wenig ließ Leonie sich jemals beirren. Sie hatte diesen brennenden Gotteseifer geerbt, und ihre Niederlagen waren so mannigfach wie die der Vorfahren. Wenn der Mehltau des Zweifels auf sie fiel, bot sie einen kläglichen Anblick: So war sie zwei Wochen zuvor auf die Farm gekommen, sorgenzerquält und hohläugig. Aber die sanft verfließenden Tage, die fette Sahne, die allgemeine Fröhlichkeit hatten sie wieder gerundet, geglättet und schön gemacht. Jetzt, als ich sie nackt auf dem Felsen sitzen und ihr langes blondes Haar kämmen sah, erinnerte sie mich an die Lorelei, und ich sagte es ihr. Sie lächelte mich verlegen an; wenn sie das Kompliment auch nicht ernst nahm, so hörte sie es doch recht gern.

»Mama ist gewiss schon aufgewacht«, meinte sie. »Wir sollten wohl heimgehen.«

»Ja, das sollten wir wohl.«

Aber keine von uns rührte sich. Wir sahen einem Blatt zu, das langsam herabschwebte und auf dem Wasser landete. Ein zweites folgte ihm. Eine Heuschrecke zirpte ein kleines Loch in die Stille.

»Herbst …«, flüsterte Jessica. Das Wort verwehte in der warmen Sommerluft.

Nach einer Weile zogen wir uns an und machten uns auf den langen Heimweg. Wir kletterten einen Abhang hinauf und kamen bei der Wiese heraus, die ›Alter Schornstein‹ genannt wurde. Lange vor unserer Zeit war dort einmal ein Haus niedergebrannt. Jetzt zeigten nur noch ein paar gebleichte Ziegel die Stelle an, aber in Jessicas und Leonies Kindheit hatte man schon von der Straße aus den einsam aufragenden Schornstein sehen können.

»Weißt du noch«, fragte Jessica, »wie oft wir uns Zimmer innerhalb der alten Grundmauern abgeteilt haben?«

»Ja, mit Kleegirlanden«, sagte Leonie.

»Und dann haben wir sie mit Gänseblümchen geschmückt …«

»Und mit Schafgarbe und Kletten.«

»Aber die Kletten sind immer an uns hängen geblieben.« Sie lachten beide. »Hier standen doch Wildpflaumen, ein ganzes Dickicht … wir haben sie immer unreif gegessen, weißt du noch?«

»Und dann wurde uns schlecht, und Mama war so wütend! Es war schön hier, damals.«

»Lang, lang ist's her.«

»Ja …«

»Mathy hatte sich hier eine Spielhütte gebaut«, fuhr Jessica fort. »Erinnerst du dich? Wenn es abends dunkel wurde und sie nicht nach Hause kam, dann fanden wir sie hier.«

»O ja, ich erinnere mich gut!«

Sie lächelten einander zu und entglitten mir, in eine Vergangenheit verloren, an der ich keinen Anteil hatte. Nicht ich war in ihrer Kindheit bei ihnen gewesen; sie hatten eine andere kleine Schwester gehabt, lange vor mir: Mathy, die dritte Tochter meiner Eltern. Ich konnte mich nur undeutlich an sie erinnern, denn als sie uns verließ, war ich eben erst drei geworden. Aber Mathy hatte einen Sohn namens Peter, der vier Jahre jünger als ich war. Ihn kannte ich, und das brachte mir die Mutter ein wenig näher. Peter war ihr, wie alle sagten, sehr ähnlich – feinknochig, brünett und mit glänzenden schwarzen Augen, lebhaft, immer zu Späßen aufgelegt, nicht ins Bockshorn zu jagen und, wie die Mutter, fasziniert von der Welt, die ihn umgab. Er liebte Bäume und Steine und ausgegrabene Knochen, am meisten aber den komplizierten Lebensmechanismus von allem, was da kreucht und fleucht, mochten es nun Wanzen, Käfer oder Schmetterlinge sein. Das hatte auch seine Berufswahl bestimmt. Er studierte jetzt in Europa. Die Universität Leyden hatte ihm ein Stipendium gewährt, und wir waren alle mächtig stolz auf Peter.

Jessica und Leonie kamen von einem Rundgang um die alten Grundmauern zu mir zurück; sie sprachen noch immer von Mathy. »Leicht hat sie's bestimmt nicht gehabt«, sagte Leonie gerade. »Für mich wäre das nichts gewesen.«

»Für mich auch nicht. Aber ich glaube, sie war glücklich.«

»Das hoffe ich. Das hoffe ich wirklich.« Leonies Blick war so ernst, als müsste sie Jessica von der Aufrichtigkeit ihrer Worte überzeugen.

»Ich wollte, Peter wäre hier«, warf ich ein und beobachtete ein Marienkäferchen, das an einem Stängel hochkrabbelte.

»Ich wollte, ich wäre dort«, versetzte Leonie. »Himmel, was gäbe ich darum, wenn ich nach Europa könnte!«

»Falls es nicht vorher in die Luft fliegt, nehme ich dich eines Tages mal mit«, versprach ich großzügig. »Wäre es nicht wunderbar, dort mit Peter zusammen zu sein?«

»Gar nicht auszudenken!«, erwiderte sie. »Hat er dir von seiner letzten Reise erzählt? Seine Briefe sind ja einfach großartig.«

»Und er schreibt so oft.«

»Daran sollte sich Soames ein Beispiel nehmen. Letzten Sommer, als er verreist war, habe ich ein einziges Kärtchen von ihm bekommen.« Leonies Miene verdüsterte sich, wurde aber gleich darauf wieder heiter. »Peter hat uns von überall Ansichtskarten geschickt – aus London, Venedig und Dänemark. Stell dir vor, er war in Helsingör!«

»Ja, er hat's mir geschrieben.«

»Helsingör! All diese Orte, die wir nur aus der Literatur kennen! Und Peter weiß es auch so richtig zu würdigen.«

»Das stimmt.«

»Wenn Soames doch so wäre.« Wieder huschte ein Schatten schmerzlicher Enttäuschung über ihr Gesicht. »Seine Gesangsstunden – ich darf gar nicht daran denken … Wäre er bei der Stange geblieben, dann könnte er jetzt auch in Europa studieren, in Italien oder Paris. Wenn es mir nur gelungen wäre … Wenn sein Vater sich eingeschaltet hätte …« Sie wandte das hübsche Gesicht ab, das sich, ein Spiegel durchkreuzter Hoffnungen, verzerrt hatte.

Vom Haus her tönte ein schwaches ›Huhu‹ durch den Wald. »Mama ruft«, sagte ich. »Wir wollen uns lieber beeilen, sonst sucht sie uns Gott weiß wo.«

Wir liefen den Abhang hinunter, durchquerten ein kleines Gehölz und erreichten unseren Obstgarten, dessen alte silbergraue Bäume aussahen, als hätten sie Arthritis, so stark waren die Pfropfstellen im Laufe der Zeit verwachsen und verkalkt. Hier und dort hatte Papa junge Bäume gepflanzt, um den Bestand zu ergänzen. Er sorgte dafür, dass nichts ausstarb.

»Da fährt der Postbote«, sagte Jessica und deutete auf einen Wagen, der sich eben in Bewegung setzte. »Der ist heute aber spät gekommen.«

»Vielleicht hat Peter geschrieben.« Leonie lief zum Briefkasten, wo Mama schon stand. »Von Peter?«, fragte sie und deutete auf den Umschlag, den Mama in der Hand hielt.

»Scheint von Ophelia zu sein«, antwortete Mama.

»Ooch …«, machte Leonie enttäuscht und abschätzig. Ophelia war unsere Cousine zweiten Grades. Sie wohnte mit ihrer Familie etwa vierzig Meilen südlich von uns.

Mama öffnete den Brief und reichte ihn mir. »Lies du ihn vor, Mary Jo. Ich komme mit dem Gekrakel nie zurecht.«

Ich warf einen Blick auf das Blatt und hielt es weit von mir ab. Ophelias Schrift war wie ein abstraktes Gemälde:

Man musste sie aus einiger Entfernung und mit zusammengekniffenen Augen betrachten, um aus ihr klug zu werden.

»Meine Lieben««, las ich laut, »»habe so lange nichts von euch gehört, dass ich mich frage, ob Ihr noch bei Leben und Gesundheit seid – ha! Ralph und mir geht es so weit ganz gut. Jesus steht uns bei. Ma klagt öfters. Sie ist diesen Sommer recht elend. Ich weiß nicht, wie lange wir sie noch bei uns haben werden …‹«

»Arme alte Tante Cass«, warf Mama ein, womit sie Ophelias Mutter meinte. »Sie kann ihre Gedanken nicht mehr zusammenhalten. Na ja, das ist eben das Alter. Im Grunde ist sie kräftiger als ich.«

»Sie riecht auch sehr kräftig«, bemerkte ich. »Als wir sie voriges Jahr besuchten, war sie enorm badereif.«

»Aber Mary Jo!«

»Ist doch wahr … Bei Ophelia und Ralph war's übrigens nicht anders. Die rennen dauernd zu ihren Gebetsversammlungen und arbeiten sich in edlen Schweiß und baden nie.«

»Das Blut des Lammes wäscht sie rein«, sagte Jessica.

»Kernseife wäre besser.«

»Wollt ihr wohl still sein!«, fuhr uns Mama über den Mund. »Ihr solltet euch schämen. Was schreibt sie denn sonst noch?«

Ich kniff wieder die Augen zusammen. »»Mit Gottes Hilfe wird Ma nun sechsundneunzig. Wir freuen uns alle auf Euren Geburtstagsbesuch. Du hast versprochen, Callie, dass Ihr kommt und die Mädchen mitbringt.‹«

»Ich könnte mich ohrfeigen!«, stöhnte Mama. »Ja, ich hab's ihr wirklich versprochen, als wir am Heldengedenktag bei ihnen waren. Nicht eine Sekunde hab ich mehr dran gedacht. Hätte sie's nicht auch vergessen können?«

»Sie hat eben das Gedächtnis eines Elefanten«, sagte ich.

»Nicht nur das Gedächtnis«, bemerkte Jessica, denn Ophelia war ziemlich massiv gebaut. »Wann hat Tante Cass Geburtstag, Mama?«

»Morgen!«

»Oh ... Bitte, nein!«

»Also das hat uns gerade noch gefehlt!«

»*Müssen* wir denn hinfahren?«

»Eigentlich müssten wir.«

»Wir können nicht – morgen gehen wir zum Honigbaum.«

»Ich hab's doch versprochen!«, jammerte Mama und sah uns hilflos an.

»Diese Sorte Versprechen braucht man nicht zu halten«, tröstete Jessica. »Gott wird es dir bestimmt nicht übel nehmen.«

»Gott nicht, aber Ophelia. Die verzeiht mir das nie. Und Tante Cass ist so alt – vielleicht ist es ihr letzter Geburtstag.«

»Mama, ist dir klar, dass wir schon neunmal ihren letzten Geburtstag gefeiert haben?«

»Ja, aber ...«

»Und es kann uns noch weitere neun Jahre lang blühen, wenn ihre Wehwehchen sie nicht endlich umbringen. Dieses ewige Geflenne und Geküsse …«

»Ralph mit seinem feuchten Schnurrbart!« Ich schüttelte mich. »Und man muss schreien und Choräle singen«, fuhr Jessica fort. »Wenn Ophelia so besorgt um ihre Mutter ist, sollte sie lieber auf diese Feiern verzichten. Sie lädt uns nämlich bloß ein, weil *ihr* das Spaß macht.«

»So wird's wohl sein«, gab Mama zu. »Aber du kannst ihr das nicht verdenken. Es ist grässlich einsam da unten.«

Jessica lachte wegwerfend. »Die und einsam? Keine Spur, Mama! Sie haben ihre Zeltmissionen und fahren in die Stadt, und Ralphie kommt alle naselang mit den Enkelkindern zu Besuch … Die haben Abwechslung genug.«

»Aber Ophelia *sagt* doch immer, dass sie so einsam sind.«

»Damit will sie nur Mitleid schinden. Mit dir kann sie's ja machen. Dauernd müsst ihr hin, du und Papa. Und die Fahrt ist eine Strapaze für euch, das weißt du selber am besten.«

»Nun ja …«, erwiderte Mama kleinlaut. »Aber nächstes Mal wird sie mich fragen, warum ich mein Versprechen gebrochen habe, und was soll ich ihr dann sagen?«

»Einfach die Wahrheit. Dass wir ein Bienennest ausgeräuchert haben.«

»Manche Leute können die Wahrheit schlecht vertragen.«

»Dann erleichtere es Ophelia, indem du lügst.«

Mama sah uns nachdenklich an. »Hm, das werde ich wohl auch tun.«

Wir lachten, und ich küsste sie auf die Wange, die sich wie weiches, altes Leinen anfühlte. (An junge Mütter habe ich mich nie gewöhnen können. Meine war in den Vierzigern, als ich geboren wurde – daher kommen mir knusprige junge Mütter immer unecht vor.)

»Außerdem«, führte Mama zu ihrer Rechtfertigung an, »würden wir erst spät von der Geburtstagsfeier zurückkommen und die Mondblumen nicht aufblühen sehen.«

Nachdem diese Klippe glücklich umschifft war, setzten wir uns einträchtig zum Pfirsichschälen in den ›Salon‹, wo es kühler als in der Küche war. Mama wollte vor dem Abendessen noch Pfirsiche einmachen. Wir hatten zwar Vorräte in Hülle und Fülle, aber sie konnte nun einmal nicht untätig sein. An jedem Ferienmorgen verkündete sie mit strahlendem Gesicht: »Heute wird nicht gearbeitet – heute tun wir nur das, was wir mögen.« Und dann stellte sich unweigerlich heraus, dass wir nichts so gern tun wollten wie Steppdecken reinigen, Dielen scheuern oder eine weitere Portion Einmachgläser füllen. So war es von jeher gewesen: Mama regierte uns mit fester Hand; der Besen und der Marmeladentopf ersetzten ihr das Zepter und den Reichsapfel, und das Waschbrett war ihr Schild. Wir durften zwar studieren, weil unser Vater Schullehrer war, aber zu Hause durften wir nur selten lesen. Sollten wir stattdessen nicht etwas tun? Und war uns das nicht viel lieber? Mama braucht euch – die Räucherkammer muss sauber gemacht werden – hurra! Unsere arbeitsliebende Mutter war nie zufriedener, als wenn sie gemeinsam mit uns herumwirtschaften konnte.

Das Alter hatte ihrem Tätigkeitsdrang nicht den geringsten Abbruch getan. Mit siebzig versorgte sie ihren Haushalt wie eh und je. Auf der Farm gab es keine neuzeitlichen Geräte, die ihr die Arbeit erleichtert hätten, aber ganz ohne Hilfe war sie zum Glück nicht.

Sie hatte nämlich eine Freundin, die Hagar hieß – eine verwitterte alte Jungfer, die auf dem nächsten Hügel wohnte. Miss Hagar war vor etlichen Jahren mit ihrem greisen Vater zugezogen, und seit dem Tode des Alten hauste sie auf der vernachlässigten Farm so allein wie ihre biblische Namensschwester. Wir sahen sie oft auf dem Feld, eine einsame Ährenleserin mit Sonnenhut, ausgeblichenem Baumwollkleid und alten Männerstiefeln. Sie war ein kleines, scheues, aber unglaublich zähes Geschöpf. Ganz auf sich selber gestellt, erwartete sie von niemandem Hilfe oder Gefälligkeiten. Männerarbeit ging ihr leichter von der Hand als Frauenarbeit. Sie rauchte Pfeife; und außer einer gewissen weiblichen Neigung, am Unglück anderer Leute teilzunehmen, war kaum noch ein femininer Zug an ihr. Meiner Mutter war sie liebevoll ergeben. Jeden zweiten oder dritten Tag kam sie zu Besuch, und dann wurde eingekocht, geputzt und geplaudert. Die beiden machten es sich so gemütlich miteinander wie zwei Katzen in der warmen Scheune.

Im Grunde passte Miss Hagar ganz und gar nicht zu meiner Mutter, die nach Lavendel duftete und Seidenbänder in ihren Unterröcken trug. Mama hatte geraffte Gardinen an den Fenstern und Zierdeckchen auf allen Tischen, und sie träumte von der Eleganz des viktorianischen Zeitalters – von Plüsch, geschliffenem Glas, wallenden Samtportieren und einem vornehmen weißen Haus in der Stadt. Ja, eine weiße Villa mit rundum laufender Veranda, ein großer Rasenplatz vor dem Haus, und samstags kam der Gärtner, um die Hecken zu stutzen … Mama hätte mit Dienstboten umzugehen gewusst, so viel stand fest.

Andererseits hatte meine Mutter in jüngeren Jahren eigenhändig gepflügt und schämte sich dessen nicht. Die Verbundenheit mit dem ländlichen Leben bestimmte ihr Urteil über Menschen und Dinge. Sie liebte reiche Ernten, fettes Vieh und lange Reihen von Einmachgläsern, deren Inhalt im erdig riechenden Dämmer des Kellers rot, goldgelb und grün schillerte. Sie liebte es, die Küche am Sonntag voll von Verwandten und alten Freunden zu haben. Und sie liebte Besucher, mit denen sie sich ausgiebig und genießerisch über Todesfälle und andere Schicksalsschläge unterhalten konnte.

Miss Hagar war eine Frau nach ihrem Herzen, weitaus mehr als die Damen, mit denen sie in der Stadt verkehrt hatte. Die spielten Bridge, luden zum Lunch ein, sprachen unglaublich geziert, kauften sich allerlei Kinkerlitzchen und schwärmten für Hörspiele. Mama verachtete diese Frauen, fühlte sich aber in ihrer Gegenwart irgendwie minderwertig. Und das war kein Wunder. Mit ihrer fehlerhaften Grammatik und ihrem goldrichtigen Standpunkt konnte sie in einer solchen Gesellschaft nicht heimisch werden.

So war sie denn meistens für sich geblieben. Sie führte den Haushalt, zog ihre Kinder groß und wartete vierzig Jahre hindurch auf ihren Mann. Jeden Morgen stand sie vor ihm auf, bereitete sein Frühstück und sorgte dafür, dass er pünktlich zur Schule ging. Jeden Abend saß sie neben ihm und sah ihm verstohlen bei der Arbeit zu. Der Wind heulte im Schornstein, der Kessel zischte, der Schaukelstuhl knarrte, und ihr Mann sprach kein Wort. Er hatte zu tun; er durfte nicht gestört werden. Sie saß ganz still, damit das Knarren des Schaukelstuhls verstummte. Die Uhr tickte, der Kessel zischte. Und sie schlüpfte ins Bett. Vierzig Jahre hindurch war sie einsam. Aber sie liebte ihren Mann, und sie wartete.

Die Kinder wuchsen heran; sie machten keine Sprachschnitzer, und sie hatten sonderbare rebellische Anwandlungen. Aber sie liebte ihre Kinder und war geduldig. Alle verließen sie; eines starb. Und schließlich wurde ihr das Glück, auf das sie so lange gewartet hatte, doch noch zuteil – unvollkommen wie alle irdischen Dinge und dennoch Glück: Sie durfte auf die Farm heimkehren. Ihr Mann gehörte endlich ihr allein. Die Kinder kamen jeden Sommer. Und sie hatte eine Freundin, die so anhänglich war wie eine treue Dienerin, die sich gern mit ihr über Tod und Unglücksfälle unterhielt und die kein Wort lesen konnte.

»Miss Hagar ist heute Nachmittag in die Stadt gefahren«, sagte Mama, von den Pfirsichen aufblickend. »Warum, weiß ich nicht. Muss was Wichtiges sein. Sie ist den ganzen Sommer höchstens dreimal in der Stadt gewesen.«

»Schade, dass Papa nichts davon gewusst hat«, meinte Jessica. »Er hätte sie doch mitnehmen können.«

»Sie wäre bestimmt nicht mit ihm gefahren. Wir fordern sie immerzu auf, aber sie hat ja eine Todesangst, irgendwem lästig zu fallen. Für sie soll keiner was tun, das ist ihr peinlich. Und du meine Güte, was tut sie nicht alles für uns!«

»Wirklich, sie ist eine große Hilfe.«

»Wenn sie wenigstens was dafür nähme! Wie oft haben wir versucht, ihr ein bisschen Geld zu geben, aber nein – nichts zu machen. Ab und zu drängt ihr Papa mit Mühe und Not ein paar Lebensmittel auf oder einen Sack Futter.« Mama hob den Kopf. »Wo steckt Papa eigentlich? Er soll endlich losfahren und das Eis holen.«

»Er ist schon fort«, sagte ich.

»Weißt du das genau?«, fragte Leonie. »Mir ist doch so, als wäre Soames noch hier.«

»Dann ist Papa eben ohne ihn gefahren.«

»Wirklich?« Leonie ging an die Hintertür, blickte hinaus und kam dann zurück. »Kaum zu glauben«, sagte sie. »Soames ist hier geblieben und arbeitet, obgleich er mit dem Auto in die Stadt hätte fahren können.«

»Das Dach macht er sehr ordentlich«, lobte Mama. »Hört mal – klingt das nicht schön?« Soames hatte angefangen zu singen.

»Ja, jetzt singt er«, murmelte Leonie bitter. »Weil er denkt, dass niemand ihm zuhört.« Gedankenverloren lauschte sie dem klaren, volltönenden Bariton, der vom Scheunendach herab die Reize einer Jeanie mit lichtbraunem Haar pries. Sie hatte so große Hoffnungen auf diese Stimme gesetzt.

Mama stieß einen behaglichen Seufzer aus. »Ach, ist das ein trauriges Lied! Ich muss dabei gleich an den armen Mr. Corcoran denken …« Und sie erzählte uns zum soundsovielten Mal, wie Papa und sie ihn gefunden hatten, als sie hinfuhren, um ihm ein Pfund Butter zu bringen – der Alte schien dergleichen zwar nie zu würdigen, aber so war er nun mal, und ihr tat es so leid, dass er nie etwas Ordentliches zu essen bekam, der Ärmste, weil er doch ganz allein war und kein Mensch für ihn sorgte. Mamas trockene kleine Hausfrauenstimme senkte sich raunend, als trage sie eine alte Ballade voller Liebe und Leid vor.

Ein leichtes Lüftchen blähte die Gardinen und verweilte einen Augenblick, bevor es sich in der Stille des alten Farmhauses verlor. Meine Schwestern und ich schaukelten in den Stühlen, fächelten uns und streckten die nackten Beine über den geblümten Teppich. An der Wand hingen zwei Bilder: Christus, auf den Wassern wandelnd, und Christus im Garten Gethsemane. Das Wunder gab uns nichts zu denken, und die Leiden des Herrn rührten uns nicht – wir überließen uns ganz dem sündhaften Genuss fremden Unglücks und dem heiteren Frieden des Sommernachmittags.

Jessica wedelte mit dem Rocksaum, um ihre Schenkel zu kühlen. »So eine Hitze! Ich hätte schon wieder ein Bad nötig.«

»Ja, es ist heiß.« Mama krempelte ihren Kragen nach innen. »Zieh das Kleid runter, Jessica. Ich kann dir bis sonst wohin sehen.«

»Na wennschon, Mutter. Du guckst mir nichts ab.«

»Und wenn einer von der Veranda reinkommt?«

»Dann geschieht's ihm recht. Anständige Menschen machen sich vorher bemerkbar.«

Ich lachte. »Wisst ihr noch, wie der Pastor vorigen Sommer durch die Hintertür kam, und Jessica war gerade dabei, das alte Korsett anzuprobieren? Meine Güte, hat der Augen gemacht.«

»Ich hab dir gleich gesagt, auf der Veranda probiert man kein Korsett an«, tadelte Mama.

»Wo hättest du's denn anprobiert?«, fragte Jessica.

»Oben natürlich.«

»Oben war's mir zu heiß. Außerdem hatte der Pastor hier gar nichts zu suchen. Man platzt nicht an einem heißen Sommernachmittag bei den Leuten herein. Wir sind schon gerettet, und das weiß er. Warum ist er nicht zu Hause geblieben und hat die Bibel gelesen? Oder seine ehelichen Pflichten erfüllt?« Leonie und ich kicherten, und Mama rief: »Jessica! Schämst du dich nicht?«

»Seine Frau sieht aus, als könnte sie's brauchen, das arme Ding.«

»Nun halt aber den Mund! Das gehört sich nicht.«

»Okay, Mutter.« Jessica blinzelte ihr verschmitzt zu.

»Aber du musst doch zugeben, dass sie so einen hungrigen Blick hat …«

»Willst du wohl still sein!«

Wir lachten und streckten uns und gähnten. Leonie ging hinaus und kam mit einem Krug Eistee zurück. Wir legten eine Pause ein und ließen das Eis in unseren Gläsern klappern. In der Luft hing der süße, würzige Duft von Geißblatt und Zedernharz. Die weißen Gardinen blähten sich, erschlafften und blähten sich von Neuem, leicht und lautlos, als atmeten sie. Von Zeit zu Zeit ertönten rasche Hammerschläge vom Scheunendach.

So floss der Nachmittag dahin, schwer wie Honig, golden und süß und ungestört. Wir schaukelten träge, das Eis klirrte in den Gläsern, die Gardinen hoben und senkten sich. Und ich dachte, eigentlich ohne die Gedanken in Worte zu kleiden, an Tschechow, bei dem die ohnehin schleppende Handlung des Stücks mitunter gänzlich zum Stillstand kommt. Die Frau auf der Schaukel schwingt vorwärts und dann – nach einer Ewigkeit – zurück. Der Doktor (bei Tschechow kommt immer ein Doktor vor) sitzt zusammengesunken im Sessel; das Gewicht seiner pessimistischen Weisheit lastet zu schwer auf ihm, als dass er sich rühren könnte. Töchter oder Onkel lehnen in tranceartiger Hoffnungslosigkeit an einem Spalier. Die Hitze und die Stille und der provinzielle Stumpfsinn lassen das Stück vorerst nicht weitergehen.

Bei uns wurde die Stille durch das Knirschen von Rädern auf Kies unterbrochen. »Das ist Miss Hagar«, sagte Mama. »Ich hab gerade gedacht, sie müsste jetzt bald kommen.« Wir folgten ihr in den Hof. »Vielleicht hat sie was Neues über Mr. Corcoran gehört. Huhu!«

In dem quietschenden Einspänner saß Miss Hagar unter einem schwarzen Schirm, klein und aufrecht, Füße zusammen und Knie auseinander. »Brrr!«, rief sie, und das Pferd blieb mit einem langen Schnauben der Erleichterung stehen. Seine Knie knickten ein, der Rücken höhlte sich, und der Hals sank wie eine weich gewordene Lakritzenstange langsam nach unten. Als das Tier den Boden mit der Nase berührte, fing es zufrieden an, Gras auszurupfen.

»Tag«, begrüßte uns Miss Hagar und legte ihre Pfeife aus der Hand. Sie brachte es nie über sich, in Mamas Gegenwart zu rauchen. »Ist Ihnen etwa heiß?«, erkundigte sie sich mit einem breiten Lächeln, das ihre kleinen gelben Zähne enthüllte.

Wir sagten, uns sei sehr heiß.

»Gibt's was Neues?«, fragte Mama.

»Seit gestern hat keiner was gehört. Und da ging's ihm nicht besser. Eher schlechter.«

»Der arme Kerl.«

»Ist mir einfach ein Rätsel, wie er das überlebt hat.«

»Mir auch. Den Jungen haben sie wohl noch nicht?«

»Nein. Irgendwer will ihn in der Nähe von Osceola gesehen haben. Andere behaupten, er treibt sich noch hier in der Gegend herum.«

»Oje, hoffentlich nicht«, sagte Mama.

»Ach, uns wird er schon nichts tun.«

»Nein, der hat nichts Böses mehr vor, denke ich. Er

und sein Vater hatten wohl miteinander was auszuma-
chen. Trotzdem ... ein bisschen unheimlich ist mir's
doch, wenn ich mir vorstelle, dass er hier irgendwo sein
könnte. Haben Sie denn keine Angst, so ganz allein?«

»Ich? Vor dem? Bestimmt nicht.«

»Na, wird ja auch nichts passieren. Der arme Junge ...
Übrigens hat Jake Latham heute Mittag angerufen. Sie
wollen morgen rübergehen und die liegen gebliebene Arbeit machen.«

»Ich weiß. Neulich war ich mal drüben und hab Mr.
Corcorans Mais geschnitten.«

»Wie nett von Ihnen.«

»Das bisschen, was da zu ernten ist, kann eine allein
ganz bequem einbringen. Jake will bloß wieder mal angeben. Ich hoffe, Sie haben ihn zum Teufel geschickt.«

Mama lächelte. »Wir haben ihm gesagt, dass wir morgen nicht können. Für die Mädchen ist es der letzte Tag
zu Hause.«

»Richtig. Und da wollen Sie natürlich nicht von morgens bis abends auf dem Feld arbeiten.«

»Stimmt genau.«

»Vor so einer Reise ist immer noch was zu erledigen,
nicht wahr?«

»O ja, sehr viel sogar.«

»So viel, dass gar keine Zeit zum Kochen bleibt, wie?«

»Na, jedenfalls gibt's eine Menge zu tun.«

»Hab mir schon so was gedacht.« Miss Hagar blickte
uns der Reihe nach an. Ihr sonnengebräuntes Gesicht,
das für gewöhnlich so ausdruckslos wie ein Haferkeks

war, strahlte vor Eifer, und ihr Mund verzog sich zu einem zaghaften Lächeln. »Und deshalb möchte ich Sie allesamt für morgen zum Essen einladen.«

»Was!«, platzte Mama heraus. Sie war so verblüfft, dass sie ihre guten Manieren vergaß. Miss Hagar hatte noch nie jemanden zu sich eingeladen.

»Ich mache Eiscreme für Sie. Hab schon alles besorgt.« Miss Hagar deutete mit dem Kopf nach hinten.

Wir sahen in den Wagen und erkannten in einem nassen Jutesack die Umrisse eines Eisblocks – ein unerhörter Luxus für Miss Hagar. Deshalb war sie also in die Stadt gefahren.

»Du meine Güte!«, sagte Mama überwältigt.

»Ich hab auch eine Henne in den Stall gesperrt, damit ich sie morgen früh schlachten kann. Und ich backe einen Kuchen.«

»Aber Miss Hagar!«

»So gut wie Ihrer wird er ja nicht werden, aber vielleicht lässt er sich essen.«

»Sie sollten sich wirklich nicht so viele Umstände machen.«

Miss Hagars Augen leuchteten. »Ach was, ist doch gar nichts Besonderes.«

Aber es war etwas Besonderes, wie Mama sehr gut wusste. Ihre Freundin musste den ganzen Sommer für dieses Ereignis vorgesorgt und gespart haben. »Also wirklich, Miss Hagar, ich bin sprachlos. Wir würden ja so gern kommen, nur …« Sie zögerte, und das Lächeln auf Miss Hagars Gesicht drohte zu erlöschen.

»Sie haben wohl schon was vor?«

»Ja, leider, das heißt …«

»Oh.«

»Mein Mann hat unten am Fluss einen Honigbaum gefunden, und da wollten wir morgen den Honig rausholen.«

Das Lächeln belebte sich neu. »Aber dafür brauchen Sie doch nicht den ganzen Tag. Wenn Sie gleich nach dem Frühstück hingehen …«

»Hm … so *könnten* wir's natürlich machen …« Mama verstummte. Sie saß in der Klemme und wusste nicht ein noch aus. Miss Hagar legte offenbar großen Wert auf unseren Besuch, und sie hatte nie zuvor um etwas gebeten. Mama warf uns einen kläglichen Blick zu und wandte sich dann wieder ihrer Freundin zu. »Es tut mir schrecklich leid, Miss Hagar, aber ich glaube, es geht nicht.«

»Oh.« Das kleine braune Keksgesicht wurde undurchdringlich. »Na, war ja bloß 'ne Idee von mir.«

»Und so eine nette! Wirklich, Miss Hagar, es tut mir schrecklich leid.«

»Ist schon gut.«

»Jeden anderen Tag hätte es uns herrlich gepasst … Und wir sind Ihnen so dankbar …«

»So dankbar!«, echoten wir.

»Aber ich weiß nicht … wo doch morgen ihr letzter Tag ist, und sie waren nur so kurze Zeit zu Hause …« Mamas Stimme versagte, und wir standen schweigend da, beschämt von Miss Hagars stummer Enttäuschung.

»Dann sehe ich die jungen Damen wohl gar nicht

mehr?«, fragte sie schließlich, und als wir diese Vermutung bestätigten, meinte sie: »Nun, da werde ich mich also gleich jetzt verabschieden.«

»Möchten Sie nicht ein Weilchen reinkommen?«, forderte Mama sie auf.

»Nein, danke, ich muss zu Hause noch sauber machen.« Miss Hagar griff nach den Zügeln, das Pferd riss die alten Knochen zusammen, und der Wagen fuhr knarrend ab. Das Schmelzwasser, das von dem Eisbarren tropfte, zog eine dünne Tränenspur in den Staub der Straße.

Mama schaute dem Gefährt nach. »Die Ärmste«, murmelte sie, und ich sah, dass ihre Augen feucht waren.

»Wollen wir's uns nicht noch mal überlegen?«, fragte Jessica. »Wir müssen doch nicht unbedingt zu den Bienen.«

Mama umfasste uns drei mit einem zärtlichen Blick. »Wir haben's uns vorgenommen, und wir gehen«, sagte sie fest. Aus dem Scheunenhof kam eine akustische Ablenkung – das Aufheulen eines Motors, enormes Getöse und aufgeregtes Hühnergegacker.

»Himmel, was ist denn da los?«

Es war Soames, der wieder einmal mit meinem kleinen Auto die Hühner wild machte.

»Lass das!«, schrie Leonie.

Soames misshandelte die Bremse, riss den Wagen herum und brauste auf den Zaun los. Knapp eine Handbreit davor hielt er an.

»Du sollst das lassen!«, schrie Leonie abermals.

»Was willst du denn, ist ja alles okay.« Er grinste teuf-

47

lisch. Wie er so dasaß, nackt bis zum Gürtel und schein-
bar mit dem kleinen offenen Wagen verwachsen, glich er
einem motorisierten Kentauren.

»Die Hosen sollte man dir stramm ziehen«, schalt
Leonie. »Opas Hühner kriegen noch die Legenot, wenn
du sie immer so erschreckst.«

»Ach was, Mutter, die lassen sich gern jagen. Sie denken, ich bin eine neue Sorte Hahn.«

»Nichts als Unfug hast du im Kopf. Kannst du nicht
lieber das Dach fertig machen?«

In diesem Augenblick fuhr mein Vater in den Hof,
was wiederum ein heftiges Hühnergeflatter verursachte.
Soames sprang hilfsbereit aus dem Wagen. Die beiden
trugen das Eis ins Räucherhaus und legten es in einen
Waschzuber.

»So«, sagte mein Vater, »wenn ihr Frauen die Eiscreme angerührt habt, werden wir Männer abwechselnd
die Kurbel drehen.« Er setzte sich auf den Brunnenrand,
nahm den Hut ab und gebrauchte ihn als Fächer. Trotz
seiner zweiundsiebzig Jahre hatte er noch ziemlich volles
Haar, und da es hellblond gewesen war, sah es nach dem
Ergrauen nicht viel anders als früher aus. Sein Gesicht
war nach wie vor hager und streng, doch die Lachfältchen
um Mund und Augen hatten sich vertieft. Mit den Jahren
war er milder geworden. Er weckte uns jetzt nie vor halb
sieben – ein Zugeständnis, das wir seinem Alter verdank-
ten. »Oh, da sind aber viele Pfirsiche abgefallen«, sagte er
plötzlich. »Ihr habt wieder mal nicht aufgepasst.«

Wir liefen zu dem Pfirsichbaum in der Hofecke und

lasen die schweren, samtigen gelbfleischigen Früchte auf. Sie waren so reif, dass uns beim Essen der Saft übers Kinn floss. Soames ging zu meinem Wagen zurück. Es war ein roter MG, den ich mir gleich nach der Abwertung des britischen Pfundes gekauft hatte. In Amerika war dieser Wagentyp damals noch selten, und Soames hatte nie zuvor einen MG gesehen. Bei ihm war es Liebe auf den ersten Blick. Abends fuhr er oft nach Renfro hinüber und parkte auf dem Platz vor der Kirche. Die kleinen Mädchen wurden beinahe hysterisch vor Bewunderung. Soames mit seiner stattlichen Länge von sechs Fuß und dann noch ein englischer Wagen – das war nicht zu überbieten.

»Tante Jo, kann ich ihn heute Abend noch mal haben?«

»Meinetwegen. Aber ich wäre dankbar, wenn deine Freundinnen ihren Kaugummi nicht immer ans Armaturenbrett klebten.«

Mein Vater zielte mit einem Pfirsichkern nach zwei Blauhähern, die sich in der Baumkrone zankten. »So ein Gesindel!«

»Warte mal, Opa, die kriege ich mit der Schleuder!« Soames hob einen Stein auf und schoss ihn zwischen die Zweige. Die beiden Vögel ergriffen laut kreischend die Flucht, und bald standen die Blätter des Pfirsichbaumes wieder unbeweglich in der stillen Luft, deren Klarheit an blasses Apfelgelee erinnerte. Schräge Sonnenstrahlen streiften die Baumspitzen auf der Wiese hinter dem Obstgarten. Unser Hof lag schon halb im Schatten.

»Lasst uns noch mal zum Bach gehen«, schlug Leonie vor.

»Aber doch *nicht jetzt!*«, rief Mama.

»Vielleicht habe ich einen Fisch an der Angel … einen dicken Katzenwels.«

»Nein, Kinder, bleibt lieber zu Hause. Es ist ja gleich Zeit für die Mondblumen.«

Leonie blinzelte zur Sonne hinauf und betrachtete dann prüfend das Windengeflecht auf der anderen Hofseite. »Ach was, so schnell rückt der Schatten nicht vor. Wir schaffen es bestimmt, wenn wir uns beeilen.«

»Es ist später, als du denkst, Leonie«, deklamierte ich. Ohne diese Bemerkung ging es bei uns einfach nicht. Leonies Unpünktlichkeit war in der Familie sprichwörtlich und eine Quelle ständiger Witze. Wie alle Eiferer konzentrierte sie sich immer so leidenschaftlich auf das, was sie gerade vorhatte, dass sie glaubte, die Zeit müsse sich nach ihr richten. In diesem unerschütterlichen Glauben versäumte sie Züge, ließ das Essen anbrennen und erfuhr nie, wie ein Film angefangen hatte. Als Soames geboren werden sollte, war es nicht möglich gewesen, sie rechtzeitig ins Krankenhaus zu schaffen. Sie behauptete, es sei noch lange nicht so weit, nähte seelenruhig ein Schleifchen nach dem anderen an den Babykorb – alles sollte so schön wie nur möglich sein –, und der Erfolg war, dass Soames im Auto zur Welt kam. Aber selbst daraus hatte Leonie keine Lehre gezogen.

Während sie mit uns argumentierte, müßig, aus purer Gewohnheit, kroch der Schatten weiter, zuerst über den

Hof und dann die Wand des Räucherhauses hinauf. Ich ging, um mir die Mondwinden anzusehen, die sich dort über das Dach rankten und auch vom Nussbaum Besitz ergriffen hatten – ein Dickicht herzförmiger Blätter und langer, fest geschlossener Knospen. Das alles war aus den braunen Körnern gewachsen, die im Frühling in die Erde gesenkt worden waren, jenen steinharten Körnern, die den Lebenskeim in sich so gut schützten, dass man eine Feile hätte nehmen müssen, um sie vor der Zeit zu öffnen.

Aus dem Augenwinkel glaubte ich eine Bewegung wahrzunehmen und fuhr herum. Nichts rührte sich. Die Knospen hingen unbeweglich. Aber ich wusste Bescheid. Jetzt fing es an. Ich rief die anderen, und sie kamen eilig über den Hof. Mama, die im Laufen den Feldstuhl an sich gerissen hatte, nahm Platz, um das Schauspiel in aller Bequemlichkeit zu genießen. Papa hockte sich neben ihr auf die Fersen. Das Gespräch versickerte allmählich. Mit der Spannung wuchs die Stille. Gleich, gleich musste sich die erste Blüte öffnen.

»Da!«

»Wo?«

»Nein … es war doch noch nichts.«

Wir warteten schweigend, wie gebannt. Bebte da nicht ein Stängel? Lief nicht ein schwaches Erschauern durch die gewundene Ranke, mehr erfühlt als gesehen? Nein, wir hatten uns wieder getäuscht. Doch, jetzt zuckte ein Blatt! Eine der langen Knospen begann leise zu zittern. Langsam zuerst, dann immer schneller entfaltete sich die grüne Hülse, die zarten weißen Ränder der Blütenblätter kamen zum Vorschein, die Spirale rollte sich von oben nach unten auf, weitete sich, bis schließlich der weiße Kelch unserer Mondwinde voll erblüht war. Neu erschaffen, ursprünglich, makellos, bot er der Welt in seiner Tiefe einen winzigen, juwelengleichen Tropfen Nektar dar.

»Seht doch nur!«

»Da ist wieder eine!«

»Drei – nein, vier!«

Und nun ging es Schlag auf Schlag. Die Blüten explodierten förmlich: fünf, zwölf – ein Sturzbach verschwenderischer Schönheit ergoss sich in die Abendluft.

»Zweiundzwanzig, dreiundzwanzig, vierundzwanzig … Vierundzwanzig! Mama, du hast richtig gezählt!«

»So viele auf einmal hab ich noch nie gesehen.«

»Ist eben ein gutes Jahr.«

»Wie schön sie sind!«

»Und so bald verwelkt …«

»Aber jetzt sind sie schön.«

Die königlichen, schimmernden Blüten dehnten und strafften sich wie die Seide sich öffnender Schirme. Im Morgengrauen würden sie schlaff herunterhängen, faltig und vergilbt wie abgetragene Glacéhandschuhe nach einem Ball. Nun, alles zu seiner Zeit. Noch glühten die Blumensterne weiß vor dem dunklen Laub, noch verströmten sie den süßen und auch ein wenig bitteren Duft ihres ersten und letzten Hauches.

Wir warteten, hofften auf eine verspätete Blüte, aber die Vorstellung war für heute zu Ende. Im Zuschauerraum konnte Licht gemacht werden. Wir sahen einander lächelnd an, und jeder von uns fühlte sich irgendwie leichter, geläutert und verjüngt. Die Windenblüte; dieses Wunder, das sich allabendlich erneute, barg wie alle Wunder die Kraft des Heilens in sich.

2

An diesem Abend aßen wir im Hof. Nachdem wir uns um den Tisch versammelt hatten, betete Papa: »Herr, segne diese Speise … Beschütze unsere Lieben, wo sie auch sein mögen … Gib, o Herr, dass wir dir auf dem rechten Wege folgen …« In schlichteren Worten hieß das, er sei dankbar für die lieblichen Düfte des Sommerabends, für den ersten Stern, der an unserem Blitzableiter aufgespießt zu sein schien, und für die frischen Tomaten aus dem eigenen Garten. Aber er hätte es als heidnisch empfunden, seine Freude und Dankbarkeit in der Sprache des Alltags zu äußern. Also wählte er die Form, die er für angemessen hielt, und Gott, dem solche Gebete vertraut sind, wird es schon richtig übersetzt haben. »… Und nimm uns dereinst gnädig zu dir in dein himmlisches Reich, unsere ewige Heimat. Gewähre uns diese Bitte um Jesu Christi willen. Amen.«

Ein leichtes Füßescharren füllte die Anstandspause zwischen dem Amen und dem Herumreichen des Brotes aus.

»Nun langt ordentlich zu«, forderte Mama uns auf. »Aber lasst noch ein bisschen Platz für das Gefrorene.«

54

Wenn sie fein sein wollte, sagte sie ›Gefrorenes‹ statt ›Eiscreme‹.

Niemand kehrte sich an diesen Rat. Das hinderte uns jedoch nicht, nach Schinken, Tomaten und Zuckermais riesige Portionen ›Gefrorenes‹ zu vertilgen. Leonie stocherte in der Eismaschine herum und rief: »Jessica, mach, dass du fertig wirst, hier ist noch was.«

»Immer her damit«, sagte Jessica.

»Kind, dir wird schlecht werden«, warnte Mama.

»Ach wo. Es schmeckt herrlich. Und so schön stark nach Vanille.«

»Ja, nicht wahr, die Vanille ist gut. Ich hab heute das neue Glas aufgemacht, das von dem Teehändler.« Mama gehörte zu jenen Frauen, die den Überredungskünsten eines Hausierers einfach nicht widerstehen können.

Jessica formte mit dem Löffel eine komische Figur aus ihrem Eis. »Na bitte, jetzt spielst du schon damit«, stellte Mama fest. »Du hast genug.«

»Aber es ist ja noch so viel da.«

»Bringt es doch Miss Hagar«, schlug Papa vor.

»Das ist eine Idee«, stimmte Mama freudig zu. »Einer von euch kann schnell mal rüberfahren.«

Soames und ich stiegen in den MG, ich balancierte das Kühlgefäß auf meinen Knien, und so fuhren wir in die Nacht hinein. Es war sehr dunkel. In dem offenen Wagen erschien mir die Finsternis, die sich auf der einsamen Landstraße über und um uns auftürmte, wie eine körperliche Bedrohung. Ich dachte an die mittelalterliche Vorstellung von der Pestilenz, ›die da kommt wie der Dieb in der Nacht‹, und eine Gänsehaut überlief mich – ob vor Angst oder Vergnügen, das wusste ich allerdings nicht.

Kurz vor Miss Hagars Anwesen zweigte ein Weg ab, der zwischen zwei Zedernreihen zu Mr. Corcorans Haus führte, einem alten Backsteinbau, in dem er einsam und verbittert gehaust hatte, bis sein Sohn auf ihn schoss.

»Wirklich ein stilechter Tatort«, sagte ich.

Soames nahm Gas weg. »Wollen wir's uns mal aus der Nähe ansehen?«

»Das Haus?«

»Ja.«

»Meinetwegen … Wer soll uns schon was tun?«

Haarscharf am Briefkasten vorbei bog er in das Friedhofsdunkel der Zedernallee ein. Der kleine Wagen hüpfte über die Schlaglöcher. Im Licht der Scheinwerfer tauchte die hohe Backsteinfassade auf, die mit ihren geschlossenen Fensterläden so abweisend wirkte, als hüte sie ein Geheimnis. Eine Weile saßen wir stumm da. Das Raunen der Zedern und das leise Pochen des Motors schienen die Stille ringsum noch zu vertiefen. In so einer finsteren Nacht hatte sich der verrückte Junge mordlüstern ins Haus geschlichen. Ich glaubte, geräuschlos aufgehende Türen zu sehen, ein Gesicht am Fenster …

»Bloß weg von hier«, murmelte Soames.

Er wendete, und wir fuhren unter den Zedern zurück bis zur Kreuzung. Dann ging es auf der Straße weiter. Der Gedanke an Miss Hagars unerschütterliche Ruhe hatte etwas Tröstliches.

»Ich bin gleich wieder da«, sagte ich, als wir das Haus

erreicht hatten. Ich ging mit dem Eisbehälter zur Vordertür und klopfte. Keine Antwort. Drinnen brannte Licht, also musste Miss Hagar noch wach sein. Ich klopfte etwas stärker.

»Wer ist da?«, fragte eine dünne Stimme.

»Ich.«

»Wer?«

»Mary Jo – Mrs. Soames' Tochter.«

»Oh! Einen Augenblick bitte.« Ich hörte ein Schurren, als würde ein schweres Möbelstück über die Dielen geschoben. Ein Riegel knarrte, die Tür öffnete sich, und Miss Hagar stand auf der Schwelle. Dumpfe, heiße Luft strömte an ihr vorbei in die Nacht hinaus.

»Ach herrje, ich hatte ja keine Ahnung, wer das sein könnte!«

»Entschuldigen Sie, Miss Hagar – habe ich Sie geweckt?«

»Ich hab bloß so ein bisschen gedöst. Kommen Sie doch, kommen Sie rein!«

»Vielen Dank, aber wir müssen zurück. Wir wollten Ihnen nur eine Kostprobe von unserer Eiscreme bringen.«

»Wie lieb von Ihnen. Die wird mir schmecken – in so einer Nacht. Bitte kommen Sie doch rein! Ich tu das Eis gleich in eine Schüssel.«

»Ach, lassen Sie nur, das ist nicht nötig.«

»Wollen Sie denn den Behälter nicht mitnehmen?«

»Der kann auch ein andermal abgeholt werden.«

»Aber ein Weilchen werden Sie doch wohl Zeit haben«, drängte sie.

»Es ist spät, wir müssen nach Hause.«

»Ach bitte …« Sie ergriff meine Hand, als wollte sie mich ins Haus ziehen. Dabei trat sie einen Schritt vor, und nun konnte ich ins Zimmer hineinsehen. Eine schwere Kommode stand schräg zur Tür, und über die Fensterscheiben war Papier geklebt. Am Bett lehnte eine Axt. Miss Hagar fürchtete sich! »Nun ja – ein paar Minuten kann ich wohl bleiben«, sagte ich.

»Hier, setzen Sie sich in den Schaukelstuhl – rücken Sie ihn näher zur Tür, wenn Sie wollen.«

In dem kleinen Raum war es unerträglich heiß. Ich hatte das Gefühl, grün und lappig wie ein Königskerzenblatt zu werden. Während ich tapfer Konversation machte und mir immer wieder das Gesicht wischte, saß Miss Hagar auf dem Bettrand und löffelte das Eis direkt aus dem Behälter. Ihr gieriges Schlucken verriet, dass sie nach so einer Erfrischung gelechzt hatte. Ich malte mir aus, wie Miss Hagar die lange, einsame Nacht hindurch in diesem stickigen Zimmer liegen und angstvoll lauschen würde, ob irgendein Geräusch – ein Kratzen am Fenster, ein Knirschen auf dem Kies – das Nahen des Mörders anzeige. Und ich dachte an unser Haus auf dem Nachbarhügel, an die weit offenen Fenster, die wehenden Gardinen, das Lachen und Schwatzen in allen Zimmern, das Lampenlicht, das in den Hof hinausdrang und einen Schutzkreis um uns zog.

»Miss Hagar«, sagte ich, »kommen Sie doch mit und übernachten Sie bei uns.«

Das verhutzelte braune Gesicht blickte mich sehnsüchtig an, und ich sah, wie sie mit der Versuchung kämpfte.

»Nein, danke schön«, antwortete sie. »Ihr seid doch am liebsten unter euch, und so ist es auch richtig.« Nicht die Spur eines Vorwurfs war in ihrer Stimme.

Soames und ich fuhren ohne sie heim.

»Sofort kehrt ihr um und holt sie«, befahl Mama, als sie meinen Bericht gehört hatte. »Wenn sie Nein sagt, achtet ihr gar nicht darauf.«

Und so geschah es. Wir nahmen Miss Hagar mit nach Hause und machten ihr im Esszimmer das alte Feldbett zurecht. Dann gingen wir anderen ins obere Stockwerk hinauf und versuchten zu schlafen. Aber sogar in unseren großen, offenen Räumen war es glühend heiß. Kein Lüftchen regte sich. Schon nach kurzer Zeit waren wir alle wieder auf den Beinen, wechselten die Betten, kreisten umeinander wie Mais im Popcornröster. Soames zog mit einer Decke auf die vordere Veranda. Jessica und ich befestigten zwei Armee-Hängematten im Hof. Mama, mit einer Taschenlaterne bewaffnet, lief wie ein geschäftiger Hausgeist bald hierhin, bald dorthin und bemühte sich, es jedem bequem zu machen. Am Himmel stand ein gelber zerfließender Mond, und in der Ferne donnerte es.

Eine Stunde später kam Wind auf, und die ersten Regentropfen fielen. Die ganze Familie, abermals aufgescheucht, rannte im Dunkeln hin und her, um die Fenster zu schließen. Türen knallten, Scheiben klirrten, Stühle kippten um. Soames stürmte hinaus und fuhr meinen Wagen in den Speicher. Mama rief aufgeregt, Papa solle schnell den Waschtrog unter die Regenrinne stellen. Es goss in Strömen, und die Luft wurde kalt. Da wir nun doch alle hellwach waren, zündeten wir die Lampen an und kochten Kakao.

»Alle Wetter«, sagte Miss Hagar und schmunzelte über ihre Tasse hinweg, »wenn das nicht gemütlich ist!«

Nach einer Weile ging Papa in den Hof. »Es zieht schon ab«, rief er. »Schön ist es jetzt hier draußen.« Ich war ihm gefolgt und stand barfuß neben ihm in dem nassen Gras. Der Regen hatte aufgehört, die dicken Wolken wälzten sich ostwärts, der Mond hing kalt und weiß über den Wäldern im Westen. Plötzlich sagte mein Vater: »Sieh mal da, Tochter!«, und deutete nach Osten. Ein weißer Mondregenbogen schimmerte vor den abziehenden Wolken.

Es war fast drei Uhr morgens, und doch spannte sich dieser Geist eines Regenbogens über den Himmel. Unsere Farm lag unter dem zauberischen Gebilde des Mondlichts wie in Silber gerahmt. Aus dem nassen Blattwerk des Pfirsichbaumes leuchtete das weiße Gefieder aufgeflogener Hühner. Der regenfeuchte Zaun glänzte. Die neuen Dachziegel hoben sich silbrig von dem Schwarz der Scheune ab.

Nun kamen auch die anderen heraus. Wir standen und schauten, die Arme fest über der Brust gekreuzt, denn es war kalt. Mama hatte ein weißes Kopftuch umgebunden. Mein Vater ribbelte einen Maiskolben, um die Finger zu beschäftigen, und die blanken Körner fielen in reines

Silber. Lange Zeit sprach niemand ein Wort. Hinter uns säuselte ein Lufthauch durch die Windenranken.

»Es gibt einen schönen Tag«, sagte Papa in die Stille hinein.

Einer nach dem anderen kehrte ins Haus zurück, bis schließlich mein Vater und ich allein unter dem Mondregenbogen standen. »Hast du so etwas schon mal gesehen?«, fragte ich.

»Noch nie«, antwortete er. »Wir haben großes Glück.«

Erst als der letzte Schimmer in den Wolken zerfloss, gingen auch wir hinein.

In dieser Nacht träumte ich, mein Vater wäre gestorben und würde im Gemüsegarten begraben. Der Traum weckte mich auf; ich lag eine Weile und rief mir die Einzelheiten ins Gedächtnis zurück. Mir schien es durchaus natürlich, dass er nicht unter feierlichem Rasen oder einer Marmorplatte ruhen sollte, sondern zwischen seinen Karotten und Zwiebeln, die Füße unter dem Erdbeerbeet. Die Vorstellung war lieb und kurios wie ein alter, herzerwärmender Familien-Unsinn. Gemeinsam würden Papa und der Garten in ihren Urzustand zurückkehren, sich langsam in Pfeffergras, Königskerzen und Schlüsselblumen verwandeln. Geborgen in der altvertrauten Umgebung, konnte mein Vater in Frieden schlafen.

3

»*Aufstehen, Töchter!*«, dröhnte Papas Schulglocken-stimme zu uns herauf. »Es ist schon spät!«

»Das Matthäusevangelium«, murmelte Jessica und kroch schlaftrunken aus dem Bett. Wir liefen auf den Treppenabsatz, um Papa Guten Morgen zu sagen.

»Es kann losgehen – Axt und Bottich sind schon im Wagen. Wer mit zum Honigbaum will, soll sich beei-len!«

»Wir machen ganz schnell.«

»Es ist ein herrlicher Morgen«, rief er uns als Aufmun-terung zu.

Ich beugte mich aus dem Fenster. Wirklich, kein Morgen konnte schöner als dieser sein – es war der schönste Morgen meines Lebens. Die köstliche Frische der Luft ließ uns erschauern. Wir fuhren in die Kleider und stürmten die Treppe hinunter. Die Küche war leer, aber das Feuer bullerte im Herd, und es roch nach frisch gerösteter Toast. Sonnenlicht, von blanken Bestecken zurückgeworfen, flimmerte an der Decke. Mama war im Hof mit den Windenranken beschäftigt. Flink und sachlich streifte sie die verschrumpelten Blüten ab.

»Die müssen weg, damit die neuen heute Abend Platz haben. Himmel, Kind, du solltest dir aber ein Kleid anziehen. Hast du nicht eiskalte Beine in dem kurzen Hosendings da?«

»Ja«, sagte ich. »Ist sehr angenehm.« Damit steckte ich ihr eine Ringelblume ins Haar und enteilte auf einem gewissen Seitenpfad.

Während wir frühstückten, suchte Mama ein paar alte Tüllgardinen heraus, die wir uns im Wald als Bienenschutz um den Kopf wickeln sollten. Gleich darauf erschien Soames und verkündete, das Scheunendach sei fertig gedeckt.

»Hast du's wirklich geschafft?« Leonie sprang auf und umarmte ihn. »So ein braver Junge! Na, bist du nicht stolz? Ist es nicht ein wunderbares Gefühl, etwas geleistet zu haben? Wenn du wieder mal eine Arbeit anfängst, dann denke an die Befriedigung, die du …«

»Ich weiß gar nicht, warum du so ein Tamtam machst«, unterbrach Mama. »Natürlich hat er das Dach fertig gedeckt – er hat ja gesagt, dass er's tun würde.«

»Das bedeutet bei ihm durchaus nicht immer …«

»Na, diesmal hat's aber gestimmt. Los, Kinder, beeilt euch mit dem Abwasch. Soames, mein Herzchen, bring Oma den großen Picknickkorb aus dem Speicher. Höchste Zeit, dass wir losfahren.«

»Ich möchte eigentlich noch Plätzchen backen«, sagte Leonie. Mama, Jessica, Soames und ich starrten sie entgeistert an.

»*Jetzt?*«, riefen wir wie aus einem Munde.

»Als Belohnung für Soames«, erklärte sie.

»Mutter! Also wirklich …«

»Ingwerplätzchen. Die magst du doch so gern.«

»Ist es nicht ein bisschen spät dafür?«, fragte Mama behutsam.

»Ach, die sind doch in zwei Minuten gemacht.«

Mama sah erst Leonie an, dann uns und verbiss sich ein Lächeln. »Na schön, nur zu. So eilig haben wir's ja auch wieder nicht.«

»Ich bin im Handumdrehen fertig.«

Jessica zwinkerte mir zu. »Wollen wir nicht schnell noch die Küche tapezieren?«

»Und eine Flickendecke nähen«, sagte ich. »Geht ja alles im Handumdrehen.«

Leonies Blick verriet, dass sie sich als gekränkte Unschuld fühlte. Jessica gab ihr rasch einen Kuss. »War doch nur Spaß, Liebling. Back du ruhig deine Plätzchen. Wir helfen dir.« Wir hantierten lärmend mit Schüsseln und Nudelhölzern, und Jessica, in eine der Tüllgardinen gehüllt, sang aus vollem Halse: »Treulich geführt …« Erst nach einer Weile fiel uns auf, dass der zugelaufene Hund draußen wie wahnsinnig bellte. »Was hat er denn?«, fragte Jessica und ging zum Fenster.

»Oh – verflucht!«

»Jessica!«, tadelte Mama. »Da kommt der Pastor!«

»Ach du lieber Himmel! Der bleibt bestimmt den ganzen Vormittag.«

»Schnell, versteckt euch, dann denkt er, es ist keiner zu Hause.«

Wir stürzten in den ›Salon‹ und zerrten Mama mit uns. »Kinder, das können wir doch nicht machen«, jammerte sie.

»Pst!«

»Es ist nicht recht …«

Aber sie blieb bei uns stehen, während der Pastor näher kam und dem Hund, der unentwegt kläffte, mit krampfhaft mutiger Stimme gut zuredete. Er klopfte an die Hintertür, wartete und klopfte noch einmal. »Braver Hund«, schmeichelte er. Der Hund beruhigte sich allmählich, und wir hörten, wie sein Schwanz einen Wirbel gegen das Holz schlug.

»Bruder Soames?«, rief der Pastor. Und dann, als alles still blieb: »Hallo-o-o!«

»Wir müssen ihn doch reinlassen«, wisperte Mama.

Wieder ein Klopfen, eine lange Pause, ein letzter zaghafter Versuch – dann entfernten sich die Schritte des Pastors. »Leg dich«, sagte er mit milder Stimme zu dem Hund.

Mama seufzte. »Der Ärmste. Das ist ja, als ob Jesus ans Tor klopft, und niemand macht ihm auf. Ich lass ihn jetzt rein.« Und schon war sie in der Küche. »Huhu?«, rief sie und öffnete die Hintertür. »Ach, Sie sind's, Bruder Mosely! Mir war doch so, als hätte ich was gehört …«

»Guten Morgen, guten Morgen! Ich dachte schon, es wäre niemand zu Hause.«

»Wir waren alle vorn«, erklärte Mama und überließ es Bruder Mosely, das Wort ›vorn‹ zu deuten: Wenn er glaubte, sie meine den Vorgarten, dann war es nicht ihre

Schuld. »Wollen Sie nicht für eine Minute reinkommen?«

»… oder für ein paar Stunden«, flüsterte Jessica.

»Danke«, erwiderte der Pastor. »Ich wollte eigentlich Ihren guten Mann sprechen.«

»Der muss auch irgendwo sein. Wir gehen erst mal in den Salon, da ist es kühler.« Wir machten schleunigst kehrt und stürzten zur Vordertür, aber Mama erwischte uns eben noch auf der Schwelle. »Ach, da seid ihr ja, Kinder. Kommt nur herein«, sagte sie, als wären wir die ganze Zeit draußen gewesen. »Das ist Bruder Mosely … Ihr erinnert euch doch an Bruder Mosely, nicht wahr?«

Wir trotteten im Gänsemarsch zurück und gaben artig die Hand. Der Pastor, ein magerer, noch junger Mann, der sich im Vollgefühl seiner geistlichen Würde kerzengerade hielt, segnete uns der Reihe nach. »Freut mich, Sie wiederzusehen – freut mich sehr.« Er gab ein paar witzige Bemerkungen über weiblichen Charme zum Besten, und nachdem er sich dieser Kavalierspflicht entledigt hatte, ordnete er seine Züge zu feierlichem Ernst.

»Ja, ich komme mit einer traurigen Botschaft.« Er ließ diesen Worten eine gewichtige Pause folgen. »Bruder Corcoran ist in die Ewigkeit eingegangen.«

»Ah!« Mama legte die Hand an die Wange.

»Er ruht nun in Frieden. Seine Leiden sind vorbei. Der Junge sitzt im Gefängnis in Clinton.«

»Armer Junge«, murmelte Mama. »Papa!«, rief sie

unserem Vater zu, der in diesem Augenblick am Fenster vorbeiging. »Mr. Corcoran ist tot.«

»Ach, wirklich!« Er kam herein, einen Maiskolben in der Hand. »Guten Morgen, Bruder Mosely.«

»Gottes Segen, Bruder«, sagte der Pastor.

»Wann ist er denn gestorben?«

»Gestern, am späten Nachmittag. Ich war bei ihm.«

»Wie gut, dass er in der Stunde seines Todes nicht allein war.«

»Ich habe ihn täglich besucht, um mit ihm zu beten«, erklärte der Pastor. »Hoffentlich konnte ich ihm etwas Trost spenden.«

»Bestimmt haben Sie das getan«, meinte Papa.

»Mit Religion hatte Bruder Corcoran leider nicht viel im Sinn.«

»Nein, das wohl nicht. Ich weiß gar nicht, welcher Kirche er eigentlich angehörte.«

»Nun, das soll nicht verhindern, dass er christlich beerdigt wird. Ich will das gern übernehmen.«

»Ja, natürlich, auf ein christliches Begräbnis hat er Anspruch. Wir werden uns um eine Grabstelle kümmern müssen, wie?«

»Er hat schon eine«, sagte der Priester. »Ich habe mich erkundigt. Auf dem Friedhof Cole Camp.«

»Ausgerechnet da unten!«

»Ja, er stammt von da. Aber ich dachte, der Trauergottesdienst sollte lieber in Renfro stattfinden, damit seine Freunde teilnehmen können. Viele werden es nicht sein, fürchte ich.«

»Kaum.«

»Nur gerade Sie und ein paar Nachbarn. Ich zähle auf Sie wegen der Musik.«

»Ja, ich will sehen, dass ich den Chor zusammenbringe. Wann soll denn die Feier sein?«

»Gegen drei Uhr dreißig«, antwortete der Pastor.

Totenstille.

»Drei Uhr dreißig«, wiederholte Papa dumpf.

»Die Leiche kommt mit dem Drei-Uhr-Zug.«

»*Heute?*«

»Ja. Da alle Formalitäten erledigt sind …«

Meine Eltern wechselten einen Blick. Sie hatten sich solche Mühe gegeben, diesen Tag von Störungen freizuhalten – sie hatten sich gegen Nachbarn und Pflicht, Freundschaft und Mitleid gepanzert, mochte es recht sein oder nicht. Aber gegen den Tod waren sie machtlos. Mein Vater wandte sich wieder dem Pastor zu.

»Ich werde da sein«, sagte er.

»Wir kommen alle«, fügte meine Mutter hinzu.

»Fein«, sagte der Pastor. »Ich wusste ja, dass auf Sie Verlass ist. Nun muss ich aber weiter, ich brauche noch ein paar Leute, die den Sarg tragen. Wollen wir beten?«

Wir blickten auf unsere gefalteten Hände, und ich zählte innerlich von hundert rückwärts.

»… und führe uns, o Herr. Lass uns wandeln auf dem rechten Wege um Jesu Christi willen, der sein Leben hingab für uns sündige Menschen …« Endlich kam der junge Pastor zu einem feierlichen Amen und griff nach seinem Hut.

»Wie schade«, sagte Mama, als er durchs Gartentor schritt. »Heute ist gerade so ein schöner Tag.«

»Ja.« Papa seufzte.

»Und ausgerechnet in Cole Camp wird er beerdigt! Da sind wir ja noch nicht mal zurück, wenn die Mondblumen aufblühen!« Sie sah betrübt auf den Picknickkorb. »Eigentlich … *müssen* wir denn hin? So eng befreundet waren wir ja gar nicht mit ihm.«

»Nein, aber wer kommt denn schon, wenn nicht wir? Ich hätte ein schlechtes Gefühl, wenn wir uns drückten.«

»Ich auch, glaube ich«, stimmte Mama seufzend zu. »Na, wir müssen uns eben damit abfinden. Hol deinen guten Anzug, Papa, ich will die Hose bügeln. Und ihr, Kinder …«, sie blickte uns an, zärtlich und rebellisch zugleich, »… ihr habt ihn ja kaum gekannt. Macht euren Ausflug ruhig ohne uns. Am letzten Tag daheim braucht ihr zu keinem Begräbnis zu gehen.«

»So ist es«, sagte Papa. »Und die Windenblüte sollt ihr auch nicht versäumen. *Genießt* den Tag, das ist euer gutes Recht.«

Meine Schwestern, Soames und ich sahen einander an. Heute musste es herrlich in den Wäldern sein, und die Winde hatte zwanzig Knospen …

»Nichts da«, entschied Jessica. »Das wäre unfair. Wenn ihr zu einem Begräbnis müsst, gehen wir eben mit.«

Mit dem Picknick war es also nichts. Wir stellten den Korb weg, steckten uns das Haar auf und bügelten Kleider. In diesem Durcheinander brachte es Leonie noch fertig, ihre Ingwerplätzchen zu backen.

»Jemand muss zu Miss Hagar fahren und ihr Bescheid sagen«, ordnete Mama an. »Die will doch bestimmt mit. Wenn wir uns zusammenquetschen, passen wir alle ins Auto.«

»Soames und ich können in meinem fahren«, bemerkte ich. Mama warf einen zweifelnden Blick auf den roten Sportwagen, der vor der Tür stand. »Hm ... sieht das bei einem Begräbnis nicht ein bisschen merkwürdig aus?«

»Ach was, so ein Farbfleck belebt den Leichenzug«, meinte Jessica. »Seht zu, dass ihr gleich hinter den Sarg kommt.«

»Schäm dich, Jessica. Wie kannst du so reden? Na, es hilft nichts, du wirst das rote Auto nehmen müssen, Mary Jo. Aber setz dir wenigstens was auf den Kopf.«

»Was denn?«, fragte ich.

»Einen Hut natürlich. Du hast doch einen, nicht wahr?«

»Ja, zu Hause.«

Wie sich herausstellte, hatte keine von uns einen Hut mitgebracht.

»Ohne Hut könnt ihr unmöglich zum Begräbnis gehen.«

»Tut hier doch jeder.«

»Wir nicht. Es sieht unfein aus. Lauft mal rauf und holt die große Schachtel vom Kleiderschrank. Unter meinen Hüten wird sich schon was für euch finden.«

Die Schachtel bot eine reiche Auswahl – Sommerhüte, Winterhüte, alte und neue. Wir probierten sie der Reihe nach auf.

»Soll ich den nehmen?« Leonie grimassierte vor dem Spiegel in einem Kaiserin-Eugénie-Modell.

»Wie ein Marabu, der sich mausert«, urteilte Jessica. »Du wirst die Feder abnehmen müssen. Der hier steht mir ganz gut, nicht wahr?«

»Du hast ihn verkehrt rum auf«, sagte Mama.

»Gefällt mir aber besser so.«

»Dann trag ihn verkehrt rum. So, jetzt beeilt euch, alle miteinander – und lasst die Albernheiten.«

Um Viertel vor drei waren wir fertig zum Aufbruch. Jessica, Leonie und ich, jede mit einem Hut von Mama geschmückt, wandelten wie die drei Parzen über den Hof.

»Soll das ein Jux sein?«, fragte Soames.

»Ich hätte Sie beinah nicht erkannt«, sagte Miss Hagar.

»Süß seht ihr aus«, behauptete Mama.

»Nun steigt schon ein«, rief Papa, »es ist höchste Zeit. Soames, du bleibst immer hinter mir, hörst du?« Auf dem Weg zu einem Begräbnis wollte er den Geschwindigkeitsfanatiker Soames wohlweislich unter Kontrolle haben. Soames und ich grinsten uns verständnisinnig an. Papa fuhr in gemäßigtem Tempo los, und wir folgten ebenso gemäßigt. Die Tauben, die selig und dumm mitten auf der Straße hockten, hielten es kaum für nötig, uns Platz zu machen. Das rote Wägelchen bockte und holperte; an diese Art der Fortbewegung war es nicht gewöhnt.

»Ich komm überhaupt nicht aus dem zweiten Gang raus«, jammerte Soames.

»Hm.« Ich lehnte mich gottergeben zurück.

Die Straße nach Renfro war vielfach gewunden; sie führte am ›Alten Schornstein‹ entlang, machte einen Bogen um Lathams Acker, schlängelte sich zwischen Barrows Haus und Scheune hindurch, erreichte die Bitterwater-Schule, an der mein Vater früher Lehrer gewesen war, und überquerte den Little Tebo auf einer Brücke, deren lose Planken wie eh und je besorgniserregend klapperten. Das alles war mir so vertraut. Hier hatte sich gar nichts verändert, nur an einigen Briefkästen standen fremde Namen. Ich wusste nicht einmal, ob ich selbst anders geworden war. Ich hatte es versucht; ich war so weit wie möglich von daheim fortgegangen – und doch befand ich mich nun wieder auf derselben alten Straße. Und es machte keinen großen Unterschied, dass ich jetzt im eigenen Wagen fuhr, dem leuchtenden Symbol meiner Freiheit. Ich folgte nach wie vor meinem Vater und passte mich seinem Tempo an.

»Da kommt dein Hund, Tante Jo!« Soames' Stimme rief mich in die Wirklichkeit zurück.

Ich drehte mich um. Tatsächlich, da kam der Hund angeprescht, mit fliegenden Ohren und hechelnder Zunge. Wir hatten bereits den halben Weg nach Renfro zurückgelegt, Soames hielt an und warf einen Stein nach ihm, aber er hätte sich die Mühe sparen können. Der Hund dachte nicht daran, den Rückzug anzutreten. Winselnd vor Freude raste er auf uns zu, sprang mir auf den Schoß und bedeckte mein Gesicht mit nassen Küssen. Mein Schicksal! Ich war der auserkorene Liebling aller Verirrten, Heimatlosen, Gescheiterten und Unerwünschten. Sie hängten sich an mich, und ich konnte sie ebenso wenig abschütteln wie meine Vergangenheit.

»Was machen wir bloß mit ihm?«, fragte ich und scheuchte den Hund aus dem Wagen.

»Mitnehmen«, entschied Soames.

Er packte das Tier, warf es auf meinen Schoß zurück, klemmte sich hinter das Lenkrad und schoss davon wie eine höllische Fledermaus. Nun war wenigstens der Weg vor uns frei.

Auf dem Kirchplatz entgingen wir um Haaresbreite dem Zusammenstoß mit einem Lastwagen. Soames trat kräftig auf die Bremse. »Was ist denn hier los? Ich dachte, wir wären die einzigen Trauergäste.«

Wir sahen uns verblüfft um. Bis zur Methodistenkirche war nicht eine Parklücke mehr frei. In der Straße und rings um den Platz standen die Wagen wie aufgefädelt. Mr. Corcorans Beerdigung hatte offenbar eine Völkerwanderung ausgelöst. Nun ja, er war keines natürlichen Todes gestorben, das hatten wir nicht bedacht. Er war ermordet worden und dadurch zu Ruhm gelangt. Der Kirchhof wimmelte von Menschen; Kinder rannten aufgeregt hin und her. Wäre der Leichenwagen vor dem Portal nicht gewesen, so hätte man sich auf einem Volksfest glauben können. Mehr noch als jeder andere Todesfall lockte dieser hier die Sensationslüsternen an. Soames sichtete Papas Wagen und quetschte sich neben ihn. Ich gab mir die größte Mühe, den Hund zu verbergen.

»Prost Mahlzeit!«, sagte Jessica. »Wir hätten ebenso

gut zu Hause bleiben können. Wäre überhaupt nicht aufgefallen.«

»Ja, wirklich«, bestätigte Mama. »Aber die meisten Leute kommen bloß, weil sie neugierig sind, und das ist nicht das Richtige. Soames, kannst du den Wagen nicht irgendwo hinstellen, wo man ihn nicht so sieht? Um Himmels willen, was soll denn der Hund hier!«

Wir fuhren suchend um die Kirche herum, bis wir einen Mauerwinkel fanden, in dem der rote Wagen ziemlich außer Sicht war. Den Hund band Soames mit seinem Schlips ans Lenkrad; etwas anderes hatten wir nicht.

Die Kirche war bereits überfüllt, als wir eintraten. Mein Vater ging auf die Empore. Leonie setzte sich ans Klavier. Mama, Jessica und ich mussten in der ersten Reihe Platz nehmen, unmittelbar vor dem offenen Sarg, in dem der alte Mr. Corcoran mit missbilligender Miene lag und die wächserne Nase verächtlich in die Luft streckte.

Ich sah mich um. »Wo ist Soames?«

»Keine Ahnung«, antwortete Jessica. »Oh, da oben steht er ja, beim Chor.«

»Hat Leonie ihn hinaufgeschickt?«

»Nicht, dass ich wüsste.«

»Brüder und Schwestern …« Der Pastor war auf der Kanzel erschienen und musterte mit feierlicher Genugtuung seine Gemeinde; so viele Leute hatte er wohl noch nie zu seinen Füßen versammelt gesehen. »Brüder und Schwestern, lasset uns beten.«

Die Gemeinde erhob sich geräuschvoll. Irgendwo im Hintergrund plärrte eine Kinderstimme: »Will den toten

74

Mann sehen!« Sie wurde niedergezischt, und das Gebet begann.

Auch diesmal zählte ich im Stillen von hundert rückwärts. Als ich bei null angelangt war, rief Bruder Mosely noch immer den Herrn an. Er konnte gar nicht aufhören; wieder und wieder schwoll seine Stimme zu tremolierendem Donner an und senkte sich dann zu sanftem Säuseln. Ich verlagerte mein Gewicht auf den anderen Fuß. Mein Sonnenbrand juckte, und Mamas Hut hatte mir das eine Ohr wund gescheuert. Ich seufzte verstohlen. Draußen war so ein herrlicher, goldener Tag! Wer hätte uns in dieser Menschenmenge vermisst? Aber Mama hatte recht: Nur wenige waren aus echtem Mitgefühl gekommen. Und das war traurig, denn schließlich lag hier ein Mensch, der in früheren Jahren gewiss am Leben gehangen hatte und dem, wie uns allen, Freude und Leid zuteilgeworden waren. Doch keiner trauerte ihm nach, kein Einziger, außer Bruder Mosely und meinen Eltern. Ihnen würde er vielleicht ein wenig fehlen – nicht, weil er etwas für sie, sondern weil sie etwas für ihn getan hatten.

»… in Jesu Christi Namen. Amen.«

Die Gemeinde ließ sich dankbar auf die Bänke zurückfallen. Mein Vater winkte dem Chor, sich zu erheben, Leonie präludierte, und dann sangen sie:

»Herr, bleibe bei uns, denn es will Abend werden …«

Der schöne alte Choral bibberte durch das Kirchenschiff, nur der brüchige, aber gebieterische Bass meines Vaters hielt die ungeschulten, schwankenden Stimmen zusammen.

> *»Der Tag hat sich geneiget, bleibe bei uns, Herr!*
> *Wenn wir um Hilfe rufen und des Trosts bedürfen ...«*

So weit waren sie gekommen, als sich der Hund einmischte. Er fühlte sich einsam, er war im Wagen festgebunden, und der Gesang regte ihn offenbar an, seinem Selbstmitleid in einem lang gezogenen, kummervollen Heulen Luft zu machen. Der Pastor blickte erschrocken auf. Ein Kichern lief durch die Bankreihen. Jessica stieß einen sonderbaren, halb erstickten Laut aus und knuffte mich in die Rippen. Meine Mutter rückte unbehaglich hin und her. Sie wusste, wessen Hund es war, und das Schlimmste war, dass sie nichts unternehmen konnte, ohne sich und ihre Familie bloßzustellen.

Das klägliche Jaulen ging also weiter, und der Chor erlag der Konkurrenz. Die Sänger und Sängerinnen kamen hoffnungslos aus dem Takt; einer nach dem anderen zog den Kopf ein und verstummte. Nur Soames und mein Vater sangen weiter. Papa, bleich vor Erregung, verlor mehrmals den Faden, setzte von Neuem ein, brachte den Text durcheinander, und schließlich musste auch er aufgeben. Soames dagegen ließ sich nicht beirren.

Zuerst hörte man ihn kaum; draußen jaulte der Hund, und die Kirche war voll von unterdrücktem Prusten. Aber er stand da und sang, jung, selbstbewusst und unerschütterlich, anzuschauen wie einer der Erzengel alter

Meister, groß und blond, männlich und ohne Falsch. Seine Stimme schwang sich mühelos auf und ging über die Menge hin wie ein Segen. Allmählich wurde es still in der Kirche. Sogar der Hund verstummte. Als das letzte Echo des Chorals verhallt war, hörte man nur das Schilpen der Spatzen vom Friedhof her.

Soames blieb ein paar Sekunden regungslos stehen. Dann wandte er den Kopf zur Seite und lächelte Leonie zu, als sei er mit ihr allein.

Und auf einmal hatte ich das Gefühl, das alles läge schon weit zurück und ich sähe es mit den Augen der Erinnerung: Soames' Lächeln, diesen sonnigen, traurigen, komischen, herrlichen Tag und all die anderen Tage, die wir hier miteinander verbracht hatten. Was sollte ich tun, wenn das einmal vorbei war? Viele solcher Tage konnten uns nicht mehr beschieden sein; wir waren eine alternde Familie. Wie sollte ich ohne diese Menschen leben? Ich, die ich sie so wenig brauchte, dass ich ihnen leichten Herzens das ganze Jahr fernblieb – was sollte ich anfangen, wenn sie nicht mehr erreichbar waren?

Ich blickte sie an: meine Mutter, noch immer die Haustyrannin mit Besen und Marmeladentopf; meinen Vater, dessen Härte durch das Alter gemildert war, aber nur so, wie die Härte eines Steins durch ein Moospolster gemildert wird; Leonie, die unentwegt gegen die Welt anrennen musste; unsere ulkige alte Jessica mit Mamas verkehrt herum aufgesetztem Hut – und ich spürte, dass mir niemand auf der Welt so lieb war wie diese Menschen.

Dann sah ich auf den toten Mr. Corcoran, und plötzlich musste ich weinen.

Der Trauergottesdienst dauerte noch eine gute Stunde, aber endlich war auch das überstanden. Der Leichenbestatter rollte den Sarg in den Vorraum der Kirche, und da lag nun der alte Mann feierlich aufgebahrt, während die Neugierigen, die gekommen waren, um einen wirklich und wahrhaftig Ermordeten anzuglotzen, in langer Reihe an ihm vorüberzogen.

Wir verließen die Kirche als Letzte. Im Vestibül blieben wir in einem unentschlossenen Grüppchen stehen, und deshalb hielt uns der Leichenbestatter wohl für Verwandte. »Okay?«, fragte er meinen Vater in munterem Ton, bevor er den Sargdeckel zuklappte und die sterbliche Hülle Mr. Corcorans für die Ewigkeit verpackte.

Die verwitterten Mauern der Kirche waren in Schatten getaucht, als wir aus dem Portal traten. Es war nach fünf. Überall, rund um den Platz und die Straße entlang, ratterten Motoren.

Ich zupfte meinen Vater am Ärmel. »*Müssen* wir auch noch nach Cole Camp?«

Er zögerte. Es war eine meilenweite Fahrt. Aber … »Wir können doch den armen Alten auf seinem letzten Weg nicht allein lassen.«

In diesem Augenblick setzte sich der Leichenwagen in Bewegung. Der Ford des Pastors folgte, ein zweites Auto schloss sich an – und noch eins und noch eins. Als der Leichenwagen in die Landstraße einbog, war die

Autokette hinter ihm so lang, dass sie noch halb um den Kirchplatz reichte.

»Ja«, murmelte Papa, »wenn die alle mitfahren …«

Mama sah ihn nachdenklich an. »Glaubst du, wir können …? Wenn wir uns beeilen, kommen wir vielleicht gerade noch rechtzeitig nach Hause …«

Mehr hörten wir nicht. Mühsam beherrscht schritten wir würdevoll die Stufen hinab; dann aber beschleunigten wir unser Tempo immer mehr, und zum Schluss rannten wir fast. Soames und ich brausten ab, ohne uns um die andern zu kümmern. Als wir Renfro hinter uns hatten, erhob er sich ein wenig vom Sitz und stieß einen gellenden Indianerschrei aus. Wir jagten dahin, was das Zeug hielt, Papa immer dicht hinter uns – über die Brücke, an Bitterwater vorbei, durch Barrows Farm, den Hügel hinunter, um die Ecke, den Weg zu unserer Farm hinauf und hinein in den Scheunenhof … Staubwolken wirbelten, die Hühner gackerten, wir alle schrien durcheinander, und die erste Mondblumenknospe entfaltete sich gerade.

»Wir haben es geschafft!«, jubelte Mama.

Mein Leben lang werde ich mich daran erinnern.

Jessica

I

Matthew Soames war für seine heranwachsenden Töchter unbegreiflich wie Gott und unberechenbar wie das Wetter. Er war allmächtig und allgegenwärtig – daheim, in der Schule, in der Kirche. Es gab einfach keinen Schlupfwinkel, in den sich die Mädchen vor der väterlichen Autorität hätten flüchten können, und seine Launen beeinflussten, wie Regen und Sonnenschein, jede ihrer Handlungen.

In Gesellschaft war er die Liebenswürdigkeit selber, humorvoll, schlagfertig, geistsprühend. »Was habt ihr doch für einen reizenden Vater!«, schwärmten die Damen in der Stadt. Die Mädchen kamen allerdings nicht um die Feststellung herum, dass Matthew seine Sonnenseite dem Publikum vorbehielt, während er zu Hause fast immer finster wie eine Gewitterwolke war; zerstreut, kurz angebunden, gleichgültig seinen Kindern gegenüber, es sei denn, er erteilte Befehle oder Verweise. »Tochter!«, rief er die Mädchen; es klang gebieterischer als der jeweilige Taufname, der ihm wohl auch gerade nicht einfiel.

»Papa ist zu anderen Leuten viel netter als zu uns«, beklagte sich Leonie einmal.

»Ja, manchmal schon, Herzchen«, gab ihre Mutter zu. »Aber er ist nun mal ein wichtiger Mann in der Gemeinde, und danach muss er sich benehmen.«

Seine Wichtigkeit hätte die Mädchen gewiss über vieles hinweggetröstet, wenn sie nicht so überaus lästig gewesen wäre. Alles Mögliche war ihnen verboten, nur weil es ›keinen guten Eindruck‹ machte. Und hinter seinem Rücken konnten sie das Verbotene nicht tun, denn er war ja allgegenwärtig. So fügten sie sich meistens in das Unabänderliche und befolgten Papas Befehle. Er erklärte ihnen, dass Arbeit der Zweck des Lebens sei. »*Laborare est orare*«, sagte er, und Arbeiten hieß die Schulaufgaben ordentlich machen und Mama helfen.

Immerhin fehlte es nicht an Lichtblicken. Die Verwandten kamen oft zu Besuch. Auf der Farm konnten die Mädchen angeln und im Wald herumtollen. In der Stadt hatten sie nette Freundinnen und gingen zu Veranstaltungen der Sonntagsschule. An Spielzeug besaßen sie nur eine Puppe, die von der Ältesten bis zur Jüngsten ›vererbt‹ wurde, und mehr brauchten sie auch nicht, da sie den größten Teil des Tages im Freien waren. Sie spielten mit dem, was sie fanden oder sich zurechtbastelten, und waren dabei wunschlos glücklich. Allerdings wurde ihnen schon sehr früh klargemacht, dass *Spielen* einen etwas verdächtigen Beigeschmack hatte; man duldete es zwar als einen kindlichen Zeitvertreib, dem sie bald entwachsen würden, aber im Grunde war Spielen nicht sehr weit von Sünde entfernt.

Vergnügen stand der Sünde noch näher. Die Mädchen

wurden groß, bevor sie dahinterkamen, dass Vergnügen nicht unbedingt etwas Abscheuliches war. Im Wortschatz ihres Vaters stand es für Spazierenfahren, Tanzen, Kartenspielen, Zigarettenrauchen und andere Dinge, die zu schlimm waren, um genauer bezeichnet zu werden.

Erholung, ja, die galt als ehrbar. Der Vater sprach davon mit Respekt. Erholung war ein abstrakter Begriff, der nach erzieherischen Grundsätzen schmeckte und der Gesundheit diente – so ähnlich wie gekochte Rübenblätter. Die Mädchen wussten nie recht, *wann* sie sich eigentlich ›erholten‹, aber sie wussten sehr wohl, wann ihnen etwas Spaß machte. Und nichts machte größeren Spaß, als wenn Papa von der Arbeit aufblickte – was ungefähr einmal im Monat vorkam – und seinen Töchtern ein wenig Zeit widmete. Dann saßen sie vielleicht an einem Winterabend alle miteinander am Ofen, rösteten Mais, und Papa erzählte Geschichten aus seiner Jugend. (»Du liebe Zeit, was haben wir Kinder arbeiten müssen! Pa hat uns immer schon um halb fünf zum Maisribbeln geweckt!«) Manchmal sangen sie Lieder, und Leonie begleitete am Klavier. Der Vater nannte auch das ›Erholung‹, aber sie fanden es trotzdem herrlich.

Diese seltenen Stunden waren für die Mädchen unverhoffte Geschenke. So viel Großmut kam ihnen eigentlich gar nicht zu. Papa war keineswegs verpflichtet, sich mit ihnen abzugeben. Papa hatte zu *tun*. Er musste Hefte korrigieren, Stunden vorbereiten, zu Konferenzen gehen und sich um tausenderlei kümmern, um Bibliotheksbücher, um Landkarten und Tafelkreide, um Noten für den Männergesangverein. Nach dem Unterricht hielt er Chorproben in der Kirche ab, und er ging zu jedem Diakonentreffen. Er musste die Kuh melken und den Garten umgraben, einen Ofen setzen oder abreißen, den Hühnerstall ausmisten, Zündkerzen reinigen und die Reifen des alten Ford flicken. Und wenn er samstags nicht beim Schulrat in Clarkstown zu tun hatte, fuhr er zur Farm, um nachzuforschen, warum die Pächter mit ihren Zahlungen schon wieder im Rückstand waren.

Sein Pflichteifer kannte keine Grenzen, und dadurch wurde so mancher Plan seiner Angehörigen vereitelt – damals zum Beispiel, als die Töchter ihm eine besondere Geburtstagsfreude bereiten wollten. Das war, nachdem sie in die Stadt gezogen waren und gesehen hatten, wie andere Leute Geburtstag feierten. Sie buken eine Torte für ihn, und Mama erlaubte ihnen, Kerzen zu kaufen und das Esszimmer festlich zu schmücken. Stundenlang hatten sie heimlich Papierstreifen mit Buntstiften angemalt und kunstvoll verschlungene Ketten daraus geklebt. Als der große Tag gekommen war, rannten sie im Galopp von der Schule nach Hause, um das Zimmer mit diesen Girlanden zu dekorieren. Sie legten das beste Tischtuch auf, und die Torte prangte in der Mitte der Tafel. Es sah wunderschön aus. In zitternder Ungeduld warteten sie auf Papas Rückkehr.

Gegen fünf Uhr klingelte das Telefon. Papas Kollegen hatten sich eine Überraschung für ihn ausgedacht: In der Aula war ein Festmahl aufgebaut, zu dem jede der Lehrersfrauen ein Gericht beigesteuert hatte. Auch ein riesiger Geburtstagskuchen war unter den Gaben. Papa konnte daher nicht mit der Familie zu Abend essen.

Mama sagte ihm, dass die Kinder ebenfalls eine kleine Überraschung für ihn vorbereitet hätten, aber Papa wollte seine Kollegen natürlich nicht vor den Kopf stoßen. Jessica und Mathy weinten, und Leonie bekam einen solchen Wutanfall, dass Mama sie anschreien musste. »Wir holen unsere Feier morgen Abend nach«, versprach sie ihren bitter enttäuschten Töchtern. Sie stellten also die Torte kalt, nahmen die Girlanden ab und versuchten ihr Heil am nächsten Abend noch einmal. Leider klappte es wieder nicht. Papa war zwar da, aber als sie bei Tisch saßen, brach Mathy plötzlich in Tränen aus – dabei war sie schon sieben und eigentlich zu groß zum Weinen – und schlug mit der geballten Faust in die Geburtstagstorte. Papa hielt ihr daraufhin einen Vortrag über mangelnde Selbstbeherrschung und verderblichen Eigensinn. Mathy beruhigte sich schließlich, und sie versuchten, die Torte zu essen; ein Genuss war es allerdings nicht.

An diesem Abend kam Mama zu ihnen herauf und redete ihnen ins Gewissen. Freundlich, aber energisch forderte sie die Mädchen auf, Papa ordentlich Gute Nacht zu sagen und sich bei ihm zu entschuldigen. Sie erstickten beinahe daran, aber sie taten es. Und Papa vergab ihnen, wie der himmlische Vater seinen Kindern vergibt.

Auf diese Weise gewöhnten sie sich daran, ihn hinzunehmen, wie man das Wetter hinnimmt. Wenn sie sich auch zuweilen beklagten, so wussten sie doch, dass sie damit nichts ändern konnten. Er war höchste Autorität und ständige Bedrohung, der Neinsager, das ewige Rätsel. Aber da ihnen die Mutter von klein auf die Ehrfurcht vor dem Vater wie ein Credo eingetrichtert hatte, glaubten sie fest an ihn.

Was Matthew betraf, so liebte er seine Kinder natürlich, wenn auch auf eine etwas unpersönliche Art; er hatte mit ihnen weniger Kontakt als mit Kälbern und Küken. Sobald sie das Schulalter erreicht hatten, schien er zu vergessen, dass sie seine Töchter waren. Fünf Tage in der Woche verschmolzen sie mit einer Gruppe anderer Kinder, auf deren Achtung er größeren Wert legte. Niemand sollte ihm ungerechte Bevorzugung nachsagen, und daher behandelte er die Mädchen betont objektiv.

Zum Teil war das zweifellos Selbstverteidigung. Denn wie die Töchter ihm nie zu entrinnen vermochten, so war auch er ihnen preisgegeben. In all den Jahren seiner Lehrtätigkeit kam es nur selten vor, dass er ein Klassenzimmer betreten konnte, ohne mindestens einem seiner Kinder gegenüberzustehen. Die Schule verlieh ihm Glanz und Macht; in diesem Reich war er ein höheres Wesen. Und dennoch saß da immer ein kleines Ding, das ihn wenige Stunden zuvor im Nachthemd gesehen hatte oder im schmutzigen Arbeitskittel, wenn er aus dem Stall kam und nach Milch und Kuhmist roch. Es war nicht leicht, zugleich ein Mann der Öffentlichkeit und Vater zu sein.

Dies war jedoch nur ein kleiner Schatten in seinem

Leben. Gewiss, er sehnte sich danach, die Welt kennenzulernen, er hätte auch gern sein Wissen vertieft und mehr Zeit zum Erreichen seiner Ziele gehabt (er hatte spät angefangen), aber im Grunde war er doch ein glücklicher Mensch. Er liebte seinen Beruf. Das Schulhaus war sein Königreich. Alles, was er darin tat, war ihm Speise und Trank, ›Feuer und Ross, Gesundheit und Fest‹, wie Emerson sagt, und er hätte mit niemandem tauschen mögen.

Indessen, um abermals zu zitieren, ›Glocke und Pflug sind beide von Nutzen‹, und Matthews Liebe zur Farm war nicht viel geringer als die zur Schule. Er hatte das Anwesen in der Nähe von Renfro behalten – ein kostspieliges Unterfangen, denn die Steuern waren hoch und Pächter schwer zu finden, besonders während des Krieges, als alles in die großen Städte drängte. Und ihm selbst fehlte die Zeit, das Land zu bestellen; in den Ferien besuchte er immer Fortbildungskurse. In manchen Jahren übernahm ein Nachbar das Pflügen, Säen und Ernten und erhielt dafür einen Anteil; in anderen Jahren lagen die Äcker brach. Jahr für Jahr aber verlangte die Farm Unterhaltsgeld wie eine anspruchsvolle Geliebte.

Matthew sprach nicht gern über die Aufmerksamkeiten, die er ihr erwies. Denn Callie hielt es bei aller Liebe zur Farm für ihre Pflicht, ihn ab und zu ein wenig zu bremsen. »Kauf dir lieber einen neuen Mantel«, sagte sie. »Für einen Schulleiter siehst du reichlich schäbig aus.« Oder: »Nein, mir ist jetzt alles egal – Jessica muss für ihre Prüfung ein anständiges Kleid haben. Auf den Zaun

kann die Farm ruhig noch ein Jahr warten.« Und irgendwie fand sich dann Rat: Jessica bekam ihr Kleid und die
Farm ihren Zaun. Aber die Rechnung ging immer nur
ganz knapp auf, und Matthew schuftete wie ein Pferd.

2

In einem Frühjahr bald nach dem Krieg wurde das Haus, das sie in Shawano gemietet hatten, sozusagen unter ihnen weg verkauft. Der neue Eigentümer wollte sofort einziehen. In der Stadt gab es nur zwei andere Mietobjekte: die Cooper-Villa, die ihnen viel zu protzig war, und ein bescheideneres Haus, das aber erst im Herbst frei wurde. Matthew rückte daraufhin mit einer Idee heraus, die er großartig fand. Er hatte die Bücher und Wandtafeln gründlich satt. Warum, so fragte er die Familie, warum sollten sie nicht den Sommer auf der Farm verbringen?

Seine beiden Ältesten zählten hundert Gegengründe auf. Leonie, eine elegante junge Dame von sechzehn Jahren, mochte sich nicht von ihren Freundinnen und ihrer Klavierlehrerin trennen. Jessica, die achtzehn war und vor der Abschlussprüfung stand, wollte zur Vorbereitung auf den künftigen Lehrberuf einen Ferienkurs in Clarkstown mitmachen. Ihre beste Freundin hatte sich schon angemeldet; sie hofften auf ein gemeinsames Zimmer, und zudem lockte sie die Aussicht auf Tennisspiel, Eisdielen und Kino. Matthew erklärte, er sei nicht in der Lage, diesen Wunsch zu erfüllen; die Farm brauche ja nicht nur neue Zäune, sondern auch ein Zuggespann für den Sommer – und so weiter und so fort. Außerdem, fügte Callie hinzu, werde Jessicas Hilfe auf der Farm dringend gebraucht. »Du weißt doch, eure Mama ist nicht mehr so kräftig wie früher …« (Callie war knapp vierzig und zäh wie ein Hickorysprössling, aber auch ebenso leicht zu beugen, und wenn sie von irgendeiner Unpässlichkeit befallen wurde, zitterte die ganze Familie, denn es sah aus, als werde sie sich nie wieder erheben. Seit ihrem dreißigsten Lebensjahr prophezeite sie ihren baldigen Tod.)

In Wirklichkeit sträubte sich Jessica aus einem ganz anderen Grund gegen den Umzug aufs Land, aber das war natürlich ein Geheimnis. Sie hatte entdeckt, dass es Jungen gab. Eine ziemlich verspätete Entdeckung, denn Matthew und Callie hüteten ihre Töchter wie ein Gärtner seine Ausstellungskürbisse. Freundschaften mit Jungen kamen für die Mädchen nicht infrage. Ein einziges Mal hatte Jessica in dieser Richtung einen Versuch, die Andeutung eines Versuchs, gewagt. Bei einer Schulfeier erlaubte sie einem ihrer Mitschüler, sie nach Hause zu bringen. Matthew sah sie zusammen fortgehen. Da er widerstrebend anerkannte, dass dies der Lauf der Welt war, mischte er sich nicht ein. Unglücklicherweise kam er jedoch etwa zehn Minuten vor den beiden zu Hause an. Er erwartete sie an der Tür, und sein geballter Zorn entlud sich auf ihre jugendlichen Häupter. Jessica wurde abwechselnd rot und blass, und der Junge erlitt den Schreck seines Lebens. Die Geschichte sprach sich schnell herum, und fortan gingen sämtliche Schüler den Töchtern des ›Chefs‹ ängstlich aus dem Weg.

Aber dann kam ein lauer Frühlingsabend. Die Oberstufe probte ein Theaterstück, und ein Jüngling namens Marvin, kühner als die anderen und vermutlich von ihnen herausgefordert, erwischte Jessica im Dunkeln am Trinkwassertank und küsste sie. Jessica war außer sich vor Entsetzen und beruhigte sich erst, als feststand, dass ihr Vater nichts gemerkt hatte. Natürlich verliebte sie sich heftig und hoffnungslos in den Draufgänger Marvin. Sie konnte nichts weiter tun, als ihn anhimmeln, aber das genügte schon. Und nun sollte sie aufs Land, wo sie ihn nicht einmal mehr sehen würde!

Ihre und Leonies Bitten stießen auf taube Ohren. Papa schimpfte mit ihnen, oder er neckte sie.

»Ich weiß, was ihr braucht«, spöttelte er eines Abends. »Ein Maisfeld durchhacken oder, noch besser, um vier Uhr früh aufstehen und Kühe melken.« Er zog Jessica auf seine Knie, obwohl sie mittlerweile zu groß war, um auf seinem Schoß zu sitzen. »Ihr dürft diesen Sommer die Schweine füttern.«

»Papa!«, rief sie entrüstet, lachte aber, weil er es von ihr erwartete. Jessica, ein hochgewachsenes, schlankes Mädchen, hatte ein Gesicht, das so sauber, schlicht und solide wie ein Stück Kernseife war. Das Haar, im Nacken mit einer großen Schleife gebunden, hing ihr braun und seidenglänzend über den Rücken. Die meisten ihrer Klassenkameradinnen trugen schon einen Knoten, doch Papa und Mama sagten, diese Frisur mache Jessica zu alt.

Ihr war es gleich. Sie steckte das Haar ohnehin nicht gern auf, weil sie sich dann irgendwie unbehaglich fühlte.

Matthew drückte ihr Gesicht zwischen Daumen und Zeigefinger zusammen. »Pass im Sommer nur gut auf deine Nase auf. Vielleicht sollten wir ein Sonnenschirmchen darüber befestigen …«

»Aber Papa, so groß ist sie doch gar nicht!« Jessica verbarg das Gesicht an seiner Schulter. Sie verdankte ihrer vorspringenden, schmalrückigen Nase eine gewisse klassische Schönheit, aber kein Mensch hatte ihr das je gesagt. Alle machten sich nur über die Nase lustig, besonders ihr Vater, der diese Neckereien für sein gutes Recht hielt. Jessica hatte die Nase nämlich von ihm geerbt.

Sein Blick fiel jetzt auf die Jüngste, die auf dem Fußboden saß. »Mathy geht gern aufs Land – nicht wahr, Mädchen?«

Die Kleine sah ihn mit ihren glänzenden schwarzen Augen an. »Ich liebe die Farm«, sagte sie feierlich. »Ich kann's kaum erwarten, dass wir hinkommen.«

»Was machst du da?«, fragte Matthew.

»Ich presse ein vierblättriges Kleeblatt.«

»Dazu ist die Bibel aber nicht da, glaube ich.«

»Es war das dickste Buch, das ich finden konnte.«

»Nimm eins von den Bilderbüchern«, sagte Callie und blickte kurz von ihrer Flickarbeit auf.

»Schön.« Mathy klaubte vorsichtig das Kleeblatt aus der Bibel und trug es zum Bücherschrank, in dessen unterstem Fach der *Reich illustrierte Führer durch Mythologie und Weltliteratur* stand. Matthew hatte sich die zwölf

Bände von einem Handelsreisenden aufschwatzen lassen, der wie alle geborenen Verkäufer halb Wanderprediger, halb Grobian war. In einem solchen Fall Nein zu sagen erfordert Mut, und den hatte Matthew einfach nicht aufgebracht. Vor sich selber und vor Callie rechtfertigte er den Kauf damit, dass diese Bücher sehr bildend und daher wertvoll für die Mädchen seien. Jessica und Leonie fanden sie allerdings kitschig und ordinär.

Mathy zog Band eins aus der Reihe und blätterte darin, bis sie auf eine in Kupfer gestochene fette Andromeda stieß, die nackt an den Felsen gefesselt war. »Die muss ein Feigenblatt haben«, bemerkte Mathy und brachte ihren Glücksklee sachkundig an der richtigen Stelle an.

»Wer hat dir das von dem Feigenblatt erzählt?«, forschte Callie.

»Weiß nicht.«

Callie warf Matthew einen Blick zu und zuckte die Achseln. Bei Mathy musste man immer auf Überraschungen gefasst sein, und man kam nie dahinter, woher sie ihre Weisheit hatte. Allerdings las sie unersättlich. Es gab Bücher, die sie nicht nur einmal, sondern wieder und wieder verschlang. Eines mit dem Titel *Die Baumbewohner,* das sie sich vom Regal der dritten Klasse geholt hatte, handelte von einem kleinen Jungen, der im Zeitalter des Mammuts lebte. Mathy beschlagnahmte den Band so lange, bis sich der Lehrer bei Matthew beschwerte. Bald darauf war das Buch verschwunden. Matthew fand es an einem Regentag in seinem linken Gummistiefel. Mathy wurde unter Hinweis auf das siebente

Gebot gehörig abgekanzelt und hatte am Sonntagnachmittag Hausarrest. Am Montagmorgen brachte sie das Buch zurück und entschuldigte sich bei dem Lehrer. Im Laufe der nächsten Wochen tauchte der gesamte Text der *Baumbewohner* als neuartige Tapete in Mathys Zimmer auf. Sie hatte das Buch Wort für Wort abgeschrieben. Matthew machte ihr ernste Vorhaltungen, aber die Heftseiten blieben an der Wand, und er hatte das Gefühl, eine Runde verloren zu haben.

Mathy stellte den Bildband mit der Kleeblatt-Andromeda in den Schrank zurück und kletterte auf Jessicas Schoß, sodass sie nun beide auf Matthew saßen. »Papa, kann ich mit dem Möbelwagen fahren, wenn wir umziehen?«

Matthew lachte. »Du kannst, wenn du *darfst*.«

»*Darf* ich mit dem Möbelwagen fahren?«

»Da werden wir wohl Mama fragen müssen.«

»Mama, darf ich?« Mathy warf sich über Callies Schoß.

»Ach du meine Güte!« Callie entfernte die Kleine, als wäre sie eine Baumwollflocke. »Du wirst runterfallen und dir den Hals brechen.«

»Nein, bestimmt nicht, ich passe schon auf.«

»Du kannst unmöglich allein mit den Ziehleuten fahren – wie sieht denn das aus!«

»Dann lass doch Jessica und Leonie mitkommen.«

Leonie, die am Klavier ein neues Stück übte, drehte sich um. »Ich denke nicht daran, so etwas zu tun.«

»Warum nicht?«

»Es ist unfein.«

»Mir würde es eigentlich Spaß machen«, meinte Jessica.

»Schätzchen«, sagte Callie, »du bist dafür schon ein bisschen alt.«

»Wieso denn? Auf dem Möbelwagen fahren ist doch nichts Unrechtes.«

»Es schickt sich nicht für eine junge Dame.«

Jessica ließ sich von Matthews Knie gleiten. »Ich will gar keine Dame sein. Damen dürfen sich nie amüsieren.«

»Damen klettern nicht auf Bäume«, warf Leonie ein, »falls du *das* unter amüsieren verstehst. Und sie stellen sich beim Krocket nicht breitbeinig hin, wenn sie zum Schlag ausholen.«

»Es geht aber besser so«, verteidigte sich Jessica. »Von der Seite her treffe ich die Kugel einfach nicht.«

»Ja, und neulich, als du den Schläger zwischen den Beinen nach hinten geschwungen hast, ist dein Kleid zerrissen!«

»Wen interessiert denn das? Ich hab's Mama schon selber gesagt.«

»Du solltest dir ein Beispiel an Leonie nehmen«, warf Callie ein. »Die hält ihre Sachen immer tadellos in Ordnung. Leonie, guck nicht so. Du siehst aus wie eine alte Jungfer.«

Jessica war trotz aller Bemühungen noch nicht ganz gezähmt, wie sich Callie mit einem stummen Seufzer eingestand. Sie war lieb und gut, zweifellos. Sie widersprach nicht dauernd wie Leonie, und sie half gern bei der Arbeit, wenn auch lieber auf dem Kartoffelacker oder im Hühnerstall als im Haus. Und doch wurde Callie nicht so recht mit ihr fertig. Leonie, ungeachtet ihrer ewigen Nörgelei und ihrer patzigen Antworten (denn sie wusste stets alles besser), Leonie übte ihre Klavierstücke, machte ihre Handarbeiten fertig und hatte Sinn für persönliche Würde. Bei Jessica dagegen brauchte man nur den Rücken zu kehren, und sofort ließ sie alles stehen und liegen, um zu schmökern oder draußen in der Scheune mit Mathy den Heuberg hinunterzurutschen. Und nun wollte sie auch noch auf dem Möbelwagen fahren!

»Ich«, sagte Leonie spitz, »ich fahre jedenfalls im Ford – wenn wir schon fahren müssen.« Sie streifte Matthew mit einem finsteren Blick, der ihm jedoch entging, da er zu seinen Heften zurückgekehrt war. »Ihr beide könnt euch ja auf dem Möbelwagen blamieren, wenn ihr wollt.«

»Vorläufig hab ich's noch gar nicht erlaubt«, bemerkte Callie.

Als aber der Umzugstag heranrückte – Mitte Mai –, gab sie nach. Der Fuhrunternehmer sagte, ihm sei es recht, und er war ein vertrauenswürdiger Mann, der dem Kirchenrat angehörte. Mathy durfte also mit Jessica auf dem Möbelwagen fahren.

»Fallt bloß nicht runter«, mahnte Callie beim Abschied. »Und zieht die Röcke ordentlich über die Beine. Mathy, hier ist dein Strohhut.«

»Ach, den brauche ich nicht, Mama.«

»Du setzt ihn auf, sofort. Du bist sowieso schon viel zu braun gebrannt.«

»Na meinetwegen.« Mathy stülpte den Hut achtlos auf den Kopf und fiel ihrer Mutter um den Hals. »Auf Wiedersehen, mein süßes Mamachen!«

»Himmel, Liebling, nicht so wild! Du wirst Mama noch mal umschmeißen.«

Jessica stand derweil neben dem Wagen, spähte sehnsüchtig die Straße entlang und betete stumm, dass Marvin erscheinen möge, gramdurchwühlt, mit irr flackernden Augen, um ihr in letzter Minute eine Rose in die Hand zu drücken. Dafür hätte sie den väterlichen Zorn gern in Kauf genommen. Marvin ließ sich jedoch nicht blicken, und so kletterte sie schließlich mit einem Seufzer auf den Wagen. Kaum aber war sie auf dem Klavierschemel untergebracht und Mathy in einer Kommodenschublade, da hatte sie ihren Kummer vergessen. Die beiden Mädchen kicherten aufgeregt, und als der Wagen anfuhr, suchten sie kreischend nach einem Halt. Sie winkten Leonie zu, bis sie außer Sicht war. Leonie, ganz Dame, fuhr natürlich mit den Eltern in dem alten Ford, und man sah schon an ihrem Hut und den Handschuhen, dass sie auf Würde bedacht war.

Callie, die fünf Jahre lang ohne die Farm hatte leben
müssen, war endlich wieder in ihrem Element. Sie veranstaltete ein Großreinemachen, brachte den Garten
in Schwung und begann mit dem Einkochen. Und sie
genoss es, dass die Töchter, durch keine Schularbeiten
abgelenkt, ganz ihr gehörten. Wie angenehm war es, drei
flinke, gehorsame kleine Mädchen zu haben, die hierhin
und dorthin rannten, in den Garten, in den Hühnerhof,
zum Heuschober, in den Obstgarten, zum Flüsschen
hinunter und ins Haus zurück, unermüdlich, die Hände
voller Beeren und Eier und Fische und Blumen. Callie
war die Arbeitsbiene, die den Honig bereitete, aber sie
brauchte ihre Sammelbienen.

Die Abende waren ihr nicht weniger lieb als die Tage.
Dann saß die Familie auf der Vorderveranda und ließ
sich von den sanften Geräuschen der sinkenden Nacht
einspinnen. Manchmal sangen sie, und im Dunkeln
klangen ihre Stimmen besonders schön. Leonies Sopran,
Jessicas weicher Alt und sogar Mathys dünnes Zirpen,
alle geführt von Matthews unaufdringlichem Bass. Er lag
an solchen Abenden gern lang ausgestreckt im Schaukel-

stuhl, entspannt und gut gelaunt, da keine Pflichten ihn riefen.

Wenn die Schlafenszeit herankam, entdeckten sie des Öfteren, dass Mathy verschwunden war. Dann mussten sie die Stalllaterne anzünden und sie suchen gehen, durch den Obstgarten bis zum ›Alten Schornstein‹ hinauf. Weit weg war sie nie. Aber diese Ausflüge im Finstern beunruhigten die Familie, weil sie so unbegreiflich waren. Schon als kleines Kind war Mathy nachts furchtlos umhergewandert, und kein Verbot, keine Strafe hatte etwas genützt. Mit den Jahren – vielleicht war es auch auf das Leben in der Stadt zurückzuführen – hatte sich diese eigentümliche Angewohnheit verloren; hier aber, auf der Farm, kam sie wieder zum Vorschein. Es war, als locke das Dunkel Mathy unwiderstehlich an, als sei die Nacht ihr ureigenes Reich, das schweigend auf sie wartete. Mitunter beschlich die anderen beim Suchen das unheimliche Gefühl, das Kind könnte sich in ein kleines Tier verwandelt haben oder in Nebel zerflossen sein. Doch sie fanden sie jedes Mal in gewohnter, fester Gestalt; sie ging nur spazieren oder hockte irgendwo in einer Astgabel und sang vor sich hin. Dann wurde gescholten und gestraft, und Mathy gelobte Besserung, und alles beruhigte sich – bis zum nächsten Mal.

Trotz dieser Zwischenfälle fand Callie den Sommer unsagbar schön. Konnte sie mehr verlangen als das Glück der langen, ausgefüllten Tage und der warmen Nächte, wenn der Duft des Geißblatts die Luft durchtränkte und ihr Mann mit den Kindern auf der Veranda sang?

Im Frühjahr hatte Matthew ein Salatbeet am Waldrand angelegt, an einer Stelle, wo er einmal einen Haufen Gestrüpp verbrannt hatte. Durch diesen Dünger angereichert, brachte der Boden eine fabelhafte Ernte hervor. Callie schickte die Mädchen fast jeden Tag zum Salatholen. So gingen sie auch eines Nachmittags Ende Juni zu dritt los. Jessica nahm einen Marktkorb für den Salat mit und Leonie ein Blecheimerchen für den Fall, dass sie unterwegs reife Heidelbeeren fänden. Alle drei trugen Strohhüte und hatten zum Schutz gegen die Sonne selbst fabrizierte Hüllen über die Arme gezogen – ausgediente Baumwollstrümpfe, von denen die Füßlinge abgeschnitten waren.

»Ich hasse diese Dinger«, sagte Jessica.

»Warum ziehst du sie dann nicht aus?«, fragte Leonie.

»Warum tust du's nicht?«

»Ich möchte, dass meine Arme weiß bleiben.«

»Pah, du trägst sie ja auch nur, weil Mama es will.«

Leonie warf den Kopf in den Nacken. »Wenn ich's nicht selber wollte, würde ich sie bestimmt nicht tragen.«

»Kommt, wir reiten auf Blossie!«, rief Mathy dazwischen. Blossie, eine alte Jerseykuh, friedlich, fett und harmlos wie ein Sofa, lag wiederkäuend am Wegrand und sah die Mädchen sanftmütig an.

»Vielleicht hat sie keine Lust, in den Wald zu gehen«, meinte Jessica.

Mathy pflückte einen Stängel Schafgarbe. »Wenn sie nicht will, kriegt sie einen Tritt in den Hintern.«

»Aber Mathy! Wo schnappst du bloß immer solche Ausdrücke auf?«

»Weiß nicht. Gute Blossie!« Mathy tätschelte die fette gelbe Flanke der Kuh und sprang ihr auf den Rücken. »Na los, hier haben wir alle Platz!«

Jessica kletterte ebenfalls hinauf. »Komm, Leonie, ich kann noch ein bisschen rücken.«

»Danke, ich mag nicht. Das gehört sich nicht für junge Damen.«

»Wer sieht uns denn schon?«

»Egal, ich gehe lieber zu Fuß.«

»Meinetwegen – Blossie wird es nur recht sein.« Jessica gab der Kuh einen aufmunternden Stups mit den schwarz bestrumpften Knien. »Auf, Blossie! Zum Wald!« Die Kuh erhob sich schwerfällig und trottete den Pfad entlang. Jessica begann zu singen. »Seht, sie kommen von des Berges Höh! Seht, sie nahen auf der alten Blossie! Jauchzet, frohlocket …« Mathy und Leonie stimmten lachend ein.

»Halt ihr den Schwanz fest!«, rief Jessica. »Sie klatscht mich dauernd!«

Leonie ergriff den Kuhschwanz und passte sich übermütig dem wiegenden Gang des Tieres an, sodass der Blecheimer an ihrem Arm hin- und herschwang. Sie sangen alle drei, bis sie das Beet am Waldrand erreicht hatten.

Als der Salat gepflückt war, meinte Leonie: »Wenn wir schon hier sind, kann ich doch schnell mal zum Bach gehen und einen Fisch fangen.«

Jessica stützte den Korb auf Blossies Rücken. »Nein, Leonie, Mama hat gesagt, wir sollen sofort zurückkommen.«

»In einer halben Stunde, hat sie gesagt. Und wir sind noch längst keine halbe Stunde weg.«

»Wetten, dass?«

»Wetten, dass nicht? Außerdem dauert's ja keine Minute, einen Fisch zu fangen.«

»Du hast aber gar nichts zum Angeln bei dir.«

Leonie griff in die Schürzentasche: »Schnur und Haken habe ich. Und als Rute nehme ich einen Zweig.«

Jessica gab nach. »Na schön, wenn du denkst, dass wir noch Zeit haben … Vielleicht hätte Mama ganz gern einen Wels zum Abendessen.«

Sie ließen die Kuh im Schatten grasen und liefen quer durch das Gehölz, um ihren bevorzugten Angelplatz schneller zu erreichen. Als sie an einem Kornfeld herauskamen, hörten sie den Güterzug, der, eine halbe Meile entfernt, puffend und ächzend in Richtung Renfro fuhr.

»Was habe ich euch gesagt?«, triumphierte Leonie. »Das ist die Katy – also ist es noch nicht mal drei.«

»Wenn sie pünktlich ist«, schränkte Jessica ein. »Meistens hat sie aber Verspätung.«

Mit dem Lokomotivenqualm wehte ein schwacher Rußgeruch über das Kornfeld. »Hu-uuu-uuuh«, jammerte die Pfeife.

»Wie traurig das klingt«, bemerkte Jessica. Der klagende Ton wurde leiser und leiser, bis er sich schließlich im Ährengeflüster verlor.

Der Abhang oberhalb des Baches war dicht mit Dornengestrüpp bewachsen. Die Mädchen bahnten sich mühsam einen Weg. Mathy, die voranging, blieb plötzlich stehen. »Hört mal! Was ist das?« Alle drei spitzten die Ohren. Vom Bach drang eine singende Männerstimme zu ihnen herauf. »Ob das Papa ist?«

»Papa macht Heu beim ›Alten Schornstein‹«, sagte Jessica.

Sie lauschten von Neuem. Ja, da trällerte jemand vergnügt vor sich hin, und kein Zweifel – es war ein Mann. Die Mädchen starrten einander mit weit aufgerissenen Augen an. Gefahr! Jetzt war es so weit! Wie oft hatte Callie ihnen eingeschärft: »Wenn ihr draußen je einen fremden Mann trefft, wartet nicht ab, was er tut! Macht, dass ihr nach Hause kommt, *und bleibt zusammen!*«

»Lauft weg!«, flüsterte Jessica.

Mathy aber drängte vorwärts, und Leonie folgte ihr mit einem gemurmelten »Das muss ich erst sehen«.

»Kommt zurück!«

»Pst!«

Die Männerstimme sang weiter, halblaut, unbefangen, zufrieden. Mathy, hinter einen Busch geduckt, schob das Blattwerk vorsichtig beiseite. »Da ist er!«

Leonie und Jessica spähten ihr über die Schultern. Schräg unter ihnen, am Rande des Baches, sonnte sich ein junger Mann auf einer Felsplatte. Er war splitternackt, lag auf dem Rücken, hatte ein Knie angewinkelt und die Arme unter dem Kopf verschränkt. Jetzt konnten sie auch verstehen, was er in die Baumwipfel hineinsang.

>*In London, wo ich einst gewohnt,*
hat mich die Liebe nicht verschont.
Ich ward verführt, ich arme Maid,
drum muss ich ewig tragen Leid ...«

Er rollte sich unversehens herum, war mit einem Satz auf den Beinen und reckte die Arme. Die lüsternen Greise, die Susanna im Bade belauschten, konnten unmöglich größere Augen gemacht haben als die drei Mädchen im Gebüsch. Ein Mann! Ein nackter Mann stand vor ihnen! Mit einer Neugier, die schamhaftes Erröten gar nicht erst aufkommen ließ, starrten sie auf seinen Körper.

»Ist das ein Zigeuner?«, wisperte Mathy. Vor Zigeunern waren sie von Kind auf besonders eindringlich gewarnt worden.

Der junge Mann reckte sich noch einmal, kratzte sich an der Brust und sprang dann ins Wasser. Er tauchte ein paarmal, und als er einen Purzelbaum schlug, schimmerte seine nasse Kehrseite für einen Augenblick auf. Dann begab er sich an eine flachere Stelle, schrubbte kräftig seine Arme ab, überschüttete sich mit Wasser wie ein Elefant, schleuderte das nasse Haar zurück und stieß gurgelnde Laute aus. Die Mädchen begannen zu kichern. Sie pressten die Hände auf den Mund und wurden rot vor unterdrücktem Gelächter.

»Ist der aber ulkig!«, flüsterte Mathy.

»Furchtbar haarig!«, urteilte Leonie.

Der junge Mann watete nun zum gegenüberliegenden Ufer, wo seine Kleider lagen, und stemmte sich hinauf.

Die Mädchen beobachteten gespannt, wie er sich mit einem großen roten Taschentuch trocken rieb.

»Jetzt schmeißen wir einen Stein und rennen los«, schlug Mathy vor.

»Bist du verrückt?«, flüsterte Jessica entsetzt. »Und wenn er uns nachläuft?«

Zu spät – der Stein flog bereits durch die Luft, und sie hörten ihn ins Wasser plumpsen. Der junge Mann wandte sich rasch um – mehr sahen die Mädchen nicht. Wie flüchtende Rehe brachen sie aus dem Gestrüpp und rannten über das Kornfeld, so schnell sie nur konnten.

»Nicht stehen bleiben!«, stieß Jessica hervor. »Wenn er uns verfolgt …« Sie hasteten weiter, bis sie den Waldrand und das Salatbeet erreicht hatten.

»Blossie wird uns beschützen!«, rief Mathy und umarmte die Kuh. »Gute alte Blossie!«

»Ob das ein Mädchenhändler war?«, fragte Leonie, die keuchend atmete.

Jessica wurde blass. »Oh … daran hab ich gar nicht gedacht. Ich glaub's aber nicht. Mädchenhändler halten sich meistens in Städten auf und sind elegant gekleidet, sagt Mama. Und er sah auch zu jung aus dafür.«

»War er ein Zigeuner?«, erkundigte sich Mathy.

»Natürlich nicht«, antwortete Leonie ungeduldig.

»Woher weißt du das so genau?«

»Dann hätte er ja überall braun sein müssen, nicht nur im Gesicht. Und schwarzes Haar hatte er auch nicht.«

»Es war aber sehr lockig«, warf Jessica ein.

»Wahrscheinlich war's ein Vagabund, der von einem Güterzug abgesprungen ist.«

»Nein«, widersprach Mathy, »Vagabunden sind dreckig und zerlumpt. Ich fand ihn reizend.«

»Aber Mathy!«, rief Leonie. »Er war doch ganz haarig!«

»Im Gesicht nicht. Da war er schön.«

»Männer bezeichnet man nicht als schön«, erklärte Leonie. »Man sagt höchstens, dass sie gut aussehen. Und der hier sah nicht gut aus, sondern gewöhnlich.«

»Nein!«

»Doch!«

Mathy wandte sich an Jessica. »Fandest du ihn auch gewöhnlich?«

»Ich kann das nicht beurteilen. So nah dran waren wir schließlich nicht.«

»Wenn wir nah genug waren, um das Ding zwischen seinen …«

»Wirst du wohl still sein!« Jessica wurde flammend rot. »Ich muss schon sagen, Mathy …«

»Ich meine ja nur, wenn wir nah genug waren, um *das* zu sehen, dann müssen wir auch wissen, was für ein Gesicht er hatte.«

»Ich weiß es aber nicht. Wenn ich ihn auf der Straße träfe, würde ich ihn nicht wiedererkennen.« Jessica kicherte. »Ich könnte ihn nicht von Adam unterscheiden!«

Leonie lachte hellauf. »Ich würde einfach tot umfallen, wenn ich ihn je wiedersähe!«

»Ich auch!«

»Müssen wir das Mama erzählen?«, fragte Mathy sachlich, und das Gelächter ihrer Schwestern verstummte jäh. »Was meinst du, Jessica?«

»Ich weiß nicht … Müssen wir?«

»Warum nicht?« Leonie machte ihren Böhnchenmund und hob das Kinn in die Luft. »Ich finde, wir sollten es ihr sagen.«

»Weshalb?«

»Weil es sich gehört – deshalb.«

»Ich halte es trotzdem für besser, nicht darüber zu sprechen.«

»Aber warum denn nur, Jessica?«

»Weil … weil es ein bisschen … ach, ich *weiß* nicht!«

»Wenn wir's erzählen«, sagte Mathy mit einem Seitenblick auf Leonie, »dann ärgert sich Mama, dass wir zum Bach gegangen sind.«

»Jawohl«, bestätigte Jessica erleichtert. »Und vielleicht lässt sie uns nie mehr angeln gehen.«

Leonies Kinn senkte sich. »Da habt ihr recht«, gab sie zu und hob den leeren Beereneimer vom Boden auf. »Also schön, wenn ihr den Mund haltet, tu ich's auch.«

»Abgemacht«, sagte Jessica.

»Mama würde sich nur unnütz aufregen.«

»Stimmt. Das können wir ihr ersparen. So, jetzt müssen wir aber nach Hause, sonst sucht sie uns hier.«

Mathy kletterte auf den Rücken der Kuh. »Alle Mann an Bord!«

»Ich glaube, diesmal gehe ich lieber«, meinte Jessica.

»Hü, Blossie!« Die Kuh setzte sich gemächlich in

Bewegung, und Leonie hielt ihr wieder den Schwanz fest.

Jessica folgte in einigem Abstand und ließ gedankenverloren ihren Sonnenhut in der Hand baumeln. Es war ein komisches Gefühl, einen Mann ohne Kleider gesehen zu haben. Wenn Papa das wüsste … Ihr schauderte. Aber viel peinlicher wäre es ja gewesen, wenn sie beispielsweise Papa so gesehen hätte. Oder Marvin. Sie versuchte, sich Marvin im Adamskostüm vorzustellen, und errötete bei diesem Gedanken. Nein, Marvin stellte sie sich lieber in seinem Sonntagsanzug vor, in dem er so erwachsen und bedeutend wirkte. Sie schloss für einen Moment die Augen und fühlte sogleich jenen hastigen Kuss am Wassertank. Ach, wäre sie doch erst wieder in der Stadt, wo sie ihn sehen konnte!

Callie stand am Zaun und schaute nach ihnen aus. »Wo seid ihr denn bloß so lange gewesen, Kinder? Ich hab mir schon Sorgen gemacht.«

»Wir haben uns ein Weilchen im Schatten ausgeruht«, sagte Jessica, und das war nicht einmal gelogen, denn sie hatten ja nach der wilden Flucht tatsächlich im Schatten verschnauft.

»Ein Weilchen? War wohl eher ein Stündchen. Und Heidelbeeren habt ihr auch nicht mitgebracht. Gab's noch keine reifen?«

Leonie warf Jessica einen überraschten Blick zu. An die Heidelbeeren hatten sie überhaupt nicht gedacht. »Ich hab jedenfalls keine *gesehen*«, antwortete sie geistesgegenwärtig.

»Na, ich sage ja immer, vor dem vierten Juli ist noch nicht viel mit ihnen los. Nun kommt aber, Mädchen, und helft mir beim Kochen. Papa will pünktlich sein Abendessen haben. Mathy, Kindchen, hol Mama einen Eimer Wasser, ja? Oh, Jessica, und für dich weiß ich eine nette kleine Beschäftigung.«

Jessica, die sich unauffällig der Treppe genähert hatte, blieb stehen. »Was soll ich denn tun?«

»Während Leonie Kartoffeln schält, könnten wir beide noch ein paar Reihen Stangenbohnen setzen. Würde dir das nicht Spaß machen?«

»Offen gesagt, ich wollte eigentlich an Miss George schreiben. Meine Englischlehrerin, weißt du? Sie hat mich eigens darum gebeten.«

Ihre Mutter war sichtlich enttäuscht. »Oh. Na, dann schreib ihr nur, wenn dir das lieber ist. Ich hatte es mir so hübsch vorgestellt, um diese Zeit im Garten zu sein. Wir könnten vor dem Essen noch ein paar Reihen pflanzen. Draußen ist es jetzt auch kühler als drinnen, und die Wicken riechen so gut. Ich dachte, es würde dir Spaß machen.«

Jessica seufzte unhörbar. »Schön, ich helfe dir.«

»Fein!« Callie strahlte. »Setz aber deinen Hut auf, Liebling. Ein bisschen scheint die Sonne ja immer noch, und du willst doch gewiss nicht so braun werden.«

4

Jessica sah ihn zuerst. Er kam von Osten her die Landstraße entlang, fröhlich pfeifend, ein Bündel über der Schulter. Die dunkle Hose saß ihm ziemlich knapp, sein Hemd war blau, und er trug keinen Hut. Er hatte braunes, sehr lockiges Haar. Als er am Gartenzaun vorbeiging, wandte er zufällig den Kopf und erblickte Jessica, die ihn unter ihrem Sonnenhut hervor anstarrte. Er blieb stehen, hörte zu pfeifen auf, lächelte freundlich und winkte ihr zu.

»Hallo!«

Callie, die mit den Bohnen beschäftigt war, drehte sich um.

»Guten Tag, Ma'am.« Er trat an den Zaun heran und stützte sein Bündel auf einen Pfosten. »Schönes Wetter heute.«

»Ja, nicht wahr?«, sagte Callie.

»Ich bin hier fremd. Bin gerade erst mit 'nem Güterzug angekommen. Kennen Sie Cabool? Da bin ich zu Hause. Liegt weiter südlich, in der Gegend von Springfield – vielleicht wissen Sie, wo das ist.« Callie nickte, und der junge Mann fuhr fort: »Vielleicht wissen Sie auch, wo ich hier Arbeit kriegen kann.«

»Hm …«, murmelte Callie unschlüssig und nahm die Hacke in die linke Hand.

Der junge Mann lachte. »Ich will nicht behaupten, dass ich die beste Hilfe bin, die's gibt, aber ich mach alles.« Er sagte ›Hiffe‹ statt ›Hilfe‹.

Callie ließ die Hacke in die rechte Hand zurückwandern. Obgleich sie wusste, dass Matthew Hilfe brauchte, hatte sie Bedenken, das rundheraus zu sagen. Andererseits schien der Fremde ein netter Junge zu sein, und sie mochte ihn nicht ohne Weiteres fortschicken. »Möglich, dass mein Mann was für Sie weiß«, wich sie aus. »Er ist aber noch auf dem Feld.«

»Wenn's geht, würde ich ihn gern sprechen.«

»Hm …« Callie zögerte wieder. »Sie können ja warten, bis er kommt.«

»Danke, Ma'am. Sehr freundlich von Ihnen.«

Mathy hatte die Stimmen gehört und kam neugierig angelaufen. Er lächelte ihr zu und sagte höflich: »Guten Tag.« »Hallo!«, brachte sie heraus und stürmte ins Haus zurück.

»Wissen Sie was«, sagte Callie, »gehen Sie hintenrum und warten Sie an der Scheune. Das Tor ist da drüben.« Sie wies auf den Seitenweg, der von der Landstraße zum Wirtschaftshof führte. Ein Fremder, der eben erst von einem Güterzug abgesprungen war – o nein, so einer kam ihr nicht durch die Vordertür.

»Besten Dank, Ma'am.« Der junge Mann klemmte sein Bündel unter den Arm und schlug die angegebene Richtung ein.

»Und du gehst jetzt rein«, wandte sich Callie an Jessica. »Hoffentlich kommt Papa bald. Ich hätte ihm vielleicht nicht sagen sollen, dass Papa auf dem Feld ist.«

»Ach, er macht doch einen sehr ordentlichen Eindruck.«

»Das beweist gar nichts. Die, die am nettesten aussehen, sind manchmal die Schlimmsten.«

Während Callie die Hacke in den Geräteschuppen brachte, ging Jessica ins Haus. Mathy und Leonie drückten sich die Nasen am Fenster platt.

»Das ist *der* …!«, rief Mathy.

»Weiß ich«, erwiderte Jessica. »Sei bloß still. Er sucht Arbeit. Mama hat gesagt, er soll warten, bis Papa kommt.«

»Bis dahin sind wir womöglich schon alle tot«, sagte Mathy begeistert, und ihre schwarzen Augen verschleierten sich vor Erregung. »Vielleicht schneidet er uns den Hals durch und zündet das Haus an.«

»Was du wieder für Unsinn redest«, wies Leonie sie zurecht. »Mir kannst du damit nicht Angst machen.«

»Er war sehr höflich«, bemerkte Jessica.

»Pah! Ein Gelegenheitsarbeiter!«

»Na und? Deswegen kann er doch höflich sein.«

Der junge Mann war inzwischen über das geschlossene Tor geklettert und ging auf die Scheune zu. Die Mädchen stürzten in die Küche, um ihn besser sehen zu können. Callie beobachtete ihn vom Hof aus.

»Warten Sie da!«, rief sie. »Mr. Soames muss gleich kommen.«

Er näherte sich dem Zaun. »Soll ich Ihnen nicht ein bisschen Holz hacken, Ma'am?«

Mathy hüpfte wie ein Gummiball. »Wenn Mama ihm die Axt gibt, köpft er uns alle!«

»Nein, danke«, sagte Callie. Gleich darauf kam sie ins Haus. »Aber Mädchen! Wollt ihr wohl vom Fenster weg!«

»Warum hast du ihm nicht erlaubt, dass er Holz hackt?«, fragte Mathy begierig. »Hattest du Angst, er würde uns mit der Axt totschlagen? War es deshalb, Mama?«

»Allmächtiger, nein! Daran habe ich überhaupt nicht gedacht!«

Callie hielt inne, als würde sie sich einer Fahrlässigkeit bewusst. »Ich wollte ihn bloß nicht zu sehr ermutigen. Wenn ich ihn was für uns tun lasse, bildet er sich am Ende ein, er könnte hier bleiben. Und das hängt doch von Papa ab … Los, Kinder, wir müssen uns ums Abendessen kümmern. Vom Fenster weg, sag ich!« Sie wusch sich die Hände in der Emailleschüssel. »Der Junge scheint ja so weit in Ordnung zu sein. Und er ist sauber. Ich weiß gar nicht, wie er so sauber sein kann, wo er doch gerade erst vom Güterzug abgesprungen ist.«

Sie ging auf die Veranda. Hinter ihrem Rücken verdrehten die Mädchen die Augen und erstickten fast vor Lachen. »Kunststück!«, flüsterte Leonie. »Er hat ja gebadet!« Als Callie zurückkam, hüteten sich alle, ihrem Blick zu begegnen.

Wenige Minuten später fuhr der Heuwagen in den

Hof. Matthew sprang ab, und sie sahen, dass er mit dem Fremden redete. Der junge Mann half ihm beim Ausspannen. Dann setzte er sich auf den Hackklotz neben der Scheune, und Matthew kam in die Küche.

»Mama«, sagte er, »ich würde den Jungen ganz gern ein paar Tage behalten. Soll ich's tun?«

»Das überlass ich dir.«

»Ich hätte gerade jetzt Hilfe nötig, und hier in der Gegend ist ja nichts zu machen. Alle Burschen gehen nach Kansas, zur Weizenernte oder … na, was weiß ich.« (Junge Burschen waren immer hinter Geld oder Mädchen her.) »Und die Nachbarn haben auch alle Hände voll zu tun«, fügte er hinzu. »Selbst wenn wir uns gegenseitig helfen, die Arbeit wird davon nicht weniger. Der Junge macht einen ehrlichen Eindruck. Höflich ist er auch. Und er scheint arbeitswillig zu sein.«

»Ein bisschen schwächlich sieht er aus«, meinte Callie.

»Bei mir hat sich noch keiner totgearbeitet.«

»Das weiß ich. Aber … wo soll er denn schlafen?«

»Auf dem Heuboden. Wir haben schon darüber gesprochen, und er ist einverstanden. Da oben ist es ja sauber, und er braucht nichts als eine Decke. Es gibt schlechtere Schlafstellen.«

»Wenn du ihn behalten willst, Papa – mir soll's recht sein.«

Er hieß Tom Purdy, war auf einer Farm in den Ozarks geboren und dort mit fünf Geschwistern aufgewachsen. »Wie ich sechzehn war, bin ich abgehauen«, erzählte er beim Abendessen. »Das ist jetzt so ungefähr vier Jahre her. Ich war schon bis nach Little Rock runter und rauf bis nach St. Louis. Dann und wann geh ich für 'ne Weile nach Hause. Wir haben 'ne Menge Spaß miteinander, weil wir so viele sind. Zum Sattessen reicht's ja nicht immer, aber wir amüsieren uns mächtig.«

»Nehmen Sie noch ein paar Kartoffeln«, sagte Matthew.

»Danke, gern. Manchmal schicke ich meinen Leuten Geld – wenn ich welches habe.«

Er zeigte, jungenhaft grinsend, seine weißen, ein wenig schief stehenden Zähne. Die großen blauen Augen mit den langen, gebogenen Wimpern gaben seinem Gesicht etwas sonderbar Engelhaftes.

»Dies Jahr wollte ich zur Weizenernte in den Westen. Ich hab 'nen Onkel in West-Kansas, der hat 'ne große Weizenfarm, nichts wie Weizen baut er an. Zu dem wollte ich. Dachte mir, da fährst du bis Kansas City und tippelst dann weiter. Aber auf die Dauer fühlt man sich doch mächtig einsam in so 'nem Güterwagen, und man schwitzt und wird dreckig. Und wie ich heute die schönen grünen Felder gesehen hab und die Wälder und alles – also das war zu viel für mich. Ich bin einfach abgesprungen und die Böschung runtergerollt und drauflosgegangen. Da ist so 'n schöner Bach hier ganz in der Nähe – na, ich nichts wie rein! War herrlich.« Er lachte. »Nur zum Schluss hab ich 'nen Schreck gekriegt. Ich dachte, irgendwer hätte 'nen Stein nach mir geschmissen.«

Jessica, Leonie und Mathy starrten auf ihre Teller und kauten angestrengt.

»Hab aber niemand gesehen«, fuhr Tom fort. »Wird wohl so 'n dicker Ochsenfrosch gewesen sein.«

»Ganz bestimmt!«, rief Mathy und prustete los.

Callie runzelte die Stirn und blickte Jessica misstrauisch an.

»Bitte reich mir das Brot«, murmelte Jessica.

»Du hast doch noch Brot.«

»Ach ja. Ich meinte Butter, bitte.«

Tom Purdy legte sein Besteck quer über den abgegessenen Teller. »Sie sind der erste Schullehrer, für den ich arbeite«, stellte er fest und fügte bescheiden hinzu: »Aber ich heirate nächstens 'ne Lehrerin.«

»Sieh mal einer an«, sagte Matthew.

»Wie nett«, sagte Callie.

»Wir sind verlobt, ohne großes Trara, wissen Sie, und wenn ich heimkomme, wird geheiratet.« Er stützte das Kinn in die Hand. »Schätze, sie muss mir 'ne Menge beibringen, ordentliches Sprechen und so. Ich hab's nie richtig gelernt. Als ich mit der Grundschule fertig war, musste ich gleich arbeiten gehen. Ich wollte ja noch auf die höhere Schule, aber daraus ist nie was geworden.«

»Das lässt sich doch nachholen«, meinte Matthew freundlich.

»Na, jetzt bin ich wohl schon ein bisschen zu alt.«

»Man ist niemals zu alt zum Lernen. Mein lieber Junge, ich war mindestens so alt wie Sie, als ich mit dem College anfing – ich war sogar schon verheiratet.« Matthew erhob sich, ging mit Tom auf die Veranda und erzählte ihm ausführlich von der guten alten Zeit.

Callie und die Töchter wuschen indessen das Geschirr ab. »Wo seid ihr eigentlich heute Nachmittag gewesen?«, fragte Callie beiläufig.

»Dieser Teller ist nicht ordentlich gespült«, sagte Leonie zu Jessica.

»Dann gib ihn noch mal her. Ich seh hier so schlecht, weil ich das Licht im Rücken habe.«

»Ich könnte mir nämlich vorstellen«, fuhr Callie fort, »dass ihr vom Salatbeet noch zum Bach rübergegangen seid.« Sie wartete. »Wollt ihr mir nicht gefälligst antworten?«

Jessica drehte sich von der Abwaschschüssel um. »Ja, wir waren am Bach, Mama. Nur für einen Moment.«

»Das habe ich mir gedacht«, sagte Callie. »Und als ihr hinkamt, hat der Junge gerade gebadet, nicht wahr?« Allgemeines Schweigen. »Dabei hab ich euch extra verboten, heute zum Bach zu gehen.«

»Nein, Mama, verboten hast du's uns nicht«, widersprach Leonie.

»Na, jedenfalls hab ich gesagt, ihr sollt sofort zurückkommen, wenn ihr den Salat gepflückt habt. Das ist genau dasselbe. Was wolltet ihr überhaupt am Bach?«

»Einen Fisch für dich fangen – weiter nichts.«

»Ihr seid also hingegangen, und dabei habt ihr etwas gesehen, was junge Mädchen nicht sehen sollten.«

»Aber Mama, wir wussten doch nicht, dass er da war!«, rief Leonie ungeduldig.

»Egal, ihr hattet da nichts zu suchen.«

»Wir hatten da mehr zu suchen als er. Es ist *unser* Bach.«

»Ich hab's euch doch ausdrücklich verboten.«

»Du hast es uns nicht verboten!«

»Halt den Mund, Leonie, ich will nichts mehr hören. Wenn Papa erfährt, wo ihr gewesen seid, wird dir der Eigensinn schon vergehen.«

Jessica kam ihrer Schwester zu Hilfe. »Aber Mama, wir wollten ihn doch gar nicht sehen.«

»Das behaupte ich ja auch nicht. Trotzdem… Wer von euch hat den Stein geworfen?«

»Ich«, antwortete Mathy.

»Also wirklich, Kind … Was hast du dir bloß dabei gedacht?«

»Ich fand's lustig.«

»Lustig! Ich muss schon sagen!« Callie setzte sich und wedelte sich mit der Schürze Kühlung zu. »Schlimm genug, dass ihr ihn gesehen habt – musstet ihr's ihn auch noch merken lassen?«

»Er denkt doch, es wäre ein Ochsenfrosch gewesen!« Mathy sank auf einen Küchenstuhl und wollte sich vor Lachen ausschütten. »Er hat keine Ahnung, dass wir es waren.«

»Das darf er auch nie erfahren, verstanden? Er kriegt ja sonst einen ganz falschen Eindruck von euch. Ich bitte mir aus, dass ihr von jetzt an sehr vorsichtig seid. Achtet auf eure Kleidung und euer Benehmen. Und kein Wort zu Papa, hört ihr? Wenn er was merkt, hat er die ganze

Woche schlechte Laune und schimpft mit mir, weil ich euch hab gehen lassen.«

»Du bist doch nicht schuld daran, Mama«, sagte Jessica.

»Na, wir wollen uns nicht länger streiten, wer schuld ist und wer nicht. Ich wollte, es wäre überhaupt nicht passiert. Ihr seid sehr ungezogen gewesen. Geht sofort rauf und bittet Gott um Vergebung.«

»Können wir nicht vorher noch ein bisschen auf der Veranda sitzen?«, fragte Mathy.

»Nein. Ihr geht rauf und ins Bett. Alle drei – ohne Widerrede! Mathy, vergiss nicht, dir die Füße zu waschen.«

Als sich Jessica vor dem Spiegel das Haar bürstete, kam Mathy in ihrem langen Nachthemd herein.

»Jessica?«

»Ja, Schätzchen?«

»Ich weiß gar nicht, wofür ich Gott um Vergebung bitten soll.«

»Ich auch nicht«, bemerkte Leonie, die mit ihrem Neuen Testament auf der Bettkante saß – sie las täglich ein Kapitel.

»Was haben wir eigentlich so Fürchterliches verbrochen?«

»Nun«, sagte Jessica zögernd, »wir haben Mama nicht gehorcht. Wir sollten gleich zurückkommen, aber wir sind zum Bach gegangen. Das wird es wohl sein.«

»Was denn, mehr nicht?« Mathy warf sich rücklings aufs Bett und schwenkte die Beine in der Luft. »Das ist doch bloß eine klitzekleine Sünde. Außerdem wolltest *du* zum Bach, Leonie. Warum sollen da Jessica und ich um Vergebung bitten? Es genügt doch, wenn du es tust.«

»Oh, so leicht kommt ihr nicht davon«, erwiderte Leonie. »Schließlich seid ihr mitgegangen, nicht wahr? Es war meine Idee, das stimmt, aber ihr ...«

»Wir bitten Gott alle um Vergebung«, entschied Jessica. »Wenn wir sagen ›Und vergib uns unsere Schuld, worin sie auch bestehen mag‹, dann wird das wohl ausreichen.«

Mathy kehrte in ihr Zimmer zurück. Gleich darauf rief sie durch die offene Tür: »Ich bin fertig.«

»Womit?«

»Mit dem Gebet.«

»Sehr schön.«

»Ich hab's kurz gemacht, weil mir einfach nichts einfiel. Es ist zu heiß. Ich wollte, wir könnten im Hof schlafen.«

»Leg dich nur hin. Wenn du schläfst, merkst du nichts mehr von der Hitze.«

Jessica fuhr fort, ihr Haar zu bürsten. In dem Spiegel, der alles leicht verzerrte, konnte sie das Bild an der Wand hinter ihr sehen. Es war ein Geschenk der Eltern und stellte ein Mädchen dar, das sich inmitten aufgewühlter Wogen an ein steinernes Kreuz klammerte. Sooft Jessicas Blick daraupfiel, schlug ihr das Gewissen. Sie flocht das Haar in einen langen, festen Zopf und schlüpfte ins Bett.

Leonie las ihr Kapitel zu Ende, blies das Licht aus und kniete auf der anderen Seite des Bettes nieder. Jessica hatte keine Lust zu beten – jedenfalls nicht auf den Knien und mit geflüsterten Worten, wie Leonie es tat. Sie streckte sich aus und versuchte angestrengt, Reue zu empfinden.

Endlich sagte Leonie »Amen« und kletterte ins Bett. »So viel Getue um einen Tagelöhner!«, murrte sie. »Lieber Himmel, auf der Veranda reden sie immer noch. Ich wundere mich wirklich, dass sich Papa mit einem so dummen Kerl abgibt.«

»Er ist nicht dumm.«

»Aber ja! Hast du nicht gehört, wie er spricht?«

»Mama spricht auch nicht viel besser, und sie ist nicht dumm.«

Leonie antwortete nicht. Eine Zeit lang lagen sie schweigend im Dunkeln und lauschten. Von der Veranda klangen Stimmen herauf, und die Luft roch ganz schwach nach Tabak.

»Er *raucht!*«, sagte Leonie verächtlich.

Etwas später knarrte die Treppe unter den Schritten der Eltern, und sie hörten den jungen Mann über den Hof zur Scheune gehen. Das Haus wurde still. Plötzlich stützte sich Jessica auf den Ellbogen. »Was ist denn das?«

Leonie hob den Kopf. »Da spielt einer Mundharmonika.« Die Klänge, schwach, süß und fern, kamen von der Scheune her. »Das muss er sein!«

Die beiden Mädchen setzten sich auf. Es war eine schlichte, wehmütige Melodie, die der Junge ebenso ungekünstelt und herzgewinnend spielte, wie er sprach. Sie wurde bald laut, bald leiser, verlor sich zuweilen in dem

Zirpen der Grillen oder dem Schnauben eines Pferdes, stieg aber immer von Neuem auf und wehte mit dem warmen Nachtwind ins Haus. Jessica glaubte, nie etwas Traurigeres gehört zu haben. Sie ließ sich auf ihr Kissen zurücksinken und zerschmolz vor Mitgefühl – mit dem Jungen, mit sich selbst, mit Marvin, der nun ohne sie leben musste, und mit allen heimatlosen, einsamen Seelen der Welt. Von wohliger Schwermut ergriffen schlief sie ein.

5

Aus den paar Tagen, die Tom auf der Farm bleiben sollte, waren bereits zwei Wochen geworden, und noch immer machte Matthew keine Miene, ihn fortzuschicken. Tom hatte zwar seine Fehler (er schichtete das Heu unordentlich auf, vergaß den Speicher abzuriegeln und legte bei der Arbeit des Öfteren Pausen ein, um im Schatten eine Zigarette zu rauchen), aber er war gutwillig und schien in jedem Befehl eine ehrenvolle Auszeichnung zu sehen. Den Mädchen gegenüber benahm er sich tadellos. Er schenkte ihnen keine besondere Beachtung und erlaubte sich höchstens einmal eine harmlose Neckerei. Die Verlobte im Hintergrund war eine große Beruhigung für Matthew und Callie.

Die ganze Familie bewunderte Toms Reinlichkeit. Callie hatte für eine Waschgelegenheit im Hof gesorgt: An der Hauswand, gleich neben der Hintertür, stand eine Waschschüssel auf einer umgedrehten Kiste. Eine angeschlagene Untertasse diente als Seifenschale, und darüber hing an einem Nagel das Handtuch. Tom fügte selbst eine Zahnbürste und ein Rasiermesser hinzu. Allmorgendlich ließ er sich von Callie den Teekessel geben, um darin Rasierwasser heiß zu machen. Und wenn er abends von der Feldarbeit kam, zog er das Hemd aus und schrubbte sich so kräftig ab, dass Callie sagte, er werde wohl bald keine Haut mehr auf den Knochen haben.

Mathy fand eines Tages eine große Spiegelscherbe im Räucherhaus und schenkte sie Tom für seinen Waschtisch. Er bedankte sich herzlich. Hin und wieder brach er ein Stückchen vom Rand ab und zeigte es Mathy als Beweis dafür, dass seine Hässlichkeit jeden Spiegel zum Splittern brachte.

Kurzum, er war nett. Und unter seinen netten Eigenschaften war eine, um derentwillen ihn Matthew besonders ins Herz schloss: Tom liebte Musik. Er hatte ein gutes Gehör und spielte mit Begeisterung auf seiner Mundharmonika, besaß jedoch keinerlei theoretische Kenntnisse. Aber Matthew lehrte ja so gern! Der Unterricht wurde abends nach dem Essen im sogenannten Salon erteilt. Im Schweiße seines Angesichts – die Petroleumlampe strahlte viel Wärme aus – brachte Matthew dem Jungen das Notenlesen bei. Leonie assistierte am Klavier. Ihr Spiel war nicht sehr beseelt, doch überaus korrekt; sie hatte die Absicht, Konzertpianistin zu werden. Mit herablassender Geduld begleitete sie wieder und wieder Toms einfache Übungen. Tom blies fleißig seine Harmonika und wagte sich zuweilen auch ans Klavier. Er machte Fortschritte, und nach einiger Zeit gingen Leonie und er dazu über, vierhändig zu spielen. Matthew taktierte mit beiden Händen wie ein Dirigent und sang gelegentlich »do re mi« oder »fa fa sol«, um Tom auf den rechten Weg zurückzubringen.

»Wenn sie doch bloß mal was anderes einübten«, seufzte Callie. »Das da kann ich schon bald nicht mehr hören.«

Aber die drei schwitzenden Künstler im Salon wiederholten unverdrossen immer dasselbe anspruchslose Stück und stießen Freudenschreie aus, sooft sie ohne Panne zur Schlussfermate gelangten.

Jessica, die um diese Zeit meist beim Geschirrspülen war, fühlte sich wie eine Ausgestoßene. Ach, hätte sie doch auf Mama gehört und regelmäßig Klavier geübt! Tagsüber setzte sie sich manchmal hin und spielte eine halbe Stunde lang Etüden. Aber die Finger wollten ihr nicht gehorchen, und mit dem Takt haperte es auch. Gewöhnlich endete es damit, dass sie in alten Notenheften blätterte, die Leonie von der Klavierlehrerin geschenkt bekommen hatte, und sich in eine Komposition verbiss, deren romantischer Titel sie lockte. Allerdings sorgte Callie dann bald für eine nützlichere Beschäftigung.

Mitunter, wenn Matthew und Tom abends zu müde für die Musikstunden waren, setzten sie sich zu den anderen auf die Veranda. Mathy gab dann keine Ruhe, bis Tom die Harmonika hervorzog, und er gab keine Ruhe, bis sie sich bereit erklärte, ein Lied vorzutragen. Das Konzert begann fast immer mit einer dramatischen Wiedergabe der ›drei blinden Mäuse‹. Tom quiekte so naturgetreu auf der Harmonika, dass sich Mathy vor Lachen krümmte. Danach sangen sie im Chor, und zwar am liebsten den ›Metzgergesellen‹, jenes Lied, das Tom damals beim Baden gesungen hatte und dessen Text ihnen mittlerweile geläufig war. Anfangs hatten die Mädchen immer kichern müssen, weil das Lied sie an die erste Begegnung mit Tom erinnerte; bald aber wuchs ihnen die sehnsuchtsvolle, melancholische Weise so sehr ans Herz, dass sie mit viel Gefühl einstimmten, wenn Tom sie spielte. Nach solchen Abenden schwebte Jessica in süßer Schwermut die Treppe hinauf, betrachtete sich sinnend im Spiegel und dachte an Marvin. Sie kam sich vor wie die Romanheldin Evangeline, die von dem fernen Gabriel träumte. Alles war so schön und so traurig …

An einem drückend heißen Tag brach Tom mittags beim Heuen zusammen. Matthew fuhr ihn nach Hause und holte den Doktor aus Renfro.

»Die Hitze ist zu viel für ihn«, erklärte der Doktor und riet zu ein paar Tagen Bettruhe.

Callie machte im Salon ein behelfsmäßiges Lager zurecht. »Die Scheune ist doch nicht das Richtige, wenn der arme Kerl krank ist«, sagte sie mitleidig, als sie ein schneeweißes Laken über die Matratze breitete. In den heißen Nachmittagsstunden hielt sie die Jalousien geschlossen, weil sie wenigstens den Eindruck von Kühle erwecken wollte. Die Mädchen fanden das alles höchst aufregend. Sie liefen unermüdlich hin und her, um Tom mit Kartoffelsuppe, Trinkwasser und Eisbeuteln zu versorgen. Mathy brachte ihm Farnkräuter und bunte Steine und las ihm Geschichten vor. Leonie unterhielt ihn mit Musik, und manchmal gestattete sie sogar, dass Jessica vierhändig mit ihr spielte. Für den Bass reichten Jessicas Fähigkeiten gerade aus.

Eines Nachmittags, während Tom schlief, kam Jessica auf Zehenspitzen herein, um die Jalousien noch fester zu schließen. Als sie sich umdrehte, sah sie, dass er wach war und sie anschaute. »Jessica«, sagte er in grüblerischem Ton.

»Ja?«

»Nichts. Ich sag bloß Ihren Namen vor mich hin. Ich hab noch nie wen gekannt, der so geheißen hat. Da war mal 'ne Jessie, ja, und ein Junge, der Jess hieß: Aber das ist nicht dasselbe.«

Sein Blick ruhte noch immer ernst und gedankenvoll auf ihr.

»Sie sehen wie Jessica aus«, fügte er hinzu.

Sie lachte verlegen. »Was soll *das* nun wieder heißen?«

»Ich weiß nicht. Sie tun's eben.«

Jessica zog die Gardinen vor und zupfte sorgsam die Falten zurecht. »Möchten Sie frisches Eis?«, fragte sie dann.

»Ich wär Ihnen sehr verbunden.«

Nachdem sie ihm das Eis gebracht hatte, ging sie in ihr Zimmer und betrachtete sich im Spiegel. Sie drehte den Kopf so weit wie möglich ins Profil, hob das Haar hoch und ließ es wieder fallen, drückte die Nasenspitze mit dem Finger nach oben, runzelte die Brauen und starrte sich lange in die Augen. *Sie sehen wie Jessica aus.* Was meinte er nur damit? Sie lächelte kokett wie eine Kalenderschönheit, schnitt dann eine Fratze und wandte sich ab.

»Jessica!«, schallte die Stimme ihrer Mutter aus der Küche herauf.

»Ja, ich komme!«

Am Samstagabend war Tom so weit wiederhergestellt, dass er die Familie nach Renfro begleiten konnte. Die Damen der Methodistenkirche veranstalteten ein Wohltätigkeitsfest, bei dem selbst bereitete Erfrischungen verkauft werden sollten. Auch Callie nahm Eis und Kuchen mit. Tom, der im Wagen zwischen Mathy und Jessica saß, hielt das Kühlgefäß mit den Füßen fest.

»Wenn Sie nett zu mir sind«, scherzte er, »dann spendiere ich Ihnen vielleicht 'ne Portion Eiscreme.«

»Sparen Sie lieber Ihr Geld, mein Junge«, riet Matthew.

»Ach, der Mathy muss ich auf jeden Fall 'ne Portion spendieren. Sonst schreibt sie nämlich an meine Braut und erzählt ihr, ich wär hinter anderen Mädchen her.«

»So was tu ich doch nicht!«

»Nanu, hast du mir nicht immerzu damit gedroht? Hast du mich nicht erst gestern mit dem Messer 'nen Baum raufgejagt und mich erst runtergelassen, als ich sagte, ich würde dir Eiscreme kaufen?«

»Ist ja nicht wahr! Papa, er schwindelt!«

»Na, sicherheitshalber will ich dir doch lieber 'ne Portion spendieren. Ich hab zu große Angst, dass du meiner Braut 'nen Floh ins Ohr setzt.«

Mathy trommelte mit den Fäusten auf seine Schulter. »Unsinn, du hast ja gar keine Braut!«

»Klar hab ich eine.«

»Warum schreibt sie dir dann nicht?«

»Weil sie nicht weiß, wo ich bin.«

»Warum schreibst du's ihr nicht?«

»Weil ich nicht schreiben kann.« Er lachte. »Genügt das als Antwort, Miss Naseweis?«

Bei der Kirche angelangt, lieferte Tom das Kühlgefäß im Erfrischungszelt ab und verschwand. Als er nach einer Weile zurückkam, trug er einen neuen Strohhut auf dem Kopf. Er stöberte Mathy auf und führte sie zu einem der Tische, wo sie sich an zwei Sorten Eiscreme und Kuchen gütlich taten. Callie, die beim Servieren half, schüttelte den Kopf. »Kinder, esst nicht so viel, sonst wird euch schlecht!«

»Keine Spur, Mrs. Soames«, erwiderte Tom. »Hinterher holen wir uns gleich Rizinusöl aus dem Drugstore.«

Mathy quietschte vor Entzücken, und Callie musste lachen. »Na, mehr würde ich an eurer Stelle jedenfalls nicht essen. Sie sollten überhaupt kein Geld für das Kind ausgeben, Tom.«

Später lief Mathy davon, um mit den anderen kleinen Mädchen zu spielen, und Tom ging den Damen zur Hand. Er hatte gerade einen Eimer Schmelzwasser in den Rinnstein gekippt, als er Jessica am Rande des Rasens stehen sah. »Hallo!«, rief er.

»Hallo. Wo ist Papa? Ich möchte ihn um Geld bitten. Für ein neues Haarband.«

»Er schwirrt hier irgendwo rum. Darf ich Sie inzwischen zu 'ner kleinen Erfrischung einladen?«

»Oh, ich hab schon so furchtbar viel gegessen.« Jessica klopfte sich auf den Magen. »Ich bin bis oben hin voll.«

»Ach was, 'ne Portion Eiscreme vertragen Sie schon noch. Kommen Sie!«

»Meinetwegen«, sagte Jessica achselzuckend. »Eis rutscht bei mir immer.« Sie zwängte sich hinter einen der Sägebocktische. »Himmel, ist das heiß!« Sie hob ihr Haar etwas an und fächelte sich den Nacken, so gut es ging.

»Moment, das kann ich besser.« Tom entfaltete sein großes Taschentuch und wedelte ihr damit Luft zu. »Schönes Haar haben Sie.«

»Finde ich nicht. Ich wollte, ich wäre blond wie Leonie.«

»Ich mag braunes Haar lieber. Besonders wenn es so seidig glänzt wie Ihres.«

»Wirklich? Na, die Geschmäcker sind verschieden.« Jessica wischte sich den Schweiß von der Stirn. »Uff! An so einem Abend kann man gar nicht genug Eis essen.«

»Ich hab da eben einen Behälter aufgemacht, in dem Bananeneis war. Roch sehr gut. Mrs. Latham hat's mitgebracht.«

Jessica verzog das Gesicht. »Dann sind bestimmt Eierschalen drin. Oder Federn oder sonst was. Sie ist immer so schlampig.«

»Gut, dass ich's weiß. Und wie ist es mit Mrs. Barrow? Der ihre Eiscreme hat prima ausgesehen.«

»Schmeckt aber bestimmt wässerig. Sie knausert mit der Sahne, sagt Mama. Aber Mrs. Buxton macht großartiges Eis, das können wir ruhig nehmen. Ach, da kommt sie ja gerade …« Sie winkte einer Dame zu. »Guten Abend, Mrs. Buxton. Ist wohl noch ein bisschen von Ihrer guten Eiscreme da?«

»Aber ja«, antwortete die Dame. »Ich bringe euch gleich eine ordentliche Portion, Kinder.«

Während sie aßen, plauderte Jessica die Küchengeheimnisse sämtlicher Damen der Gemeinde aus. Mrs. Sells buk immer Schokoladentorten, die aus vier Schichten bestanden, aber der Zuckerguss hatte einen eigenartigen Geschmack; Miss Serena Hicks tat Rosinen in ihre Eiscreme … und so weiter. Die beiden waren kaum fertig, als Callie vor ihnen auftauchte. »Jessica, du könntest uns mal ein Weilchen helfen.«

»Gern, Mama. Vielen Dank für die Einladung, Tom.«

»Keine Ursache.« Er schlenderte davon.

»Tom hat mir Eiscreme spendiert, Mama. Nett von ihm, nicht?«

»Du bleibst jetzt hier und hilfst. Wir haben eine Menge zu tun.«

»Mama, ob Papa wohl erlaubt, dass ich mir ein neues Haarband kaufe? Ich brauch's dringend.«

»Vielleicht. Aber jetzt bleibst du erst mal bei mir. Um das Band können wir uns immer noch kümmern.«

Als sich schließlich herausstellte, dass Jessica auf ihr Haarband verzichten musste, weil kein Laden mehr offen war, nahm sie das gleichgültig hin. Sie hatte den ganzen Abend Kuchen und Eis genascht und fühlte sich nicht allzu wohl. Zu Hause war es in sämtlichen Zimmern so heiß, dass sie erklärte, in dieser Luft könne sie unmöglich schlafen. Mathy war der gleichen Meinung, und nach einigem Hin und Her erlaubte Callie den beiden Mädchen, das Feldbett in den Hof zu schleppen.

Tom hatte sich schon auf den Heuboden zurückgezogen. Als er sein allabendliches Mundharmonikakonzert begann, stimmten Jessica und Mathy ein. Sie sangen aus vollem Halse, Tom spielte immer lauter, und die drei steigerten sich in einen solchen Übermut hinein, dass Matthew schließlich vom Schlafzimmerfenster aus ein Machtwort sprechen musste. Das brachte sie zum Schweigen, und als Callie eine halbe Stunde später in den Hof blickte, hatten die Schwestern das Laken bis zum Kinn hochgezogen und schliefen fest.

Gegen Morgen – der Mond war untergegangen, und der Himmel färbte sich bereits grau – wurde Callie wach. Sie stand auf und ging ans Fenster. Auf dem Feldbett lag nur noch eines der Mädchen. Jessica war nirgends zu sehen. Von einer seltsam vertrauten Angst ergriffen, warf sich Callie ein Tuch um und lief hinunter.

»Mathy«, flüsterte sie und rüttelte die Kleine an der Schulter. »Wo ist Jessica?«

»Weiß nicht«, knurrte Mathy schlaftrunken. »Hast du etwas gehört … War Tom …«

»Was ist denn los, Mama?«, fragte Jessica hinter ihr.

Callie fuhr herum. »Allmächtiger! Wo bist du gewesen, Kind?«

»Auf dem Klo.«

»Ich hab eine Todesangst ausgestanden.«

»Ja, was dachtest du denn?«

»Ich weiß nicht. Ich hab überhaupt nicht gedacht. So, jetzt schlaft nur schön weiter.« Sie deckte die beiden zu und küsste Jessica rasch auf die Wange. »Mama hat dich sehr lieb«, sagte sie und ging zurück ins Haus.

»Was *hat* sie denn bloß gedacht?«, murmelte Jessica.

6

Jessica hasste den Sonntagnachmittag. Gegen den Vormittag hatte sie nichts einzuwenden. Beim Frühstück und beim ›Feinmachen‹ für die Kirche wurde gelacht und gescherzt, und das gefiel ihr. Die Sonntagskleider waren zwar unbequem, aber sie sahen gut aus. (Zu Callies größtem Kummer konnte sich Jessica nicht für damenhafte Kleider erwärmen; sie trug am liebsten ihre Teenagersachen und behauptete, alles andere beenge sie und schnüre ihr den Atem ab.) Es war hübsch, in der Pause zwischen Sonntagsschule und Gottesdienst mit den Freundinnen zu schwatzen, und wenn man sich dann zur Predigt zurechtsetzte, wurde einem ganz feierlich zumute. Auf der Kanzel stand Bruder Ward, ein alter Mann, pergamenttrocken und dünn wie eine Bibelseite und voll von guten Worten, die angenehm leicht durch die Kirche schwebten. Seine Stimme polterte und dröhnte nicht wie die vieler anderer Prediger; er beugte sich über die große offene Bibel und sprach so ungekünstelt zu seiner Gemeinde, dass man sich beim Zuhören wohl- und geborgen fühlte.

Und trat man dann in den gleißenden Sonntagmittag

hinaus, so war man noch eine ganze Weile in gehobener Stimmung. Man kam sich so schwerelos, so geläutert vor, der Himmel strahlte, alle Leute waren freundlich zueinander, und nach dem Essen gab es Eiscreme. Ja, der Sonntagvormittag hatte entschieden seine Vorzüge.

Aber der Sonntagnachmittag war grässlich. Lang und eintönig zog er sich hin. Die Farm war kein rechtes Zuhause mehr. Alles wirkte fremd und unwirklich. Eingesponnen in Hitze und Stille, war man wie ein Gefangener; man konnte nicht hinaus, und niemand konnte herein. Und man war unbeschreiblich einsam.

Sogar die nächsten Angehörigen benahmen sich anders als sonst. Sie hielten ein Mittagsschläfchen; sie saßen auf der Veranda im Schaukelstuhl, fächelten sich, lasen erbauliche Schriften oder starrten auf die Straße. Hin und wieder fuhr ein Einspänner vorbei und alle Ewigkeit mal ein Auto, und die Staubwolke, die dann aufgewirbelt wurde, hing lange in der Luft, bevor sie zu Boden sank. Das Haus lag unter einem Bann wie Dornröschens Schloss. Selbst die Spinnen schliefen in ihren Netzen. Eine Diele knarrte, eine Fliege summte, eine Buchseite raschelte. Das war alles, außer dem eintönigen Schrillen der Heuschrecken.

Leonie schrieb sonntagnachmittags Briefe an ihre Freundinnen, bereitete die nächste Sonntagslektion vor und übte Klavier – alles mit verbissenem, zielstrebigem Ernst. Jessica dagegen fühlte sich immer viel zu bedrückt, um irgendetwas Nützliches zu tun.

An dem Sonntag, der dem Fest in Renfro folgte, wanderte sie eine Weile ziellos durchs Haus und setzte sich dann mit Longfellows Gedichten unter den Baum im Hof. Der Wind strich klagend um die Scheune, und Jessicas Herz war voller Sehnsucht, obwohl sie nicht recht wusste, wonach sie sich sehnte – höchstens nach dem Montag, dem lieben Montag mit seinem fröhlichen, geschäftigen Leben und Treiben.

Drinnen spielte Leonie ihre Fingerübungen, eine Tonleiter nach der anderen, hinauf und herunter, schwerfällig, aber gewissenhaft. Hinauf und herunter, hinauf und herunter – es klang so einschläfernd wie das Zirpen der Heuschrecken. Mathy kam mit Bleistift und Zeichenblock, hockte sich neben Jessica ins Gras und zeichnete ein Marienkäferchen. Dabei sang sie vor sich hin:

>*Bunte Schlangen, zweigezüngt,*
Igel, Molche, fort von hier!
Dass ihr euer Gift nicht bringt
in der Königin Revier!<

»Was ist denn das für ein Lied?«, fragte Jessica.

»Hab ich mir ausgedacht. Nicht die Worte, nur die Melodie.«

»Und woher hast du die Worte?«

»Aus einem Buch.«

»Aus welchem?«

»Weiß ich nicht mehr – eins von denen im Bücherschrank. Sind Molche giftig, Jessica?«

»Keine Ahnung. Da musst du Papa fragen.«

»Hör mal!« Mathy hob die Hand. »Da kommt ein Flugzeug!«

Die beiden Schwestern sprangen auf und liefen zur Scheune, wo die Sicht besser war. Aber sie konnten kein Flugzeug am Himmel entdecken.

»Es werden wohl nur die Grillen unter dem Holzstoß gewesen sein«, meinte Jessica.

Sie setzten sich wieder unter den Baum. Mathy versuchte ein Flugzeug zu zeichnen, und Jessica vertiefte sich von Neuem in *Evangeline*. Der Nachmittag schien überhaupt nicht enden zu wollen. *Do re mi fa sol la si do,* tönte das Klavier, *do si la sol fa mi re do.* Tom, der im vorderen Hof geschlafen hatte, kam ums Haus herum und ging an die Pumpe.

»Ach ja, ich möchte auch kaltes Wasser trinken«, sagte Mathy.

»Gib den Eimer her, ich füll ihn auf.«

Mathy holte Eimer und Schöpfkelle, und sie tranken beide. Dann pumpte Mathy, während sich Tom unter dem hervorschießenden Strahl das Gesicht wusch. Zuletzt fuhr er sich mit den nassen Händen durchs Haar.

»Warte, ich helfe dir!« Sie träufelte ihm Wasser auf den Kopf.

»Frechdachs!«, rief Tom und spritzte ihr ein paar Tropfen ins Gesicht.

»Aaah, wie schön!«

»Du kannst gern mehr haben.« Er spritzte kräftiger.

Mathy bedrohte ihn mit der gefüllten Kelle. Tom ergriff die Flucht, und sie jagte hinter ihm her. Gerade als sie ausholte, verschwand er hinter dem Baumstamm, und der kalte Guss traf Jessica. Sie sprang lachend auf, rannte in die Küche und kam mit einem Becher zurück. Nun entbrannte eine wilde Wasserschlacht. Die drei tobten im Hof herum, lärmten und schrien und wurden immer nasser. Leonie, die sehen wollte, was draußen los war, bekam einen Schwung Wasser mitten ins Gesicht.

»Hör auf! Was fällt dir ein!«

Mathy bog sich vor Lachen. »*Ich* hab's nicht mit Absicht getan – ich wollte Tom treffen.«

Leonie stürzte zum Eimer, um sich an Mathy zu rächen. Im Nu war sie ebenso nass wie ihre Schwestern. Die Haarsträhnen klebten ihnen am Nacken, unter den triefenden Kleidern zeichneten sich ihre Beine und die kleinen Brüste ab. Auch Toms Hemd und seine Sonntagshose waren völlig durchnässt.

Während sich Mathy und Leonie an der Pumpe balgten, sprang Tom über den Zaun, um Jessica zu entkommen. Sie stürmte durch das Pförtchen, und gleich darauf standen sie sich im Obstgarten gegenüber, nur durch die hölzerne Wasserrinne voneinander getrennt.

»Ich werf Sie rein!«, keuchte er.

»Das wollen wir erst mal sehen!« Jessica beugte sich vor und schleuderte zwei Handvoll Wasser nach ihm. Tom war mit einem Satz neben ihr und schlang den rechten Arm so fest um ihren Hals, dass sie sich nicht rühren konnte; mit der linken Hand besprizte er sie ausgiebig. Jessica kreischte und zappelte; aber er ließ nicht locker. Die Luft war erfüllt von Geschrei und Gelächter und sprühendem Wasser. Sie waren dem Gefängnis des Sonntagnachmittags entronnen. Aufruhr tobte im Hof, bis Matthews Stimme wie eine Ochsenpeitsche dazwischenfuhr: »Schluss jetzt! Hört sofort auf!«

Mathy, die gerade hinter Leonie her war, fuhr herum, sah ihn – und leerte mit einem Ausdruck ihrer Wonne den Wassereimer über ihm aus.

Abends, als die Lampen schon angezündet waren, kam Callie zu den Mädchen herauf. Der Aufstand war längst niedergeschlagen. Die nassen Kleider hingen auf der Leine, Mathy hatte eine Tracht Prügel bezogen, Jessica und Leonie waren für den Rest des Tages in ihr Zimmer verbannt worden. Als Callie im Türrahmen erschien, lagen die beiden auf dem Bett und kicherten um die Wette.

»Jessica«, sagte Callie, »willst du bitte einen Moment rüberkommen?«

Jessica ging in das Zimmer der Mutter, und Callie schloss die Tür hinter ihr. »Setz dich, Kind. Mama möchte mit dir reden.«

Jessica hatte plötzlich das Gefühl, einen Mühlstein verschluckt zu haben. Nichts war unangenehmer als solche Gespräche unter vier Augen.

»Es ist wegen Tom«, fing Callie an.

»Wegen Tom?«

»Gestern Abend … du hast dich von ihm einladen lassen. Ich fand das ziemlich unpassend, muss ich sagen.«

»Wieso denn? Er hat Mathy doch auch eingeladen.«

»Ich weiß, aber das ist ganz was anderes. Mathy ist ein kleines Mädchen. Du dagegen, Jessica, bist gewissermaßen schon eine Dame, und du musst im Umgang mit jungen Männern vorsichtig sein.«

»Aber es war doch bloß Tom!«

»Eben drum, Liebling. Es sieht nicht gut aus, wenn du dich in aller Öffentlichkeit mit ihm an einen Tisch setzt und dich von ihm freihalten lässt – von einem Jungen, der bei uns als Tagelöhner arbeitet.«

»Oh …«

»Die Leute könnten denken, du bist seine Freundin.«

»Mama!«

»Ja, glaub's mir nur. Geklatscht wird immer, egal, wie harmlos die Sache ist. Und ich will nicht, dass es heißt, die Tochter vom Schulleiter geht mit 'nem Tagelöhner. Das ist ja auch peinlich für Papa.«

»Ich hab mir dabei gar nichts gedacht.«

»Das weiß ich. Aber er könnte sich was dabei denken, verstehst du … Sieh mal, heute Nachmittag bei der Wasserspritzerei, da hat er dir den Arm um den Hals gelegt.«

»Aber das war doch nur ein Scherz, Mama.«

»Ja, für dich. Bei ihm bin ich mir da nicht so sicher. Auf jeden Fall musst du von jetzt an sehr vorsichtig sein, hörst du? Lass dich nicht wieder von ihm anfassen, und pass auch sonst auf, dass er dir nicht zu nah kommt. Jungens bilden sich leicht was ein. Und ich will nicht, dass er sich deinetwegen was einbildet.« Jessica ließ den Kopf hängen. Sie war dankbar dafür, dass im Zimmer kein Licht brannte. »Tom ist ein netter Junge«, fuhr Callie fort, »aber er ist eben nur ein Tagelöhner – nicht viel mehr als ein Landstreicher. Und Mama möchte doch, dass du einen Mann heiratest, der was Richtiges gelernt hat. Einen Mann aus guter Familie, weißt du, der dir was bieten kann und der für dich sorgt, wie sich's gehört.«

»Aber Mama, wer redet denn von …«

»Ich weiß, dass dir Tom nichts weiter bedeutet, aber du musst trotzdem vorsichtig sein. Vor allem darfst du keine Vertraulichkeiten dulden. Wenn junge Leute zu vertraulich miteinander werden, kann alles Mögliche passieren. Gerade in deinem Alter muss ein Mädchen auf so was achten.«

Callie ging zum Fenster und band den Vorhang zurück, damit mehr Luft hereinkam. Jessica hatte das Gefühl, ersticken zu müssen. »Darf ich jetzt gehen, Mama? Hier ist es so schrecklich schwül.«

»Ja, du kannst gehen«, sagte Callie.

Jessica rannte die Treppe hinunter und hinaus in den Hof, wo es dunkel war. Am liebsten wäre sie in die Wälder geflüchtet und hätte sich dort, fern von den Menschen, für immer verborgen. Im Schatten des Räucherhauses hockte sie sich in eine Ecke, presste den Kopf auf die Knie und verzog das Gesicht zum Weinen. Aber die Tränen kamen nicht. Sie war zu tief gedemütigt. Warum hatte sie sich gestern Abend mit dem Tagelöhner zusammengesetzt? Was war nur in sie gefahren? Wie konnte sie so etwas Dummes tun? Und diese kindische Wasserschlacht! Sie war ihm nachgejagt … Er hatte sie anfassen dürfen. Das, ja das war es, was sie sich nie verzeihen würde! Der Tagelöhner hatte den Arm um sie gelegt und ihren Kopf an seine Schulter gedrückt, und ihr war es nicht unangenehm gewesen! Jessica krallte die Finger in den Boden und wütete gegen sich selbst.

Andererseits ... warum sollte es ihr unangenehm sein? Warum maßte sich jeder an, auf Tom herabzublicken? Er war nett. Wenn er aus einfachen Verhältnissen stamm-te – war denn das seine Schuld? Plötzlich wurde sie von tiefem Mitleid überwältigt, und nun konnte sie auch weinen.

7

Zu Toms Vorzügen gehörte, dass er recht gut aussah. Des Weiteren war er reinlich und gutmütig und so manierlich, wie ein Junge seiner Herkunft nur sein konnte. Außerdem hatte er eine rasche Auffassungsgabe, wenn es ihm auch an Bildung mangelte. Vor allem aber war er in greifbarer Nähe, und in gewissen Fällen ist das der größte Vorzug von allen. Als Jessica an jenem Abend endlich einschlief, war sie bis über die Ohren in ihn verliebt. Beschämt oder nicht, sie musste sich eingestehen, dass sie ihn liebte, dass sie ihn schon liebte, seit er pfeifend die Straße entlanggekommen war.

Am nächsten Morgen wachte sie mit Kopfschmerzen auf und blieb in ihrem Zimmer, bis Matthew und Tom das Haus verlassen hatten. Den ganzen Tag ging sie still umher und trug die Last der Schande. Alle ihre Gedanken kreisten um Tom; sie dachte unaufhörlich an ihn. Sie betrachtete ihn von Callies und Leonies Standpunkt aus, und sie überlegte, wie ihre Freundinnen in der Stadt ihn beurteilen würden. Für die war er natürlich arm und schäbig, ein ungehobelter Bursche mit schief stehenden Zähnen, ein Niemand. Und dann sah sie ihn wieder mit ihren Augen: ein fröhlicher Junge, der lachend seine weißen Zähne zeigte und eine so gewinnende Art hatte … und sie liebte sogar die Scheune, den Wassertrog, die Pumpe und das Sofa im Salon, alles um seinetwillen.

Aber Tom hatte daheim eine Braut, die er bald heiraten wollte! Bei diesem Gedanken wurde Jessica von Verzweiflung gepackt. Es war aussichtslos. Für Tom war sie ja nur ein kleines Mädchen, ein eckiger Backfisch mit zu großer Nase. Nicht einmal Klavier konnte sie spielen. Sie biss sich in die Fingerknöchel und legte ein stummes Gelübde ab, von jetzt an täglich zu üben. Aber wozu eigentlich? Selbst wenn es ihr gelänge, Toms Aufmerksamkeit zu erregen, ihn an sich zu fesseln – Papa und Mama würden es ja doch nicht erlauben. Nie im Leben. Außerdem war er wirklich schäbig und gewöhnlich und sprach falsch und verdiente gar nicht, dass sie an ihn dachte. Nur tat sie es, leider …

Sie lief hinauf in ihr Zimmer und betrachtete sich im Spiegel. Ein schmales Gesicht mit scharf vorspringender Nase, hellbraunen, ängstlich blickenden Augen und glattem braunem Haar. Tom hatte gesagt, er fände ihr Haar schön. Das konnte er doch nicht ernst gemeint haben. Er machte sich über sie lustig! Jessica brach in Tränen aus. Als sie im Spiegel ihren verzerrten Mund und die roten Augen sah, verbarg sie das Gesicht in den Händen. »Ich bin so hässlich«, schluchzte sie. »Und so blöd!«

Eine Woche später, als sie bei Tisch saßen, fragte Callie plötzlich: »Was ist eigentlich mit dir los, Jessica? Du stocherst bloß in deinem Essen rum. Und blass bist du auch. Fehlt dir was?«

»Nein, gar nichts. Ich habe nur keinen Appetit.«

»Du und keinen Appetit!«

»Es ist so heiß.«

»Das stimmt – grässlich heiß. Ich klebe.« Callie zog den Ausschnitt ihres Kleides nach vorn und fächelte Luft in die Öffnung. »Es wird immer schlimmer. Und bei der Hitze müssen wir auch noch alles für unsere Gäste vorbereiten.«

»Ich wünschte, sie kämen nicht«, sagte Jessica und dachte voller Abscheu an Tanten, Onkel, ihre Cousine Ophelia und die gesamte übrige Menschheit – mit Ausnahme von Tom. »Nanu? Du freust dich doch sonst über jeden Besuch.«

»Sonst schon, aber heute …«

»*Ich* freue mich auf unsere Verwandten«, erklärte Leonie. »Ich kann's kaum erwarten, dass sie kommen.«

»Na, bis dahin gibt's aber noch 'ne Menge zu tun«, sagte Callie. »Wenn ihr euch die Haare waschen wollt, beeilt euch, sonst wird uns die Zeit knapp.«

Mit einem großen Stück Kernseife bewaffnet, zogen die drei Mädchen hinaus in den Hof. Die Haarwäsche wurde an Toms Waschtisch vorgenommen, und anschließend waren die beiden Ältesten einander behilflich, Strähne für Strähne auf papierne Lockenwickel zu rollen. Als sie damit fertig waren und aufgeräumt hatten, wurde Jessica von der Mutter zum Kuchenbacken abkommandiert. Sie machte die Obsttorte zurecht, schob sie in den

Ofen und schlüpfte dann, da alle anderen im Garten waren, in den Salon, um *Lorna Doone* zu lesen.

Sie hatte sich kaum hingesetzt, als Callie den Kopf zur Tür hereinsteckte. »Du passt nicht sehr gut auf dein Feuer auf«, bemerkte sie.

Jessica klappte das Buch seufzend zu. »Ich sehe gleich nach.« Sie schüttete den Inhalt des Kohleneimers auf die Glut, und daraufhin ging das Feuer prompt aus. Nun musste sie trockene Maiskolben holen und noch einmal von vorn anfangen. Mit dem Eimer in der Hand machte sie sich auf den Weg zum Getreidespeicher. Die glühende Sonne versengte ihr fast die Kopfhaut zwischen den Papierröllchen.

»Himmel, siehst du komisch aus!«, rief Mathy, die ihr an der Scheune begegnete. Mathys Haar war so kurz geschnitten, dass sie keine Lockenwickel brauchte.

»Ist mir egal«, erwiderte Jessica.

Als sie um die Scheunenecke bog, stieß sie auf Tom.

»Donnerwetter, Sie haben sich aber fein gemacht«, sagte er. Jessica errötete bis unter die Lockenwickel, ging aber unbeirrt weiter. »Wie 'n aufgeputzter Weihnachtsbaum sehen Sie aus«, stellte er fest.

»Na wennschon. Was haben Sie überhaupt hier zu suchen?«

»Ich hab meine Heugabel vergessen.«

»Und Sie haben auch vergessen, den Speicher abzuriegeln.« Sie ging hinein und zog die Lattentür hinter sich zu.

»Oje, schon wieder?«

Jessica setzte sich auf ein Bündel Maisstroh. Sie wollte im Speicher bleiben, bis Tom mitsamt seiner Heugabel das Feld geräumt hatte. Langsam, Stück für Stück, ließ sie die trockenen Maiskolben in den Kohleneimer fallen.

»Jessica …«

Sie blickte auf, seltsam berührt von dem sanften Klang seiner Stimme. Er stand vor ihr und schaute sie lächelnd an.

»Was ist denn?«, fragte sie abweisend.

»Ich wollte mich wirklich nicht über Sie lustig machen.«

Jessica wusste nicht, was sie darauf erwidern sollte. Schweigend warf sie einen Maiskolben nach dem anderen in den Eimer.

»Aber«, fügte er grinsend hinzu, »ein bisschen komisch sehen Sie schon aus.«

»Halten Sie endlich den Mund!«

»Ach, Jessica, ein Mädchen wie Sie kann ruhig mal komisch aussehen. Hübsch bleiben Sie deswegen doch.«

»Ich bin nicht hübsch. Ich bin hässlich.«

»Wie kommen Sie denn auf die Idee?«

Sie wollte irgendetwas Schnippisches antworten, aber ehe sie wusste, wie ihr geschah, hatte er sie herzhaft auf den Mund geküsst. »So!«, sagte er. »Das war schon lange fällig, bloß man erwischt Sie ja nie allein.«

Jessica wandte sich ab, um das Lächeln zu verbergen, das in ihren Mundwinkeln zuckte. »Sie hätten das nicht tun sollen.«

»Warum nicht?«

»Es gehört sich nicht.«

»Ist doch was ganz Natürliches.«

»Deshalb schickt sich's noch lange nicht. Außerdem sind Sie verlobt.«

»Ich? Keine Spur.«

Sie fuhr herum und sah, dass er verschmitzt lächelte. »Und was ist mit der Lehrerin, die Sie nächstens heiraten wollen?«

»Die gibt's gar nicht.«

»Aber Sie sagten doch …«

»Ich hab ein bisschen geschwindelt.«

»Sie sind nicht verlobt – mit niemandem?«

»Ach wo.«

»Warum haben Sie's dann gesagt?«

»Weil ich dachte, Ihr Pa würde mich sonst nicht nehmen. Wo er doch zwei erwachsene Töchter hat …«

Jessica presste missbilligend die Lippen zusammen, wie Leonie es so gern tat. »Das war Betrug.«

»Na ja, vielleicht. Aber ich wollte doch arbeiten, und Ihr Pa konnte mich brauchen. Ist ja nicht so, als ob ich ihn geschädigt habe.«

»Und Sie … Sie …« Jessica brachte das Wort ›lieben‹ nicht heraus. »Sie haben also kein Mädchen gern?«

»Doch. Eine hab ich gern.« Seine lang bewimperten blauen Augen blickten sie unverwandt an, und ihr Herz zuckte, als hätte sie einen zappelnden kleinen Fisch in der Brust.

»Jes-si-ca!«, rief draußen eine Stimme.

Tom gab sich einen Ruck. »Hübsche Mädchen haben

immer kleine Schwestern. Ist wohl besser, wenn ich wieder an die Arbeit gehe.« Er verließ den Speicher. »Na, Mathy«, sagte er, »wird aber auch Zeit, dass du kommst und deiner Schwester hilfst.« Er kletterte über den Weidezaun und schlenderte davon.

Mathy erschien in der Türöffnung. »Jessica? Ach, hier bist du … Und Mama wundert sich, wo du steckst.«

»Ich hole nur ein paar Maiskolben zum Feuermachen.«

»Der Ofen ist aber schon lange aus.«

»Weiß ich. Deshalb bin ich ja hier. Tom hatte die Heugabel vergessen. Wir haben uns höchstens eine Minute unterhalten und …«

»Jessica?«

»Ja?«

»Ich petze bestimmt nicht.«

Sie sahen einander schweigend in die Augen. »Was meinst du damit?«, fragte Jessica dann.

»Ich verpetze dich nicht, wenn du dich mit Tom küsst.«

»Aber Mathy, wie kommst du auf so was?« Jessica wurde dunkelrot und senkte erschrocken den Kopf.

»Hast du ihn denn nicht geküsst?«

»Ich *ihn?* Nein!«

»Warum nicht?« Mathy sah sie empört an. »Du bist schrecklich dumm, Jessica. Ich würde Tom sofort küssen, wenn ich alt genug dazu wäre. Ich liebe Tom. Aber ich bin noch zu jung, und das macht mich ganz rasend. Jessica, wenn ich ihn schon nicht heiraten kann, musst du's eben tun!« Mathys Wangen glühten, und sie sprach so feierlich ernst, dass Jessica in Lachen ausbrach.

»Aber Kind, wer redet denn vom Heiraten?«

»Willst du ihn etwa nicht heiraten?«

»Ich muss schon sagen, Mathy ...«

»Willst du oder willst du nicht?«

»Ich bin doch erst achtzehn.«

»Wenn Mama mit achtzehn alt genug war ...«

»Aber ich möchte aufs College gehen und studieren. Außerdem will Tom mich ja gar nicht heiraten.«

»Hat er das gesagt?«

»Nein, natürlich nicht ... Davon haben wir überhaupt nicht gesprochen.«

»Wetten, dass er dir bald einen Antrag macht?«

»Er denkt nicht dran.«

»Möchtest du's nicht, Jessica?«

»Mathy, jetzt hör aber auf!«

»Möchtest du's nicht?«

»Na, einen Antrag kann er mir ja meinetwegen machen ...«

»Wir müssen ihn dazu bringen!«

»Was fällt dir ein, Mathy! Wie kannst du so albernes Zeug reden! Du bist doch ...« Jessica hielt inne, blickte Mathy entrüstet an und nahm sie plötzlich in die Arme. »Du bist doch die goldigste kleine Schwester von der Welt«, flüsterte sie ihr ins Ohr.

Eng umschlungen wiegten sich die beiden hin und her und quietschten vor Lachen. Als sie ins Tageslicht hinaustraten, fühlten sie sich ein bisschen schwindlig und kamen sich höchst bedeutend vor. Zum ersten Mal seit Tagen empfand Jessica kein Schuldbewusstsein. Als nachmittags die Verwandten eintrafen, wusste sie sich vor Freude kaum zu halten. Sie liebte alle Welt. Nie hatte es einen schöneren Tag gegeben.

Von nun an lebte Jessica in einer Art von selbst verhängtem Belagerungszustand. Bei allem, was sie tat, stellte sie sich vor, dass Tom sie beobachtete. Spülte sie beispielsweise Geschirr, so fragte sie sich, wie wohl die anmutige Bewegung, mit der sie den Kochtopf hob, auf ihn wirken würde. Bei der Gartenarbeit stand sie nicht mehr wie ein zusammengeklapptes Taschenmesser zwischen den Beeten, tief gebückt, mit emporgerecktem Hinterteil – nein, sie ging damenhaft in die Hocke und ordnete ihren Rock dekorativ um sich herum. Wenn sie ihr frisch gewaschenes Haar in der Sonne trocknete, ließ sie es lose über die Schultern herabfließen und kam sich wie Lorna Doone vor. Die Lockenwickel benutzte sie nicht mehr.

Eines Tages, als sie in ihrem Zimmer im Waschzuber gebadet hatte, betrachtete sie sich in der ›guten‹ Hälfte des Spiegels, die das Bild weniger verzerrte. Sie fand ihren Körper zu lang und zu mager, aber die Farbe – ja, die war eigentlich recht hübsch. Ein sahniges Weiß, ohne Sommersprossen. Allerdings hatte sie ein kleines Muttermal an der Schulter. Ob ihn das stören würde? Der Gedanke, unbekleidet vor ihm zu stehen, trieb ihr das Blut in die Wangen, und sie wandte die Augen ab; gleich darauf aber, von einer seltsamen Lust kühn gemacht, schaute sie wieder hin. Sie erinnerte sich an seinen nackten Körper, wie sie ihn damals am Bach gesehen hatte, und plötzlich überkam sie ein Sehnen, das sie beängstigte. Sie verstand diese Regung, ohne es zu wollen. Dann, als sie im Spiegel das Bild an der Wand erblickte – das Mädchen, das inmitten der stürmischen Brandung nach dem Kreuz griff –, wandte sie sich hastig ab.

Alles, was sie und Tom in jenen Tagen voneinander hatten, war der eine Kuss und gelegentlich ein verstohlener Händedruck, wenn sie sich abends irgendwo im Haus begegneten. Und mehr wünschte sich Jessica kaum. Einen so erlesenen und gefährlichen Genuss durfte man nicht voll auskosten. Es war wie der scharfe, aufreizende Geschmack grüner Weinblätter, die man ein wenig kaute, aber nicht schluckte. Jedes Zuviel schmeckte bitter.

Hinzu kam, dass sie fürchtete, Tom zu enttäuschen. Was sollte sie sagen, was tun, wenn sie allein mit ihm war? Doch als sich dann eine Gelegenheit bot, vergaß sie ihre Bedenken, und sie war weder ungeschickt noch furchtsam.

Matthew beauftragte Jessica eines Abends, den Hühnerstall zu schließen. Draußen sank die Dämmerung herab; der Himmel war noch tiefblau, und die schmale Sichel des Neumonds hing über dem Obstgarten. Jessica blieb stehen und wünschte sich etwas. Dann hob sie das Gesicht und drehte sich langsam um sich selbst; in diesem Augenblick fühlte sie sich als Mittelpunkt der lieblichen, ringsum ausgebreiteten Welt. Gedankenverloren ging sie zurück. Plötzlich trat ihr Tom aus dem Schatten entgegen. Das Haus lag im Dunkeln; von der Vorderveranda, wo die Familie saß, klangen Stimmen herüber. Mit der Selbstverständlichkeit des Wassers, das bergab fließt, ob es will oder nicht, eilte Jessica auf Tom zu, und schon lagen sie sich in den Armen, so hungrig nacheinander, dass sie sich nicht einmal küssten. Mit allen Sinnen nahm Jessica seine Nähe in sich auf; sie fühlte, schmeckte, atmete ihn, seinen Herzschlag, seine Kehle, an die ihr Mund gepresst war. *Hier bin ich!,* schrie sie innerlich. So standen sie, eng umschlungen, bis eine Stimme hinter ihnen sie auseinanderspaltete wie ein Hammerschlag den spröden Stein. Matthew hatte sie überrascht.

Sekundenlang waren sie alle drei wie gelähmt. Matthews Zorn schien Feuerströme ins Dunkel zu entsenden. Dann fand er seine Stimme wieder, und das Unwetter brach los. Er wütete und tobte, schwelgte in Wörtern wie ›einschleichen‹, ›verderbt‹, ›hinterhältig‹ und ›unverschämt‹.

Als Matthew endlich verstummte, sagte Tom leise: »Es tut mir leid, Mr. Soames. Ich wollte Ihnen keinen Ärger machen.«

Hierauf folgte ein zweiter Wutausbruch, und Matthew befahl Jessica, ins Haus zu gehen. Sie gehorchte widerspruchslos. Das Letzte, was sie hörte, war: »… und lassen Sie sich nicht mehr hier blicken!«

Am nächsten Morgen war Tom fort. Sein Name wurde im Familienkreise nicht mehr erwähnt.

8

Leonie brachte bei allem Mitgefühl wenig Verständnis für Jessicas Kummer auf. »Dieser Tom war doch so ordinär«, sagte sie immer wieder und hielt das für einen Trost. »So einen hättest du unmöglich heiraten können. Zu dir passt nur ein gebildeter Mann, ein Lehrer zum Beispiel.«

Mathy hingegen teilte Jessicas Empfindungen. Die beiden Schwestern trauerten insgeheim um Tom und ergingen sich in endlosen Vermutungen, wohin er sich wohl gewendet habe. Jessica nahm an, er sei mit einem Güterzug westwärts gefahren. »Er hat ja immer davon gesprochen, dass er zur Weizenernte nach Kansas wollte.«

»Er ist bestimmt noch in der Nähe«, behauptete Mathy. »Pass auf, er kommt zurück und holt dich.«

Jessica klammerte sich an diese Prophezeiung, obgleich sie im Grunde nicht daran glaubte. Sie fand, Tom könne sie nicht richtig geliebt haben, denn sonst hätte er sie doch gleich mitgenommen.

Wie dem auch sein mochte – am Samstagabend trafen sie ihn in der Stadt. Die Familie Soames wollte gerade in die Markthalle, als Tom herauskam. Jessica glaubte, vor Freude und Angst sterben zu müssen. Matthews Gesicht erstarrte; er konnte sich kaum überwinden, Toms unbefangenen Gruß mit einem eisigen »Guten Abend« zu erwidern. Jessica hoffte, dass ihm der Blick entgangen war, den sie mit Tom gewechselt hatte.

»Ihr bleibt schön bei mir«, flüsterte Callie ihren Töchtern zu – als ob Jessica den Mut hätte, ihm nachzulaufen!

Die Hoffnung, ihn im Laufe des Abends wiederzusehen, erfüllte sich nicht. Für gewöhnlich bummelten Jessica und Leonie mit ihren Freundinnen um den Platz herum und tranken im Drugstore eine Limonade. Diesmal konnten sie sich keinen Schritt von der Mutter entfernen, ohne mit einem scharfen Blick zurückbeordert zu werden. Mathy brachte es zwar fertig, für kurze Zeit zu entwischen, aber Jessica und Leonie mussten bei den Eltern bleiben, bis alle Besorgungen erledigt waren. Dann ging es sofort nach Hause. Unterwegs wurde kein Wort gesprochen. Matthews Miene war finster und verbissen; zweifellos nahm er es Tom übel, dass er noch auf der Welt war. Jessica machte sich nichts daraus. Solange sie Tom in der Nähe wusste, war ihr alles andere gleichgültig.

Sie sehnte die Schlafenszeit herbei, denn es drängte sie, mit Mathy über das große Erlebnis zu sprechen. Die beiden kampierten noch immer auf dem Feldbett im Hof. Diesmal lagen sie kaum auf der Matratze, als Mathy das Laken über ihre Köpfe zog und Jessica ins Ohr zischelte: »Ich soll dir was ausrichten!«

»Von Tom?«, flüsterte Jessica, atemlos vor Glück. »Was hat er gesagt?«

»Er will dich im Obstgarten treffen.«

»Wann?«

»Heute um Mitternacht.«

Jessica erstickte einen Aufschrei im Kissen. »Wirklich? Wie hast du das fertiggebracht? Was hat er sonst noch gesagt?«

»Nichts. Nur dass er um Mitternacht auf dich wartet. Ich bin ein paarmal um den Platz gelaufen, und da habe ich ihn gesehen.«

Sie wisperten aufgeregt unter dem Laken. Jessica hatte Angst, und Mathy versuchte, ihr Mut zu machen.

»Und wenn Papa dahinterkommt?«

»Ach, der schläft doch dann schon.«

»Wie soll ich wissen, ob er wirklich schläft?«

»Er schnarcht.«

»Aber wenn nun Mama aufwacht und aus dem Fenster sieht? Dann merkt sie doch, dass ich nicht da bin.«

»Keine Spur«, sagte Mathy.

»Na, hör mal …«

»Wenn ich nicht da bin, merkt sie's ja auch nicht.«

»Mathy! Wanderst du etwa nachts wieder herum?«

»Ab und zu.«

»Kind, das ist gefährlich. Papa und Mama haben es dir so oft verboten.«

»Sie wissen's ja nicht. Hast du vielleicht schon mal was gemerkt? Na bitte, und dabei schläfst du direkt neben mir.«

»Mathy, lass das bleiben. Wenn Mama doch einmal dahinterkommt, ist der Teufel los.«

»Sie kann ruhig ans Fenster gehen. Auf meinen Trick fällt sie todsicher rein. Pass auf.« Mathy schlüpfte aus dem Bett, ohne dass auch nur eine Sprungfeder quietschte, lief zum Räucherhaus und kam mit einer kleinen runden Steingutschüssel zurück. Mit raschen, geübten Bewegungen legte sie die Schüssel auf ihr Kissen, zog das Laken darüber und bauschte die Decke ein wenig auf, sodass man im Dunkeln durchaus eine menschliche Gestalt darunter vermuten konnte. »So mache ich's jedes Mal, wenn ich aufwache und ein bisschen spazieren gehen möchte.«

»Du bist eine grässliche kleine Person«, schalt Jessica, und nun pressten sie beide den Mund auf das Kissen, um nur ja nicht zu lachen. Von Zeit zu Zeit streckte eine von ihnen lauschend den Kopf unter dem Laken hervor. Das Gemurmel im elterlichen Schlafzimmer wollte kein Ende nehmen. Der Mond stieg auf und erhellte das Dunkel.

»Ich habe Angst«, sagte Jessica.

»Ich nicht«, sagte Mathy.

Endlich wurde es oben im Schlafzimmer still. Eine Zeit lang war nur das geheimnisvolle Flüstern der Nacht zu hören. Grillen zirpten, Blätter raschelten. Dann ertönte ein vertrautes Geräusch – wie das Kratzen einer stumpfen Säge auf hartem Holz –, und das sanfte Raunen ringsum schien jäh zu verstummen.

»Er schläft«, stellte Mathy fest. »Jetzt kannst du gehen.«

Jessica saß kerzengerade im Bett, das Laken bis zum Hals hochgezogen. »Ich gehe nicht.«

»Du musst! Aber sei vorsichtig, damit die Matratze nicht quietscht.«

»Er ist bestimmt nicht da. Ich weiß, dass er nicht da ist.«

»Sieh doch erst mal nach.«

»Es ist so dunkel im Garten …«, wimmerte Jessica.

»Wenn du so ein Angsthase bist«, sagte Mathy ungeduldig, »dann gehe ich eben mit.«

»Aber wir haben doch bloß einen Ersatzkopf.«

»Wenn's weiter nichts ist.« Mathy schaffte im Handumdrehen eine zweite Schüssel herbei und legte sie auf dem Kissen zurecht. Dann schlichen die beiden davon. Als sie den Obstgarten erreicht hatten, begannen sie zu laufen.

Jessicas Herz hämmerte. »Er kommt ja doch nicht.«

»Er kommt!«

Sie trabten weiter, vorbei an Kirsch-, Pfirsich- und Apfelbäumen. Vor ihnen lag die Wiese, die den Obstgarten von den Wäldern trennte. Kein Mensch war im flimmernden Mondlicht zu sehen.

»Er ist nicht da«, sagte Jessica enttäuscht.

»Buh!«, machte Tom und trat hinter einem Baumstamm hervor.

»Na, wer hatte recht?«, triumphierte Mathy.

Jessica schrie leise auf und kreuzte die Arme über der Brust. Erst jetzt fiel ihr ein, dass sie im Nachthemd war.

»Hallo Jessica.«

»Hallo.« Sie lächelten einander verlegen an.

»Freut mich, dass wir uns wiedersehen«, sagte Tom.

»Mich auch.«

»Vielen Dank für Ihre Nachricht. Hat mich mächtig überrascht.«

»Was für eine Botschaft?«, fragte Jessica verblüfft.

»Na, Sie haben mir doch was bestellen lassen – durch Mathy.«

»Ich? Nie im Leben!«

»Sie hat mir aber gesagt, dass Sie mich hier treffen wollten.«

»Was?! Also das ist doch … Und mir hat sie gesagt, dass Sie mich … Mathy, was hast du da wieder … *Mathy!*«

Mathy lief bereits davon.

»Komm sofort her!«

Das weiße Nachthemd blinkte zwischen den Stämmen auf und verschwand.

»Die kriegt eine Abreibung von mir«, empörte sich Jessica.

»Aber warum denn? Sind Sie … bist du nicht froh, dass wir zusammen sind, Jessica?«

»Ja, natürlich. Nur …«

»Ich bin sehr froh darüber.« Er legte die Hand auf ihren Arm.

»Tom, ich glaube, ich muss gehen.«

»Noch nicht, Jessica … du bist ja eben erst gekommen.«

»Wenn Papa etwas merkt …«

»Er schläft doch, nicht wahr? Und Mathy wird schon aufpassen.«

»Ja, aber …«

»Bitte bleib, Jessica. Nur ein paar Minuten, ja?«

»Also gut …« Die Luft war mild und die Nacht zauberhaft schön – der abnehmende Mond tauchte den Garten in blasses Silberlicht –, und sie hatte sich so nach ihm gesehnt.

»Jessica?« Er war ihr ganz nahe.

»Bitte nicht!«, stieß sie hervor.

»Hast du Angst vor mir?«

»Nein.«

»Ich tu dir bestimmt nichts.«

»Das weiß ich.«

»Ich fass dich nicht mal an, wenn du nicht willst … Willst du's wirklich nicht, Jessica?«

»Ich weiß nicht.« Sie senkte den Kopf.

»Ich geh bald fort, Jessica«, sagte er nach längerem Schweigen.

»Fort?« Sie blickte auf. »Für immer?«

»Ich denke schon. Bis jetzt war ich drüben bei Mr. Latham, aber der braucht mich nächste Woche nicht mehr.«

»Wohin willst du, Tom?«

»Nach Kansas. Zu meinem Onkel.«

»So weit weg!«

»Ja, irgendwo muss ich doch bleiben.«

»Kannst du nicht hier in der Nähe was finden?«

»Wozu? Hier hält mich nichts – außer dir … du, Jessica?«

»Ja?«

Tom zögerte lange, bevor er weitersprach. »Dann sehen wir uns also nie wieder. Oder doch?«

»Ich weiß nicht, Tom.«

»Glaube kaum, dass dein Pa mich je wieder ins Haus lässt.«

»Kaum … wenn er sich's nicht anders überlegt.«

»Na, so sieht er gerade aus!« Tom hob ein grünes Äpfelchen auf, spielte damit und schleuderte es ins Gras. »Dann sind wir also heute das letzte Mal zusammen?«

»Ja, so wird's wohl sein.«

»Und darum … meinst du nicht, wir sollten die Gelegenheit wahrnehmen?«

Ihr Herz klopfte zum Zerspringen.

»Jessica?« Wieder legte er die Hand auf ihren Arm.

»Ich habe Angst«, flüsterte sie kaum hörbar.

»Aber doch nicht vor mir! Bitte, Jessica. Jessica – ich liebe dich.«

»Wirklich?«

»Klar.«

»Ganz, ganz ehrlich?«

»Klar.«

»O Tom – ich liebe dich auch!«

Sie schlang die Arme um ihn und warf alle Bedenken selig über Bord.

9

Im Tageslicht sah die Sache freilich ganz anders aus.

Obwohl Jessicas Abwesenheit nicht bemerkt worden war – Mathy hatte getreulich Wache gehalten –, konnte ihre Tollkühnheit nachträglich ruchbar werden, und zwar auf die entsetzlichste Weise. Erst ein paar Tage später, als der natürliche Vorgang eintrat, wurde sie ein wenig ruhiger. Allerdings nicht für lange. Entlarvt oder nicht, sie hatte ein Gebot übertreten, das ehrwürdigste Gebot von allen, und wenn es der Bibel auch nicht als das wichtigste galt, so doch gewiss ihrer Mutter. Jessica sah die Zehn Gebote vor sich wie marmorne Grabsteine, die auf einem alten Friedhof in schnurgerader Reihe weiß aus dem grünen Rasen ragten. Fiel einer um, so stürzten die anderen mit ihm. Tag für Tag stand sie nun inmitten der Zerstörung, die sie angerichtet hatte, und fühlte sich verdammt in alle Ewigkeit. Tom war ihre einzige Zuflucht und Rettung.

»Ich muss ihn wiedersehen«, sagte sie zu Mathy, »ich muss einfach! Er *muss* kommen.«

»Wird er ja auch.«

»Wenn ich nur wüsste, wann!«

»Vielleicht auf dem Rückweg von Kansas.«

»Das dauert noch so furchtbar lange. Und wenn er nun dort bleibt?«

»Ich hab dir ja gleich gesagt, du sollst mit ihm gehen«, erwiderte Mathy.

Jessica versuchte ihr zu erklären, dass man nicht so ohne Weiteres im Nachthemd ›mitgehen‹ könne. »Außerdem hat er mich nicht darum gebeten«, fügte sie traurig hinzu.

Mathy gab sich redliche Mühe, sie zu trösten und zu zerstreuen. Täglich brachte sie ihr kleine Geschenke: die leere blaue Eierschale einer Wanderdrossel. Grassträußchen, einen langen braunen Dorn, der wie poliert glänzte, das verlassene Nest einer Goldamsel, das sie nicht ohne Schwierigkeiten von einem hohen Baum geholt hatte. Und sie lud Jessica sogar in ihre Geheimhöhle oberhalb des Baches ein. Jessica erkannte das alles dankbar an, aber es half ihr nicht viel.

Eines Nachts, als die übrige Familie längst schlief, lockte Mathy die große Schwester in den Wald hinaus. »Ich hab eine Überraschung für dich«, verkündete sie. Die beiden stahlen sich aus dem Hof und liefen über die Wiesen, zwei barfüßige Gespenster in langen weißen Gewändern. Der Mond war noch nicht aufgegangen. Jessica konnte Mathy manchmal kaum sehen. Sie stolperte mühselig hinter ihr her, während die Kleine, deren Füßen jede Unebenheit des Bodens vertraut war, mit nachtwandlerischer Sicherheit durch das Dunkel huschte. Sie durchquerten den Walnusshain, dann ging es einen Abhang hinab. Unten angekommen, bogen sie in einen alten Fahrweg ein, der zum Wald führte.

»Wo bist du?«, rief Jessica leise, denn es war stockdunkel.

»Hier – hier entlang.«

Jessica tastete sich weiter, um eine Wegbiegung herum. Auf einmal flimmerten ihr in der schwarzen Höhlung einer Felswand zahllose leuchtende Pünktchen entgegen.

»Das ist meine Überraschung!«, hörte sie Mathys Stimme. »Alle Glühwürmchen der Welt treffen sich hier!«

Die Finsternis war lebendig geworden – der Leuchtkäferschwarm glich einem Katarakt, einem stummen Feuerwerk. Das pulsierte, schwamm, zuckte, schwebte, sank zur Erde und stieg bis zu den höchsten Wipfeln auf. Die Luft war erfüllt von zartem, aber durchdringendem Insektengeruch.

Mathy hüpfte vor Vergnügen. »Sie sind noch da, Jessica! Sie haben auf dich gewartet!« Mit ausgebreiteten Armen warf sie sich in den Schwarm. »Komm tanzen, Jessica!« Und schon drehte sie sich inmitten der wirbelnden Lichtpünktchen; ihre kindliche Freude war wie ein Strudel, der Jessica zu erfassen und einzusaugen suchte.

Plötzlich blieb sie stehen. »Jessica … gefällt es dir nicht?«

»Doch, sehr.«

»Ist es nicht hübsch?«

»Es … es ist … wunderbar.«

»Ich dachte, es würde dich aufheitern.« Mathys Stimme verriet grenzenlose Enttäuschung.

»Das tut's ja auch, Liebling. Es ist wie … na, egal, es ist eben wunderbar.«

Mathy kehrte zu Jessica zurück. Seite an Seite beobachteten sie das Wogen der Glühwürmchen. »Ich glaube, du sehnst dich wirklich ganz furchtbar nach Tom«, sagte Mathy unvermittelt.

Nach einer Weile machten sie sich schweigend auf den Heimweg.

10

Am Sonntag früh wachte Jessica mit Kopfschmerzen auf, die von Minute zu Minute schlimmer wurden. Sie fühlte sich fiebrig und hatte mit Brechreiz zu kämpfen. Die Eltern beschlossen nach kurzer Beratung, dass alle drei Mädchen auf den Kirchgang verzichten und zu Hause bleiben sollten.

»Was fehlt ihr denn eigentlich?«, fragte Matthew.

»Sie ist mit dem Magen nicht ganz in Ordnung«, antwortete Callie.

»Du glaubst nicht, dass sie womöglich … Ich meine, sie und der Junge …«

»Nein«, sagte Callie fest. »Da ist nichts passiert. Das weiß ich genau.«

»Ich dachte nur … Wenn man so was sieht wie das neulich am Gartenzaun, muss man ja misstrauisch werden.«

»Jessica fehlt nichts weiter als das Übliche … Wir haben uns auch ein paarmal geküsst, bevor wir verheiratet waren, stimmt's?« Matthew schwieg, und Callie fuhr fort: »Du kannst sagen, was du willst, ich finde, du bist ein bisschen zu streng mit ihr gewesen. Und mit ihm auch. Er hat doch bestimmt nichts Böses im Sinn gehabt.«

»Nachdem ich *das* gesehen hatte, konnte ich ihn unmöglich im Haus behalten.«

»Na ja, das ging wohl nicht. Aber ich bin froh, dass Jake ihn gleich genommen hat; da brauchte er wenigstens nicht zu hungern.«

»Weiß Jessica, dass er noch in der Nähe ist?«

»Glaube ich nicht. Außerdem ist er gar nicht mehr da. Fanny hat mir erzählt, dass er nach Kansas geht.«

»Hauptsache, wir sind ihn los«, sagte Matthew.

Callie holte ihren Hut aus dem Schrank. »Am liebsten würde ich auch zu Hause bleiben. Es ist so heiß, und ich hab so einen Druck im Kopf. Aber was hilft's?«

Leonie saß schmollend am Klavier im Salon. »Ich möchte bloß wissen, wer heute in der Sonntagsschule spielen soll.«

»Da wird sich schon jemand finden«, meinte Callie. »Die kleine Barrow vielleicht. Sie nimmt Stunden. Du kannst ihr's ruhig gönnen, dass sie mal rankommt.«

Leonie trat auf das Forte-Pedal und griff wütende Akkorde.

»Reiß dich zusammen, Mädchen«, schalt Callie.

»Warum kann Mathy nicht hierbleiben? Sie und Jessica stecken sowieso dauernd zusammen.«

»Sie bleibt ja.«

»Allein, meine ich.«

»Ich wünsche nun mal, dass ihr alle drei hierbleibt. Mach gefälligst nicht so ein Gesicht. Mir tut's ja selber leid, aber diesmal muss es eben sein. Und du, Mathy, benimmst dich anständig und läufst nicht wieder weg, hörst du?«

Matthew und Callie fuhren ab. Jessica lag in ihrem Zimmer auf dem Bett, im Unterrock, einen nassen Waschlappen auf der Stirn, und lauschte dem trübseligen Zirpen der Heuschrecken. Leonie spielte unten Klavier. Nach einer Weile hörte Jessica sie an die Tür gehen und Mathys Namen rufen. Als keine Antwort kam, versuchte sie es an der Hintertür – ebenfalls ohne Erfolg.

»Ist Mathy oben bei dir?«, erkundigte sie sich von der Treppe her bei Jessica.

»Nein.«

»Wo steckt denn der Teufelsbraten schon wieder?«

Leonie rief noch ein paarmal und kehrte ans Klavier zurück.

Jessica schloss die Augen. Bald darauf erschien Mathy. »Pst!«, machte sie, legte den Finger auf die Lippen und schlich vorsichtig zum Bett. »Tom ist da!«

Jessica fuhr so heftig auf, dass ihr der Waschlappen von der Stirn fiel. »Wo?«

»Im Obstgarten.«

»Aber ich … Leonie ist doch …«

»Bleib erst mal hier. Ich hole dich, wenn's so weit ist.« Mathy verschwand geräuschlos. Gleich darauf knallte die Hintertür.

»Mathy!«, rief Leonie aus dem Salon.

»Was denn?«

»Wo bist du gewesen? Ich hab mich heiser nach dir geschrien.«

»Draußen.«

»Was heißt draußen? Hast du mich nicht rufen hören?«

»Ja und?«

»Du, das sag ich Mama!«

»Meinetwegen.«

»Wo willst du jetzt schon wieder hin?«

»Zur Pumpe. Der Eimer ist leer. Soll ich dir ein bisschen kaltes Wasser bringen?«

»Kannst du machen.«

Jessica begann in fieberhafter Eile, sich anzuziehen. Ihre Hände zitterten so sehr, dass sie kaum mit den Knöpfen zurechtkam. Sie bürstete ihr Haar, ersetzte das alte Band durch ein frisch gebügeltes, wusch sich das Gesicht und versuchte, ihren Wangen durch Kneifen etwas Farbe zu geben. Mathy war offenbar noch im Hof. Leonie spielte im Salon weiter. Jessica setzte sich auf die Bettkante. Sooft ihr Blick zu dem Bild abirrte, auf dem sich das Mädchen an das Kreuz klammerte, überlief sie ein Schauer. In der Küche schlug die Uhr elfmal.

Als Leonie ein Stück beendet hatte, hörte Jessica sie zur Hintertür und dann über den Hof gehen. Wenig später ertönte ein dumpfer Knall, dem ein scharrendes Geräusch folgte. Dann trommelten Fäuste gegen Holz, und Leonies Stimme, seltsam gedämpft, erhob sich zu wütendem Protest. Die Hintertür wurde aufgerissen, und Mathy kam die Treppe heraufgerast. »Los, schnell! Ich hab sie im Klo eingeschlossen!«

Jessica schrie auf. »Leonie? Um Himmels willen, die schlägt doch die Tür ein!«

»Das schafft sie nicht – ich habe ein Brett dagegengestemmt. Sie muss drinbleiben, bis ich sie rauslasse.«

»Bestimmt?«

»Ganz bestimmt. Los, nun komm schon!«

Mathy packte Jessica am Arm und zerrte sie die Treppe hinab. Dann rannten sie durch den Obstgarten, Mathy immer zwei Schritte voraus. »Tomy«, rief sie, als sie sich der Wiese näherten. »Tom, hier sind wir … Die Luft ist rein!«

Tom lugte vorsichtig hinter einem Baum hervor. »Hallo«, sagte er grinsend.

»Du bist wirklich gekommen!«, keuchte Jessica.

»Klar. Wie geht's dir?«

»Danke, gut.«

»Ich meine … alles in Ordnung?«

»Ja, mir geht's gut, Tom … in jeder Hinsicht.«

»Na, das freut mich.« Er zögerte. Noch immer lag das törichte Verlegenheitsgrinsen auf seinem Gesicht. »Mathy hat gesagt, du wolltest mich sprechen.«

»Ich hab ihn geholt«, fügte Mathy hinzu.

Jessicas Lächeln erlosch. Sie drehte sich langsam um. »Du hast ihn geholt?«

»Ja. Ich dachte, vielleicht ist er doch noch bei Lathams, und da bin ich eben rübergegangen und hab nachgesehen.«

Jessica wandte sich wieder Tom zu. »Wieso bist du noch hier? Wolltest du nicht nach Kansas?«

»Ja, das … das hat sich ein bisschen verzögert.«

»Oh.«

»Ich bin mächtig froh, dass du nach mir geschickt hast. Die ganze Zeit dachte ich …«

»Ich habe nicht nach dir geschickt«, warf Jessica ein. »Mathy ist zu dir gegangen, ohne dass ich es wusste.«

»Keine Ahnung hat sie gehabt«, beteuerte Mathy. »Und das hab ich dir auch gesagt, Tom.«

Tom lachte unsicher. »Na, ist ja egal, ob so oder so. Jedenfalls bin ich froh, dass ich dich noch mal sehe.«

»Wirklich?«

»Klar.«

»Warum bist du dann nicht schon letzte Woche gekommen, Tom?«

»Ich …«

»Ohne dass du erst geholt werden musstest?«

»Herrje, Jessica, ich wusste doch nicht … Ich war nicht sicher, ob du dich trauen würdest …«

»Ich hätte alles riskiert.«

»Aber ich *wusste* es nicht. Sei mir nicht böse, Jessica.«

»Ich bin dir nicht böse«, murmelte sie und drängte die Tränen zurück.

»Hört schon auf mit dem Gerede«, sagte Mathy ungeduldig. »So viel Zeit habt ihr nicht. Besprecht lieber das andere.«

»Welches andere?«, fragte Tom.

»Na, wie's mit dem Heiraten werden soll.«

»Heiraten?«

»Was sonst? Willst du vielleicht nicht?«

»Ob ich … du meine Güte! So weit … Ich meine, darüber haben wir noch gar nicht gesprochen, nicht wahr, Jessica?«

»Ich glaube, nein.«

»Ihr habt euch doch gern«, beharrte Mathy. »Ich finde …«

»Heiraten!«, wiederholte Tom. »Ich weiß gar nicht, wie man das macht.«

»Man geht einfach zum Pfarrer«, sagte Mathy.

»Na, so einfach ist das nun auch wieder nicht.«

»Wieso?«

»Man muss doch was haben – irgendne Grundlage –, wenn man heiraten will.«

»Du meinst Geld?«

»Ja«, bestätigte Tom. »Geld und 'ne Stellung und ein Haus.«

»Ach, wer braucht denn ein Haus!«

»Ehepaare müssen irgendwo wohnen.«

»Könnt ihr nicht zu deiner Familie ziehen?«

»Hör auf damit, Mathy«, sagte Jessica. »Wir können schon deshalb nicht heiraten, weil Papa es nie erlauben würde.«

»Er braucht es ja nicht zu wissen«, erklärte Mathy seelenruhig. »Brennt einfach zusammen durch!«

Jessica kicherte nervös. »Bitte, Mathy, sei still!«

»Hast du Angst?«, fragte Mathy. »Oder du, Tom?«

»Angst gerade nicht, aber …«

»Würdest du nicht gern heiraten?«, forschte Mathy weiter.

»Darüber hab ich noch gar nicht nachgedacht.«

»Aber ich«, rief sie. »Ich möchte wahnsinnig gern heiraten. Es muss wunderbar sein!«

»O ja, ganz gewiss.« Er lachte abschätzig.

»Ich denke genauso«, sagte Jessica leise. »Sieh mal, Tom, dann könnte ich mit dir nach Kansas fahren. Ich würde dir folgen, wohin du auch gehst, ich würde dir aufs Wort gehorchen und dir bestimmt nicht zur Last fallen.«

Tom starrte sie erschrocken an. »Ich hab aber doch kein Geld, Jessica.«

»Das macht nichts.«

»Und keinen ordentlichen Beruf und überhaupt …«

»Mir ist es auch recht, wenn wir fürs Erste bei deinen Leuten wohnen. Was du von ihnen erzählt hast, klang so nett.«

»Wie stellst du dir das vor? Ich hab ja nicht mal genug Geld zum Hinfahren.«

»Nehmt das Eiergeld«, schlug Mathy vor. »Ich hol's euch.«

»Das wäre Diebstahl«, sagte Tom.

»Nicht, wenn ihr's später zurückzahlt.«

»Ja«, meinte Jessica, »wir können es später zurückzahlen.«

Tom lehnte sich erschöpft an einen Baumstamm. Sein Hemd war feucht von Schweiß. »Durchbrennen … Ich hab so was noch nie gemacht, ich weiß nicht, wie man …«

»Herrje, das ist doch kinderleicht«, fiel ihm Mathy ins Wort. »Ihr fahrt mit dem Zug.«

»Aha. Und wie kommen wir zum Bahnhof?«

»Nächsten Sonntag, wenn wir zur Kirche gehen, kann Jessica sich wegschleichen und dich an der Bahn treffen.«

»Ja, das könnte ich tun«, stimmte Jessica zu. »Und dann fahren wir zu deinen Leuten …«

»Aber wenn dein Pa uns erwischt?«

»Wird er nicht«, sagte Mathy. »Er singt mit dem Chor.«

»Wenn er's merkt, wird er furchtbar wütend werden.«

»Er wird eine Weile toben. Das braucht euch nicht zu kümmern – ihr seid ja nicht mehr da.«

Tom sah Jessica in stummer Verzweiflung an.

»Wollen wir es so machen, Tom?«, fragte sie sanft.

»Himmel, ich weiß nicht …«

»Ja oder nein?«, drängte Mathy. »Beeil dich, ich muss Leonie aus dem Klo rauslassen.«

Tom wischte sich die Stirn. »Oje, oje«, murmelte er.

»Bitte, Tom!«, rief Mathy. »Wir lieben dich doch so sehr!«

Er stand mit dem Rücken gegen den Saum, wehrlos seinen verliebten Gegnerinnen preisgegeben. Sie waren so zart und jung und süß, die eine drängend und unerbittlich, die andere scheu und voller Liebe und beide so bedrohlich wie geladene Gewehre. Sein Mund verzog sich langsam zu einem Lächeln: Er gab sich geschlagen.

»Gut«, sagte er, die Augen fest auf Jessica gerichtet, »wenn du entschlossen bist – ich mache mit.«

»Ja, ich bin entschlossen! O Tom« – sie hielt einen Moment inne –, »ist es wirklich dein Ernst?«

»Ja.«

»Du erwartest mich nächsten Sonntag an der Bahn?«

»Ja.«

»Ehrenwort?«

Er nickte. »Ehrenwort.«

»Na endlich!«, sagte Mathy. »Und jetzt komm, Jessica, sonst erwischen sie uns noch.«

II

Wäre Jessica nicht im Taumel der ersten Liebe und obendrein voller Schuldbewusstsein gewesen, sie hätte wohl kaum Mathys Vorschläge so blindlings befolgt und am nächsten Sonntagvormittag ihr Elternhaus verlassen, klopfenden Herzens, das ›geborgte‹ Eiergeld in der Tasche.

Hätte Tom mehr Gefühl für Verantwortung, einen festeren Charakter und vor allem irgendwelche anderen Zukunftspläne gehabt, er wäre wohl kaum zum Bahnhof gegangen, um dort auf Jessica zu warten.

Aber wie die Dinge nun einmal lagen, fuhren die beiden mit dem Mittagszug ab.

Etwa zur gleichen Zeit kam die Familie aus der Kirche. Mathy verlor sich sofort in der Menge; erst als sie in der Ferne den Lokomotivenpfiff hörte, tauchte sie wieder auf und brachte Jessicas Abschiedsbrief zum Vorschein. Die Familie stand, auf Jessica wartend, neben dem Ford. Matthew las nicht einmal die erste Seite zu Ende. »Steigt ein!«, stieß er hervor, dann ging es in halsbrecherischem Tempo zum Bahnhof.

»Ach, war das *Ihre* Tochter?«, fragte der Stationsvorsteher und erlaubte sich den Anflug eines Lächelns.

178

Matthew rannte zum Wagen zurück, sprang hinein und würgte den Motor ab. Er musste also aussteigen und kurbeln. Sein Gesicht triefte von Schweiß, und das Hemd klebte ihm am Rücken. Auf dem Heimweg blieb der Ford abermals stehen, und Matthew musste mitten auf der Straße eine Zündkerze reinigen. Niemand wagte ein Wort zu sprechen. Callie weinte still vor sich hin.

Sie erfuhren nie, wie Tom und Jessica wieder zusammengekommen waren. Mathy beschwor ihre Unschuld. Dennoch wurde sie hart gestraft, und zwar dadurch, dass ihr Vater das sündige Paar für immer verstieß.

Callie schickte Jessicas Sachen nach, obgleich Matthew dagegen war. »Egal, was sie uns angetan hat«, erklärte sie, »ich lasse meine Tochter nicht in den abgelegten Lumpen von anderen Leuten rumlaufen.« Sie packte Kleider und Unterwäsche und bunte Bänder ein und tränkte die Sendung mit bitteren Tränen. »Ich kann's einfach nicht fassen! Durchbrennen, und noch dazu mit so einem Taugenichts! Sie hätte doch was viel Besseres kriegen können.«

»Gleich und Gleich gesellt sich gern«, sagte Matthew.

Er konnte Jessica nicht verzeihen, dass sie ihn in den Augen der Gemeinde erniedrigt hatte. Und warum nur? Als guter Protestant hätte er die Schuld auf sich genommen und sich in Demut geübt – aber er vermochte beim besten Willen nicht einzusehen, worin seine Schuld bestand. Hatte er Jessica nicht ein sorgenfreies Leben, ein gutes Elternhaus und eine ordentliche Erziehung gegeben? Eines Tages im August, als er während eines Regenschauers Zuflucht im Gehölz suchte, schrie er seine Not zum Herrn empor. »Du weißt, wie schwer ich arbeite, sommers und winters! Du weißt, dass ich nichts unversucht gelassen habe! Was hätte ich denn mehr tun können?«

Aber es gab hier keinen brennenden Busch und keine Antwort von oben – nur das eintönige Lispeln des Regens in den Eichenblättern.

12

Tom und Jessica verbrachten den Winter bei seiner Familie, fröhlichen, leichtherzigen Menschen, die einfach ein bisschen zusammenrückten und Jessica einen Platz am gemeinsamen Tisch einräumten. Sie waren erfahrene Forellenangler und Eichhörnchenjäger, lebten unbekümmert von der Hand in den Mund und tranken selbst gebrautes Bier, wenn gerade welches da war. Samstagabends machten sie sich fein, um im Kreise gleichgesinnter Freunde ihr Leben zu genießen. Sonntagvormittags machten sie sich abermals fein und gingen in die Kirche, um dort ihr Leben zu genießen. Frömmigkeit war für sie Vergnügen und umgekehrt, und Jessica war von ihnen zugleich schockiert und entzückt.

Übrigens war sie in jenen Tagen von fast allem schockiert und entzückt. Die Tatsache, dass sie in dieser Umgebung und noch dazu mit Tom zusammenlebte, versetzte sie in einen Dauerzustand des Staunens. Sie gewann Tom immer lieber, je besser sie ihn kennenlernte. Selbst seine Krankheiten – er litt oft an fiebrigen Erkältungen und neigte zu Schwächeanfällen – brachten ihn ihr näher. Jessica umgab ihn mit zärtlicher Fürsorge und schuf eine Atmosphäre des Behagens, in der sie beide lebten wie ein Goldfischpärchen im Aquarium. Die anderen beobachteten sie mit nachsichtigem Lächeln durch die Glaswände hindurch.

Ihre einzige Sorge war das liebe Geld. Sie trugen nichts zum Familienunterhalt bei, und da es für Tom keine nennenswerten Verdienstmöglichkeiten gab, bewarb sich Jessica mit Erfolg um den frei gewordenen Posten des Dorfschullehrers. Sie unterrichtete aus dem Gedächtnis und bediente sich, soweit sie es für vertretbar hielt, einer eigenen Methode. Das Dorf war klein und die Anzahl der Schüler entsprechend gering. Die Kinder schwärmten bald für die junge Lehrerin, die in den Pausen mit ihnen spielte und sang. Häufig fanden Schulfeste statt, zu denen jedermann eingeladen war. Einmal wurde Jessica bei einer solchen Veranstaltung zur Schönheitskönigin gewählt und erhielt als Preis eine Schachtel Bonbons. Tom war darauf ebenso stolz wie sie. »Ich hab ja gleich gesagt, dass ich 'ne Lehrerin heirate«, sagte er lachend.

Natürlich hatte sie sofort nach Hause geschrieben, als sie die Stellung bekam. Papa – sie hatte so sehr gehofft, er werde sich freuen, dass sie nun Lehrerin war –, Papa antwortete nicht. Stattdessen traf ein Brief von Leonie und Mathy ein. Leonie übermittelte pflichtgemäß eine Botschaft der Mutter: Es sei höchst bedauerlich, dass Jessica ihren Mann ernähren müsse. Jessica war mehr als enttäuscht, sie war wütend. Sie lebte hier so glücklich und zufrieden, und alles, was Mama sich abrang, war herablassendes Mitleid!

Im Frühjahr besserte sich Toms Befinden. Was ihn jetzt am meisten plagte, war das Wiederaufleben seiner Wanderlust. Er sprach davon, nach Kansas zu gehen, und Jessica ermutigte ihn, denn sie glaubte, ein Klimawechsel werde ihm guttun. Allerdings, so beschloss sie, sollte er diesmal nicht allein reisen und auch nicht, wie früher, als blinder Passagier in Güterzügen. Sie hatte während des Winters etwas Geld gespart und wollte mitfahren. Gut gekleidet, wie es sich für ein solides Ehepaar schickte, würden sie im Zugabteil sitzen. »Dein Onkel hat doch gewiss nichts dagegen, wenn ich mitkomme«, meinte sie. »Ich kann ja der Tante beim Kochen für die Drescher helfen und mich auch sonst nützlich machen.« Tom versicherte, seine Verwandten würden sich mächtig freuen und er sei froh, Jessica bei sich zu haben. Also meldeten sie sich auf einer Postkarte an, packten Ende Juni ihren Reiseproviant in einen Schuhkarton und fuhren los.

Jessica war schon einmal in Oklahoma City gewesen, wo ihre reiche Tante Bertie wohnte, Matthews Schwester, deren Mann im Großhandel mit Lebensmitteln ein Vermögen erworben hatte. Und Tom war in den Güterzügen kreuz und quer durch Missouri gereist. Dies aber war für beide die längste Eisenbahnfahrt, die sie je gemacht hatten, und für Tom auch die luxuriöseste. Sie freundeten sich mit sämtlichen Mitreisenden an, aßen kaltes Huhn und Kuchen aus der Schachtel und halfen sich gegenseitig, wenn es galt, Rußteilchen aus dem Auge zu entfernen. Als sie nach zwei Tagen und einer Nacht das Städtchen im westlichen Kansas erreichten, stellte sich heraus, dass Toms Onkel fortgezogen war. Niemand wusste, wohin. Er hatte seine Farm aufgeben müssen.

Tom war wie vom Donner gerührt. Sein ältester Bruder hatte doch noch im Sommer vor drei Jahren bei dem Onkel gearbeitet! Zugegeben, seither war keine Nachricht mehr von den Verwandten gekommen, aber niemand in der Familie hätte sich träumen lassen, dass sie nicht mehr auf der Farm lebten. Tom meinte, nun bleibe ihnen wohl nichts weiter übrig, als wieder nach Hause zu fahren.

Jessica war damit nicht einverstanden. Wenn sie schon einmal hier waren, konnten sie doch versuchen, auf einer anderen Weizenfarm Arbeit zu finden. Fragen kostete ja nichts, und vielleicht hatten sie Glück. Nachdem sie sich im Drugstore mit einer Eiscreme-Soda aufgemuntert hatten, begannen sie ihre Wanderung durch das gottverlassene kleine Nest, in dessen Mitte ein silbrig schimmernder Getreidesilo aufragte. »Wir können ja auch mal beim Silo fragen«, schlug Jessica vor. Und so lernten sie Mr. Olin kennen.

Mr. Olin war ein kleiner, fahlblonder Mann, dessen sonnenverbranntes Gesicht genau die Erdfarbe der Landschaft hatte. Das einzig Auffallende in diesem Gesicht waren die leuchtend blauen Augen. Unter der sprichwörtlichen rauen Schale verbarg sich bei ihm ein weiches Herz. Er hatte zweihundertvierzig Hektar Weizenland und war bis zum Blitzableiter auf dem Scheunendach verschuldet. Zu seinem Grundstück gehörte auch ein kleines Haus, in dem Tom und Jessica wohnen konnten.

Die beiden waren mit allem einverstanden und kletterten begeistert auf den riesigen Kornwagen.

Infolge langjähriger Anpassung hatte Mr. Olin große Ähnlichkeit mit einer Dreschmaschine – er war immer geschäftig, er machte viel Lärm, allerdings zweckbedingten Lärm, und er wusste die Spreu vom Weizen zu trennen. Tom und Jessica hatten ihn gern, obwohl er sie schlecht bezahlte (die Schulden bei der Bank gingen vor) und harte Arbeit dafür forderte. Er verlangte jedoch nie mehr von ihnen als von sich selber, und sein trockener Humor war herzerfrischend.

Auch seine Frau war den jungen Leuten sympathisch; sie und Jessica freundeten sich rasch an. Mrs. Olin, klein, flachbrüstig und abgerackert, hatte sich eine gewinnende Liebenswürdigkeit bewahrt, die eigentlich gar nicht in diese karge Umgebung passte und die sie wie ein gepresstes Blumensträußchen aus einem fernen, üppig grünen Land mitgebracht hatte. Jessica wunderte sich oft, dass es Mrs. Olin gelungen war, diese Eigenschaft über all die Jahre hinwegzuretten, die sie nun schon auf dem sonnengedörrten Sandboden lebte, ohne jemals etwas anderes zu sehen als ihr Haus, ihren Hof und ihren armseligen Garten.

Es war ein abstoßend hässliches Grundstück. Das winzige Haus schien von der ungeheuren Scheune erdrückt zu werden. Natürlich, auf einer Männerfarm, die nach Männerart geführt wurde, hatte die Scheune den Vorrang; die Frau und das Haus mussten sehen, wo sie blieben. Zwischen Haus und Scheune befanden sich der

Maschinenschuppen mit Traktor-Ersatzteilen, Schmierölkanistern und Werkzeugen, die Viehtränke, Kornbehälter aus Wellblech, die in der Sonne blitzten, der Silo – ein Burgturm ohne Burg – und die Windmühle, die ächzend und stöhnend das Grundwasser heraufpumpte. Bis auf die Scheune sah alles schäbig und wenig dauerhaft aus; man hatte das Gefühl, hier stünde ein Spielzeugbauernhof aus Pappmaché auf hölzernen Dielen. In einem so unnachgiebigen Boden konnte nichts Wurzeln schlagen.

Nirgends wuchs auch nur ein Büschel Gras. In der Ferne säumte ein Streifen staubig-grüner Trompetenbäume das Weizenfeld, aber in Mrs. Olins Garten gab es außer widerstandsfähigen Gemüsesorten nur Strohblumen und ein paar Kapokbäume, deren nutzlose Flocken über den Hof wehten. Wenn der Wind durch die trockenen Blätter fuhr, klang es wie das Röcheln eines Sterbenden.

Jessica stand oft vor der Tür, starrte in die graue Weite und dachte dabei an zu Hause, an das grüne Gras, die roten Rosen, den kühlen, sanft fließenden Little Tebo; sie hörte das Säuseln des Obstgartens und sah Mathy im Bach waten. Abends, wenn Tom und sie auf der Schwelle saßen, erinnerte sie sich der Sommerabende auf der Veranda und glaubte den Duft des Geißblatts zu spüren. Manchmal holte Tom seine Mundharmonika und spielte den ›Metzgergesellen‹, und dann musste sie weinen. Aber es waren wohlige Tränen, die schnell versiegten.

Sehr oft allerdings fühlte sich Tom so müde und matt, dass er gleich nach dem Essen zu Bett ging. Er war blass unter der Sonnenbräune, hatte dunkle Ringe um die Augen und magerte zusehends ab. Die Olins drängten ihn, mehr zu essen, und achteten darauf, dass er sich nicht über Gebühr anstrengte. Aber trotz ihrer Fürsorge wurde Tom immer dünner und elender. Eines Abends brach er zusammen. Man nahm das nicht allzu ernst, denn gerade an diesem Abend war ein Stoppelfeld in Brand geraten, und in der Hitze und der Aufregung des Löschens fielen auch stärkere Männer um. Tom fuhr den Wagen mit dem Wassertank. Schließlich stieg er ab und half die kriechende Glut mit nassen Säcken ausschlagen, und das war zu viel für ihn. Einer der Männer schleppte ihn zum Wagen. Nach zwei Tagen Bettruhe hatte sich Tom so weit erholt, dass er in Jessicas Begleitung den Arzt aufsuchen konnte. Der Doktor beklopfte und behorchte ihn, brummte irgendetwas Unverständliches und verschrieb ein Stärkungsmittel. Als sie schon an der Tür waren, rief er sie zurück und empfahl in seiner unbestimmten Art ein Krankenhaus, das vierzig Meilen entfernt lag. Jessica war zu Tode erschrocken, aber Tom sagte: »Reg dich nicht auf, Liebling, ein Krankenhaus kommt für mich gar nicht infrage. Mir fehlt ja nichts, ich bin bloß so schlapp von der Hitze.«

»Bleib du nur im Bett und nimm deine Medizin«, riet Mr. Olin. »Wenn wir dich gut füttern, wirst du schon wieder auf die Beine kommen.«

Jessica war anderer Meinung. Irgendetwas stimmte hier nicht, und im Stillen gab sie diesem staubtrockenen Landstrich die Schuld. Tom brauchte Regen. Sie dachte an den Augustregen in Missouri, der die Fieberhitze des Mittsommers hinwegschwemmte; sie dachte an die väterliche Farm, wo der Hof grün und das festgefügte Haus weiß war und wo Papa, der Allwissende und Allmächtige, sicherlich Rat schaffen würde. In ihm sah sie jetzt ihre einzige Zuflucht. »Wir fahren nach Hause«, verkündete sie.

Nichts konnte sie von diesem Entschluss abbringen. An einem glutheißen Julimorgen fuhr Mr. Olin die beiden zur Bahn. Tom lag hinten im Wagen auf einer Zeltplane, und Jessica hielt zum Schutz gegen die Sonne ein rüschenbesetztes Schirmchen über ihn, das Mrs. Olin aus ihrer Erinnerungstruhe ausgegraben hatte. Tom war unterwegs sehr tapfer, er lachte und scherzte. Auf dem Bahnsteig aber konnte er kaum stehen und hing kraftlos zwischen Jessica und Mr. Olin. Vor Mitleid fluchend, schleifte der kleine Farmer seine beiden Schützlinge zum Gepäckwagen am Ende des Zuges.

»Der junge Mann ist zu krank zum Sitzen«, erklärte er dem Schaffner. »Lassen Sie ihn hier hinten liegen. Ich habe eine Decke für ihn mitgebracht.«

»Das geht nicht, Mister«, sagte der Schaffner.

»Himmelherrgott noch mal!« Mr. Olin schleuderte die Zeltplane in den Gepäckwagen. »Sehen Sie nicht, wie dreckig es dem Jungen geht?«

»Er muss ins Personenabteil. Vorschrift.«

Mr. Olin geriet in Wallung. »Zum Teufel mit Ihren Vorschriften! Wenn die Leute ihr Gepäck mit ins Personenabteil nehmen dürfen, dann darf ja wohl auch mal einer im Gepäckwagen liegen.«

»Ich kann es leider nicht gestatten.«

»Ist mir doch egal, ob Sie's gestatten oder nicht. Die jungen Leute haben bezahlt, und Sie können sie nicht am Mitfahren hindern.«

Damit zerrte er Tom in den Gepäckwagen, und Jessica schob von hinten nach. Tom streckte sich zwischen Kisten und Säcken auf der Plane aus; er war so erschöpft, dass er teilnahmslos alles mit sich geschehen ließ. Draußen wurde zum Einsteigen geläutet. Jessica umarmte Mr. Olin und brach in Tränen aus.

»Wird schon wieder werden«, tröstete er sie. »Und keine Angst, der Kerl setzt Sie bestimmt nicht raus. Sie können bis Kansas City durchfahren, und da werden Ihre Leute Sie wohl abholen, nicht wahr?« Jessica schüttelte den Kopf. »Ja, haben Sie ihnen denn nicht geschrieben?«, rief Mr. Olin bestürzt.

»Ich hab mich nicht getraut.«

»Himmel, Mädchen!«

»Ich werde von Renfro aus telefonieren.«

»Fertig!«, ertönte die Stimme des Schaffners. Mr. Olin sprang ab, lief noch eine Weile neben dem Gepäckwagen her und schrie Ermutigungsworte hinauf. Dann, als der Zug im heißen Windgeflimmer der Ebene verschwunden war, rannte er zu seinem Lastwagen, fuhr schnurstracks zum Telefonbüro und meldete ein Ferngespräch an. Er wartete länger als eine Stunde und trank ein Glas nach dem anderen aus der großen Wasserkaraffe, während Frauenstimmen, einander ablösend, über die Drähte liefen – durch Salina, Abilene, Topeka, hinein ins Gewirr von Kansas City, wieder hinaus und durch die Wälder von Missouri, bis endlich im Esszimmer einer Farm in der Nähe von Renfro das Telefon klingelte.

Mr. Olin brüllte aus Leibeskräften in den Trichter. »Ich hab sie vor 'ner guten Stunde in den Union Pacific gesetzt«, teilte er Matthew mit. »Kann ja sein, Mister, dass sie bei Ihnen nicht sehr willkommen sind, aber Sie brauchen's nicht lange mitzumachen. Der Junge pfeift aus dem letzten Loch. Und wenn's mich vielleicht auch nichts angeht, eines muss ich Ihnen sagen: Ganz egal, was da zu Hause passiert ist, die beiden haben genug ausgestanden. Mehr verdienen sie nicht. Das wollte ich Ihnen nur sagen. Ja, und ich hoffe doch sehr, dass jemand in Kansas City am Bahnhof ist, wenn sie …«

Die Verbindung wurde mitten im Satz unterbrochen. Aber Matthew hatte alles gehört, was er wissen musste: Jessica kehrte zurück, und Tom Purdy lag im Sterben. Sekundenlang stand er regungslos da und versuchte sich über seine Empfindungen klar zu werden. Die Strafe des Herrn, dachte er grimmig und doch nicht ohne Mitleid. Arme Jessica. Nun, mochte es ihr zur Lehre dienen.

Der Zug stampfte und schnaufte durch den langen Nachmittag. Jessica saß auf einer Kiste, fächelte Tom und wischte ihm von Zeit zu Zeit das Gesicht mit einem nassen Tuch ab. Mrs. Olin hatte ihnen Reiseproviant mitgegeben, aber Tom wollte nichts essen.

Einmal blickte er in matter Verzweiflung zu ihr auf. »Ich mach's wieder gut, Jessica«, murmelte er.

»Ich wüsste nicht, was du gutzumachen hast.«

»All diese Scherereien mit mir.« Er schloss die Augen. »Sowie ich gesund bin, mach ich das wieder gut.«

»Ja, Liebster.«

Nach einer Weile sagte er: »Ich bin froh, dass wir geheiratet haben.«

»Ich auch.«

»Wirklich?«

»Aber ja, Tom.«

Er sah sie an und lächelte strahlend. »Wahrscheinlich wär's nie was mit uns geworden, wenn deine kleine Schwester uns nicht gestupst hätte«, meinte er, und Jessica lachte. »Auf die ist Verlass«, fügte er hinzu.

»Das kann man wohl sagen.«

»Ich bin ihr so dankbar … Wir haben doch das Richtige getan, nicht, Liebling?«

»Ja, das haben wir.«

Mit einem glücklichen Lächeln schloss er die Augen. Etwas später wachte er auf, murmelte irgendetwas und bewegte unruhig den Kopf. Jessica beugte sich über ihn. »… solchen Durst«, verstand sie. Er schaute zu ihr auf, hilflos und flehend wie ein kleines krankes Tier. Und dann starb er.

Der heiße Wind blies Rußflöckchen durch die offene Tür des Gepäckwagens. Jessica stand auf und fragte sich, was sie tun solle. Sie setzte sich wieder hin und fächelte Tom. Plötzlich hielt sie inne und presste die Hände auf den Mund. Der Zug ratterte mit einem gellenden Pfiff über eine Schienenkreuzung.

13

Matthew bekam an diesem Tag noch einen zweiten Anruf, und zwar aus der Stadt, wo Toms Leiche aus dem Zug geholt worden war. Er fuhr sofort hin. Jessica weinte erst, als sie ihn sah.

Sie brachten Tom in sein Heimatdorf und begruben ihn dort auf dem Friedhof. Das Gras war welk und braun, aufgestörte Heuschrecken schwirrten umher, vorzeitig vergilbte Blätter fielen von den Bäumen, und die Zikaden klagten mit müdem Zirpen, dass alles, alles dahin sei. Jessica stand verwirrt da. Sie hatte sich immer nur an grünes Laub, kühle Schatten, kristallklare Bäche und üppig tragende Obstbäume erinnert und darüber vergessen, dass es auch hier Trockenheit gab. Was war mit dem Sommer geschehen? Und wo war Tom?

Fügsam, wie betäubt, kehrte sie mit dem Vater auf die Farm zurück. Sie übernahm wieder die alten Pflichten, sie plauderte mit den Schwestern wie früher, und langsam begann die Wunde zu heilen. Da sie keinen Geschmack daran fand, die gramgebeugte Witwe zu spielen, ließ sie es bleiben. Der Wetterwechsel kam ihr zu Hilfe. Nach langen Wochen der Dürre setzte endlich der Augustregen ein. Das Gras grünte neu, die Tage waren kühl und blau und golden, die Nächte kalt und weiß. Die bedrückende Stille im Haus wich den vertrauten Geräuschen, dem Lachen, Singen und Türenschlagen. Der Rhythmus veränderte sich, das Tempo wurde schneller. Der Umzug in die Stadt stand bevor, und Callie beeilte sich, die letzten Früchte des Sommers, soweit die Sonne sie nicht versengt hatte, in Töpfe und Gläser zu bringen. Ihre Helferinnen rannten zwischen Haus und Garten, Rebstöcken und Obstbäumen hin und her, und die Küche dampfte von Wohlgerüchen.

Es war eine glückliche Genesungszeit. Alle waren so lieb zu Jessica. Papa nahm sie manchmal auf den Schoß; Mama gab ihr allabendlich einen Gutenachtkuss. Sie hatten die verlorene Tochter mit offenen Armen aufgenommen, sie strömten über vor Liebe, und alles war vergeben und vergessen. Trotzdem wurde Jessica ihres Lebens nicht froh. Denn mochten die Eltern noch so gut sein und mochte sie noch so sehr an ihnen hängen – sie konnte nicht bleiben. Und sie wusste nicht, wie sie ihnen das beibringen sollte.

Eines Morgens, beim Frühstück, bot sich eine Gelegenheit. Sie saßen um den Küchentisch und kamen einfach nicht aus dem Lachen heraus, weil sie alle so gut gelaunt waren. Selbst Papa war munter und drollig wie ein Clown. Der Herd strahlte milde Wärme aus; auf dem Tisch funkelten Gläser voller Marmelade und Gelee. Matthew, der gerade Butter auf einen heißen Toast strich, schaute mit einem fast gerührten Lächeln in die

Runde. »Ist es nicht schön bei uns?«, wandte er sich an Jessica. »Wir sind so froh, dass wir dich wieder zu Hause haben.«

»Danke, Papa.«

»Du hast uns gefehlt, Schätzchen«, sagte Callie.

»Und wie!«, rief Mathy dazwischen. »Wir haben dauernd geheult und …«

»Schon gut.« Callie brachte sie mit einem strengen Blick zum Schweigen.

»Ich habe über deine Zukunft nachgedacht, Jessica«, fuhr Matthew fort. »Am liebsten würden wir dich natürlich bei uns behalten, aber du wolltest doch im vorigen Jahr so gern nach Clarkstown aufs College. Und wenn du jetzt noch Lust dazu hast, kann ich es, glaube ich, einrichten.« Er lehnte sich lächelnd zurück. »Na, wie gefällt dir das?«

»Ich … du meine Güte, Papa, gefallen würde mir's schon. Nur …«

»Wenn's dir recht ist, fahren wir beide am Samstag hin und lassen dich einschreiben.«

»Das ist furchtbar nett von dir, Papa.«

»Und dann suchen wir dir ein hübsches Zimmer …«

»Und jedes Wochenende kommst du nach Hause«, fügte Callie triumphierend als Krönung des Ganzen hinzu.

»Du meine Güte!«, wiederholte Jessica hilflos. »Das wäre wirklich wunderschön … Ich habe mir ja immer gewünscht, nach Clarkstown zu gehen. Aber jetzt, wo ich …«

»Oh«, warf Callie hoffnungsvoll ein, »du brauchst natürlich nicht hin, wenn du lieber bei uns bleibst.«

»So meine ich's nicht, Mama. Ich würde gern aufs College gehen und ebenso gern bei euch bleiben – aber ich kann nicht.«

»Was kannst du nicht?«

»Weder das eine noch das andere.«

Matthew, der die Kaffeetasse zum Mund führen wollte, hielt mitten in der Bewegung inne. »Und warum nicht?«

»Weil ich wieder Unterricht geben werde.«

»Unterricht? Wo denn?«

»In Cabool.«

Matthew stellte die Tasse vorsichtig auf den Tisch. »Aha.«

»Da unten bei *seinen* Leuten?«, rief Callie ungläubig. »Ich denke, du hast den Posten längst aufgegeben.«

»Ja, aber nach dem Begräbnis kamen sie zu mir und sagten, wenn ich wollte, könnte ich jederzeit wieder anfangen.«

»Und du hast angenommen?«, fragte Matthew.

»Nicht gleich. Ich bat mir Bedenkzeit aus und habe ihnen erst vorige Woche geschrieben, dass ich kommen würde.«

»Aha.«

Ein frostiges Schweigen breitete sich aus. Auch Mathy und Leonie hatten zu essen aufgehört.

»Du wolltest doch immer, dass ich Lehrerin werde«, sagte Jessica zaghaft.

»Gewiss, aber nicht ohne entsprechende Ausbildung. Deswegen wollte ich dich ja nach Clarkstown schicken.«

»Ich habe mich fest verpflichtet und kann mein Wort nicht brechen.«

»Die Umstände würden in diesem Fall eine Absage rechtfertigen.«

»Liebling«, mischte sich Callie mit krampfhaftem Lächeln ein, »du hast doch bestimmt keine Lust, nach Cabool zurückzugehen. Sieh mal, er ist ja nicht mehr da und …«

»Ich habe dort viele Freunde, Mama.«

»Freunde hast du hier auch.«

»Ich weiß, Mama. Aber ich bin da nun mal zu Hause … Natürlich«, unterbrach sie sich hastig, als sie den Gesichtsausdruck ihrer Eltern sah, »meine eigentliche Heimat ist hier. Nur … wenn man heiratet, wird doch alles anders, und ich meine, das Haus, in dem ich mit Tom gewohnt habe …«

»Willst du etwa zu seinen Leuten ziehen?«

»Sie möchten es gern.«

»Und deine eigene Familie möchte gern, dass du hier bleibst!«, brach es aus Callie heraus. »Was musst du zu denen zurücklaufen?«

»Wirklich, Mama, ich …«

»Dieses ungebildete Pack! Hat von nichts eine Ahnung und schlägt sich nur gerade so durch …«

»Aber sie sind nett. Sie waren immer so gut zu mir.«

»Wir etwa nicht?«

»Doch, natürlich«, beteuerte Jessica mit zitternder Stimme. »Du und Papa, ihr seid sehr lieb und sehr gut.«

»Und warum willst du dann unbedingt zu denen zurück?«

Jessica weinte. »Ich weiß nicht«, stieß sie hervor; sie wusste nur, dass sie nicht anders konnte.

Und sie blieb fest, trotz aller Tränen, Vorwürfe und Mahnungen zur Vernunft. Sie hatte schon einmal das Wagnis der Flucht auf sich genommen, und sie bereute es nicht. Denn mochte sie auch Tom verloren haben, so doch nicht seine Liebe. Der Verlust eines Menschen ist nicht das größte Missgeschick, das einem widerfahren kann. Und da sie sich einmal behauptet hatte, würde es ihr auch ein zweites Mal gelingen. Nur gehörte diesmal mehr Mut dazu, das Elternhaus zu verlassen. Die erste Flucht hatte man ihr verziehen; über diese zweite aber – das wusste Jessica – würde die Familie nie hinwegkommen. Als sich herausstellte, dass Jessica nicht von ihrem Entschluss abzubringen war, fügten sich die anderen mit Märtyrermiene in das Unvermeidliche. Man redete nicht mehr auf sie ein. Sie wurde mit betonter Höflichkeit behandelt, wie eine Fremde. Scherz und Gelächter flohen aus dem Haus, und stattdessen breitete sich düstere Schwermut aus. Die Mutter seufzte in regelmäßigen Abständen; der Vater ging mürrisch umher. Sogar Mathy ließ Jessica im Stich. Mathy, die sie ermutigt hatte, Toms Frau zu werden, konnte nun nicht begreifen, dass es unmöglich war, einfach zurückzukommen und wieder ein junges Mädchen zu sein. Obwohl sie miteinander im

Bach wateten und den Heuberg hinunterrutschten und lange Gespräche führten, war es nicht mehr wie früher. Um Mathys willen tat Jessica, als hätte sie riesigen Spaß daran, aber insgeheim wünschte sie sehnlichst, alledem zu entrinnen.

Und doch – je näher der Tag ihrer Abreise rückte, desto mehr fürchtete sie sich davor. Als es schließlich so weit war, fühlte sie sich elend und krank. Sie würgte beim Frühstück ein paar Bissen hinunter und gab sie sofort wieder von sich. Ihr Kopf schmerzte wie ihr Gewissen. Die Familie rüstete mit gedämpfter Hast zum Aufbruch. Alle warfen sich in düstere Gala wie zu einem Begräbnis, und mit der gleichen Feierlichkeit fuhren sie zur Stadt. Jessica sprach in einem fort; sie hörte sich selber und verabscheute den Klang ihrer Stimme. Es sei ja nur eine kurze Trennung, sagte sie, denn Weihnachten komme sie wieder, und dann dauere es gar nicht mehr lange bis zu den Sommerferien, die sie natürlich zu Hause verbringen werde.

»Ja«, stimmte Callie betrübt zu, »die Zeit vergeht wie nichts.«

»Ich schreibe euch jede Woche.«

»Das wäre nett.«

»Und vielleicht könnt ihr mich auch mal besuchen.«

»Wir werden sehen.«

Auf dem Bahnsteig standen sie hilflos herum und warteten auf den Zug. Das Gespräch tröpfelte und erstarb. In Jessicas Kopf pochte der Schmerz, und sie wurde von einer Art Schüttelfrost befallen. Der Lokomotivenpfiff, der endlich in der Ferne ertönte, war wie ein Stich ins Herz. »Der Zug kommt«, sagte sie mit einem törichten Lachen.

»Bleib hier, Jessica, bleib hier!«, schrie Mathy. Leonie begnügte sich mit einem tränenfeuchten, vorwurfsvollen Blick.

Der Zug fuhr ein, hielt, und der Schaffner kam mit der Trittleiter. »Wer will denn mit? Sie, junge Dame?«

»Ja.«

»Na, dann rein mit Ihnen.« Er nahm Matthew den Koffer ab, schob ihn ins Abteil, ging ein paar Schritte weiter und stellte sich in Positur. »Einsteigen!«

Jessica schluckte mühsam und wandte sich um. Ihre Angehörigen standen aufgereiht wie ein Hinrichtungskommando. »Also dann …«, begann sie unsicher.

»Mein Baby!« Callie riss Jessica an sich. Ihr Körper zuckte wie unter einem epileptischen Anfall, und ihr stoßweises Schluchzen verursachte einen Wirbelsturm in Jessicas Ohrmuschel. Mathy und Leonie klammerten sich schluchzend aneinander. Und da stand auch Papa mit verzerrtem Gesicht, und die Tränen liefen ihm über die Wangen.

Jessicas Gesicht krampfte sich zusammen wie eine Faust, und ein riesiger Klumpen schwoll ihr in der Kehle. Sie machte sich von Callie los und warf sich in die Arme ihres Vaters. »Ich liebe euch!«, rief sie mit sich überschlagender Stimme und stolperte die Trittleiter hinauf ins Abteil, gequält von der schrecklichen Erkenntnis, dass es von nun an immer so sein würde. Sie konnte nicht gehen, sie konnte nicht bleiben. Sie war dazu verurteilt, zeit ihres Lebens zu kommen, zu gehen und immer wieder diese schaurigen Abschiedsszenen zu erdulden. Das war der Preis, den sie für ihre Freiheit zu zahlen hatte.

Matthew

I

Es war der Freitag vor Ostern. Matthew, der sich auf dem ansteigenden Weg zum Schulhaus gegen den kalten Nordwind stemmte, hätte gern gewusst, welcher arme Irre in der englisch sprechenden Welt auf die abstruse Idee verfallen war, diesen Tag den ›Guten Freitag‹ zu nennen.

Seine jüngste Tochter hüpfte neben ihm her und schwatzte von Wundern. »Wetten, dass er was in den Krug getan hat? Von selbst ist das Wasser bestimmt nicht zu Wein geworden – er hat heimlich was reingeschmissen, vielleicht beim Einschenken …«

Mathy sprach von einem ›Wunder‹, das sie am Vorabend in der Baptistenkirche miterlebt hatte. Matthew Soames und die Seinen waren zwar Methodisten, aber in Shawano galten die konfessionellen Grenzen nicht unbedingt als scharfe Trennungslinie. So hatten sich in der Karwoche dieses Jahres Methodisten, Baptisten und Campbelliten – alle außer den Hard-Shell-Baptisten und den Dunkards – einträchtig versammelt, um einem durchreisenden Evangelisten zu lauschen, der verirrte Seelen zu Christus zurückführen wollte. Nicht alle

Tricks, deren er sich dabei bediente, hatten Matthews Zustimmung gefunden.

»Er hat gesagt, der Herr hätte ihm die Kraft gegeben, Wasser in Wein zu verwandeln«, fuhr Mathy fort. »Glaubst du das, Papa?«

»Nun …« Es war wohl kaum angebracht, den Mann rundheraus als Scharlatan zu bezeichnen. Wenn ein Kind erst einmal zu zweifeln anfing …

»Die anderen haben's alle geglaubt.«

Damit hatte sie leider recht. Der Pastor von gestern Abend war gewiss kein Apostel und auch kein besonders geschickter Zauberkünstler gewesen, aber er hatte es immerhin verstanden, die Leute in eine solche Hysterie hineinzusteigern, dass sie seine Wunder so gläubig schluckten wie den Abendmahlswein. Matthew missbilligte diese plumpen Methoden und wünschte, der Mann hätte die Ostergeschichte nicht wie einen Fall von Lynchjustiz erzählt. Historische Wahrheit hin, historische Wahrheit her – die Leiden am Kreuz viel lebhafter auszumalen als die Freude der Auferstehung, das war doch stockkatholisch! Allerdings, überlegte er weiter, den römischen Sinn fürs Theatralische haben uns weder Calvin noch Wesley ganz austreiben können. Und als Dramenstoff ist das ewige Leben nun einmal nicht halb so ergiebig wie der Tod.

»Ich hab's aber nicht geglaubt«, verkündete Mathy.

Der Wind blies geradewegs vom Nordpol her. Ostern lag dieses Jahr früh. Matthew fror bis in die Knochen. Er war müde und matt geworden in der Tretmühle des winterlichen Alltags, und noch hatte die schwungvolle Betriebsamkeit des Frühjahrs ihn nicht ergriffen: Schnitzeljagden und Bezirkswettkämpfe, Theateraufführungen, Examensarbeiten und das lärmende Durcheinander der Entlassungsfeiern.

Mathy sang lauthals zu einer volkstümlichen Melodie:

>*Es heult der Nordwind Ach und Weh,*
der Pfaffe hustet sich halb tot,
ein Vogelnest verweht im Schnee,
und Marys Nas' wird rau und rot ...«

»Wo hast du das her?«, fragte Matthew.

»Es ist von Shakespeare.«

»Das weiß ich. Habt ihr das jetzt als Pflichtlektüre?«

»Ach wo. Das lese ich für mich.«

»Du solltest dich lieber um deine Schularbeiten kümmern. Ist der Aufsatz über den Abstinenzlerverein christlicher Frauen schon fertig?«

»Papa, muss ich den wirklich schreiben?«

»Warum solltest gerade du ihn nicht schreiben müssen?«

»Weil ich das Thema scheußlich finde – darum.«

»Das ist keine Entschuldigung. Wir können nicht immer nur das tun, was uns gefällt.«

»Verdammt. Als ob ich das nicht wüsste!« Sie sprang auf einen Baumstumpf, breitete die Arme aus und rief in die Lüfte: »Wind! Wind! Ich liebe den Wind! Und jetzt flie-ie-iege ich!« Sie warf sich mit rudernden Armen und wehendem Mantel vorwärts und fiel lang hin.

»Also, das ist doch … Kind, steh auf!« Matthew packte sie am Arm, mit dem Erfolg, dass der Wind ihm den Hut vom Kopf riss. Mathy jagte hinterher. Als sie sich bückte, flogen ihr die Röcke über den Kopf und enthüllten außer einem schwarzen Schlüpfer auch einen Streifen Trikotunterwäsche. Matthew zuckte zusammen.

»Ich hab ihn, Papa!«, schrie Mathy triumphierend.

»Danke. Und jetzt zieh mal gefälligst deine Strümpfe hoch.«

Viele Mädchen waren mit zwölf Jahren schon kleine Damen, aber bei Mathy, diesem schlaksigen Wildfang, konnte davon keine Rede sein. Sie liebte Stabhochsprung und Kraftausdrücke. ›Verdammt!‹ Woher sie das nur hatte!

Schweigend legten sie den Rest des Weges zurück. Die Höhere Schule von Shawano stand am äußersten Stadtrand; dahinter waren nur noch Wiesen und Äcker. Das Schulhaus, ein großer Ziegelsteinkasten, war so bar jeder Anmut wie nur je ein im Namen der Bildung errichteter Bau. Rot und vierschrötig wie ein Bauernjunge trotzte es den Elementen, durch keinen Baum, keine Hecke, kein anderes Gebäude vor Regen und Sturm, vor Sonne oder vor Hagelschauern geschützt. Der Wind entwurzelte all die kleinen Bäume, die Matthew alljährlich am Tag des Baumes mit großen Hoffnungen und feierlichem Zeremoniell pflanzte.

Im Innern des Hauses führte eine knarrende Holztreppe ins Kellergeschoss und eine zweite hinauf in die oberen Stockwerke. Matthew regierte sein Königreich von der ersten Etage aus. Sein kleines Amtszimmer befand sich am Ende des langen Mittelkorridors, und wenn die Tür offen stand, konnte er das Kommen und Gehen der Schüler überwachen. Das Fenster, nach Westen gelegen, gab den Blick auf den hinteren Schulhof frei. Davor, in bequemer Reichweite, hing die Schulglocke an einem hohen hölzernen Gestell, einer Art Glockenturm, der die Kinder unwiderstehlich anzog. Sie wetteiferten in Kletterübungen an einem starken Seil, das dort oben befestigt war, und Matthew musste in den Pausen stets damit rechnen, dass ein rotes, pustendes Kindergesicht vor seinem Fenster auftauchte.

In der Mitte des Zimmers stand ein Tisch, links von der Tür ein Rollschrank. Drei oder vier Klappstühle, ein Drehsessel, ein Aktenregal und ein Bücherbrett vervollständigten die Einrichtung. Das Telefon hing an der Wand. Matthews Neunzig-Stunden-Diplom, goldgerahmt, drückte dem Raum das Siegel der Autorität auf, und George Washington schaute so hochmütig, wie Stuart ihn gemalt hat, auf das alles herab. Hier setzte sich Matthew mit dem Schulbudget und dem städtischen Beirat auseinander, hier beriet er seine Lehrer, leistete Erste Hilfe, verhängte Strafen, korrigierte Hefte und schöpfte gelegentlich auch Atem.

An diesem Morgen stand er, nachdem er seinen Mantel abgelegt hatte, ein Weilchen am Fenster und betrachtete die Landschaft, die noch keinen Hauch von

Frühling erkennen ließ. Der leicht abfallende Schulhof war durch einen Lattenzaun von Seaberts Weideland abgegrenzt. Hinter der Wiese erhob sich ein lang gestreckter, mit Ahornbäumen und Eichen bewachsener Hügel, auf dem der städtische Friedhof lag. Grabsteine, weiß wie Totengebein, blinkten über den Baumkronen. Matthew liebte diese Aussicht. Am Fenster seines kleinen Amtszimmers stehend, im Mutterschoß vertrauter Geräusche geborgen, schwelgte er oft und gern in Betrachtungen über den Tod, friedvollen Betrachtungen, die frei von Furcht vor dem Ausgelöschtwerden waren und seine Seele mit köstlicher Wehmut erfüllten. Matthew überließ sich eine Minute lang dieser Stimmung. Leider verhakte sich sein vom Hügel zurückkehrender Blick an den beiden verwitterten Aborthäuschen, die im Schulhof standen, und die erhabenen Gefühle wichen dem Gedanken, dass er dem Schulbeirat unbedingt Geld zur Verbesserung der sanitären Anlagen abringen musste. Mit einem Seufzer wandte er sich ab und begann sein Tagewerk. Lehrer und Lehrerinnen erschienen mit allerlei Anliegen. Zwei Jungen wurden ihm zwecks Bestrafung vorgeführt; der eine hatte den anderen mit einem hartgekochten Osterei auf den Kopf geschlagen, und anschließend war es zu einer wütenden Prügelei im Schulhof gekommen. Nach dem Neun-Uhr-Läuten trat Ruhe ein, sodass Matthew ungestört einige Schreibarbeiten erledigen konnte. In der nächsten Stunde hatte er Unterricht in der Oberstufe zu geben. Im Begriff, hinaufzugehen, öffnete er die Tür und stieß sie in den

Busen einer stattlichen Dame, deren zum Klopfen ausgestreckte Hand ihn beinahe ins Gesicht traf. Es war Mrs. Delmora Jewel, die Mutter einer Schülerin.

»Professor Soames.« Sie machte einen hörbaren Punkt hinter der Anrede. »Darf ich Sie um eine kurze Unterredung bitten? Es handelt sich um Delmora.«

Natürlich – wie immer. Diesmal hatte Delmora in dem Theaterstück der Mittelstufe eine Rolle erhalten, die den Ansprüchen ihrer Mutter keineswegs genügte. »Schließlich hat sie jeden Samstag Rezitationsstunden in Clarkstown. Meiner Meinung nach sollte ein so gut ausgebildetes Mädchen ...« Und so weiter.

Matthew begann seinen Unterricht mit Verspätung. An Mrs. Jewel und ihre dauernden Beschwerden war er gewöhnt. Er verachtete sie und empfand es als Verstoß gegen seine Prinzipien, ihre unvernünftigen Forderungen zu erfüllen. Andererseits repräsentierte sie die Öffentlichkeit, und er zog sich nicht gern ihr Missfallen zu. Es machte ihn nervös.

Als er nach dem Unterricht in sein Zimmer zurückkehrte, fand er dort einen anderen Besucher vor, einen gewissen Garney Robles, von Beruf Zimmermann und Tapezierer. Aufgrund welcher Fähigkeiten er außerdem Mitglied des städtischen Schulbeirats war, hatte Matthew nie herausfinden können. Garney saß hingeflegelt auf einem Stuhl und hielt es nicht für nötig aufzustehen.

»Tag, Professor. Bin gerade mal vorbeigekommen, und da dachte ich mir, wir könnten uns ein bisschen unterhalten, wenn Sie nicht zu viel zu tun haben.«

»Zu tun haben wir hier immer«, erwiderte Matthew mit einem gezwungenen Lächeln.

»Es ist noch mal wegen der Lateinlehrerin.«

»Ja?« Matthew hob leicht die Brauen. Garney ritt auf diesem Thema herum, seit Matthew im letzten Frühjahr die Aufnahme von Latein in den Lehrplan und damit die Einstellung einer neuen Lehrkraft durchgesetzt hatte. (»Soames und seine Neue – kann mir schon denken, was die sich auf Lateinisch erzählen!« Vulgäre Randbemerkungen dieser Art waren für Garney typisch.) »Meinen Sie nicht, dass wir das lieber in einer Sitzung des Schulbeirats besprechen sollten?«

»Ja, aber ich wollte wissen, ob Sie immer noch so wild auf die Lateinstunden sind, Professor. Nehmen ja doch bloß sechs Kinder dran teil.«

»Zwölf«, berichtigte Matthew.

»Na, ob sechs oder zwölf – was ist das schon bei siebzig Schülern? Da lohnt sich die Lehrerin gar nicht. Ist einfach rausgeschmissenes Geld.«

»Sie unterrichtet auch Englisch«, sagte Matthew.

»Schön, aber das kann ebenso gut jemand anders machen. Was wir brauchen, ist ein anständiger Basketball-Trainer fürs neue Schuljahr.«

»Ich glaube, das Studium der klassischen Sprachen ist von größerem Wert als …«

»Zum Teufel – pardon, Professor –, wir müssen uns endlich mal ein bisschen Ansehen im Bezirk verschaffen.«

»Für eine Schule unserer Größenordnung stehen wir,

was die wissenschaftlichen Leistungen betrifft, im Bezirk an erster Stelle.«

»Mag ja sein – von dem wissenschaftlichen Zeugs verstehe ich nichts. Ich weiß bloß, dass wir im Basketball nicht an erster Stelle stehen. In den letzten drei oder vier Jahren haben wir kein einziges Turnier mehr gewonnen. Wir haben zwar ein paar gute Spieler, zum Beispiel Ed Inwood – herrje, der Junge kann springen! –, aber das macht noch lange keine Sieger.«

»Was zählt, ist allein der sportliche Geist«, erklärte Matthew. »Hauptsache, die Jungen spielen anständig und sauber. Es ist gar nicht nötig, dass sie jedes Mal gewinnen.«

»Und wo bleibt Ihr Gemeinschaftsgeist, Professor? Die Stadt wünscht sich ein Siegerteam. Sie tun ja als Trainer, was Sie nur können, alles gern zugegeben. Aber verdammt noch mal, Sie haben genug anderes am Hals, und, nehmen Sie's mir nicht übel, wir brauchen einen jüngeren Mann. Soll keine Beleidigung sein, Professor, wir werden alle nicht jünger. Was uns fehlt, ist ein Bursche mit 'nem bisschen Pfeffer im … also einer, der den Jungen beibringen kann, wie man einen zackigen Kampf liefert.«

Matthew war dankbar für das Klopfen an der Tür, das in diesem Moment das Gespräch unterbrach: Der Schuldiener trat ein. »Professor, ich glaube, ich kriege die Grippe. Wollte mal fragen, ob ich nach Hause gehen darf.«

»Gewiss, gehen Sie nur«, sagte Matthew. »Legen Sie

sich ins Bett und kurieren Sie sich aus. Um die Heizung werde ich mich schon kümmern.«

Der Mann bedankte sich und verschwand. Matthew blickte auf seine Uhr. »Entschuldigen Sie mich jetzt bitte, Garney. Ich muss in meine Klasse. Bei der nächsten Sitzung werden wir noch mal über die Sache sprechen.«

»Wie Sie wollen.« Garney stand auf. »Ich dachte bloß, wir sparen Zeit, wenn wir beide das unter uns ausmachen.«

Die personifizierte Unbildung, dachte Matthew, als er Garney hinausschlurfen sah. Der Schulbeirat von Shawano war ja nun wirklich kein staatlicher Pädagogenkongress, aber die meisten Mitglieder waren doch ordentliche Leute, die ihre Aufgabe ernst nahmen und sich bemühten, das Rechte zu tun. Wie hatte es dieser Garney Robles nur durchgesetzt, dass man ihn wählte? Vermutlich mit der gleichen groben Rücksichtslosigkeit, mit der er nun durchsetzen würde, dass die Schule einen neuen Trainer einstellte. *Sic transit* der Lateinkurs, dachte Matthew betrübt. Er war so stolz auf diesen Lehrgang, der seiner Schule einen gewissen Glanz verlieh. Am liebsten hätte er selber den Unterricht weitergeführt. Leider war es mit seiner Sprachbegabung nicht weit her, und zudem hatte er auf dem College nur sehr wenig Latein gelernt. Aber wie er die Klassiker verehrte! Er hatte seine Äcker im Rhythmus der *Georgica* bestellt, von denen ihm ein paar Verse im Ohr hängen geblieben waren. Wenn Latein aus dem Lehrplan der Schule gestrichen wurde, so war das ein persönlicher Verlust für ihn.

Und sein Basketball-Team sollte er auch verlieren! Dabei machte es ihm so viel Freude, die Jungen zu trainieren, und er war immer stolz auf seine Beweglichkeit gewesen. Konnte er nicht den Ball genauso flink über den Hof dribbeln wie irgendein Sechzehnjähriger? Aber, wie Garney so taktlos gesagt hatte, mit der Zeit wurde man eben klapprig. Müde stieg er die Treppe zu seiner Klasse hinauf.

2

Die Ereignisse des Nachmittags waren nicht dazu angetan, Matthews Stimmung zu heben. Er war so manches gewohnt – dass etwa ein Baseball durch die Fensterscheibe flog oder ein Kind sich im Korridor übergab. Dass aber der Ofen wagte, in Abwesenheit des Schuldieners zu qualmen, empfand Matthew als eine ausgesprochene Beleidigung. Dann kam die österliche Feierstunde in der Aula, und dabei stellten die Schüler seine Geduld auf die allerhärteste Probe. Mochte auch ihr Benehmen für gewöhnlich so gut sein, wie man es von Kindern und Halbwüchsigen eben erwarten konnte, so gerieten sie doch bei jeder Kleinigkeit außer Rand und Band, und an diesem Tag schienen sie irgendeinen Anlass gefunden zu haben. Sie wisperten und feixten und husteten alle gleichzeitig. Wellen von unterdrücktem Gelächter liefen durch den Saal. Anfangs hielt Matthew die Unbotmäßigkeit noch im Zaum – so lange, bis er aufstehen musste, um den Chor zu dirigieren. Was von diesem Moment an hinter seinem Rücken vorging, konnte er nur ahnen. Mit Ach und Krach bugsierte er seine Sänger durch die Hymne, die er vier Wochen lang so liebevoll einstudiert hatte.

Ehrlich empört kehrte er nach der Feier in sein Amtszimmer zurück. »Benehmen sich wie die Hottentotten!«,
knurrte er, am Fenster stehend. »Überhaupt keinen Respekt mehr. Und diese Liederlichkeit!« Die letzte Bemerkung bezog sich auf das Butterbrotpapier und ein paar
ausgerissene Heftseiten, die der Wind über den Hof
wirbelte. Und am Lattenzaun von Seaberts Wiese hatte
jemand einen Papierdrachen angebunden, der wie ein
geköpftes Huhn auf dem Boden hin und her flatterte.
Matthew wandte sich angewidert ab und ging hinaus,
um das Ärgernis zu beseitigen. Unterwegs sammelte er
hier und dort Papierfetzen auf. Am Zaun angelangt,
schnitt er die Schnur mit seinem Taschenmesser durch
und holte den Drachen ein. Während er das Ding näher
und näher zu sich heranzog, fiel ihm auf, dass es eigenartig bemalt war. Endlich hielt er es in den Händen und
konnte es betrachten. Der ziemlich große Drachen war
aus braunem Packpapier gefertigt. Auf der einen Seite,
kunstvoll mit roter Tinte gezeichnet, war eine Christus-
gestalt zu sehen, die an dem Stützkreuz des Drachens
hing. Die andere Seite trug die Aufschrift: ›Schande über
dich, Pontius Pilatus!‹.

Beim Anblick dieses Machwerks wurde Matthew von
Verzweiflung gepackt. Hatte er heute nicht genug Ärger
gehabt? Musste auch das noch kommen? Jetzt war er
automatisch zu einer Unterredung mit dem Übeltäter
verurteilt, und über die Person des Übeltäters konnte
kein Zweifel bestehen. Es gab nur einen Jungen in der
Schule, dem Matthew die lästerliche Kühnheit zutraute,

einen Drachen als Kruzifix zu verwenden – Ed Inwood. Seufzend trug er das Ding in sein Zimmer hinauf. Wie gern hätte er es in den Papierkorb gestopft und getan, als wüsste er von nichts – der Wind konnte es ja losgerissen und fortgeweht haben. Aber natürlich wusste jedes Kind in der Schule Bescheid, möglicherweise sogar die Lehrer, und wenn sich die Sache herumsprach … Nein, er musste ein Exempel statuieren, um Eds und um seiner selber willen. Er schloss die Tür und setzte sich an den Tisch, um Kräfte zu sammeln.

Ed Inwood war Schüler der Oberstufe, aber nur dank der Nachsicht seiner Lehrer – besser gesagt, der Lehrerinnen, denn Matthew hatte sich in dieser Beziehung nichts vorzuwerfen. Ed las viel, lernte aber sehr ungern. Von einem gut fundierten Wissen konnte bei ihm keine Rede sein. Neugierig und kritisch wie ein junger Hund steckte er seine Schnüffelnase überall hinein, mit besonderer Vorliebe in altehrwürdige Dogmen. Schon oft hatte er Matthew im Unterricht mit seinen ungehörigen Fragen in Verlegenheit gebracht. »Wenn die Evolutionslehre stimmt, Mr. Soames, dann sind doch Adam und Eva ein Affenpärchen gewesen, nicht wahr?« – »Mr. Soames, wenn Christus heute lebte – würden wir ihn nicht einen Bolschewiken nennen?« Mr. Soames dies und Mr. Soames das, bis Matthew die Fassung verlor und sich in seinen eigenen Argumenten verhedderte.

Zu Allerheiligen hatte Ed mit Teer ein KKK – die Abkürzung für Ku-Klux-Klan – auf die Flanke von Matthews Kuh geschmiert. Er gab seine Tat am nächsten Tag unumwunden zu und gelobte Wiedergutmachung. Matthew schickte ihn mit Terpentin an die Arbeit, musste jedoch später entdecken, dass Ed die Buchstaben fein säuberlich ausrasiert hatte, wodurch sie wie eingemeißelt wirkten. Angeblich war es ihm nicht gelungen, den Teer auf andere Weise zu entfernen.

Der Junge war ungreifbar wie der Wind. Versuchte man, ihn energisch anzufassen, so entwich er wie Luft aus einer aufgeblasenen Papiertüte, mit lautem Knall. Der Lärm war dabei stets größer als der angerichtete Schaden, aber ein schrecklicher Störenfried war er doch, dieser Ed. Wahrscheinlich lag es an den häuslichen Verhältnissen. Ed hatte keine Eltern mehr und lebte bei seiner verheirateten Schwester, die ihm so ziemlich alles erlaubte. Basketballspielen zum Beispiel, Autofahren, den Mädchen nachsteigen … Wie oft hatte Matthew ihn abends aus einem geparkten Wagen in der Nähe der Schule herausgeholt! Schade um den Jungen, denn er war ein kluger Kopf. »Ed«, sagte Matthew immer wieder, »Ed, nun reißen Sie sich doch mal zusammen! Setzen Sie sich auf den Hosenboden und lernen Sie was. Sie könnten es im Leben zu etwas bringen!« Die Antwort lautete jedes Mal: »Ich will's ja zu gar nichts bringen – ich will mich amüsieren.« Amüsieren! Das war alles, woran er dachte. Und Christus auf einem Papierdrachen zu kreuzigen war typisch für seine Auffassung von Amüsement.

Matthew stand auf, gab mit der Glocke das Schlusszeichen und öffnete die Tür seines Zimmers. Aus allen Klassenräumen stürmten lärmende Kinder heraus. Laut

Vorschrift hatten sie ruhig und gesittet zu gehen, aber vielleicht war das so kurz vor Ostern zu viel verlangt. Ein großer, gut gewachsener Junge kam, immer zwei Stufen auf einmal nehmend, vom zweiten Stock heruntergelaufen, umarmte hier ein Mädchen, knuffte dort einen Mitschüler und trabte auf Matthews Wink so strahlend erwartungsvoll auf das Amtszimmer zu, als rechne er mit einer Auszeichnung. Jetzt mimt er den Basketballstar, dachte Matthew. Der Junge blieb höflich an der Tür stehen. »Wollten Sie mich sprechen, Sir?«

»Treten Sie näher, Ed«, sagte Matthew. »Machen Sie bitte die Tür zu.« Er deutete auf den Drachen. »Ich nehme an, dass Sie diesen Gegenstand kennen.«

Ed beugte sich über den Tisch. »Ja, Sir, der gehört mir.«

»Sind Sie sicher?«, fragte Matthew trocken.

»O ja, Sir, völlig sicher.«

»Und das Bild darauf stammt von Ihnen?«

»Ja, Sir. Ich kann ganz gut zeichnen.«

»Das sehe ich.« (Ach, längst vergangene Jahre der Karikaturen, der Witzzeichnungen auf Buchrändern, der tätowierten Venus von Milo!) »Wie sind Sie nur auf diese Idee gekommen, Ed?«

»Nun ja …«, begann der Junge gedehnt, »als ich neulich dabei war, den Drachen zu machen …«

»Eine Zwischenfrage: Ist das ein passender Zeitvertreib für einen jungen Mann Ihres Alters?«

»Denken Sie doch an Benjamin Franklin.«

»Lassen Sie Benjamin Franklin aus dem Spiel.«

»Also, wie gesagt, ich machte den Drachen, und dabei fiel mir auf, dass die beiden Stützlatten ein Kreuz bilden … Mr. Soames, ist es möglich, dass der Drachen früher mal religiöse Bedeutung hatte? Sie haben doch neulich im Unterricht erwähnt, dass manche Kinderreime ursprünglich politische Spottverse waren. Könnte da nicht auch der Drachen …«

»Hier geht es nicht um die Kulturgeschichte des Drachens.«

»Verzeihung, Sir. Na, ob so oder so – mir fiel das kreuzförmige Gestell auf. Und da wir in der Osterwoche sind, dachte ich, das müsste auch auf dem Drachen zum Ausdruck kommen. Ich finde eigentlich, dass ich's ganz gut hingekriegt habe.«

»Ihre künstlerischen Fähigkeiten sind zweifellos beachtlich. Ich wende mich nur gegen den Gebrauch, den Sie davon machen.«

»Ist es verboten, ein Bild von Jesus zu zeichnen?«

»Es handelt sich nicht um die Zeichnung als solche …«

»Ich habe ein Bild aus der Kirchenzeitung als Vorlage genommen. Es war, glaube ich, die Reproduktion eines Gemäldes von van Dyck, dem großen holländischen Maler.«

»Ed, was ich Ihnen vorwerfe, ist nicht das Bild, sondern der Platz, an dem es sich befindet. Ein Christusbild gehört nun mal nicht auf einen Drachen. Der Heiland als Spielzeug – das ist eine Verhöhnung! Und die Aufschrift ist ebenfalls im höchsten Grade unverschämt.«

»Finden Sie nicht, dass Pilatus sich schämen sollte?«

»Gewiss – Sie aber auch, weil Sie mit etwas Heiligem so frivol umspringen.«

»Wollen Sie damit sagen, Mr. Soames, dass meine Handlungsweise in die Kategorie der Sünde fällt?«

»Sünde? Das wohl gerade nicht«, sagte Matthew, nun schon ein wenig milder. »Nein, eine Sünde möchte ich es nicht nennen. Eher eine grobe Beleidigung.«

»Und wen habe ich beleidigt?«

»Unseren Herrn und Heiland. Es ist Gotteslästerung.«

»Wenn ich nun aber nicht an die Göttlichkeit Christi glaube?«

»Die meisten von uns glauben daran. Ich zum Beispiel.«

»Dann habe ich also Sie beleidigt.«

»Mich und alle anderen Gläubigen.«

»Die Frage ist nur, ob man von Gotteslästerung sprechen kann, wenn ich Jesus gar nicht für einen Gott halte. Darf ich bitte mal erklären, was ich meine, Mr. Soames? Sehen Sie, meine Schwester hat ein Räuchergefäß in Form einer kleinen Buddhastatue – Sie kennen doch diese Dinger, nicht wahr? Man verbrennt irgend so ein stinkiges Zeug darin, und der Qualm kommt ihm zum Mund raus. Nun sind eine Menge Chinesen von der Göttlichkeit Buddhas überzeugt. Wir nehmen also ihren Gott, stellen ihn uns als Nippsache ins Zimmer und verbrennen Räucherwerk in ihm, und dabei denken wir uns gar nichts Böses. In unseren Augen ist das keine

Beleidigung, weil wir Buddha nicht als Gott anerkennen. Daraus folgt, dass ich, der ich nicht an die Göttlichkeit Christi …«

»Ed, ich bin nicht gewillt, Ihre atheistischen Ansichten als Entschuldigung gelten zu lassen. Wenn Sie auf Ihrer irrigen Meinung beharren, kann ich Sie nicht zwangsweise bekehren. Aber ich werde nicht dulden, dass Sie diese Blasphemien überall ausposaunen, solange Sie unserer Schule angehören.«

»Gut, ich werde mir's merken. Aber bis jetzt habe ich ja nichts weiter getan als ein Bild des Gekreuzigten gezeichnet. Ich weiß gar nicht, was daran so verwerflich ist. Bei van Dyck und all den anderen berühmten Burschen hat doch kein Mensch was dagegen.«

»Es kommt auf die innere Einstellung an, Ed. Darauf beruht der ganze Unterschied zwischen Ehrfurcht und Profanierung. Wenn einer sagt ›Mein Gott‹, kann es je nach der inneren Einstellung das eine oder das andere bedeuten. Und Ihre Art zu denken verrät mir, dass Sie mit dem Bildnis Christi Missbrauch getrieben haben. Es ist genauso, als hätten Sie den Namen des Herrn unangemessen im Munde geführt.« Matthew lehnte sich, zufrieden mit dieser Schlusswendung, im Stuhl zurück.

»Sie beziehen sich auf eines der Zehn Gebote, nicht wahr?«, fragte Ed.

»Ganz recht, auf das Zweite.«

»Hm … Dann habe ich also gegen ein Gebot verstoßen?«

»So kann man es nennen.«

Ed sah ihn mit unschuldigen Kinderaugen an. »Aber vorhin haben Sie doch selber gesagt, Mr. Soames, ich hätte keine Sünde begangen.«

»Nun, ich meinte selbstverständlich …«

»Ich habe immer gedacht, dass der Verstoß gegen ein Gebot bei euch Christen als Sünde gilt.«

»Meine genauen Worte waren …«

»Mag ja sein, dass die Zehn Gebote heutzutage überholt sind. Ich habe diese Meinung schon verschiedentlich gehört, aber dass auch Sie so denken, überrascht mich wirklich.«

»Junger Mann …«

»Und ich kenne eine Menge Leute, die ebenfalls überrascht sein werden.«

»Also, das ist doch …«

»Nur keine Aufregung, Mr. Soames.« Er setzte eine Verschwörermiene auf und beugte sich ein wenig vor. »Ich sag's bestimmt nicht weiter.«

»Jetzt hören Sie endlich mal zu!«, donnerte Matthew. »Ich dulde nicht, dass Sie herumgehen und behaupten, ich hätte gewagt, die Bibel zu widerlegen, verstanden? Sie haben mir das Wort im Mund umgedreht, und deshalb – lachen Sie nicht so unverschämt!«

»Ich lache nicht über Sie, Sir.«

»Was finden Sie denn hier so komisch?« Matthew folgte unwillkürlich Eds Blick. Hinter der Fensterscheibe grinste ihn mit schielenden Augen und lang herausgestreckter Zunge eine abscheuliche kleine Fratze an.

Er fuhr hoch und riss das Fenster auf. »Zum ... Was machst du hier?«

»Ich übe Seilklettern«, erwiderte Mathy.

»Runter mit dir, aber fix! Und dann marsch nach Hause!« Mathy verschwand. Ein lang gezogenes *Huiii* begleitete ihr Hinunterrutschen.

Matthew schlug das Fenster zu und drehte sich um. »Ich sage Ihnen ein für alle Mal ...«, rief er.

Aus Eds Lächeln sprach reine Schadenfreude. »Ach, lassen Sie's gut sein, Mr. Soames. War ja nur Spaß.«

»Wenn das Ihre Auffassung von Spaß ist ...«

»Ja, sehr witzig war's wohl nicht, wie?«

»In keiner Weise.«

»Ich hätte den Drachen nicht machen sollen. Es war eine Frechheit.«

»Typisch für Sie.«

»Ich weiß. Ich bitte um Verzeihung, Sir.«

»Nun ...«

»Es tut mir auch leid, dass ich Sie so geärgert habe. War gar nicht meine Absicht. Manchmal geht's eben mit mir durch. Aber ich will versuchen, es nicht wieder zu tun.«

Matthew setzte sich. »Also gut, Ed«, sagte er nach kurzem Schweigen. »Wir wollen die Sache für diesmal auf sich beruhen lassen.«

»Vielen Dank, Sir. Ich werde mir die größte Mühe geben, keine religiösen Symbole mehr zu entheiligen, auch wenn ich nicht daran ...«

»Das genügt, Ed. Sie können gehen.«

»Jawohl, Sir. Nur … Manchmal denke ich, solche Räuchergefäße sollten verboten werden, finden Sie nicht auch, Mr. Soames?«

Dieses Mundwerk! »Guten Abend, Ed.«

»Wenn die Chinesen auf die Idee kämen, Weihrauch in kleinen Christusstatuen zu verbrennen …«

»Schluss jetzt, Ed. Das führt zu weit.«

»Ich würde das ganz gern mal sehen. Sie nicht auch? Ich meine, wenn der Rauch aus all den Wundmalen quillt und …«

»Guten *Abend,* Ed!«

»Verzeihung.« Der Junge stand auf. »Guten Abend, Mr. Soames. Und fröhliche Ostern«, fügte er munter hinzu. Dann schloss sich die Tür hinter ihm.

Völlig erschöpft stützte Matthew die Ellbogen auf den Schreibtisch, bettete den schmerzenden Kopf in die Hände und massierte die Schläfen mit den Daumen. Er fühlte sich alt und erledigt. Vielleicht hatte Garney recht. Vielleicht brauchten sie wirklich einen jüngeren Mann.

Allmählich kam ihm zum Bewusstsein, dass irgendwo im Hause gesungen wurde.

*»Noch leuchtet der Mond, doch die Sterne vergehn,
denn die Nacht ist schon fast vorbei …«*

Wie sanft und versöhnlich das klang!

*»… und nur Gott weiß, wann wir uns wiedersehn
im fröhlichen Monat Mai.«*

Ein Mädchenterzett übte Mendelssohns Lied für das Frühlings-Wettsingen in Clarkstown. Matthew hob den Kopf; er erinnerte sich schuldbewusst, dass er die Mädchen nach dem Unterricht zur Probe bestellt hatte. Rasch ging er zur Tür, aber nun war es zu spät; sie kamen schon herunter. Er setzte sich wieder hin. Gleich darauf klopfte es.

»Herein.«

»Ich bin's.« Leonie erschien, selbstgefällig wie das ›rote Hühnchen‹ aus dem Kinderbuch. »Ich sah, dass du beschäftigt warst, Papa, und da bin ich raufgegangen und habe dich bei der Probe vertreten.«

»Sehr schön. Ich danke dir, Tochter.«

»Erst habe ich jede ihren Part allein durchsingen lassen, mit und ohne Klavier, damit sie sich dran gewöhnen. Dann Alt und zweiten Sopran zusammen – ersten Sopran und Alt – und schließlich alle drei mit Begleitung. Und dann …«

»Ja, liebes Kind. Du brauchst mir nicht jede Einzelheit zu erzählen.«

»Ich dachte, es würde dich interessieren.«

»Ja … Ja, du hast es sehr gut gemacht. Und nun geh, Liebes, ich habe noch zu tun.«

»Bist du nicht bald fertig? Ich könnte doch auf dich warten.«

»Bei mir dauert's noch eine Weile. Geh ruhig schon vor.«

»Aber ich würde so gern … Na, wie du meinst. Soll ich die Tür zumachen?«

»Lass sie offen.«

Leonie entfernte sich. Matthew stand auf und ging ans Fenster. Das Haus war nun leer und still. Er hörte förmlich, wie es sich nach dem langen, lauten Tag zum Schlafen zurechtsetzte; es knarrte in allen Fugen, und die Wände des Treppenhauses warfen das Echo zurück. Matthews Schultern erschlafften. Er war müde und gereizt; der Tagesärger hatte ihn aufgerieben. Während er geistesabwesend, die heiße Stirn an das kühle Glas gepresst, den Friedhofshügel betrachtete, füllte sich das Zimmer mit goldenem Licht. Ein Wolkenfetzen nach dem anderen fing Feuer, und bald erstreckte sich das windbewegte Lodern des Sonnenuntergangs über den halben Himmel. Dieses Schauspiel nahm nach und nach Matthews Sinne gefangen; er fühlte sich zu einem Göttersitz emporgetragen, von dem er auf sein irdisches Selbst hinabblickte: eine einsame Gestalt in einem leeren Schulhaus ... wie ein verratener General auf ödem Schlachtfeld ... wie Lear auf der Heide. Ich bin allein, sagte er sich. Allein in meinem Kampf gegen die platte Dummheit, allein in meiner Liebe zu Weisheit, Wahrheit und Ordnung ... allein auch in meiner Liebe zur Schönheit. Er fragte sich, ob außer ihm noch ein Mensch in der Stadt sei, der sich Zeit gönnte, diesen Sonnenuntergang zu beobachten. Was für ein großartiges, lautloses Farbenspiel der Himmel bot! So viel Schönheit schmerzte, wenn man sie stumm hinnehmen musste – sie forderte gebieterisch Lob und Preis. Und Matthew wünschte in diesem Augenblick von ganzem Herzen, eine gleichgestimmte Seele neben sich zu haben, zu der er wenigstens »Wie schön!« hätte sagen können. Nichts weiter. Das Einfachste genügte, wenn nur jemand zuhörte …

Wie zur Antwort auf sein Gebet ging unten die Tür, und leichte Schritte kamen die Treppe herauf. Als er sich umdrehte, sah er ein goldenes Haupt in dem sonnendurchfluteten Korridor auftauchen. Die schaumgeborene Aphrodite! Eine Mädchengestalt schwebte auf ihn zu, von Gold umstrahlt, die Augen so blau wie der Sommerhimmel. Lächelnd blieb sie auf der Schwelle stehen. Sein Herz schlug ihr entgegen. »Herein!«, sagte er.

Sie kam, ein englisches Lesebuch unter dem Arm, reizend anzuschauen in ihrem Matrosenkleid und mit dem blauen Band im honigfarbenen Haar. Und nun standen sie nebeneinander am Fenster, um den Sonnenuntergang zu bewundern. Er sagte »Wie schön!«, und sie sagte »Oh!«, faltete die Hände und blickte ihn mit glühendem Gesicht scheu von der Seite an. Dann setzten sie sich und schlugen das Buch auf, und er sprach sehr gelehrt über Literatur. Sie hörte wie gebannt zu. Er las ihr vor:

»Dein Hyazinthengelock, deine klassischen Züge,
deine Nymphengestalt brachten mich heim zu dir.«

»Bei Ihnen klingt das so schön!«, flüsterte sie.

Und er redete weiter. Seine Stimme, gelassen und weise, trug sie beide über duftende Wogen, während der Raum von goldenem Leuchten überfloss. Plötzlich hob das Mädchen den Kopf und sagte: »Ich liebe dich!«

»Mein Kind«, erwiderte er lächelnd, »Sie lieben die Poesie.«

»Nein, dich!«

Die blauen Augen brachten ihn fast zum Straucheln. »Ich glaube« – er wandte sich ab –, »Sie sollten jetzt gehen.«

Sie protestierte. Er blieb fest. Sie bettelte und flehte. Er lächelte nur sanft. Schließlich küsste sie ihn mit ihren weichen rosenroten Lippen und lief hinaus, ohne das englische Lesebuch mitzunehmen. Unten fiel die Tür ins Schloss.

Matthew beugte sich über das aufgeschlagene Buch. *Helena, deine Schönheit …* Er versuchte, den Schreibtisch aufzuräumen, doch er wusste einfach nicht, wohin mit all den Papieren, Bleistiften und Notizbüchern. So wandte er sich denn wieder zum Fenster und blickte hinaus. Aber er sah nichts als ihr Antlitz.

3

In Wirklichkeit hatte das Mädchen gar nicht gesagt: »Ich liebe dich.«

In Wirklichkeit war sie nur mit ihrem Lesebuch hereingekommen und hatte ihn gebeten, ihr ein Gedicht zu erklären, das sie nicht ganz verstand. Sie hieß Alice Wandling, gehörte der Oberstufe an und hatte Geschichte bei Matthew. Ihr Platz in der Klasse war dicht am Fenster, wo das Sonnenlicht in ihrem Haar spielte. Man hatte sie dazu ausersehen, Shawanos Höhere Schule im Rezitationswettbewerb zu vertreten, und Matthew übte seit ungefähr einer Woche dramatisches Lesen mit ihr. Doch erst an diesem Nachmittag hatte er erkannt, dass ihm die Sondersitzungen mit Alice beträchtlichen Genuss bereiteten, sehr viel mehr Genuss, als das zwanzigmalige Anhören ein und desselben Gedichts (*Das verlorene Wort* von Henry Van Dyke) zu rechtfertigen schien.

Es traf zu, dass er und sie zusammen am Fenster gestanden und den Sonnenuntergang bewundert hatten. Alice aber – zweifellos war ihr Blick auf die beiden Aborthäuschen im Hof gefallen – hatte sich sehr bald mit einem verlegenen Lächeln abgewandt.

»Wir haben für Montag ein Gedicht von Alexander Poe auf«, sagte sie. »Er ist mein Lieblingsdichter, aber er ist manchmal so ... *tief!*«

Also setzten sie sich und schlugen das Buch bei ›Alexander‹ Poe auf. Matthew pries die Schönheit der Literatur, vergaß Raum und Zeit, redete und redete. Dann las er das Gedicht *An Helena* vor. Einmal berührte Alice seinen Arm und sagte: »Ach, Mr. Soames, bei Ihnen klingt das aber schön!« Sie fügte hinzu, er sei ein fantastischer Lehrer und sie könne nur staunen, dass er, der doch noch gar nicht alt sei, so schrecklich viel wisse.

Jede Bewegung ihres reifen Mädchenkörpers, ihr Rosenparfum, ihr seelenvoller blauer Blick – alles war ihm Balsam und Trost. Je länger sie neben ihm saß, desto beredter wurde er. Es war eine zauberhafte Stunde. Endlich hörte ihm jemand wirklich zu, und in seiner Dankbarkeit hätte er sie am liebsten in die Arme geschlossen. Dazu war er jedoch nicht kühn genug, und so hoffte er halb und halb, sie werde den ersten Schritt tun und ihn in die Arme schließen.

Zwischendurch fragte er sich, warum sie heute erst so spät, lange nach Unterrichtsschluss, gekommen war. Etwa in der Hoffnung, ihn allein zu finden? Unsinn! Sie brauchte nur Hilfe bei ihrer Schulaufgabe. Aber warum erbat sie diese Hilfe von ihm? Er war nicht ihr Englischlehrer. Warum wandte sie sich nicht an Miss Coppidge? Weil Miss Coppidge dumm war. Gott mochte ihm verzeihen, sie *war* dumm; schon ihre Stimme und ihr Tonfall ließen jegliche Poesie hausbacken erscheinen. Außerdem war Miss Coppidge längst gegangen. Was also suchte Alice mit ihrem Rosenduft und ihrem Lächeln um diese Zeit in der Schule? Warum ließ sie die rote Zungenspitze zwischen den Zähnen spielen? War es ein ausgekochter, schamloser Flirtversuch?

Nein, das auf keinen Fall, wies er sich selbst mit Entschiedenheit zurecht. Es war echtes Interesse. Alice, die Blauäugige, liebte die Literatur, weiter nichts. (»Oh, Mr. Soames, wie herrlich Sie sprechen!«) Und sie bewunderte seinen Geist.

Aber was nützten alle Vernunftgründe, was nützte die tadellose Haltung des Mädchens? Sie hätte sich Matthew ebenso gut an den Hals werfen und ihm ihre unsterbliche Liebe erklären können, denn als sie sich verabschiedete und dabei ihr Lesebuch liegen ließ, war er ohnehin völlig durcheinander.

Es war nicht das erste Mal, dass er sich in eine Schülerin verliebte. Diese Anfechtungen kamen über ihn wie epileptische Anfälle, in unregelmäßigen Abständen – manchmal hatte er lange Zeit Ruhe, und dann, gerade wenn er es am wenigsten erwartete, brachte ihn so ein junges Ding total aus dem Gleichgewicht. Die Symptome waren Herzklopfen, schwitzende Handflächen, unbeherrschter Leichtsinn, Halluzinationen von persönlichem Glanz, bezauberndem Charme, sieghafter, edler Größe. Mit heimlichem Entzücken genoss er das Gefühl, dass ein Mädchen zu ihm aufblickte, als sei er die Sonne, deren Licht ihr den Tag vergoldete. Er berauschte sich an Träumen, die ihn erneuerten und verjüngten.

Aber sie erschreckten ihn auch. Seine Besessenheit, Schwäche, Anfälligkeit – gleichgültig, wie man es nannte – war für ihn nicht nur Glück, sondern auch Qual. Zuweilen kam er sich wie ein Ungeheuer vor, und dann suchte er mit verzweifelter Ehrlichkeit zu ergründen, was ihn immer wieder auf Abwege trieb. Lagen in den tiefsten Schichten seines Wesens etwa blutschänderische Wünsche verborgen, die ab und zu in dieser Form hervorbrachen? Nein, unmöglich – das konnte er einfach nicht glauben! Die Mädchen, in die er sich verliebte, hatten nie irgendwelche Ähnlichkeit mit seinen Töchtern; es war stets der schon gereifte, wissende Typ, sozusagen eine ganz andere Richtung.

Jedenfalls beunruhigte ihn die Sache entsetzlich. Er verriet ja nicht nur Callie – das war schlimm genug –, sondern auch seine zweite große Liebe, die Wissenschaft. Diese Gefühlsverwirrungen lenkten ihn zu sehr von seinen eigentlichen Zielen ab. Er war jedes Mal fast froh, wenn eine solche Krise überstanden war. Dann stürzte er sich wie ein Genesender auf seine Bücher und las gierig, um die verlorene Zeit einzuholen; er bestellte sich Fernlehrgänge oder nahm an Fortbildungskursen teil. Bücher, wissenschaftliche Zeitschriften, lange Sommerstunden in der Stadtbibliothek (wo er in seinen kratzigen wollenen Unterhosen schwitzte und mit dem feuchten Hemd die Politur vom Stuhl rieb), das alles brachte ihn wieder zur Vernunft und war Medizin für seine Seele.

Einmal fand er bei Francis Bacon einen Satz, der ihn so sehr beeindruckte, dass er ihn in Schönschrift abschrieb: ›Strebe zuerst nach den Segnungen des Geistes, dann wird dir das Übrige entweder von selber zufallen, oder du wirst den Mangel nicht spüren.‹

Matthew bewahrte den Zettel im Schreibtisch auf, und sooft sein Blick darauf fiel, bekannte er sich ehrfurchtsvoll zu dieser weisen Forderung. Denn er liebte die Segnungen des Geistes – und je älter er wurde, desto mehr liebte er sie. Schon hatte er geglaubt, sie hätten ihn endlich von seinen törichten Anwandlungen geheilt. Aber hier stand er, ein Mann in den Vierzigern, angesehen, in Amt und Würden, eine Stütze der Gesellschaft – und dabei wie ein Halbwüchsiger in ein Schulmädchen verknallt, das so alt war wie seine zweite Tochter. Matthew blickte zum dunkelnden Himmel auf. »O Gott«, murmelte er, »es ist wieder so weit.«

4

Mit dem leeren Frühstücksbeutel in der Hand machte er sich auf den Heimweg. Die Wiese, die er überquerte, lag um diese Zeit öde und verlassen da. Er ging gern so allein unter dem weiten Himmel dahin; es gab ihm die nötige Atempause zwischen Schule und Haus. An diesem Abend schritt er besonders langsam durch die windige Dämmerung, denn er wollte die Erinnerung an die Stunde des Sonnenuntergangs auskosten. Immer von Neuem rief er sich jeden Blick, jedes Wort ins Gedächtnis zurück und versuchte, in allem eine Anspielung, einen zarten Wink zu finden. Der Gedanke an Alice war wie Musik, und er wusste nicht, wie er dieses wundersame Tönen in Gegenwart seiner Familie zum Schweigen bringen sollte. Schaudernd bereitete er sich auf die vielen Augen und Ohren und zudringlichen Stimmen vor, die am Ende der Straße auf ihn warteten. Wenn er ihnen doch entrinnen könnte! Aber da stand das Haus wie eine Falle, und der Köder darin war das Abendessen, und natürlich ließ er sich fangen.

Mathy spähte gerade in einen der dampfenden Töpfe, als er die Küche betrat. Sie ließ den Deckel klappernd zurückfallen, schoss auf Matthew zu und umklammerte ihn mit beiden Armen.

»Papa! Endlich bist du da! Deine armen Kinder sterben vor Hunger! Ich bin so schwach – ich kann schon nicht mehr stehen. Oh! Oh!«

»Lass das«, mahnte Callie, »Papa ist müde.«

»Er hat heute furchtbar viel zu tun gehabt«, warf Leonie ein, die am Bügelbrett stand. »Ich musste sogar für ihn die Terzettprobe übernehmen.«

»Zieh den Mantel aus«, sagte Callie zu Matthew. »Hier, Kind, häng ihn draußen auf. Nun setz dich gemütlich hin, Papa, und wärm dir die Füße am Herd. Sie sind doch bestimmt eiskalt. Ich hab dir auch Sassafras-Tee gekocht. Mathy, gib mal 'ne Tasse her.«

Leonie stellte das Bügeleisen auf den Herd. »Schau, Papa, ich habe dein gutes Hemd gebügelt. Ist schön geworden, nicht wahr?«

Sie umflatterten ihn mit Tee, Pantoffeln und liebevoller Fürsorge.

»Sobald du dich ein bisschen aufgewärmt hast, müssen wir essen«, sagte Callie. »Wir kommen sonst zu spät zur Kirche.«

»Kirche?«, fragte Matthew.

»Heute ist doch die Oster-Andacht. Hast du's vergessen?«

Er hatte alles vergessen, die Andacht und das Fest selber. Seit Ed Inwood ihm fröhliche Ostern gewünscht hatte, war zu viel geschehen …

»Los, Kinder, zu Tisch!«, rief Callie.

Über ihre gesenkten Köpfe hinweg sprach Matthew das Tischgebet. Dann blickte Callie auf und fuhr sich mit der Hand über die noch immer faltenlose Stirn.

»Uff!«, seufzte sie. »Ich hab vom langen Warten beinah Migräne gekriegt.«

Da hatte er's wieder! Das war der unvermeidliche kleine Hieb, mit dem Matthew immer von vornherein rechnete – nur wusste er nie, wann er in Deckung gehen musste. Er zuckte unter dem Volltreffer zusammen. Erst machte sie ein großes Aufhebens um ihn, war eitel Liebe und Güte und erreichte damit, dass er sich wie ein elender Schurke fühlte. Und dann, wenn er weich geworden war, kam der Hieb – irgendeine wohlberechnete Bemerkung, die ihn wissen ließ, dass er Unrecht getan und dass sie es nicht übersehen hatte, obwohl sie ihm verzieh.

»Warum habt ihr nicht ohne mich angefangen?«, fragte er verdrossen.

»Mama wollte, dass wir warten«, antwortete Mathy.

»Ja, natürlich«, sagte Callie. »Ohne Papa schmeckt's uns doch nicht.« Sie wandte sich ihm zu. »Außer beim Essen kriegen wir dich ja kaum noch zu sehen.«

Sie blickte ihn an, den Ellbogen auf den Tisch und das Kinn in die Hand gestützt. Liebe stand ihr im Gesicht geschrieben, so freimütig und unverhüllt, als wären sie miteinander allein. Matthew starrte auf seinen Teller. Er kam sich erbärmlich vor.

5

Während die Baptisten den Höhepunkt der Osterwoche mit Posaunenstößen und bunten Transparenten feierten, begnügte sich die kleinere Methodistengemeinde mit einem schlichten Gottesdienst. Sie sangen einen Choral, und nach dem gemeinsamen Gebet las der Pastor unter Verzicht auf jegliches Pathos – ein Verzicht, der ihm gewiss nicht leichtfiel – die Passionsgeschichte aus dem Lukasevangelium vor.

»Es war aber nahe das Fest der ungesäuerten Brote, das da Passah genannt wird. Und die Hohenpriester und Schriftgelehrten trachteten, wie sie ihn töteten ...«

Matthew saß mit seiner Familie ziemlich weit vorn und gab sich redliche Mühe, zuzuhören. Sowohl Christus als auch Alice warben um seine Aufmerksamkeit.

»... Und er nahm das Brot und dankte und brach's und gab's ihnen und sprach: Das ist mein Leib, der für euch gegeben wird; das tut zu meinem Gedächtnis.«

Ja, dachte Matthew, von seinem Gewissen gequält, gerade in jener Stunde, wenn schon zu keiner anderen, hättest du dich an deinen Herrn und Heiland erinnern sollen, an ihn, der bei Sonnenuntergang für dich gestorben ist.

»… Denn des Menschen Sohn gehet zwar dahin, wie es beschlossen ist; doch weh dem Menschen, durch welchen er verraten wird!«

Matthew fühlte sich verdammt wie Judas. Du bist jener Mensch, sagte er sich, daran ist nicht zu rütteln. Du konntest nicht einmal eine kurze Stunde mit dem Herrn wachen. Stattdessen gelüstete es dich nach den Freuden des Fleisches.

Er schrak vor diesem Gedanken zurück, fuhr aber tapfer fort: Ja, so war es. Du wünschtest dir, sie in den Armen zu halten. Du begehrtest sie zu küssen. Du hast daran gedacht. Leugne es nicht.

Und er dachte von Neuem daran, vorsätzlich und ausführlich, als müsse er vor Gericht Zeugnis ablegen, und es bereitete ihm so viel Genuss, dass er über sich selber entsetzt war. Mit größter Anstrengung zwang er sich, den Worten des Evangelisten Lukas zu lauschen.

»… Es folgte ihm aber ein großer Haufe Volks und Weiber, die beklagten und beweinten ihn.

Jesus aber wandte sich um zu ihnen und sprach: Ihr Töchter von Jerusalem, weinet nicht um mich, sondern weinet über euch selbst und über eure Kinder.«

Zu seiner Rechten saß Leonie, aufrecht und konzentriert, die Hände im Schoß gefaltet. Mit ihrem weichen, unschuldigen Kindergesicht wirkte sie viel jünger als achtzehn. Sie sah hübsch aus, besonders wenn sie sich, wie jetzt, unbeobachtet glaubte. Matthew erinnerte sich schuldbewusst, wie sie darum gebettelt hatte, am Rezitationswettbewerb teilnehmen zu dürfen. »Ich möchte so gern die Schule vertreten – nur ein einziges Mal, bevor ich abgehe. Warum erlaubst du's mir nicht, Papa? Ich kann's schaffen, bestimmt – ich weiß, dass ich's kann. Bei der Vorprüfung haben mich viele Mädchen besser gefunden als Alice Wandling.« Aber natürlich hatte er Nein sagen müssen. Die Leute, vor allem Alices Eltern, hätten sofort ›Schiebung‹ geschrien, wenn die Tochter des Schulleiters zum Bezirkswettkampf geschickt worden wäre.

Außerdem – er warf einen zweiten Blick auf Leonie – war sie nicht gerade mit dramatischer Begabung gesegnet. Sie hatte ein gutes Gedächtnis und eine tragfähige Stimme, aber das war schon so ziemlich alles. Sie tat ihm leid; und er bedauerte, dass er nicht mehr für sie übrighatte. Wenn sie auch oft lästig war und störrisch wie ein Maulesel, so arbeitete sie doch fleißig und meinte es gut. Sie war ein braves Kind. Sie verdiente nicht, einen so treulosen, lasterhaften Vater zu haben. Die Kleine da drüben auch nicht. Und ihre Mutter …

Vergiss diese Alice!, befahl er sich. Du bist ein alter Narr. Das Mädchen hat für dich nicht mehr zu existieren.

Er straffte die Schultern und hob den Kopf.

Nebenbei bemerkt, sprach er in Gedanken weiter, macht sie sich überhaupt nichts aus dir.

Der Priester las bis zum Schluss des Kapitels und klappte dann die Bibel zu. »Und nun erhebt euch«, sagte er. »Bruder Soames wird mit uns beten.«

Matthew trat vor und bat den himmlischen Vater um Beistand und um Vergebung der Sünden. Und im Stillen betete er inbrünstig, es möge ihm ernst sein mit dem, was er sagte. Um Viertel vor neun war der Gottesdienst zu Ende. In der Baptistenkirche wurde noch immer gesungen.

»Darf ich auf Genevieve warten?«, fragte Leonie, deren beste Freundin Baptistin war. »Ich würde gern mit ihr zusammen nach Hause gehen.«

»Ich komme mit«, rief Mathy.

»Auf keinen Fall«, sagte Callie. »Ihr bleibt beide bei uns. Vor der Kirche lungern immer Jungens herum.«

»Die tun mir doch nichts«, wandte Leonie ein. »Die haben alle viel zu große Angst vor Papa.«

»Nichts da. Ihr kommt jetzt mit.«

Die beiden Mädchen trotteten hinter den Eltern her. Es war eine stürmische Nacht, voller Wind und wandernder Schatten. Sie blickten zu den dichten Wolken auf, die über den Himmel jagten.

»Wie schwarzer Eischnee!«, rief Mathy und verlor vor Lachen beinahe das Gleichgewicht.

»Was für ein blöder Vergleich«, sagte Leonie. »Geh anständig, sonst ärgert sich Papa.«

Vor ihnen hakte sich Callie bei Matthew ein. »Man merkt noch nicht viel vom Frühling, nicht?«

»Nicht viel. Ach, verflixt …«

»Was ist denn?«

»Ich habe die Klassenarbeiten in der Schule liegen lassen. Und dabei wollte ich sie heute noch korrigieren.«

»Kannst du das nicht morgen machen?«

»Morgen muss ich endlich mal wieder auf der Farm

nach dem Rechten sehen. Deswegen wollte ich den Schulkram hinter mich bringen. Am besten gehe ich schnell noch rüber und hole die Hefte.«

»Oje, und du bist doch so müde«, sagte Callie mitleidig.

»Trotzdem, ich hätte sonst keine Ruhe. Ist ja auch nicht weit zur Schule …« Damit bog er nach rechts ab.

»Wo geht er denn hin?«, fragte Mathy. »Warte, Papa, nimm mich mit!«

»Du bleibst hier«, befahl Callie. »Er holt nur was aus der Schule und kommt dann gleich nach.«

Matthew ging quer über die Wiese; der Weg war ihm auch im Dunkeln vertraut. Er drückte seinen Hut, an dem der Wind zerrte, tief in die Stirn und hastete mit gesenktem Kopf weiter. Plötzlich hörte er eilige Schritte. Aus der Finsternis tauchte eine Gestalt auf und prallte mit ihm zusammen.

»Mr. Soames!«

Es war Alice Wandling. Sie wich zurück und starrte ihn an, die Hände, in denen sie ihr Haarband hielt, auf den Mund gepresst. Die blonden Locken flatterten im Wind. Sekundenlang war dies die einzige Bewegung und das Pfeifen des Windes der einzige Laut, denn Matthew und das Mädchen standen stumm und regungslos da. Alice fand als Erste die Sprache wieder. Sie ließ die Hände mit dem Band sinken und fragte: »Sind Sie's wirklich?«

»Was machen Sie denn so spät am Abend hier draußen?«

Alice zögerte und schlug die Augen nieder. »Ich habe auf Sie gewartet«, sagte sie leise.

»Auf mich?«

»Ja.« Sie blickte zu ihm auf und kam ein wenig näher.

»Wollten Sie etwas von mir?«

»Nein. Ich wollte Sie sehen … weiter nichts. Ich dachte, Sie wären vielleicht noch in der Schule. Manchmal arbeiten Sie da doch abends.«

»Wenn Sie etwas mit mir zu besprechen haben, Alice …«

»Das ist es nicht.«

»Was denn sonst?«

»Ich wollte Sie nur *sehen*«, wiederholte sie. Und gleich darauf platzte sie heraus: »Weil ich verrückt nach Ihnen bin!«

Die Worte explodierten in Matthews Hirn wie eine Rakete, und ein Schauer bunter Sterne sank herab.

»Haben Sie das nicht gewusst?«, rief Alice. »Musste ich es Ihnen erst sagen?«

Das Haarband flatterte; Rosenduft wehte Matthew entgegen. Er merkte nicht, dass sein Hut davongeflogen war.

»Bitte nicht schimpfen«, flüsterte sie. »Ich kann ja nichts dafür. Und Sie haben mich doch gern, nicht wahr? Wenigstens ein ganz kleines bisschen?«

»Alice … Liebes Kind …« Er hob die Hand und strich ihr das Haar aus dem Gesicht. Das war alles: nur seine Finger an ihrer Wange.

»Sie sind nicht böse auf mich?«, fragte sie. »Sie werden mich nicht ausschimpfen?«

»Nein.«

»Oh, ich danke Ihnen!« Damit schlang sie die Arme um Matthews Hals. Sie küsste ihn rasch und fest auf den Mund, und diesmal war es Wirklichkeit. Er wusste es genau. Er fühlte Alice, er roch und schmeckte sie – nicht während es geschah, sondern erst einen Augenblick später, als er wie ein neugeborenes Fohlen mit weichen Knien dastand und das Mädchen davonlaufen hörte. Seinen Hut fand er übrigens nie wieder.

6

Dann kam der Frühling, die Luft wurde warm, die Verheißung erfüllte sich. Blumen sprossen über Nacht aus der Erde, und grüne Streifen zogen sich durch die Gärten. Radieschen und Narzissen überschwemmten den Markt. Jeder Windstoß brachte den Duft der Pfirsichblüte mit. Auf den Weiden taten sich die Kühe an dem jungen Gras gütlich, und die Milch in den Melkeimern trug eine dicke Schicht gelblicher Sahne. Würzige Wildkräuter, frischer Salat und langköpfige Frühlingsmorcheln wurden auf den Tisch gebracht. Die Frauen breiteten das Bettzeug in der Sonne aus, blieben dann noch ein Weilchen am Gartenzaun stehen und sprachen über das herrliche Wetter. Das Städtchen summte wie ein Bienenstock, und abends raschelte und knisterte es von leichten, heimlichen, erregenden Lauten – Gelächter, Türenklappen, eilig huschende Schritte, Geflüster unter der Straßenlaterne und komisch schnalzende Kusslaute, wie sie auch manche Vögel in der Frühlingsabenddämmerung von sich geben.

Matthew ging stolzgeschwellt durch diese wunderbaren Tage. Er lobte die Gärten für ihr vorzügliches Betragen und das Gras, weil es wuchs. Er betrachtete die Welt, und sie gefiel ihm, als hätte er den Frühling geschaffen.

Der Rausch der Verliebtheit, in dem er sich befand, färbte seine Wangen, gab den Augen neuen Glanz, beflügelte seinen Geist. Er arbeitete besser und schneller als sonst und war sogar zu Hause stets gut gelaunt – allerdings ließ er sich dort nur noch zum Essen und Schlafen sehen. Weder zudringliche Mütter noch Ed Inwood vermochten seine Hochstimmung zu stören. Ed schlug jetzt mehr denn je über die Stränge; sofern er überhaupt geruhte, am Unterricht teilzunehmen, lümmelte er sich auf seinem Platz herum und starrte träumerisch aus dem Fenster.

»Entschuldigen Sie, Mr. Soames«, sagte er eines Tages, als Matthew ihn aufforderte, gerade zu sitzen. »Bei mir stimmt's im Augenblick nicht so ganz. Vielleicht ist es so 'ne Art Frühlingsfieber – vielleicht bin ich verliebt.«

Matthew verstieß gegen seine Prinzipien, indem er lachend erwiderte: »Das wird's wohl sein, mein Junge.« Zum ersten Mal im Leben hatte er für Ed Inwood Verständnis.

Morgens konnte er es kaum erwarten, aus dem Haus und zur Schule zu kommen. In seliger Qual näherte er sich dem Gebäude, täglich von Neuem im Zweifel, ob er nicht nur ein Opfer seiner Einbildung sei. Aber nein, da stand sie inmitten einer Gruppe von Schülerinnen, und der schmachtende Blick ihrer blauen Augen, das heimliche Lächeln, das sie ihm zuwarf, sicherten das

Glück dieses Tages. Er begegnete ihr zwar nie mehr auf dem Wiesenpfad, obgleich er jeden Abend hoffnungsvoll hinging, aber nachmittags trafen sie sich zu Rezitationsübungen in seinem Amtszimmer. Weder er noch sie offenbarten ihre Gefühle in Worten – wozu auch? Ein Blick, ein Lachen, ein spielerisches Sichfinden der Hände, einmal sogar ein hastiger Kuss sagten alles, was hier zu sagen war. Matthew hatte kaum noch gewusst, dass es so etwas gab: das plötzliche Stocken des Herzschlags, die trockene Kehle, die zitternde Hand. Und Alice war so schön! Sie war das schönste Mädchen in der Schule; alle Jungen liefen ihr nach – und doch liebte sie *ihn*. Sie errötete in seiner Nähe, schmollte entzückend und stieß tiefe Seufzer aus. Wie lieb. Wie rührend. Eigentlich hätte er ein ernstes Wort mit ihr reden müssen, um sie zur Vernunft zu bringen. Aber warum sollte er sie nicht noch ein Weilchen gewähren lassen? Sie würde bald genug darüber hinwegkommen. Und er auch. Solange es dauerte, wollte er die paar Glanzlichter des Alltags genießen.

Er freute sich auf die Schulwettbewerbe, die alljährlich in Clarkstown stattfanden. Alice sollte seine Schule im dramatischen Vortrag vertreten, und er, Matthew, würde natürlich auch hinfahren. Unglücklicherweise hatte er dort rund zwanzig Schülerinnen und Schüler zu beaufsichtigen, und er wusste aus Erfahrung, dass seine Schäflein ihn den ganzen Tag in Atem halten würden. Bei diesen Bezirkswettkämpfen war nie jemand zur rechten Zeit auf dem rechten Platz. Soprane suchten ihre Alt-Partnerinnen, Stafettenläufer waren plötzlich unauffindbar. Die Abc-Schützen warteten geduldig in einem Saal, während ihr Wettbewerb längst in einem anderen begonnen hatte. Delmora Jewel musste sich vor Aufregung übergeben. Und das Mädchenterzett beobachtete hingerissen die Vorführungen der Turnerriege, obgleich es bereits zum Singen aufgerufen war. Aber vielleicht hatte die übliche Konfusion diesmal das Gute, dass er und Alice unbemerkt entschlüpfen und für kurze Zeit miteinander allein sein konnten. In der Bibliothek zum Beispiel – da waren sie an einem solchen Tag bestimmt ungestört. Oder in irgendeinem stillen Winkel des College-Geländes, wo sie nebeneinander herschlendern konnten, ein junger Mann und ein Mädchen wie andere auch … Da Matthew das College erst als verheirateter Mann, und auch dann nur mit Unterbrechungen, besucht hatte, kannte er die klassische Studentenliebe lediglich vom Hörensagen. Er hatte die jungen Leute, die den Sommer mit hübschen Mädchen vertrödelten, glühend beneidet. Nun konnte er das Versäumte nachholen. Voller Vorfreude schmiedete er Pläne. Am Montag – fünf Tage vor Beginn des Wettbewerbs – war er als Erster in der Schule. Er schloss auf und ging in sein Zimmer. Kaum hatte er den Hut aufgehängt, da klappte unten die Tür. Er drehte sich erwartungsvoll um – gleich würde Alices rotgoldener Kopf im Treppenhaus auftauchen. Stattdessen erschien jedoch die kleine braunzöpfige Delmora Jewel, und zu der Enttäuschung, dass es nicht Alice war, gesellte sich ein Gefühl heftiger Abneigung. Die arme Delmora konnte ja nichts dafür, dass sie die

Tochter ihrer Mutter war, aber Matthew nahm es ihr trotzdem übel.

»Hallo Mr. Soames!«, rief sie.

»Guten Morgen, Delmora.«

Auf der Treppe zum zweiten Stock blieb sie plötzlich stehen, zögerte einen Moment und kam dann zurück. Die Füße geziert auswärts gesetzt wie eine zimperliche alte Jungfer, trippelte sie auf Matthews Zimmer zu.

»Mr. Soames, wissen Sie schon das Neueste?«

»Was denn, Delmora?«

»Haben Sie's wirklich noch nicht gehört?« Ihre Augen glitzerten hinter der goldgeränderten Brille. »Alice Wandling ist mit Ed Inwood durchgebrannt!« Sie verzog den Mund zu einem scheußlich ekstatischen Grinsen. »Sie sind zusammen nach Springfield gefahren und haben sich trauen lassen.«

»Wann …« Matthews Stimme versagte. Er versuchte es noch einmal. »Wann soll das passiert sein?«

»Heute Nacht, glaube ich.«

»Du weißt es also nicht genau?«

»Na, dass sie durchgebrannt sind, steht jedenfalls fest.«

»Meinst du nicht, Delmora, dass sich das jemand aus den Fingern gesogen hat?«

»Aber nein, Sir! Es ist wahr. Meine Mutter hat heute früh ein Telefongespräch mit angehört.«

»Deswegen braucht es noch lange nicht wahr zu sein. Viele hässliche Gerüchte stellen sich später als falsch heraus.«

»Ach, ich finde es gar nicht hässlich! Sie waren doch ganz verrückt nacheinander.«

Matthew räusperte sich. »Tatsächlich?«

»Ja, und wir haben's alle gewusst. Alices Eltern hatten was gegen Ed; er durfte ihr Haus nicht betreten. Sie ist aber jeden Abend ausgerückt und hat sich mit ihm getroffen. Was die alles angestellt haben …«

»Das genügt, Delmora. Du brauchst nicht ins Einzelne zu gehen.«

»Ich dachte, Sie müssten es wissen.«

»Je weniger darüber geredet wird, desto besser.«

»Ja, Sir. Ach, und was ich noch gehört habe …«

Wieder klappte unten die Tür, fünf, sechs Mädchen kamen die Treppe heraufgestürmt, und Delmora lief mit einem entzückten Aufschrei ihren Freundinnen entgegen.

Das erregte Stimmengewirr am anderen Ende des Korridors traf Matthew wie ein Hagel von Kieselsteinen. Er ging zur Tür und schloss sie.

7

Alice und Ed waren bei Nacht und Nebel durchgebrannt und mit Eds altem Overland in die Ozarks gefahren. Am nächsten Morgen ließen sie sich von einem Sektenprediger trauen, der gar nicht erst nach ihrem Alter fragte – seine Frau war nämlich noch etwas jünger als Alice. Sie hatten jedoch ihre Spuren nicht genügend verwischt, und so stöberten Alices Eltern sie bereits gegen Mittag in einem Hotelzimmer in Springfield auf. Man erzählte sich, Alice habe gerade splitternackt auf dem Bett gesessen und ein Schinkenbrötchen verzehrt. Die Eltern nahmen ihre Tochter mit nach Hause und beantragten sofort die Annullierung der Ehe. Am folgenden Morgen kehrte Alice – gezüchtigt und gedemütigt – in die Schule zurück.

Auch Ed erschien, aber nur, um seinen Sportsweater zu holen. Er verschwand so schnell, dass er Matthew um die Genugtuung brachte, ihn hinauszuwerfen.

Inzwischen hatte das Problem des Rezitationswettbewerbs gelöst werden müssen. Leonie war, als sie von Alices Flucht erfuhr, augenblicklich zu Matthew gestürzt und hatte gebeten, einspringen zu dürfen. Da keine Zeit mehr war, eine andere Schülerin vorzubereiten, gab Matthew seine Zustimmung. Leonie übte mit einem Eifer, der geeignet schien, Berge zu versetzen. Sie deklamierte, wo sie ging und stand, und kam jeden Nachmittag in Matthews Zimmer, um mit ihm zu proben. Er hörte verbissen zu und gedachte dabei der Nachmittage mit Alice. Der Kontrast zwischen damals und jetzt war nahezu unerträglich.

Am Samstag vertrat Leonie die Höhere Schule von Shawano beim Bezirkswettbewerb in Clarkstown. Mit klarer, zuversichtlicher Stimme rezitierte sie ihr Gedicht und wurde bei der Bewertung nicht einmal lobend erwähnt.

Als sie sich abends zur Heimfahrt am Auto trafen, sagte Matthew: »Tut mir leid, Tochter, aber so geht's nun mal zu im Leben. Nicht jeder kann gewinnen.«

»Ich hätte gewonnen«, erwiderte Leonie fest, »wenn ich so viel Zeit zum Üben gehabt hätte wie Alice Wandling.«

Matthew hielt den Mund. Sie irrte sich, aber er hatte nicht das Recht, sie darauf hinzuweisen. Leonie, die mit Mathy hinten im Wagen saß, hüllte sich unterwegs in Schweigen, gebrauchte aber immer wieder verstohlen ihr Taschentuch. Als sie endlich zu Hause ankamen, war Matthew so voller Mitgefühl, dass er vor Wut hätte rasen mögen.

Alice stattete ihm keine Besuche in seinem Zimmer mehr ab. Während des Unterrichts saß sie mit niedergeschlagenen Augen da, und ihre Lippen waren stets geschwollen. Begegneten sie einander im Treppenhaus, so wechselten sie keinen Blick, kein Wort. Aber der schwache Rosenduft, der ihm entgegenwehte, ließ ihn schmerzlich empfinden, was er verloren hatte. Das Idealbild seiner selbst, das Bild des Dichters und Liebhabers, des Glänzenden, Erwählten, war zerfallen, und nun zeigte sich, dass darunter der unscheinbare, alltägliche Mensch steckte, der er immer gewesen war. In mürrischer Verzweiflung ging er seiner Arbeit nach. Wie zum Hohn blieb das Frühlingswetter auch weiterhin aufreizend schön.

Die Zeit der Abschlussprüfungen kam heran. Matthew quälte sich durch die üblichen Entlassungsfeiern. Selbst daran hatte er keine Freude mehr.

»Ich habe es nicht anders verdient«, sagte er laut, als er eines Abends allein im leeren Schulhaus an seinem Schreibtisch saß. Er war, wie er es oft tat, nach dem Essen zurückgekommen, um Klassenarbeiten zu korrigieren. »O mein Gott, ich weiß, dass es die gerechte Strafe für meine Sünde ist. Ich habe dein Gebot gebrochen. Ich habe, wie es in der Bibel heißt, in meinem Herzen Ehebruch begangen. Die Falschheit des Mädchens entschuldigt mich nicht.« Und nach kurzem Nachdenken fügte er hinzu: »Außerdem war ich ein verdammter Idiot.«

Matthew neigte an sich nicht zum Fluchen, aber in diesem Fall gab es kein Wort, das treffender gewesen wäre. Er hatte sich zum Narren halten lassen, und das schmerzte noch mehr als die Sünde. Hat man eine Sünde ehrlich bereut, so ist sie vergeben und vergessen;

der Lohn der Dummheit jedoch ist, dass man sich ihrer ewiglich erinnert.

Er öffnete das Fenster und beugte sich hinaus. Die Abendluft strich sanft über sein Gesicht. Im Westen, hinter dem Friedhofshügel, leuchtete der Himmel in wunderbar tiefem Blau. So hatte er an jenem golden strahlenden Nachmittag am Fenster gestanden, als sie zu ihm gekommen war – sie, mit ihren weichen, rosenfarbenen Lippen und den heuchlerischen Blicken! *Weil ich verrückt nach Ihnen bin!* Das hatte sie gesagt. Wörtlich. Und es war nichts als ein raffiniertes Ablenkungsmanöver gewesen, weil er, der Lehrer, sie bei der eiligen Rückkehr von einem Stelldichein erwischt hatte. Er dachte an Ed, den unverschämten, arroganten Burschen. Er dachte an die beiden zusammen, wie sie sich heimlich in dunklen Ecken trafen, einander umarmten und küssten. Gierige Hände, leidenschaftliches Geflüster … Was mochte sie alles zu ihm gesagt haben! Was hatte er wohl alles mit ihr tun dürfen! Matthew stöhnte.

»Und du hast dir eingebildet, sie wäre in *dich* verliebt!« Er lachte auf. »Alter Narr«, sagte er. »Verblendeter, sündiger alter Narr.«

Er schlug das Fenster herunter wie eine Guillotine, schaltete das Licht aus und verließ das Gebäude. Der Vollmond stand schon ziemlich hoch am Himmel. Matthew überquerte den Schulhof und Seaberts Wiese und ging weiter, die Hände in den Hosentaschen, bis er zu den Bäumen am Fuße des Friedhofshügels kam. Er folgte dem Weg, der nach oben führte. Weiß und friedlich leuchteten ihm die Grabsteine im Mondlicht entgegen.

»Guten Abend«, sagte er laut, wie zu alten Freunden. Dann wanderte er zwischen den vertrauten Wohnstätten der Toten umher, und allmählich wurde er ruhiger. Die Dinge, die ihn bekümmerten, schienen hier oben gar nicht so wichtig zu sein. Wenn er erst einmal tot war, würden sie überhaupt nichts mehr bedeuten. Er setzte sich hinter einen Grabstein und betrachtete den Mond. Und während er in den Weltraum blickte, in dem der Menschengeist andere Sonnen und Planeten, aber noch immer nicht den Himmel entdeckt hatte, grübelte er, wie schon so oft, über das Rätsel des eigenen Seins nach.

8

In einer anderen Nacht, vor vielen, vielen Jahren, hatte
Matthew ebenso allein auf einem anderen Friedhof gesessen. Jung und ratlos war er damals gewesen, als er in
der Abenddämmerung eines Oktobertages den Millroad-
Friedhof betrat. Die Sonne war gerade blutrot am Hori-
zont verschwunden. Matthew sah zu, wie alles Licht aus
dem Himmel wich, wie nächtliches Schwarz das Stückchen Missouri auslöschte, das sich zu seinen Füßen erstreckte: Carpenters Äcker, Clarence Oechens Wäldchen
und die steinigen Wiesen der väterlichen Farm. In der
Dunkelheit befreite sich das Land von seinen Besitzern.
Matthew lehnte sich fest an den Grabstein, schaute hinunter auf das verschwimmende Niemandsland und versuchte, die Drehung der Erde zu spüren. Er begann, die
Gedanken kreisen zu lassen. So wie man einen Kürbis
fest in die Hände nimmt, umklammerte er den Augenblick, prägte sich Form und Farbe und Geruch ein, und
zugleich öffnete er alle Sinne, um das Ganze zu erfassen: diese Sekunde im Oktober, gegen Ende eines Jahrhunderts, auf diesem amerikanischen Hügel, der als Teil
einer rotierenden Kugel mit ihm, Matthew Soames, die

Sonne umkreiste. Er flog in Gedanken voraus und blickte auf sich selber zurück, um die Bedeutung des Jetzt zu erkennen. Rundherum, hin und her: Matthew Soames suchte nichts Geringeres zu ergründen als Zeit und Welt und seinen Platz darin.

Unter ihm ruhten die Gebeine seiner Ahnen. Noch frühere Vorfahren lagen in anderen Ländern begraben. Matthew fragte sich, was für Menschen das wohl gewesen sein mochten. Wessen Blut hatte sich durch die lange Geschlechterreihe auf ihn vererbt? In der kalten, klaren Luft stellte sich Matthew die uralte Frage: Wer bin ich? Und er sann, wie schon so oft, darüber nach, weshalb er als er selber geboren worden war und nicht als sein Bruder Aaron oder irgendein Mädchen oder einer von denen, die rings um ihn her in den Gräbern lagen. Er hätte auch als Indianer vor der Entdeckung Amerikas auf die Welt kommen können. Und doch saß er im Oktober 1896 hinter dem Grabstein seines Großvaters auf einem Friedhof im Staate Missouri, fühlte, wie ihm der Abendtau die Hose durchfeuchtete, und merkte, dass seine Nase lief. Woher sollte er wissen, ob das alles höheren Plänen entsprach oder ob jegliches Leben nur vom Zufall in Zeit und Raum geschleudert wurde?

Wie dem auch sein mochte, er war mit seinem Los ganz und gar nicht zufrieden. Es widerstrebte ihm, der zu sein, der er war – ein schüchterner Achtzehnjähriger, der sich im Dunkeln auf den Friedhof flüchtete, statt den Schreibkurs im Schulhaus zu besuchen.

Seit drei Wochen erteilte ein gewisser Mr. Kolb aus

Sedalia Unterricht im Schönschreiben nach der Palmer-Methode. Die bildungsbeflissenen Dorfbewohner, jeder mit einer Öllampe, Tinte, Federhalter und Schmierpapier ausgerüstet, fanden sich von Montag bis Freitag allabendlich in der Thorn-Schule ein, um besser schreiben zu lernen. Sie zwängten sich in die zu kleinen Schulbänke und füllten Seite um Seite mit sorgfältigen Haar- und Grundstrichen, mit Schleifen und Bogen nach rechts oder links. An diesem Abend sollte der Kurs mit einem Wettbewerb abgeschlossen werden: Demjenigen, der am schönsten schrieb, winkte als Preis ein Silberdollar.

Matthew hatte diesen Preis erringen wollen. Er gierte so sehr danach, dass er schließlich ein Symbol für seine Zukunft in ihm sah. Der Silberdollar selbst war nicht so wichtig (obwohl Matthew von einem Derbyhut und von blanken Manschettenknöpfen träumte); viel wichtiger war der Mut, den sein Erfolg ihm verleihen würde. Er hatte beschlossen, noch einmal zur Schule zu gehen, falls er gewann. Er wollte Mr. Kolb nach Sedalia begleiten – vorausgesetzt, dass Mr. Kolb einverstanden war –, wollte sich dort Arbeit suchen, auf dem College lernen und das Lehrerdiplom erwerben.

Leider packte ihn die Angst vor der eigenen Courage. Er war bisher kaum über die nächste Umgebung hinausgekommen, hatte kein Geld und wusste nicht, wie man sich anderswo benahm. Da er nur den kleinen Kreis kannte, in den er hineingeboren war, stand er dem Rest der Welt hilflos gegenüber. Er las zwar alles, was ihm in die Hände kam, aber das brachte ihn nicht viel weiter. In der Thorn-Schule, die er zwölf Jahre lang besucht hatte, wurde der Vorrat an Büchern niemals ergänzt. Und wenn Matthew sich auch Lektüre besorgte, wo er nur konnte, so fand er doch bei den wenigsten Nachbarn etwas anderes als die Bibel. Einer hatte ihm allerdings ein Buch über die Erde geliehen, in dem Matthew mit einer Erregung, die ihn fast körperlich schmerzte, von Eisbergen, Binnenmeeren und jahrhundertelangen Regenzeiten las. Daran musste er dauernd denken. Was die Wissenschaft lehrte, vertrug sich nicht recht mit der Schöpfungsgeschichte, und das bewog ihn, die Bibel sehr gründlich zu lesen, immer auf der Suche nach verschlüsselten Hinweisen. Aber alles, was er erfuhr, schärfte nur seinen Wissensdurst.

Aus diesen Büchern wie auch von Hausierern, Methodistenpredigern und umherreisenden Lehrern erhielt er Anhaltspunkte, mit deren Hilfe er sich die Vorstellung von einer anderen Lebensweise zusammenstückelte. Er sehnte sich fort aus seinem Vaterhaus, das aus selbst gefertigten Ziegeln erbaut war und von älteren Brüdern und jüngeren Schwestern wimmelte – ein christliches Haus, in dem das Pflichtbewusstsein die Zärtlichkeit ersetzte und in dem man für nichts Zeit hatte als für harte Arbeit. Da Matthew der Einzige war, der sich damit nicht abfand, wurden die anderen natürlich misstrauisch. Sie konnten ihm zwar, wenn sie gerecht sein wollten, nicht viel vorwerfen, aber er strebte nach Dingen, die sie nicht entbehrten, und das brachte sie gegen ihn auf. Er bereitete ihnen Unbehagen, bedrückte sie wie ein unheilvolles Omen. Deshalb ›bannten‹ sie Tag für Tag seinen Einfluss mit fröhlichem Gespött. Er sollte sich schuldig fühlen (und er tat es auch), weil er mehr verlangte, als ihm nach Gottes Willen zugemessen war. Auf jede Art, oft sogar unbeabsichtigt, gaben sie ihm zu verstehen, er sei nicht ganz normal. Und Matthew glaubte es.

Andererseits hatte er Augen im Kopf und wusste, dass er seinen Brüdern in nichts unterlegen, in vielem sogar überlegen war. Er konnte ein Gespann schneller anschirren, konnte an einem Tag mehr Boden umpflügen und mehr Futterhirse schneiden als mancher ältere und stärkere Mann. Außerdem konnte er lesen und schreiben, beherrschte die Orthografie und die Bruchrechnung und verstand etwas von Musik. Kein Chorleiter kam durch die Gegend, der nicht auf Matthews Stimme und Beitragsdollar rechnen konnte. Und der Dollar war ehrlich verdient.

Aber nichts von alledem gab ihm Mut und Zuversicht. Er wurde vielmehr zum Egozentriker – was bekanntlich weniger mit Selbstbewusstsein zu tun hat als mit dem verzweifelten Wunsch, den eigenen Wert bestätigt zu sehen. Matthew fühlte sich in Gesellschaft anderer niemals wohl; er hatte Angst vor Menschen und verachtete sich deswegen. Überdies fand er sich ungemein hässlich. Er war so plötzlich in die Höhe geschossen, dass er keine Zeit gehabt hatte, sich an die Veränderung zu gewöhnen. Eines Tages stand er da, ein fahlblonder junger Mann, lang und dürr wie eine Bohnenstange, mit schmalrückiger, vorspringender Nase und starken Knochen, die sich unter der Haut vorwölbten wie Kartoffeln in einem

Sack. Sowohl die Knie als auch die Ellbogen und Knöchel waren im Verhältnis zu derb. Er hatte kluge braune Augen, und der ruhelos suchende Blick gab seinem Gesicht einen Reiz eigener Art. Aber woher sollte Matthew das wissen? Seine älteren Brüder waren rotwangig und vierschrötig wie der Vater; er stach von ihnen ab, und das war ein Makel. Selbst als sich der Rest seines Körpers den Knien und Ellbogen anpasste, gefiel er sich nicht viel besser.

Überdies hatte man ihn von klein auf zur Demut angehalten. Selbstachtung war nach den strengen Regeln seiner Erziehung gleichbedeutend mit Eitelkeit. »Denn wer sich selbst erhöhet, der wird erniedriget, und wer sich selbst erniedriget, der wird erhöhet.« Freilich vermochten solche Lehren seinen angeborenen Stolz nicht ganz zu brechen; da er sich nicht widerstandslos fügte, war er schließlich nicht demütig, sondern gedemütigt.

Am liebsten blieb er für sich. Seine Zuflucht war die Natur, die er sehr liebte – übrigens nicht nur, weil sie ihm Schutz bot, sondern auch um ihrer selber willen. Er kannte jedes Gehölz, jeden Wasserlauf weit und breit. Er wusste, wo die ersten wilden Trauben, die dicksten Haselnüsse und die gefräßigsten Fische zu finden waren und an welchem Frühlingstag die Weidenknospen aufbrachen. Im Wald wartete er oft geduldig und regungslos, bis sich die Wildtauben über ihm im Gezweig niederließen und ihre weichen Gurrlaute durch das Laub fielen wie überreife Früchte.

Und doch – mit der Zuflucht war es nicht getan. Seine

Natur stemmte sich gegen die Einsamkeit: Er wollte singen und lachen und hübsche Mädchen küssen. Er hatte ein Recht auf solche Freuden. Die Vernunft sagte es ihm. Aber er wagte sich nicht vor, solange er den anderen keinen handgreiflichen Beweis seiner Fähigkeiten vorzeigen konnte – einen Silberdollar zum Beispiel. Und deswegen musste er den Wettbewerb im Schönschreiben gewinnen. Er wollte ja aufs College, und das war nur möglich, wenn er bewies, dass er das Zeug dazu hatte.

Alle sagten, er würde diesmal bestimmt siegen. Aber das hatten sie auch im vorigen Jahr gesagt, als ein anderer Lehrer den Kurs abhielt. Und wie war es dann am Prüfungsabend gewesen? Matthews Herz hämmerte wie wahnsinnig, seine Hand zitterte, die Buchstaben verschwammen ihm vor den Augen, und beim Abschreiben des Sprichworts, das an der Wandtafel stand, ließ er versehentlich ein Wort aus. Er, der so gern gewinnen wollte, verlor gegen Ben Carpenter, den die ganze Sache nicht interessierte. In diesem Jahr – das hatte sich Matthew fest vorgenommen – sollte es anders werden. Aber schon vor Sonnenuntergang war sein Mut so zusammengeschmolzen wie der Proviant eines kleinen Jungen, der von daheim fortgelaufen ist.

Alles war ihm heute schiefgegangen. Als der Vater seine Söhne vor Tau und Tag weckte, war Matthew noch einmal eingeschlafen, und die anderen hatten sein Frühstück aufgegessen. Der Vater sagte, das sei nur gerecht, und er musste sich mit einer Handvoll Pflaumen begnügen. Den Vormittag über schlug er sich mit den

Maultieren herum, die ihm störrisch den Gehorsam verweigerten. Obendrein riss zweimal das Ledergeschirr. Mittags kam Matthew todmüde und hungrig nach Hause und verlor endgültig die Fassung, als er entdeckte, dass seine Schwester Bertie zum Spaß Tinte und Feder versteckt hatte. Sie rückte sie zwar heraus, aber erst auf den scharfen Befehl der Mutter. Und dann, bevor Matthew die Sachen an sich nehmen konnte, schnappte sie ihm sein Bruder Aaron vor der Nase weg.

»Lass das«, sagte Matthew. »Du verdirbst mir die Feder.«

»Ich verderbe dir gar nichts. Ich will dir bloß mal zeigen, wie 'ne wirklich anständige Handschrift aussieht.« Aaron setzte sich an den Küchentisch, schob einen Teller zurück und schrieb seinen Namen auf ein Blatt Papier. »Da, Herr Lehrer. Brauchst dir gar nichts auf deine Schrift einzubilden. Ich kann's viel besser als du, und ich hab's nicht erst extra lernen müssen.« Aaron hatte recht. Mit der Orthografie stand er zwar auf dem Kriegsfuß – außer seinem Namen schrieb er kein Wort richtig –, aber die Buchstaben flossen ihm rund und gefällig aus der Feder; er schrieb so mühelos, wie andere Leute Tintenkleckse machten. Nicht einmal Ben Carpenter konnte es mit ihm aufnehmen.

Selbstgefällig wölbte Aaron den breiten Brustkasten vor und kratzte sich. »Mal sehen – vielleicht komm ich heute Abend vorbei und hol mir den Dollar.«

»Das geht nicht«, erwiderte Matthew. »Der Wettbewerb ist nur für Kursteilnehmer.«

»Dein Glück, was?« Aaron knuffte ihn scherzhaft in die Rippen. »Wenn ich nicht dabei bin, hast du ja immerhin Chancen. Oder wirst du wieder alles verpatzen wie letztes Mal? Was war da eigentlich mit dir los?«

»Er hat Angst gekriegt«, rief Bertie.

»Habe ich nicht!«

»Und wie! Wetten, dass dir's diesmal genauso geht und dass Ben Carpenter gewinnt?«

»Schön, wetten wir um einen Dollar.«

»Du hast ja gar keinen Dollar.«

»Jetzt nicht, aber heute Abend.«

Bertie blickte ihn listig von der Seite an. »Du setzt also wirklich einen Dollar?«

»In diesem Haus wird nicht gewettet«, schaltete sich der Vater ein. »Ich will dieses leichtfertige Gerede nicht hören.«

»War doch nur Spaß, Pa.«

»Über das Böse scherzt man nicht«, sagte er streng. Beim Tischgebet zählte er eine lange Reihe von Versuchungen auf, vor denen die Gnade des Herrn sie alle bewahren möge. Nach dem Essen kehrte Matthew aufs Feld zurück, mehr denn je von der Nichtigkeit seines Strebens überzeugt. Es tröstete ihn wenig, dass Phoebe Oechen aus dem angrenzenden Wäldchen ihres Vaters auftauchte, um ihm Glück zu wünschen. Jedenfalls behauptete sie, deswegen gekommen zu sein, als sie mit einem breiten Lächeln auf ihrem Schafsgesicht am Waldrand haltmachte. Ach ja, Phoebe war eine treue Seele! Er gab sich mit ihr ab, weil sie ihn gernhatte, aber insgeheim verachtete er sie. Da er sich selber nicht mochte, war schon die Tatsache, dass sie ihn anhimmelte, ein Punkt zu ihren Ungunsten. Keines der wirklich hübschen Mädchen hatte je einen so schlechten Geschmack bewiesen. Er dachte da besonders an die zierlichen, anmutigen Grancourt-Schwestern, die aus gurrendem Lachen, Honig und Krallenpfötchen zusammengesetzt schienen. Sie und ihresgleichen standen so hoch über ihm, schüchterten ihn derart ein, dass er kaum an sie zu denken wagte und sie beinahe hasste. Aber er brauchte ein Mädchen, und für ihn blieb eben nur Phoebe übrig, die weder schön noch klug war. Vor ihr hatte er keine Angst. Sie war eine stämmige Karyatide, die einen Aufbau von kastanienfarbenem Haar trug, und sie neigte dazu, über Steine, Eimer oder Küken zu stolpern. Matthew wäre froh gewesen, wenn sie beim Gehen besser aufgepasst und beim Lächeln etwas weniger Zahnfleisch gezeigt hätte. Er schämte sich der Regungen, die ihn beim Anblick ihres derben, festen Körpers zuweilen überkamen. Insgeheim aber fand er diese Regungen ganz angenehm, und es freute ihn auch, dass jemand ihn mochte, selbst wenn es nur Phoebe war.

An diesem Tage jedoch erschien sie ihm wie ein Symbol für all seine Enttäuschungen. Konnte sie ihn nicht in Ruhe lassen? Aber da stand sie, plump und bieder, und eine Art wilder Verzweiflung ergriff ihn. Er hatte es so dringend nötig, sich selber zu beweisen, dass er ein ganzer Kerl war. Und Phoebe wartete offensichtlich auf irgendetwas. Er kletterte vom Wagen und ging zu ihr hinüber.

»Ich wünsch dir Glück für heute Abend«, sagte Phoebe noch einmal.

Matthew fasste sie an den Armen, und etwas Heißes, Klebriges rann ihm durch die Adern. Er hatte das Mädchen schon öfter berührt und seine Hände an unerlaubten Stellen gehabt, aber nie war die Gelegenheit so günstig gewesen wie hier am Waldrand. Er riss Phoebe an sich. »Nein, lass das!«, rief sie.

»Warum denn?« Er drängte sie vor sich her ins Unterholz.

»Weil uns wer sehen könnte – hör auf.«

Wenn *das* ihre einzige Sorge ist, dachte Matthew. Zwischen dem Gestrüpp öffnete sich eine kleine Lichtung. Das Herz schlug ihm bis zum Halse, und er glaubte, er müsse ersticken. Nun, da es so weit war, hatte er schreckliche Angst und wusste nicht, wie er anfangen sollte. Phoebe nahm ihm diese Sorge ab, indem sie über einen dürren Ast stolperte und der Länge nach hinfiel. Matthew warf sich auf das Mädchen, und sie rollten ein-, zweimal über den Boden, bevor er merkte, dass sie sich gar nicht sträubte. Im Gegenteil, sie klammerte sich mit aller Kraft an ihn – und ihre Kraft war beträchtlich. Als er zu strampeln aufhörte, lag er auf dem Rücken, und Phoebe lastete auf ihm wie ein Getreidesack.

»Du quetschst mich ja tot«, ächzte er.

Sie lachte und rutschte von ihm herunter. »Oje, Matthew, wie du aussiehst«, sagte sie gemütlich.

Er drehte sich um und fuhr mit seinen großen, knochigen Händen auf sie los. Nun begann ein rhythmisches

Andrängen und Abwehren, während das welke Laub unter ihnen knisterte. Phoebe glückste und kicherte in einem fort. Zu Spielereien dieser Art war sie bereit, zu mehr aber auch nicht. Und je länger sie Widerstand leistete – lässig und dabei sehr gewandt –, desto wilder war er entschlossen, sein Ziel zu erreichen und die Sache hinter sich zu bringen. Einmal musste es ja sein. Er wälzte sich auf Phoebe. Sie schüttelte ihn mit einer trägen Bewegung ab. In der Hitze des Gefechts hatten sich ihre Röcke hochgeschoben und enthüllten nacktes weißes Fleisch. Er versuchte ihre Schenkel zu packen, doch sie waren so fest, so glatt, dass er sie einfach nicht in den Griff bekam. Phoebe streifte seine Hände ab wie lästige Kletten, stieß aber immer wieder mit ihren Zähnen gegen die seinen, als wollte sie ihn zum Küssen ermuntern. Schließlich puffte sie ihn so nachdrücklich in die Brust, dass er zur Seite flog. Er landete auf dem Rücken, blieb lang ausgestreckt liegen und atmete tief. Die Luft aus der weiten blauen Glocke des Himmels drang beißend kalt in seine Lungen.

Phoebe kicherte aus sicherer Entfernung. »Du meine Güte, ich hab gar nicht gewusst, dass du so wild auf mich bist.«

Er stand auf und klopfte seinen Anzug ab. Sie waren beide mit welken Blättern bedeckt wie ein Bratfisch mit Paniermehl. »Komm jetzt«, sagte er kurz und wandte sich zum Gehen, ohne Phoebe anzublicken. Ihm war scheußlich zumute. Nichts wollte ihm richtig gelingen.

»Matthew!« Sie rannte hinter ihm her. »Bist du mir

böse? Nur weil ich dich nicht gelassen habe? Du hast doch nicht erwartet, dass ich's tun würde, oder? Du weißt doch, dass ich nicht so eine bin.« Matthew ging schweigend weiter. »Wenn ich so eine wäre, würde ich's bestimmt nur mit dir tun. Und das weißt du auch, nicht?«

»Geh lieber nach Hause«, sagte er am Waldrand. »Sonst suchen sie dich noch.«

»Die wissen ja nicht, wo ich bin«, versicherte Phoebe mit törichtem Grinsen. Sie stand da, als hoffe sie auf einen Kuss von ihm.

»Ich muss wieder an die Arbeit«, murmelte er.

Phoebe zupfte Blätter von ihrem Kleid. »Ich seh dich wohl heute Abend im Schulhaus?«

»Kann schon sein.«

»Ich drück dir die Daumen, dass du gewinnst.«

»Nett von dir.«

Würde sie denn niemals gehen? Wollte sie etwa stehen bleiben, bis sie Wurzeln schlug und Zweige bekam und ein Eichhörnchen in ihrem Haar ein Nest baute?

»Ich finde deine Schrift fabelhaft«, sagte sie.

»Danke. Aber jetzt …«

»Bei Carpenters kochen sie heute Toffee. Gehst du hin?«

»Hm.«

»Ich auch. Also dann …« Sie stand noch immer wie angewachsen.

»Ich muss arbeiten, Phoebe«, stieß er verzweifelt hervor. »Entschuldige, wenn ich … Entschuldige!« Er machte auf dem Absatz kehrt und rannte zum Feld hinüber.

Kaum hatte er seinen Karren erreicht, da rief eine Mädchenstimme vom Wald her: »He, Matthew!«

Es war nicht Phoebes Stimme. Er erstarrte wie ein in die Enge getriebenes Kaninchen, als er Callie Grancourt aus dem Gebüsch treten sah, nahe der Stelle, wo er sich von Phoebe getrennt hatte. Callie galt in der Familie als Aarons Zukünftige. Sie musste den Bach an der Furt überschritten haben, ein Stückchen weiter unten, und durch Oechens Waldstück heraufgekommen sein. Wenn sie nicht blind wie ein Maulwurf war, hatte sie Phoebe bestimmt noch gesehen.

»Kann ich mitfahren?«, rief Callie. »Ich bin heute bei euch zum Essen eingeladen.«

»Klar«, erwiderte er. »Komm rauf.«

Callie ging vorsichtig durch die Stoppeln; sie war barfuß und trug ihre Knöpfstiefelchen in der Hand. Vor dem Wagen blieb sie stehen und musterte Matthew mit einem kalten, kritischen Blick, der ihm das Blut in den Adern gefrieren ließ. Wenn sie Phoebe gesehen hatte, dann saß er in der Klemme. Dieser Callie Grancourt war nichts heilig; sie machte sich über alles lustig. Schon wich der abschätzende Blick einem spöttischen Lächeln. Ja, sie hatte Phoebe gesehen und würde es sicherlich seinen Schwestern erzählen.

»Komm rauf«, wiederholte er.

Sie wippte ein paarmal wie ein Fisch, der mit dem Schwanz schnellt, schwang sich über das Seitenbrett und nahm auf einem Strohbündel Platz. Als sie saß, zog sie ohne Hast ihre Stiefel an. Sie hatte Frostbeulen an den

Füßen, und die Haut war rau. »Oje, der Bach ist vielleicht kalt«, sagte sie. »Ich bin unten an der Furt durchgewatet.«

»Du hättest lieber auf der Straße bleiben und die Schuhe anbehalten sollen«, meinte Matthew und wünschte inbrünstig, sie hätte es getan und wäre ihm auf diese Weise nicht in die Quere gekommen.

»Der Weg durch den Wald ist kürzer. Und die Schuhe hätte ich sowieso nicht angezogen. Sind doch meine einzigen, und ich muss sie schonen. Hoffentlich kriege ich heute Abend keinen Sirup drauf.« Callie leckte an ihrem Zeigefinger und rieb die eine Stiefelspitze blank. Dann setzte sie sich bequem zurecht, knotete ihr Schultertuch fester und sagte ruhig: »Dein Rücken ist voller Blätter.«

Matthew wurde dunkelrot. Er griff ungeschickt nach hinten und zupfte an seiner Jacke herum.

»Ich bin hingefallen«, murmelte er.

»Das sieht man. Wart mal, ich helfe dir. Allein schaffst du das nie.«

Nun würde sie fragen, warum er hingefallen war. »Ich bin über einen Ast gestolpert«, platzte er heraus. »Weil er unter welken Blättern lag.« Und weshalb war er in den Wald gegangen? »Ich hab da was gehört ... ein Rascheln ... und ich wollte nachsehen, was es war.« Er überlegte verzweifelt, was es gewesen sein konnte.

Callie wartete geduldig. »Wahrscheinlich war's 'ne Kuh«, half sie ihm dann weiter.

Er atmete dankbar auf. »Ja, das könnte sein. Hatte sich wohl verlaufen, die Kuh.«

»Vielleicht eine von Oechens.«

Sein Mund klappte zu, und er sah sie mit einem raschen, erschrockenen Blick an. Sie schaute ernsthaft zu ihm auf.

»Ich glaube, ich hab sie auch gehört«, fuhr sie fort. »Irgendwas ist durchs Gestrüpp getrampelt, wie ich vom Bach raufgekommen bin. Das kann ja nur 'ne Kuh gewesen sein.«

»Klar, was denn sonst?«

»Höchstens noch ein Trampeltier. Aber so was gibt's ja nicht in unserer Gegend.«

»Eben. Also war's 'ne Kuh.«

Matthew trieb die Maulesel mit einem Zügelschlag an. Sein Gesicht war verkniffen, als hätte er in eine grüne Dattelpflaume gebissen.

»Gehst du heute mit Phoebe zum Toffeekochen?«, fragte Callie plötzlich, und er zuckte zusammen wie unter einem Peitschenhieb.

»Ich wollte hingehen. Was sie vorhat, weiß ich nicht.«

Er beobachtete sie aus dem Augenwinkel. Sollte er versuchen, ihr alles zu erklären? Aber vielleicht hatte sie Phoebe gar nicht gesehen, und dann würde er die Sache mit jedem Wort schlimmer machen. Nein, ihm blieb nichts weiter übrig, als die Zähne zusammenzubeißen und abzuwarten. Die Aussicht auf die gemeinsame Abendmahlzeit erfüllte ihn mit Unbehagen.

Für Matthew war es immer eine Qual, wenn Callie Grancourt zum Essen kam – und sie kam oft, sie lief ein und aus, keck wie ein Schoßhündchen, das ihn in die

Waden biss, wenn gerade keiner hinsah. Die übrige Familie hatte Callie ins Herz geschlossen. In ihrer Gegenwart benahmen sich alle ganz anders als sonst, sie beugten sich ihrer spielerischen Grazie, und die strengen Grundsätze flogen zum Fenster hinaus. Matthew, schüchtern und gehemmt, wie er war, hielt sich immer abseits, wurde aber wider Willen in das Spiel hineingezogen – er war der Trottel, der Erwischte, der Bloßgestellte. Was Wunder, dass kein Mensch ihm mehr auf die Nerven fiel als Callie Grancourt.

Sie war leichtsinnig, sie war rücksichtslos, sie war überheblich. Und was gab ihr eigentlich das Recht, so stolz auf sich selber zu sein? Gelernt hatte sie nichts – sie konnte nicht einmal ihren Namen schreiben –, und ihr Vater war bettelarm.

Die Grancourts zehrten von dem Ansehen, das sie früher in der Gegend genossen hatten. Sie waren vor einer Generation aus Kentucky zugewandert und hatten hundertsechzig Hektar Land erworben. Matthew erinnerte sich noch gut an Callies Großvater, den alten Hugo Grancourt, der so hager wie Lincoln war und immer einen Zylinderhut trug. Wenn er zweispännig in die Stadt fuhr, steckte sein Spazierstock im Peitschenhalter, und der goldene Knauf funkelte in der Sonne. Die Nachbarn nannten ihn einen Gecken, aber sie mochten ihn gern, weil er freundlich und leichtherzig war. Übrigens brauchten sie ihn nicht lange zu beneiden, denn ihm war kein Glück beschieden. Es ging rasch bergab mit den Grancourts. Warum, das wusste niemand zu sagen. Vielleicht hatte der Alte früher Sklaven gehalten und kam nun ohne sie nicht mehr zurecht; vielleicht war die Familie erschöpft, sodass ihm die Tatkraft fehlte – jedenfalls zerbröckelten die hundertsechzig Hektar nach und nach, und die Söhne erbten nicht viel mehr als ein paar Morgen steinigen Ackerbodens und das leichte Herz. Die meisten hatten inzwischen ihr bisschen Besitz verkauft und waren fortgezogen. Nur Mitch, der Älteste, war noch da, mitsamt seiner zweiten Frau und fünf Kindern, alle ärmlich gekleidet, energiegeladen, hungrig und immer bereit, sich irgendwo zum Essen einladen zu lassen ...

Natürlich, dachte Matthew, als er Callie bei Tisch gegenübersaß, sie *musste* heute ja kommen. Nach einem derart misslungenen Tag konnte das gar nicht anders sein. Er kaute mit trockenem Mund und wartete darauf, dass sie ihn blamierte.

Sie saß auf der Bank zwischen seinen Schwestern, handhabte mit raschen, zierlichen Bewegungen Messer und Gabel und verschlang erstaunliche Mengen von Schweinebraten, Kartoffeln, Apfelkompott und heißen Biskuits. Matthew, dem nichts entging, was sie tat – auch wenn er nicht hinsah –, vergaß nach einer Weile seine Angst und starrte Callie mit weit aufgerissenen Augen an. Wo lässt sie bloß all das Essen, dachte er, so winzig klein wie sie ist! Callie begegnete seinem Blick mit heiterer Ruhe, während sie, ganz Dame, einen See von Bratensauce auf ihren Teller schöpfte.

Matthew würgte den letzten Bissen Fleisch hinunter und kletterte von der Bank. »Entschuldigt mich bitte«, murmelte er und hoffte zu Gott, dass ihn niemand beachten werde.

»Geh nur«, sagte seine Mutter. »Du hast heute kaum was gegessen. Bist du krank?«

»Nein, Ma.«

Alle starrten ihn an. »Dem liegt bloß der Wettbewerb im Magen«, erklärte Aaron.

Im Kreuzfeuer der Blicke packte Matthew schweigend sein Schreibzeug zusammen und nahm die Laterne vom Haken. Sie hätte geputzt werden müssen, aber dazu war es jetzt zu spät. Er band einen Schal um den Hals und zog die Wollmütze tief über die Ohren. Wenn Callie doch endlich aufhören wollte, ihn anzusehen! Er war schon fast an der Tür, als sie ihm nachrief: »Matthew, meinst du, die Kuh hat bis zur Melkzeit nach Hause gefunden?«

Aaron spitzte die Ohren – der besondere Ton der Frage war ihm nicht entgangen. »Was für 'ne Kuh?«, fragte er lauernd.

Callie zuckte die Achseln. »Da musst du Matthew fragen. Er sagte, heute Nachmittag hätte sich eine Kuh in Oechens Wald verlaufen.«

Aaron grinste. »Eine Kuh? Na, die hieß doch bestimmt Phoebe!«

Alle prusteten los. Vater Soames mahnte streng zur Ordnung, und Matthew floh in die frostige Dunkelheit hinaus. Das brüllende Gelächter verfolgte ihn bis zur Scheune.

Er umklammerte sein Bündel und hastete quer über

die Wiesen. Die knarrende Laterne schlug ihm bei jedem Schritt gegen den Schenkel. Er lief und lief, abgerissene Worte vor sich hin murmelnd. Erst am Waldrand blieb er stehen und atmete tief, um sich zu beruhigen. Er wünschte, er säße schon an seinem Pult und der Wettbewerb hätte begonnen, damit wenigstens das grässliche Lampenfieber vorüber wäre. Diesmal musste er gewinnen – er musste! Aber je deutlicher er das erkannte, desto heftiger zitterte er. Seine Hände wurden feucht, ihm war übel, und er wusste genau, dass er wieder verlieren würde. Plötzlich schleuderte er sein Schreibzeug auf den Boden und schrie: »Ich geh nicht hin! Soll Ben doch gewinnen, mir ist alles egal!« Er hieb auf einen Baum los, bis ihm die Fäuste wehtaten.

Nach einer Weile nahm er sein Bündel und die Laterne und ging langsam weiter. Jetzt brauchte er sich nicht mehr zu beeilen.

Am Millroad-Friedhof bog er von der Landstraße ab. Er setzte sich hinter einen Grabstein und versuchte, den Preis, den er nun nicht gewann, auf die Bedeutungslosigkeit zu reduzieren, die er in dem unermesslichen Weltraum hatte. Und er beschloss, das Ende des Wettbewerbs hier abzuwarten.

Die tiefe Stille des Friedhofs summte von Erinnerungslauten – von sonntäglichen Stimmen und dem Flügelschwirren sommerlicher Insekten –, und das empfand Matthew als sehr beruhigend. Ihm wurde leichter ums Herz. Gegen die Toten brauchte er sich nicht zu behaupten. So mancher, der hier unter dem welken Rasen lag, mochte zu Lebzeiten schöner geschrieben oder geradere Furchen gepflügt oder besser gesungen haben als er, aber das spielte keine Rolle mehr. Matthew Soames war ihnen allen überlegen, denn er lebte.

Er kroch um den Grabstein herum, zündete die Laterne an, legte Papier und Feder zurecht. Der Hügel wölbte sich sanft wie der Bauch eines dicken, schlafenden Mannes, aber das Graspolster bildete eine leidlich feste Schreibunterlage. Matthew tauchte die Feder ins Tintenfläschchen und begann mit einigen Übungen: rechte Schleifen, linke Schleifen, Häkchen und Schnörkel. Dann schrieb er, die Ellbogen auf den Hügel gestützt, sorgfältig die Inschrift des Grabsteins ab: ›Gabriel Soames, 1812–1890. Ruhe im Herrn.‹

»Amen!«, sagte eine heisere Stimme über ihm.

Matthews Herz schoss in die Kehle. Eine gelbe Fratze mit einem Kinn wie ein Baumauswuchs und weißlichen Augäpfeln schaute im trüben Licht der Laterne auf ihn herab. »Gott steh mir bei … Johnny Faust! Du hast mich aber erschreckt!«

Die wilden Augen zwinkerten; der missgebildete Unterkiefer verzerrte sich grimassierend zu einem Lächeln.

»Ich geh immer leise«, sagte Johnny Faust.

Er war klein und dürr. Matthew verglich ihn im Stillen mit einer Heugabel, auf deren Stiel ein schiefer Kürbiskopf steckte. Sein Alter war schwer zu bestimmen, denn in ihm vereinten sich greisenhafte Einfalt und kindliche Harmlosigkeit. Er konnte ebenso gut dreißig wie sechzig Jahre zählen.

»Betest du?«, fragte Johnny.

»Im Moment nicht.«

»Man muss beten, zu jeder Stunde. Lass uns beten.«

Der Schwachsinnige kniete auf der anderen Seite des Grabes nieder. Matthew verbiss sich mit Mühe das Lachen. Auf Johnnys stumpfem Gesicht wirkte der Ausdruck tiefer Frömmigkeit so unpassend wie Butter, die man auf ein Brett gestrichen hat. Johnny war ein emsiger Beter, dem sich die äußeren Formen der Gottesverehrung unauslöschlich eingeprägt hatten. Gott war für ihn ein alter Mann, der in der Rechten eine Peitsche und in der Linken ein Stück Kirschkuchen hielt, Symbole für Strafe und Lohn.

»Allmächtiger Vater«, begann Johnny und verdrehte die Augen.

Wieder musste Matthew gegen einen Lachanfall ankämpfen. Wie sinnlos das alles war! Im Schulhaus wurde jetzt gelacht und geplaudert, alle schüttelten Ben Carpenter die Hand und waren vergnügt – während er mit einem Idioten auf dem dunklen Friedhof saß und Grabsprüche auf den Bauch seines Großvaters schrieb. Er senkte den Kopf, um dem armen Johnny nicht ins Gesicht zu lachen. Nach einer Weile ließ er sich von den Knien auf die Fersen zurücksinken und korkte das Tintenfläschchen zu.

»Amen, Johnny«, sagte er freundlich. »Ich meine, wir haben für heute genug gebetet.«

Johnny löste seinen Blick vom Himmel. »Meinst du?«

»Bestimmt. Wenn du heute was Unrechtes getan hast,

dann hat's dir Gott schon vergeben. Er kann dir ins Herz sehen.« Plötzlich kam Matthew der Gedanke, dass Gott nicht nur in Johnnys Herz, sondern auch in seines sehen konnte und folglich genau wissen musste, was er am Nachmittag mit Phoebe vorgehabt hatte. Hoffentlich vergab Gott wirklich so schnell.

»Was machst du mit dem Papier?«, fragte Johnny.

»Nichts.«

»Da ist doch was draufgeschrieben. Was heißt denn das?«

»Es heißt ›Ruhe im Herrn‹.«

»Amen!« Johnny beugte sich vor und betrachtete die Schrift, die für ihn auf dem Kopf stand. »Du schreibst gut«, urteilte er.

»Nicht besonders.«

»Du warst doch in der Schule, nicht? Zum Schreibenlernen?«

»Ab und zu.«

»Warum bist du heute nicht dabei?«

Matthew rollte das Blatt zusammen. »Warum bist du nicht dabei, Johnny? Schreibst du etwa schon so schön, dass du nichts mehr zu lernen brauchst?«

Johnny lachte. Er mochte es gern, wenn man ihn ein wenig aufzog; es schmeichelte ihm. Allerdings hatten ihn trübe Erfahrungen gelehrt, wachsam zu sein. Es war nie vorauszusehen, wann der Spaß aufhörte und die Quälerei anfing.

»Du warst wohl unterwegs zu Carpenters, wie?«, fragte Matthew.

»Ja, da will ich hin. Die kochen heute Sirup und machen Bonbons draus. Gehst du auch?«

»Ich könnte ja«, antwortete Matthew, obgleich die Vernunft ihm riet, wegzubleiben. Er wusste, dass er bei solchen geselligen Zusammenkünften fehl am Platze war, und doch ging er immer wieder hin, nicht anders als ein Mensch, der immer wieder in den Spiegel blickt, weil er hofft, er hätte sich wunderbarerweise zu seinem Vorteil verändert.

»Dann wird's aber Zeit«, meinte Johnny. »Sonst kommen wir zu spät.«

»Ja, es wird Zeit«, bestätigte Matthew. Die Prüfung im Schulhaus musste längst vorbei sein, und die anderen waren gewiss schon bei Carpenters versammelt.

Sie erhoben sich und verließen den Friedhof. An der Kirche blieb Johnny stehen. »Wollen wir nicht rein und beten?«

»Nicht jetzt, Johnny. Du kannst auch im Gehen beten, still für dich.«

»Amen«, sagte Johnny fromm. »Ich mag Sirupbonbons mächtig gern.«

Sie gingen weiter. Ihre Schatten hüpften neben ihnen her, tauchten in Schlaglöcher, glitten über Bodenwellen und Unkräuter, sodass sie immer neue Formen annahmen.

»Johnny«, begann Matthew zögernd, »du bist doch mein Freund, nicht? Ich möchte dich um etwas bitten. Willst du mir einen Gefallen tun?«

»Klar. Für dich tu ich alles. Ich bin dein Freund.«

»Dann sag den anderen nichts davon, dass wir auf dem Friedhof waren. Das bleibt unter uns, ja?«

»Die anderen sollen nichts davon wissen?«

»Es geht sie nichts an, finde ich.«

»Da hast du recht. Es geht sie nichts an.«

»Wenn wir ein Weilchen still sitzen und beten, ist das unsere Sache.«

»Richtig. Unsere Sache.«

»Also red nicht davon. Schweigen ist Gold.«

»Schweigen ist Gold, Matthew. Ich sag bestimmt nichts.«

»Ich verlass mich auf dich, Johnny.«

In Carpenters Hof hing über dem lodernden Feuer ein großer Kessel, in dem der Sirup bereits blubberte. Matthew hatte gehofft, sich unbemerkt unter die Gesellschaft mischen zu können, aber Johnny machte ihm einen Strich durch die Rechnung. Mit ausgestreckter Hand, über das ganze missgebildete Gesicht strahlend, marschierte er auf die Menge zu.

»Hurra, da ist Johnny!«, rief jemand. Zwei Mädchen umtanzten den Dorftrottel, andere schlossen sich an, bildeten einen Kreis und galoppierten johlend um Johnny, Matthew und das Feuer herum. Matthew hätte sich nicht gewundert, wenn sie beide in den Kessel geschleudert worden wären.

»Wo hast du heute Abend gesteckt?«, schrie ihm einer zu. »Warum warst du nicht in der Schule?«

»Was war denn los?«, brüllte Ben Carpenter. »Ist dir was passiert?«

Phoebe grinste ihn im Vorbeitanzen an. »Hallo, Matthew!«

Das Tempo wurde immer schneller; Matthew sah Aaron, Callie Grancourt und die anderen nur noch als verwischte Schemen. Endlich wurde der Kreis durch den eigenen Schwung gesprengt, und die Jungen und Mädchen flogen über den Hof wie die Perlen eines zerrissenen Halsbands. Einige fielen hin. Sie rappelten sich auf und kamen lachend in den Lichtkreis des Feuers zurück. Der Sirup war inzwischen zu einer dickflüssigen goldbraunen Masse eingekocht. Ärmel wurden aufgekrempelt, Hände mit Butter eingerieben, und das Toffeeziehen begann. Matthew war schon vergessen.

Er drückte sich im Schatten herum und sah zu, wie die anderen, immer zwei und zwei, die elastische Bonbonmasse kneteten, streckten, zusammendrückten und auseinanderzogen. Das Goldbraun wurde im Erstarren immer heller und bekam einen seidigen Glanz. Matthew ging an den Kessel und holte sich eine Handvoll heraus. Das Zeug wärmte ihm angenehm die Hände, und es roch gut. Plötzlich merkte er, dass er Hunger hatte.

Johnny Faust stand abseits und bearbeitete einen Klumpen Toffee. Ab und zu riss er ein Stückchen davon ab und steckte es in den Mund. Seine unförmigen Kiefer mahlten heftig, und der klebrige Saft lief ihm übers Kinn. Offenbar sehnte er sich nach einem Gesprächspartner, denn er blickte suchend umher.

»Hört mal, ihr«, wandte er sich an ein Pärchen. Aber die beiden beachteten ihn nicht; sie schrien vor Lachen, weil ihnen ihr Toffee aus den Händen gerutscht war und sie ihn gerade noch rechtzeitig aufgefangen hatten.

»Hallo Aaron«, versuchte es Johnny bei Matthews Bruder, der auf dem Weg zum Kessel war. Aaron ging weiter, ohne zu antworten.

Johnny schlängelte sich an ein anderes Paar heran. »Du, Virg«, sagte er mit hoffnungsvollem Grinsen.

Der junge Mann namens Virg warf einen Blick über die Schulter. »Na, Johnny, immer munter?«

»Ich und Matthew waren zusammen auf dem Friedhof«, verkündete Johnny stolz.

»Ach, sieh mal an.«

»Ja, ich bin auf den Friedhof gekommen, und da hat Matthew neben einem Grab …« Ein Toffeestückchen flog ihm an die Wange, und er drehte sich hastig um. »Wer war das?«

Matthew machte ihm verstohlene Zeichen, er solle schweigen.

»Warum wirfst du denn mit Toffee nach mir?«, erkundigte sich Johnny freundlich. Im gleichen Augenblick klatschte ein weicher Klumpen an seinen Hinterkopf. »He!«, rief er und fuhr herum.

»Was hast du denn?«, fragte Virg unschuldig. »Ärgern sie dich schon wieder?«

Johnny zupfte die zähe Masse aus seinem Haar. »Die sollen sich in Acht nehmen, das kann ich ihnen bloß sagen.«

»Ach ja, Johnny, sag's ihnen doch mal recht laut.«

Johnny erhob gehorsam die Stimme. »Nehmt euch

in Acht! Wer mich mit Toffee schmeißt …« Und schon klebte eine Portion an seinem Ohr. »Nehmt euch in Acht, sag ich!«

»Huhu, Johnny, fang mich!«, rief eine Stimme über das Feuer hinweg.

»Hier, Johnny, ein Häppchen für dich!«

Von allen Seiten wurde er jetzt bombardiert. »Lasst das!«, schrie er wieder und wieder. »Ihr sollt das sein lassen, hört ihr?«

Matthew stand schuldbewusst im Hintergrund. Er hatte mit dem Werfen angefangen, ohne zu bedenken, was daraus werden könnte.

Von seinen Peinigern verfolgt, flüchtete Johnny zum Räucherhaus, dessen Wand ihm wenigstens Rückendeckung bot. Er hielt die Arme vors Gesicht, während ein Hagel klebriger Toffeeklumpen auf ihn niederprasselte. Und plötzlich kamen aus seinem schiefen Mund lang gezogene Laute, die wie Schmerzensschreie klangen. Johnny sang!

»Gelobt seist du, o Herr, der du mein Retter bist …«

Das war alles, was er in seiner Not zu tun wusste – den Herrn um Hilfe anflehen, denn der Herr teilt Strafe und Lohn aus, und ohne seinen Willen fällt kein Sperling vom Dache. Ein wohlgezielter Toffeeklumpen traf Johnny mitten in den Mund.

»Hört auf damit!«, brüllte eine Stimme.

Alle drehten sich erstaunt um.

»Lasst Johnny in Frieden!« Matthew bahnte sich mit den Ellbogen einen Weg zum Räucherhaus und stellte sich schützend vor den Schwachsinnigen.

Für einen Augenblick hatte im Hof tiefes Schweigen geherrscht. Nun aber stieg ein Freudengeheul auf, und die neue Zielscheibe wurde aufs Korn genommen. Toffeemasse flog in Klumpen und Brocken durch die Luft, blieb an Matthews Gesicht und in seinem Haar kleben. Dicht vor ihm stand Phoebe Oechen und lachte wie eine Irre, zu dumm, um zu begreifen, dass dies kein Spiel mehr war.

Sie waren bereits zu anderen Wurfgeschossen übergegangen – zu Erdklumpen und Holzstückchen –, als Callie Grancourt durch die Menge brach und so wild auf Matthew zustürzte, dass er dachte, sie wolle ihn umbringen. Aber sie nahm Johnny und ihn an der Hand, hob trotzig den Kopf und begann zu singen. Ihre Stimme war klein und dünn, doch sie sang mit aller Kraft, und ihr Ziel war so klar wie einst Davids. Die Steinigung endete abrupt wie ein Hagelschauer im Sommer. Betreten und ernüchtert wichen die jungen Leute zurück. Niemand sprach.

»Ihr solltet euch schämen«, sagte Callie leise, und es war keiner im Hof, der nicht jedes Wort verstanden hätte. »Komm, Johnny, wir gehen jetzt und waschen uns. Du auch, Matthew.«

Als sich die drei hinter dem Haus die Hände abtrockneten, blickte Callie zu Matthew auf und fragte: »Hör mal, Matthew, magst du mich eigentlich nicht leiden? Was musst du dieser alten Kuh Phoebe nachlaufen?«

Damit drehte sie sich auf dem Absatz um, ging davon und schwenkte ihr kleines Hinterteil so arrogant, wie es ihre Art war. Matthew schnappte nach Luft; er hatte das Gefühl, eine Ewigkeit unter Wasser gewesen zu sein.

9

Matthew ging nicht mit Mr. Kolb nach Sedalia. Seine Zukunftspläne waren vergessen. Alles, woran er nach dem Abend bei Carpenters denken konnte, war Callie. Tag und Nacht schwebte ihr Bild ihm vor Augen. Es blendete ihn wie ein reflektierter Sonnenstrahl, der sich in die Netzhaut eingräbt, sodass man ihn unter den geschlossenen Lidern noch sieht. Nie zuvor hatte ihn ein Gefühl so überwältigt wie dieses. Er war rundum davon eingehüllt, er wuchs zu Bergesgröße empor, er löste sich in Luft auf, verzaubert von dem Wissen, dass er erwählt worden war.

Denn er war ein Erwählter. Callie Grancourt hatte ihn für sich auserkoren. Bis zu jenem Abend, da Mitleid und Zorn sie an Matthews Seite trieben, war er ihr ziemlich gleichgültig gewesen – mehr als flüchtige Sympathie hatte sie nie für ihn empfunden. Aber Lebensretter verlieben sich leicht in ihre Schützlinge, die ihnen Gelegenheit gaben, sich heroisch zu erweisen. So verwandelte sich auch Callies Mitleid über Nacht in Leidenschaft. Sie erwachte lichterloh verliebt. Das Feuer ihrer Liebe tauchte Matthew in strahlendes Licht und vergrößerte ihn wie einen

Schatten an der Wand. Von nun an füllte er ihre Welt aus.

Dass sich hinter seinem mürrischen Wesen viel Kummer und Leid verbargen, hatte sie instinktiv schon längst erkannt. Nun aber begann sie ihn zu romantisieren. Ohne ihre Gedanken in Worte fassen zu können, stattete sie ihn mit der Melancholie, dem dunklen Sehnen und der tragischen Verzweiflung romantischer Dichter aus. Wäre Byron ihr ein Begriff gewesen, sie hätte Matthew mit ihm verglichen. Er wirkte auf sie, wie Sturm und Regen auf einen Menschen wirken, der geborgen im Trockenen sitzt. Obwohl Callie von Natur praktisch, geschäftig und fröhlich war, schwelgte sie in sentimentalen Vorstellungen. Sie schmachtete und seufzte, während sie Betten aufschüttelte oder Pökelfleisch aus dem Fass holte.

Dieses Seufzen und Schmachten gestattete sie sich aus purer Lust am Spiel. Denn Callie war klug; sie wusste, dass Matthew Soames in Wirklichkeit gar keine tragische Figur war, sondern ein intelligenter, strebsamer junger Mann, der es im Leben weit bringen konnte. Vermutlich war er die beste Partie in der Gegend. Sie tat sich etwas darauf zugute, dass sie vor allen anderen seine Möglichkeiten erkannt hatte.

Gewiss, es gab einige junge Leute, deren Familien mehr Geld, Land und Vieh besaßen als Matthews Eltern. Aaron, den sie ursprünglich hatte heiraten wollen, sah besser aus als sein Bruder, und fast jeder war lustiger – aber Matthew war der Klügste. Und er hatte Ziele. Das machte ihn in Callies Augen unwiderstehlich; wenn sie sich auch in ihrer Unwissenheit nicht viel unter Matthews ›Zielen‹ vorstellen konnte, so zweifelte sie doch nicht daran, dass er nur das Beste und Vornehmste erstrebte. Als seine Frau würde sie daran teilhaben, und so beschloss sie denn, ihn zu erobern.

Das war nicht so einfach, wie es scheinen mochte. Matthew, der sich von jeher für minderwertig gehalten hatte, konnte sich nicht von heute auf morgen umstellen. Obgleich er nach Anerkennung lechzte, weigerte er sich zu glauben, dass Callie es ernst mit ihm meinte. Ein so schönes, begehrenswertes Mädchen sollte ausgerechnet ihn heiraten wollen?

Ihre kleinen Charakterfehler hatte er längst vergessen; seine Liebe hatte sie samt und sonders zu Tugenden umgedichtet. Was er früher als Leichtsinn bezeichnet hatte, hieß jetzt Mut; ihre Keckheit nannte er Witz, ihre Selbstgefälligkeit gesunde Selbstachtung. Sogar ihre Unwissenheit brachte sie seinem Herzen näher. Sie hatte mit Mühe und Not vier Schuljahre abgesessen, das war alles. Aber, so sagte sich Matthew, man konnte ihr daraus keinen Vorwurf machen. Unwissenheit war das Los der meisten Mädchen. Die Mütter bürdeten ihnen so viel Hausarbeit auf, dass die bedauernswerten Geschöpfe zum Lernen keine Zeit hatten. In diesem einen Punkt fühlte er sich Callie überlegen und daher ihrer würdig. Was jedoch ihre Tugenden betraf, so konnte er nur in Ehrfurcht erstarren.

Für Callie war es unbegreiflich, dass ein Junge, der ein Mädchen liebte, nicht rundheraus seine Gefühle offenbarte und entsprechend handelte. Matthew aber zögerte endlos, wich immer wieder zurück oder sprang zur Seite, flüchtete in ein Versteck, aus dem er dann wieder hervorbrach – und dabei war er so verrückt nach ihr, dass er bei der Arbeit kaum wusste, ob er ein Maultier oder einen Truthahn vor sich hatte.

Callie behandelte ihn mit der Sanftmut und Wachsamkeit eines Löwenbändigers. Sie schmeichelte ihm, gab ihm andeutungsweise – manchmal auch unverhüllt – zu verstehen, dass er über die Welt herrschen könnte, wenn er nur wollte. Er wagte nicht, ihr zu glauben, obgleich er es nur zu gern getan hätte. Allmählich aber brachte sie ihn dazu, dass er sich selber mit ihren Augen sah, und diese Vision begeisterte ihn. Um keinen Preis hätte er darauf verzichten mögen. Von Fortgehen und Weiterbildung war keine Rede mehr. Alles, was er ersehnte, war Geld, damit er Callie heiraten und sie auf eigenem Grund und Boden ernähren könnte.

In jenem Winter hackte er Holz, schleppte es in die Stadt und verkaufte es. Er fing Bisamratten, deren Felle gut bezahlt wurden. Im Frühjahr kaufte er seinem Vater ein Kalb ab und mästete es zum Weiterverkauf. Im Sommer arbeitete er bei einem Farmer im Nachbarbezirk, der ihm monatlich vierzehn Dollar gab, außerdem freie Unterkunft und Verpflegung für ihn und sein Maultier. Er melkte und pflügte und erntete Flachs. Jeden Samstagabend stieg er auf seinen braven Pharao und ritt stundenlang durch die Nacht, um den Sonntag mit Callie zu verbringen.

Im Spätsommer ging er nach Süden und verdingte sich während der Hirseernte als Schnitter. An guten Tagen schaffte er einen halben Hektar und verdiente dabei einen Dollar. Er dachte dann oft an den Dollar, den er nicht gewonnen hatte.

Mit einigem Selbstvertrauen wäre er damals schnell und mühelos zu dem Geld gekommen. Aber manchmal war es eben leichter, zehn Stunden auf dem Feld zu schuften, als Selbstvertrauen zu haben.

Während der Wintermonate fand Matthew Arbeit im Schlachthof von Kansas City. Er musste dort Rinderkeulen mit eiskaltem Wasser abwaschen. Das Blut, der Geruch, das angstvolle Blöken der Tiere und die dumpfen Axthiebe erfüllten ihn mit Grausen. Die Stadt war nichts für ihn; sie jagte ihm Angst ein. Trotzdem hielt er durch. Dann, als er wusste, dass sich draußen auf dem Land neues Leben unter der Schneedecke zu regen begann, verließ er die Stadt und kehrte freudig dorthin zurück, wo er sich nun endlich zu Hause fühlte.

Um diese Zeit hatte Matthew sechzig Dollar gespart; er besaß außer seinem Maultier auch eine Kuh, und er hatte eine kleine Farm entdeckt, die zu verpachten war. Es handelte sich um etwa zwanzig Hektar Land und ein Häuschen am Little Tebo, nördlich von seinem und Callies Geburtsort. Der Boden eignete sich gut für den Maisanbau, und auf den Viehweiden wuchs saftiges Gras. Der Pachtzins betrug sechzig Dollar jährlich.

Matthew und Callie heirateten im März und zogen gerade rechtzeitig zur Frühjahrsbestellung auf die Farm.

10

Das Wetter war ihnen gnädig. Matthew kaufte einen zweiten Maulesel und zahlte pünktlich die Pacht für das nächste Jahr. Er bebaute das Land mit Liebe, als wäre es sein eigenes, und er trug sich mit dem Gedanken, die Farm eines Tages zu kaufen. Um Arbeit war er nie verlegen. Er rodete, besserte Zäune aus und leitete den Bach ab, um die tiefer gelegenen Felder vor Überschwemmungen zu schützen. Er hackte Holz und schichtete es zu hohen Stößen auf; er schlachtete Schweine und räucherte das Fleisch über einem Hickoryfeuer. Morgens ging er singend ans Werk. Er sang aus Liebe und zum Ruhme Gottes und aus Freude über die Rosen am Zaun. Abends kehrte er müde und zufrieden an den warmen Herd zurück, seines Glückes so bewusst, dass es ihn manchmal ängstigte. Wer war er denn, dass ihm so viel geschenkt worden war? Fast hatte er ein schlechtes Gewissen, als sei dies alles unredlich erworben. Er fürchtete immer, es könnte entschwinden wie ein Traumgespinst.

Inzwischen ging das neunzehnte Jahrhundert zu Ende, und das zwanzigste dämmerte herauf, über dem Little Tebo wie über dem Rest der Welt. Viel Aufhebens machte man in dieser Gegend nicht darum – die Kirchenglocken läuteten, und es wurden ein paar Knallfrösche abgebrannt, die von Weihnachten übrig geblieben waren.

Matthew allerdings dachte viel über das Vergehen der Zeit nach. Als sich eine vage Unzufriedenheit seiner bemächtigte, wurde ihm irgendwie wohler ums Herz, denn ruheloses Weiterstreben lag nun einmal in seiner Natur. Eine Erinnerung durchdrang den Nebel des Glücks: Er entsann sich, dass er früher mehr ersehnt hatte als eine ordentliche, gut bewirtschaftete Farm, nämlich Bildung, wie Bücher und Lehrer sie einem vermitteln, wie man sie nur erwerben kann, wenn einem all die wertvollen Hilfsmittel – Landkarten, Bildtafeln, Nachschlagewerke – Tag für Tag zur Verfügung stehen.

Je mehr er daran dachte, desto größer wurde seine Sehnsucht. Aber er konnte das Rad der Zeit nicht zurückdrehen. Mr. Kolb und Sedalia waren seine letzte Chance gewesen. Nun hatte er eine Farm und eine Frau und viele Verpflichtungen; der Würfel war gefallen. Wie schal und nichtig erschien ihm auf einmal sein Leben: säen und ernten, Jahr für Jahr, in immer gleichem Rhythmus, fern von jeder geistigen Entwicklung – während irgendwo in der Welt Dinge geschahen, von denen er nichts ahnte. Schlimmer noch, er wusste auch kaum etwas von dem, was sich vor längerer oder kürzerer Zeit ereignet hatte. Über alte Kulturen, neue Planeten, Forschungsreisen und Kriege drangen lediglich Gerüchte an sein Ohr. Und solange er hier mit der selbst gebastelten Egge über den Acker ging, gab es keine Möglichkeit, Näheres zu erfahren.

Matthew versank in schweigsames Brüten, bis Callie ihn eines Tages fragte, was eigentlich mit ihm los sei. Allmählich, stückweise, brachte sie es aus ihm heraus. Es dauerte fast eine Woche. »Herrje, Schatz«, sagte sie, »ich hab immer gewollt, dass du Lehrer wirst. Warum gehst du nicht einfach hin und wirst einer?«

»Ich kann nicht«, erwiderte er und zählte ihr seine Gründe auf.

»Ach was«, meinte sie, »das wär ja gelacht. Wir könnten doch irgendwas verkaufen. Vieh zum Beispiel.«

»Alles, was wir an Vieh besitzen, sind ein Maultiergespann und zwei Kühe«, sagte er säuerlich.

»Eine ist trächtig. Die bringt einen guten Preis. Was kostet es denn überhaupt, die Schule, meine ich?«

»Mehr als wir haben.«

»Kannst du dir in der Stadt nicht Arbeit suchen? Als Verkäufer oder so?«

»Ich verstehe nichts vom Verkaufen.«

»Das lernst du im Handumdrehen, so klug, wie du bist. Warum traust du dir bloß so wenig zu, Matthew? Wir könnten übrigens die Hühner mit in die Stadt nehmen. Frische Eier sind immer gefragt.«

»An Eiern verdient man heutzutage nichts mehr.«

»Wieso? Die sind doch ganz schön im Preis raufgegangen. Vor drei, vier Jahren hat man nur fünf Cent für das Dutzend gekriegt.«

So redete sie auf ihn ein, lieb und hartnäckig, bis sein Selbstmitleid allmählich der Hoffnung wich. Aber es war eine mit Zweifeln durchsetzte Hoffnung. Er sei zu alt, behauptete er, und vielleicht nicht gescheit genug, all das Versäumte nachzuholen. Callie hatte es schwer mit ihm. Immer sträubte er sich gegen das, was er am meisten ersehnte! Aber sie hatte erreicht, dass er sie heiratete, und so erreichte sie auch, dass er einwilligte, das College zu besuchen.

Sie hatten schon alles für die Übersiedlung nach Clarkstown vorbereitet, als Matthew in letzter Minute umschwenkte: Er wollte die Farm nicht aufgeben. Die Felder und der Wald waren ihm ans Herz gewachsen, er betrachtete sie mit dem Recht des Liebenden als sein Eigentum. Sie in achtlose Hände fallen zu lassen, widerstrebte ihm ebenso, wie etwa seine Frau an andere auszuleihen. Callie entschied sehr vernünftig, dass von den drei Dingen, die er alle zugleich haben wollte – die Farm, die Schule und seine Frau –, im Augenblick eines entbehrlich sei, und zwar sie selber.

»Ich bleibe hier und halte die Farm in Ordnung«, erklärte sie. »Thad und Wesley können zwischendurch mal herkommen und mir helfen, dann klappt's schon.« Thad und Wesley waren ihre Halbbrüder, beide jünger als sie.

So machte sich denn Matthew an einem trüben, kalten Oktobermorgen allein auf den Weg nach Clarkstown. Er ritt seinen alten Pharao, über dessen Sattel vorn ein Kleidersack hing und hinten ein Proviantsack mit Zwiebeln, Kartoffeln, einer Speckseite und zwei ofenwarmen Brotlaiben. Callie sah ihm nach, bis er im Nebel verschwand, und sie glaubte, ihr Herz werde brechen. Sechs Monate wollte er fortbleiben. Jede Minute dieser sechs Monate würde sie sich nach ihm sehnen und, schlimmer noch, auch er würde sie vermissen. Wie sollte er die langen Winternächte ohne ihre warme Nähe überstehen, und was sollte er unter all den fremden Menschen anfangen, wenn sein Gemüt sich verfinsterte und er den Glauben an sich selber verlor? Fern von ihr würde er sich unsagbar verlassen fühlen. Er wusste das auch – und doch ging er. Callie weinte ein wenig, aus purer Ratlosigkeit.

Ja, Matthew vermisste sie sehr in diesem Winter. Er war einsam, und das Heimweh plagte ihn. Die Umstellung auf das Leben in der Stadt fiel ihm schwer, hier schienen die Menschen ganz anders zu denken und zu handeln als die Nachbarn zu Hause. Alles in allem stimmte das auch. Sein Maulesel hatte ihn zwar nur vierzig Meilen nordwärts getragen, aber die Gegend am Little Tebo war um ein halbes Jahrhundert hinter der Zeit zurückgeblieben. Matthew flüchtete sich in seine Studien, die ihm ein Gefühl der Sicherheit gaben. So schwer ihm die Anpassung an die Lebensweise der Städter fiel, so leicht fiel ihm das Lernen. Er bewältigte sein Pensum noch vor dem Ende des Schuljahres und kehrte schleunigst heim, denn es war April, und er musste die Frühjahrssaat in den Boden bringen.

Den Sommer über studierte Matthew zu Hause. Beim Pflügen las er Emerson und Hawthorne. Mittags saß er am Bachufer und büffelte Mathematik. Abends lernte er Geschichtszahlen, während Junikäfer wie dicke Kieselsteine an die Lampe auf dem Küchentisch prallten. Callie scheuchte Motten, fächelte ihrem Mann Kühlung zu und stieß mitunter einen tiefen Seufzer aus, denn sie langweilte sich.

Ende August legte Matthew eine Prüfung ab, erhielt das begehrte Diplom und wurde für den nächsten Winter von der Schule in Bitterwater mit einem Monatsgehalt von fünfundzwanzig Dollar angestellt. Nun war er endlich Lehrer – und wieder war er so glücklich, dass er Gewissensbisse bekam. Callies Glück hingegen war ungetrübt. Sie war jetzt die Frau des gebildetsten Mannes in der Nachbarschaft. Matthew hatte ihr Vertrauen gerechtfertigt. Und zu all diesem Glanz hatte er ihr auch noch ein Kind geschenkt. Sooft es sich in ihr regte, wusste sie sich vor Freude kaum zu halten. Manchmal setzte sie sich hin, hielt in ihren vier Wänden Umschau und dankte Gott – für jedes Möbelstück ihres Hauses, für das Butterfass und den Besen, für die Steppdecken und das Essgeschirr. Oder sie ging hinaus und blickte lange auf ihren schönen Garten, auf die hohen Bäume, den Himmel und die hochgelegenen Viehweiden, die immer am längsten besonnt blieben, und dann sagte sie wortlos zu sich selbst: »Lobe den Herrn!« – womit sie zugleich Gott und ihren Mann meinte.

II

Ihr erstes Kind kam im März zur Welt. Sie nannten es Jessica, weil Callie diesen Namen schön und aristokratisch fand; gegen gewöhnlich klingende Namen hatte sie eine heftige Abneigung. Matthew war es einerlei gewesen, ob er ein Mädchen oder einen Jungen gezeugt hatte, aber er stellte beim Anblick seiner Tochter enttäuscht fest, dass sie Callie nicht ähnelte. Jessica war *sein* Kind, darüber konnte von Anfang an kein Zweifel bestehen. Immerhin war sie ein artiges, freundliches Baby und rührend dankbar für das Geschenk des Lebens. Nicht jedes Baby ist dankbar dafür, wie das Elternpaar zwei Jahre später entdeckte, als die zweite Tochter geboren wurde. Leonie war schwierig. Sie erbrach Callies Milch, bekam Nesselfieber und schrie nächtelang. Nur in seltenen Augenblicken zeigte sich, dass sie eigentlich ein bildschönes Kind war. Nach einiger Zeit schien sie einzusehen, dass sie sich mit dem Leben abfinden musste, ob es ihr nun gefiel oder nicht. Sie passte sich an und wurde ein recht erträgliches Familienmitglied.

In den folgenden Jahren arbeiteten sich Matthew und Callie Schritt für Schritt vorwärts. Sie konnten die Farm kaufen und noch etwas Land dazu, und an das Haus wurden ein paar Räume angebaut. Um das alles zu erreichen, mussten sie sich sehr anstrengen und äußerst bescheiden leben. Die Natur war nicht immer gnädig; es galt mit Dürre, Überschwemmungen und manchen anderen Unbilden fertig zu werden. Auch von Kummer blieben sie nicht verschont. Matthews Eltern starben, und die Familie wurde in alle Winde zerstreut. Der jüngste Bruder wohnte eine Weile bei ihnen am Little Tebo. Später kam auch der Älteste, Aaron, der nicht geheiratet hatte und nun an Schwindsucht erkrankt war – kaum zu glauben bei diesem vierschrötigen, rotwangigen Mann. Sie hielten die Kinder von ihm fern und pflegten ihn einen Winter hindurch. Dann raffte er sich mit einer letzten verzweifelten Anstrengung auf und ging nach Colorado, wo er starb. Matthew, lang, dürr und blass, wie er war, erwies sich als der Zäheste von allen und hielt durch, während seine Geschwister eines nach dem anderen dahinsiechten und auf dem Millroad-Friedhof begraben wurden. Außer Matthew blieben nur ein Bruder und seine Schwester Bertie am Leben.

Callies Vater, der mittlerweile zum zweiten Mal Witwer geworden war, besuchte sie des Öfteren für mehrere Wochen. Er konnte keinen Augenblick still sitzen, wanderte ruhelos durch Haus und Garten, und seine Stimmungen schwankten zwischen ausgelassener Heiterkeit und düsterer Melancholie. Er klagte über alle möglichen Leiden und wurde schließlich während eines Aufenthalts in Sedalia ernstlich krank. Matthew fuhr hin und holte ihn zum Sterben nach Hause.

Nein, diese Jahre waren nicht leicht. Aber Tod und

Wetterlaunen gehörten nun einmal zum Leben. Matthew ging unbeirrt seinen Weg zwischen Farm und Schule, Lernen und Lehren.

Nach mehrjähriger Tätigkeit in Bitterwater trugen ihm seine ständigen Bemühungen um Weiterbildung einen neuen Posten ein. Renfro, die nächstgelegene Stadt, sollte eine Höhere Schule bekommen. Man stockte also das alte Gebäude auf und stellte einen Professor ein. Zwei Wochen vor Schulbeginn starb dieser Professor eines plötzlichen Todes.

»Ich bin gespannt, was nun geschieht«, sagte Matthew zu Hause in aller Harmlosigkeit. »Wo sollen sie jetzt in der Eile Ersatz für Mr. Motherwell finden?«

»Da brauchen sie doch nicht lange zu suchen«, erwiderte Callie. »Du bist der richtige Mann dafür, Matthew. Warum gehst du nicht hin und meldest dich?«

»Aber Callie, ich bin doch kein Professor!«

»Ach was, so viel wie der andere kannst du bestimmt, wenn nicht mehr.«

»Na, ich weiß nicht …«

»Aber ich. Geh wenigstens mal hin, Papa. Fragen kostet nichts.«

»Hm … Ich muss sagen, mir widerstrebt das. Der arme Mr. Motherwell ist erst gestern begraben worden. Ich käme mir vor wie ein Aasgeier … als ob ich auf seinen Tod gelauert hätte.«

»Wenn du's nicht tust, tut's ein anderer. Und sie können nicht das ganze Jahr warten, die Schule muss doch anfangen.«

»Ja, und *meine* Schule muss auch anfangen. Wer sollte denn die übernehmen, wenn ich nach Renfro ginge?«

»Na wer schon? Der Mann, der sonst den Posten in Renfro gekriegt und mehr Geld verdient hätte.«

»Es gibt gewisse Erwägungen, die wichtiger sind als die Geldfrage«, erklärte Matthew von oben herab. Damit war die Sache für ihn erledigt, bis sich zwei Tage später der Schulbeirat von Renfro an ihn wandte.

Matthews Proteste nützten nichts. Er wurde eingestellt, und zwar mit einem Gehalt, das ihm sagenhaft hoch erschien. Allerdings bedang er sich aus, dass er Bitterwater nicht zu verlassen brauchte, bevor er einen neuen Lehrer aufgetrieben hatte. Sobald er dieser moralischen Verpflichtung nachgekommen war, stürzte er sich mit bebendem Eifer in seine neue Aufgabe. Das Beben verlor sich innerhalb eines Monats, der Eifer wuchs, und Matthew war glücklich.

Oder beinahe glücklich.

Zu Hause nämlich war nicht alles so, wie es sein sollte. Es lag nicht etwa daran, dass Callie nur noch Mutter gewesen wäre und ihn vernachlässigt hätte – keineswegs. Trotz ihrer vielen Arbeit und der häufigen Verwandtenbesuche fand sie immer Zeit, mit ihm allein zu sein. Besser gesagt, sie schaffte sich Zeit. An Regentagen beispielsweise, wenn die Kinder drinnen spielen mussten, kam sie in die Scheune oder ins Räucherhaus, um sich mit Matthew unterhalten zu können, während sie, auf einer Kiste sitzend, Bohnen abfädelte oder Kartoffeln schälte. Und abends, wenn die Kinder im Bett waren, wurde sie wieder seine Liebste wie früher, sanft, zärtlich und anpassungsfähig.

Dennoch hatte ihre Ehe einen Riss bekommen. Einen Riss, der zwar nicht tief war, aber doch tief genug, dass Matthew ihn spürte. Er wusste, dass es zum Teil seine Schuld war. Das Nebeneinander von Landarbeit, Unterricht und Weiterstudieren hielt ihn derart in Atem, dass ihm nicht viel Zeit für seine Frau blieb.

Aber es lag auch an ihr. Er hatte versucht, sein geliebtes Bücherwissen mit ihr zu teilen. Und er hatte sich in der ersten Zeit redlich bemüht, sie lesen zu lehren. Obwohl sie keineswegs schwer von Begriff war und immerhin vier Jahre lang die Dorfschule besucht hatte, bereiteten ihr, wie er mit Entsetzen feststellte, sogar die einfachsten Wörter Schwierigkeiten, und sie las kaum besser als eine Erstklässlerin. Und natürlich langweilte sie das, was sie mit solcher Mühe zusammenbuchstabierte. In der Hoffnung, ihr Interesse zu wecken, ließ Matthew sie schwierige Wörter schreiben und buchstabieren und gab ihr Aufgaben wie den Kindern in der Schule. Callie sagte gehorsam ihr Sprüchlein auf und krakelte die Übungen mit steifer Hand auf ein Blatt Papier. Nach einiger Zeit aber begann sie unweigerlich zu gähnen und über Augenschmerzen zu klagen.

»Ich glaub, für heute hab ich genug«, meinte sie dann. »Morgen willst du mich ja auch wieder was lernen.«

»*Lehren*«, verbesserte Matthew.

»Ach was! Lehren oder lernen – wo ist da der Unterschied? Komm, wir laufen schnell noch zum Bach. Die wilden Trauben sind reif, und ich will Gelee für dich kochen.«

Und er ging wehmütig lächelnd mit ihr. Sie war so süß, so fröhlich, so bezaubernd hübsch, dass er es nicht übers Herz brachte, ihr böse zu sein.

Manchmal erzählte er ihr Geschichten. Er berichtete von den Irrfahrten des Odysseus, von Lancelot und Elaine, von Sydney Carton und David Copperfield, von Indianerkriegen und Benjamin Franklin. Callie hörte zu, benutzte aber jede Gelegenheit, eine Bemerkung über das Wetter oder den Brennholzvorrat oder die Qualität der diesjährigen Kartoffeln einzuwerfen.

Nicht anders war es, wenn er von seiner Arbeit in der Schule sprach. Es hatte gar keinen Sinn, sich abends voller Genugtuung über gelungene Unterrichtsstunden und ähnliche Erfolge zu verbreiten. War irgendetwas schiefgegangen, ja, dann konnte er ihrer Anteilnahme sicher sein; im Übrigen aber interessierte sie sich nicht für seinen Beruf. Und sie fand es reine Zeitverschwendung, dass er nur so herumstand und von seinem Schulkram schwatzte, statt ihr ein bisschen zur Hand zu gehen. Meistens endete es damit, dass er ans Butterfass kommandiert wurde (»Wenn du schon mal da bist, kannst du ja auch …«), oder er musste beim Spannen frisch gewaschener Gardinen helfen, oder sie lockte ihn in den Wald zum Perlhuhneiersuchen. Matthew hatte an sich nichts gegen diese Beschäftigungen, aber er dachte oft sehnsüchtig, wie schön es wäre, wenn sie sich über Bücher unterhalten könnten.

Er stellte jedoch fest, dass Callie – dieselbe Callie, der seine beruflichen Pflichten so gleichgültig waren – vor anderen Leuten gern damit prahlte. Manchmal hörte er sie zu den Nachbarn sagen: »Mein Mann? Ach, der muss heute Abend noch *studieren*« – in nachsichtig gelangweiltem Ton, als finde sie das recht lästig (was ja auch zutraf). Aber in Wirklichkeit prahlte sie. Kein anderer Ehemann weit und breit hatte eine so vornehme Marotte.

»Komm, *studiere* mit mir«, forderte er sie gelegentlich an solchen Abenden auf. »Wir lernen ein bisschen Geschichte.«

»Ach, dabei stör ich dich bloß. Ich setz mich lieber zu dir und lese in der Bibel.«

Nach einer Weile gab er seine Lehrversuche auf.

Die Bestandteile seines Lebens, anfangs so erfreulich miteinander verschmolzen, schieden sich allmählich, sodass er nun zwei Leben führte, eines als Mann der Öffentlichkeit und eines als schlichter Farmer. Je mehr das öffentliche Leben nach ihm griff, desto lieber gewann er es. Und da Charlotte Newhouse zu diesem Leben gehörte, war es unvermeidlich, dass er auch sie lieb gewann.

12

Eines Februarmorgens – es war Matthews zweiter Winter in Renfro – erschien eine hochgewachsene junge Dame mit Hut und Pelzcape in seiner Klasse und stellte sich vor. Eine neue Schülerin. Sie stammte aus St. Louis und hatte Verwandte in Renfro, bei denen sie für längere Zeit zu Besuch war. Ihre Stimme klang angenehm kultiviert, und sie drückte sich sehr gewählt aus. Matthew, gelähmt von so viel kühler Wohlerzogenheit, vermochte kaum seinen Namen hervorzustottern und die dargebotene Hand zu schütteln. Er führte die junge Dame zu einer Schulbank und zeigte ihr, wo sie Mantel und Cape aufhängen konnte.

»Vielen Dank«, sagte sie und neigte leicht den Kopf. »Sie sind äußerst liebenswürdig.«

Die Redewendung kitzelte sein Ohr, das selten oder nie mit solchen gewandten Wendungen verwöhnt wurde. *Äußerst liebenswürdig*, wiederholte er innerlich und hätte am liebsten vor Entzücken gelacht, *äußerst liebenswürdig!* Er ließ es sich angelegen sein, sie während des Unterrichts äußerst liebenswürdig zu behandeln.

Ihre Mitschüler dagegen benahmen sich äußerst

unliebenswürdig. Sie kicherten und glotzten, machten sich über ihre eleganten Kleider, ihre Frisur und ihren Namen lustig. Sie nannten sie Miss Oldhouse und Bohnenstange und Bleichgesicht. Charlotte Newhouse nahm das alles mit Würde und belustigter Herablassung hin.

Nach der letzten Stunde bat sie, im Klassenzimmer bleiben zu dürfen, bis ihr Onkel sie abholen käme. Sie saß bescheiden im Hintergrund und blätterte in einem Buch, während Matthew vorn am Katheder Hefte korrigierte. Keiner von beiden sprach. Das Schweigen wurde immer bedrückender. Matthew hörte sich atmen – unnatürlich laut, wie ihm schien –, sein Magen knurrte, und er hätte auch längst einmal hinausgemusst. Es dauerte fast eine Dreiviertelstunde, bis er durch die Ankunft des Onkels erlöst wurde.

»Auf Wiedersehen, Mr. Soames«, sagte Charlotte. »Ich danke Ihnen für Ihre Freundlichkeit.«

Charlottes Onkel und Tante, die etwas außerhalb von Renfro wohnten, hatten keine Kinder, waren sehr wohlhabend und galten als überaus hochmütig. Matthew kannte sie nur vom Sehen. Jeden Morgen brachte der Onkel das Mädchen in seinem Einspänner zur Schule, und jeden Abend holte er sie ab. Er verspätete sich immer. Während der Wartezeiten, die zwischen zwanzig Minuten und einer Stunde lagen, lernten Matthew und Charlotte einander recht gut kennen.

Er erfuhr, dass ihre Eltern geschieden waren, dass die Mutter kürzlich zum zweiten Mal geheiratet hatte und nun ihre Flitterwochen in Europa verbrachte. Da die Hochzeit ziemlich überstürzt stattgefunden hatte, war für lange Beratungen, was mit Charlotte geschehen sollte, keine Zeit mehr gewesen. Man hatte sich für die einfachste Lösung entschieden und sie für ein Vierteljahr zur Tante geschickt, zumal die Mutter meinte, Landluft und Naturbetrachtung würden Charlotte gewiss guttun. Das Mädchen war nicht gern nach Renfro gekommen, aber sie hatte ja keine andere Wahl gehabt.

Über die Scheidung sprach sie ganz offen und mit einer Selbstverständlichkeit, die Matthew schockierend fand. Immerhin schien sie keinen Schaden an ihrer Seele genommen zu haben; sie war zurückhaltend, damenhaft und aufgeschlossen für alles Schöne. Er entdeckte, dass sie Malstunden gehabt hatte und regelmäßig in die Oper und ins Theater gegangen war. Der Freund ihrer Mutter (»mein jetziger Stiefvater«) hatte sie manchmal auch ins Konzert mitgenommen.

Mit heiterer Offenheit gestand sie, dass sie sich nicht viel aus der Schule mache. Ursprünglich hatte sie dieses Vierteljahr nur der Lektüre und der von ihrer Mutter angeregten Naturbetrachtung widmen wollen. Aber nach einer Woche mit Büchern, Natur und sonst gar nichts war sie vor Langeweile fast gestorben und hatte sich doch lieber für die Schule entschieden.

Sie war sehr belesen, kannte alle Romane von Scott und Dickens und erwähnte oft Bücher und Schriftsteller, die Matthew nicht oder allenfalls vom Hörensagen kannte – Theodore Dreiser zum Beispiel, Edith Wharton,

George Sand (Matthew erfuhr bei dieser Gelegenheit zu seinem größten Erstaunen, dass George Sand eine Frau war) und einen Roman mit dem Titel *Madame Bovary*, geschrieben von einem Franzosen. Wie sie an all diese Bücher herangekommen sei, wollte Matthew wissen. Gehöre so etwas in St. Louis zum Lehrstoff? Charlotte erwiderte, sie habe die meisten zu Hause gelesen; ihre Mutter besitze eine sehr reichhaltige Bibliothek und habe sogar selber einen Roman geschrieben, vielmehr den Anfang eines Romans.

Auch Gedichte liebte Charlotte, vor allem die von Keats und Tennyson (oh, *Der St.-Agnes-Tag* und *Die Lady von Shalott!*) und ein Buch, das ihre Mutter zu Weihnachten bekommen hatte, *Die Rubáiyát* von Omar Khayyám.

»Die was von wem?«

»Die Ru-bai-jat von O-mar Kai-jam. Wunderschöne persische Gedichte. Wenn ich wieder zu Hause bin, schicke ich Ihnen ein Exemplar.«

Unterhaltungen dieser Art hatten für Matthew etwas Berauschendes. Charlottes Ausdrucksweise war so gewandt, sie sagte mit heller, sanfter Stimme die überraschendsten Dinge, und sie sprach schwierige Fremdwörter so mühelos aus wie jemand anders die Wochentage. Er freute sich schon von morgens an auf die nachmittäglichen Plauderstündchen, und auch Charlotte schien Geschmack daran zu finden. Wenn sich die Tür hinter den anderen Schülern schloss, lachten sie beide erleichtert auf und wechselten mit scherzhafter Feierlichkeit einen Händedruck, als sähen sie einander an diesem Tage zum ersten Mal. Charlotte setzte sich auf die Tischplatte des vordersten Pults, und Matthew, hinter dem Katheder verbarrikadiert, kippte den Stuhl zurück, bis die Lehne an die Wandtafel stieß, und dann sprachen sie von Büchern, Reisen, Musik und nicht zuletzt von sich selber.

Charlotte sagte des Öfteren, wie nett es doch wäre, wenn Matthew sie einmal in St. Louis besuchte. Sie würde ihm so gern die Sehenswürdigkeiten, die Museen und die Universitäten zeigen und mit ihm ins Konzert gehen. Ach ja, die Konzerte entbehrte sie hier am meisten! Wie schön, wenn Matthew im nächsten Sommer an einem Fortbildungskurs in St. Louis teilnehmen könnte! Sie redete so oft davon, dass Matthew diese Möglichkeit ernstlich zu erwägen begann. Bisher war er noch nie auf die Idee verfallen, anderswo hinzugehen als nach Clarkstown: Aber warum nicht auch mal nach St. Louis? Eine solche Reise würde ein Bildungserlebnis sein.

Sie malten es sich spielerisch aus: Matthew kam also nach St. Louis. Da mussten sie sich unbedingt die Minstrel-Show auf einem Theaterboot ansehen. Vorher würden sie in einem vornehmen Restaurant essen. Und natürlich Champagner trinken.

»Ist Champagner nicht schädlich?«, fragte Matthew.

»Schädlich? Wieso?«

»Wird man davon nicht betrunken?«

Sie sah ihn an, als zweifle sie an seinem Verstand. »Aber nein! Champagner ist doch kein Bier!«

Umso besser. Und was würden sie sonst noch unternehmen?

Nun, sie konnten zur Jefferson-Kaserne fahren und die Soldaten in ihren bunten Uniformen beim Exerzieren beobachten; das war sehr interessant. Es lohnte sich auch, das neue Coliseum zu besichtigen und die Pavillons von der Weltausstellung (zu schade, dass Matthew *die* versäumt hatte!). Sie würde den Rosenhut aufsetzen, der so gut zu ihrem rosa Sonnenschirmchen passte, und er würde einen Panamahut tragen und einen Spazierstock schwenken und so grandios aussehen, dass jeder ihn für einen New Yorker hielt. Und wenn sie in den Anlagen promenierten, würden die Leute denken, er sei ihr Verehrer … (Perlendes Gelächter)

Und was noch?

Oh, in St. Louis gab es ungezählte Möglichkeiten, sich zu vergnügen. Die große Stadt erwartete ihn mit offenen Armen.

Und so weiter und so fort, bis Matthews Kopf sich drehte wie ein Schulglobus.

Eines Nachmittags, als sie wieder ihr Begrüßungsritual zelebrierten, beugte Matthew sich plötzlich vor und küsste Charlotte auf den Mund. Danach starrten sie einander sekundenlang regungslos und schweigend an. Charlotte setzte sich schließlich auf eines der Schülerpulte; Matthew stand an die Wandtafel gelehnt. Sie sprachen noch immer nicht, aber keiner konnte den anderen ansehen, ohne die Gesichtsmuskeln zu der Andeutung eines Lächelns zu verzerren. Der Onkel kam und kam nicht, und zuletzt blieb ihnen einfach keine Wahl: Sie fielen einander in die Arme, und ihre Lippen verschmolzen in einem langen Kuss.

13

Matthew hatte in jenem Frühjahr gerade die dreißig überschritten. Charlotte war siebzehn, wirkte jedoch viel älter. Ihr sicheres Auftreten verschleierte die Tatsache, dass sie in Liebesdingen noch recht unerfahren war. Ein Hauch der großen Welt umgab sie, und Matthew, dem das als Gipfel der Kultiviertheit erschien, fühlte sich ihrer unwürdig. Er war überwältigt von Dankbarkeit, dass sie ihn nicht zurückstieß. Aber auch sie war ihm dankbar. Sie war sehr einsam gewesen und hatte sich gegrämt, weil der Freund ihrer Mutter, den sie insgeheim liebte, sie immer nur lachend unters Kinn gefasst und im Übrigen nicht ernst genommen hatte. Folglich brauchte sie dringend einen Beweis, dass sie imstande war, ein männliches Wesen zu erobern und an sich zu fesseln. Der hochgewachsene Schullehrer mit dem sehnigen Körper und den hübschen braunen Augen reagierte ganz nach Wunsch.

Matthew ritt jeden Morgen mit trockener Kehle zur Schule und hatte es so eilig, dass er die Fuchsstute unter Entschuldigungen und Versprechungen zum Dauergalopp zwang. Abends dagegen kehrte er langsam und widerwillig auf die Farm zurück und dachte voller

Sehnsucht an den nächsten Morgen. Die Wochenenden wurden zur Tortur. Samstags fällte er Bäume, grub alte Stümpfe aus und rodete Gestrüpp, um nicht im Haus sein zu müssen. Er arbeitete, ohne sich Ruhe zu gönnen, denn nur so konnte er die endlos lange Zeit bis zum Montag überstehen.

In der Schule mied er ängstlich Charlottes Nähe. Obgleich er sie während des Unterrichts kaum ansah, fing er hin und wieder einen raschen, sprechenden Blick aus ihren Augen auf, der ihn vor Stolz erröten ließ. Erst nachmittags, wenn sie auf den Onkel warteten, küssten sie sich in gieriger Hast hinter dem Ofen, in der dunkelsten Ecke des Schulzimmers. Dann nahmen sie ihre gewohnten Plätze ein, sie auf dem vordersten Pult, er hinter dem Katheder verschanzt, und führten über den vorsichtig gewahrten Abstand hinweg lange Liebesgespräche. Woher dieses Mädchen nur die herrlichen Worte nahm! Rosen und Juwelen kamen aus ihrem Mund, gesprochene Küsse und glutvolle Leidenschaft! Alles, was die beiden mit leiser, begehrlicher Stimme sprachen, war wie ein Streicheln, eine Liebkosung, und Matthew geriet völlig außer sich. So hingerissen, dass er die Gefahren dieser Liebe vergessen hätte, war er nun allerdings nicht. Er zuckte jedes Mal zusammen, wenn er hörte, dass Charlotte von ihren Mitschülern ›Lehrers Herzblättchen‹ genannt wurde. Das kam zwar selten vor, da sie über derartige Bemerkungen kühl hinwegging, aber er fragte sich doch, was die jungen Leute unter sich munkeln und was sie zu Hause erzählen mochten. Manchmal nahm seine Angst vor Entdeckung solche Ausmaße an, dass er wünschte, er hätte Charlotte nie kennengelernt. Was wäre es für eine Erleichterung, wenn sie abreiste und er sie aus seinem Gedächtnis streichen könnte! Doch dann fiel ihm ein, dass sie ihn ja in Kürze tatsächlich verlassen würde, und er sah in seiner Verzweiflung das Ende des Schuljahres nahen wie das Ende der Welt.

Überdies bemerkte er, dass sich Charlotte trotz ihrer Seufzer und gelegentlichen Tränen viel leichter mit der bevorstehenden Trennung abfand als er. Sie sprach gern und oft von ihrer Rückkehr nach St. Louis, von dem Wiedersehen mit der Mutter und dem Stiefvater. Das alles quälte ihn maßlos, machte ihn wütend auf Charlotte, und gerade die Wut verstärkte seinen Besitztrieb. Mehr als einmal kam ihm der Gedanke, sie zu heiraten. Diesem Gedanken folgte jedoch unweigerlich sein Schatten, nämlich die Erkenntnis, dass er sich dann von Callie scheiden lassen müsste. Seltsam – er erinnerte sich erst hierbei, dass er während des Frühjahrs kaum ein Wort mit seiner Frau gesprochen hatte. Trotzdem kam eine Scheidung natürlich nicht infrage. Erstens gab es dann einen Skandal, der ihm beruflich sehr schaden konnte, und zweitens schreckten ihn die inneren und äußeren Schwierigkeiten, die der Aufbau eines neuen Lebens zwangsläufig mit sich bringen würde. Und wenn er es recht bedachte – ein Leben ohne Callie, immer und ewig ohne sie, vermochte er sich nicht vorzustellen. (Im Geist versetzte er Charlotte auf seine Farm, und dabei drängte sich ihm die Frage auf, ob sie wohl im Frühling ange-

rannt kommen würde, um ihm zu sagen, die Salatpflänz-
chen seien aufgegangen – wie Callie es tat –, ob sie ein
neugeborenes Kalb mit entzückten Ausrufen begrüßen
würde – wie es Callies Art war – und ob sie imstande
wäre, ein Huhn zu schlachten – was immer an Callie
hängen blieb, denn er brachte es nicht übers Herz.)

Ein Leben ohne Charlotte dagegen vermochte er sich
vorzustellen. Der Gedanke war schmerzlich, aber wenn
es sein musste, konnte er sich in das Unvermeidliche
fügen und ohne sie leben. Nur nicht jetzt, nicht gleich.
Ein Weilchen wollte er sein Glück noch festhalten. Und
es tat ihm entsetzlich weh, dass Charlotte weniger darauf
versessen schien als er.

Die Tage wurden wärmer, das junge Laub spross,
und Matthews Verzweiflung wuchs. Er war kaum fähig,
sich auf seine Berufsarbeit zu konzentrieren. Zu Hause
schimpfte er mit den Kindern und setzte in Callies Gegenwart stets eine mürrische Miene auf. Da er die Seinen
so schlecht behandelte, quälte ihn sein Gewissen mehr
denn je. Er litt an Schlaflosigkeit, lag nächtelang verkrampft und fiebrig da und wagte vor Schuldbewusstsein nicht einmal zu beten. Er sah Charlotte vor sich,
wie sie fern von ihm die Freuden von St. Louis genoss.
Wie sehr lockten ihn die kulturellen Möglichkeiten des
Stadtlebens, wie gern hätte er Parks und Denkmäler, historische Stätten und berühmte Bauwerke besichtigt! Das
war schon immer sein Wunsch gewesen. Den Städtern
dagegen hatte er misstraut, hatte sie samt und sonders
für frivol und vergnügungssüchtig gehalten. Erst Char-

lotte hatte ihm neue, paradiesische Einblicke eröffnet, und nun dachte er mit schmerzlicher Sehnsucht an einen Kreis gepflegter, hochgebildeter Herren und Damen, die in wohlgesetzten Worten sprachen und sich zu benehmen wussten; er dachte an Bibliotheken, Gemälde, Konzerte und Muße mit Würde – *otium cum dignitate.* Solange Charlotte in seiner Nähe war, hatte er gewissermaßen teil an alldem. Mit ihrer Abreise aber würde auch das ihm genommen werden. Im Vergleich zu Charlottes Welt erschien ihm die seine unerträglich farblos und spießig. Wider besseres Wissen gab er Callie und den Kindern die Schuld, dass er im Leben immer zu kurz kam. Er sorgte für sie, und zum Dank hängten sie sich an ihn und hielten ihn fest!

Der Gedanke, den Sommer in St. Louis zu verbringen – unter dem Vorwand, dass er dort einen Kurs besuchen wollte –, krallte sich in seinem Hirn fest. Er überlegte angestrengt, wie er das bewerkstelligen und welche Vorkehrungen er wegen der Farmarbeit treffen könnte. Callie und die Kinder mussten natürlich zurückbleiben. Irgendwie würde sich das schon einrichten lassen, und St. Louis lag schließlich nicht am Ende der Welt. Eines Abends wagte er darüber zu reden – nur so nebenbei, um Callie schonend vorzubereiten. Sie sagte nicht viel dazu, aber am nächsten Tag war sie krank. Sie neigte zu Migräne, und diesmal war es ein äußerst heftiger Anfall. Als Matthew nach Haus kam, lag sie quer über dem Bett, eine kalte Kompresse auf der Stirn. Neben dem Bett stand eine Schüssel, die zum Auffangen des Schleims bestimmt war, den ihre gemarterten Eingeweide allenfalls noch hergaben. Ihre Lippen waren blau, die sonnenbraune Haut hatte sich zu einem grünlichen Weiß verfärbt. Matthew bemühte sich um sie, bis sie in jenen komaähnlichen Schlaf sank, mit dem jeder ihrer Anfälle endete.

Wie immer bei solchen Attacken schwankte Matthew zwischen Mitleid und Missbilligung. Im Grunde hielt er die Migräne für einen weiblichen Trick; seiner Meinung nach beschwor Callie die Krankheit absichtlich herauf, als Protest, als Vorwurf gegen ihn. Aber diesmal fühlte er sich schuldig, denn er hatte den Anfall dadurch hervorgerufen, dass er St. Louis erwähnte. Ihre Leiden belasteten sein Gewissen wie noch nie.

Callie schlief noch, als er am nächsten Morgen das Haus verließ. Bei seiner Rückkehr – spät wie immer, trotz aller guten Vorsätze; Charlotte hatte ihn gerade an diesem Tag fast um den Verstand gebracht – fand er Callie leidlich erholt vor. Sie äußerte sogar den Wunsch nach einer Schönschreiblektion, was sie noch nie getan hatte.

Ihm war nicht danach zumute. »Ach nein«, sagte er, »heute ist es zu spät. Ich bin müde, ich habe den ganzen Tag unterrichtet.«

»Aber ich möchte doch so gern …«

»Ein andermal. Heute muss ich ins Bett.«

Er konnte ihr nicht in die Augen sehen. Er legte sich hin, und als Callie nachkam, heuchelte er Schlaf. Callie und Charlotte – zwei Lebenswelten, zwischen denen er hin- und hergerissen wurde. Endlich, vom nutzlosen Grübeln erschöpft, stand er auf, zog sich an und schlich leise, um Callie nicht zu wecken, die Treppe hinunter. In dem mondhellen Hof machte er halt und ließ die Nacht auf sich einwirken.

Diese Stille, diese würzige Luft … Es duftete nach jungem Grün, Tau, frisch gepflügter Erde und herben Kräutern. Drüben auf der Weide lagen ein paar schlafende Kühe im Mondlicht. Die Fuchsstute schnaubte leise im Stall und schlug mit dem Huf gegen die Krippe. Matthew blickte auf den silbrigen Wald und die Wiesen, und ihm war, als hätte er das alles seit langer Zeit nicht gesehen.

Er überquerte den Scheunenhof und ging unter den Walnussbäumen weiter. Zu seiner Linken erstreckte sich Weideland. Rechts, in einiger Entfernung, zeigte eine Schlängellinie von Eichen, Zedern und schlanken weißen Birken den Verlauf des Baches an. Matthew bog vom Weg ab und schritt auf das Steilufer zu. Der Bach, der hier sehr flach war, floss über Sandsteinplatten und Kiesel; er blinkte im Mondschein. Seitlich, im Schatten, plätscherte eine Quelle. Matthew stieg den Trampelpfad hinunter, hielt die Hände schalenförmig unter den sprudelnden Strahl und trank. Das Wasser war eiskalt und schmeckte leicht medizinisch nach Mineralien und Kräutern.

Auf der anderen Uferseite, von Wald, Gestrüpp und Bachbett eingefasst, lag eine dreieckige Lichtung, auf der nur Gras wuchs und die Matthew selten aufsuchte. Jetzt kam ihm der Gedanke, sich dort einmal umzuschauen. Er erklomm mit Hilfe einer Baumwurzel das Ufer und zwängte sich durch die Büsche. Erstaunt blieb er stehen. Mitten auf der kleinen Lichtung stand ein Weißdorn in voller Blüte. Der Baum hatte die Form eines großen Tannenzapfens, unten rund, nach oben spitz zulaufend. Und er war von unten bis oben mit kleinen Blüten besetzt, deren Weiß sich zu einem einzigen Leuchten zusammenballte.

Matthew atmete mit leisem Pfeifen ein. Er hatte ganz vergessen, dass der Weißdorn hier stand; er hatte ihn auch nie in voller Blüte gesehen. Nachdem er bewundernd um ihn herumgegangen war, trat er ein paar Schritte zurück, lehnte sich an eine Eiche (es war, als hielten alle anderen Bäume ehrerbietig Abstand) und betrachtete unverwandt den im Mondlicht flammenden Weißdorn. So weiß, lautlos und unpersönlich hätte das also auch ohne ihn hier geschimmert. Wäre er nicht gekommen, so hätte all die Schönheit ungesehen verwelken müssen. Matthew freute sich, dass ihm der Anblick vergönnt war. Vergönnt ... dieser Gedanke machte ihn demütig. Hatte er nicht eben erst, vor einer knappen halben Stunde, mit seinem Schicksal gehadert? Verächtlich und ungenügsam hatte er das viele Gute, das der Herr ihm geschenkt hatte, aus seinem Dasein weggeleugnet. Und dennoch war er, der Undankbare, der Ehebrecher, der Betrüger, zu diesem Baum geführt worden. Gott gab ihm damit ein Zeichen. Dieses Blütenwunder war ein milder göttlicher Verweis.

»Vergib mir, Vater«, flüsterte er. »Verzeih mir den Undank.« Und schon wurde ihm ein wenig leichter ums Herz.

Er ließ sich auf den Boden gleiten. Lange blieb er so sitzen, wie entrückt. Wenn sich seine Augen an der Schönheit des Baumes sattgesehen hatten, blickte er in den Waldschatten oder zum Himmel hinauf – und dann rasch wieder auf den Baum, um ihn neu zu sehen, als wäre es das erste Mal. In diesem weißen Feuer verzehrte sich die Last, die auf seiner Seele lag. Er fühlte sich gereinigt und erhoben, von einem Taumel erfasst, der den Ekstasen der Heiligen glich.

Aber leider hielt dieser Zustand nicht an. Der Gedanke an Charlotte kehrte zurück, quälender denn je, und entriss ihn der göttlichen Gnade. Matthew stöhnte, als Sehnsucht und Verzweiflung ihn von Neuem übermannten. Er dachte an ihre kühle Haut und ihre Augen und den Geschmack ihrer Lippen, und seine ungestillte Begierde schlug in Wut um. Er verfluchte sich selber. Musste er sie sogar hierher bringen, in das Heiligtum seines Waldes? Er sprang auf und stürzte sich in das Gestrüpp hinter ihm, unempfindlich gegen die Zweige, die sein Gesicht peitschten, und die Brombeerranken, die ihm die Knöchel zerkratzten. Wie ein Rasender rannte er den Hang hinauf und wieder hinunter, aber es nützte nichts. Das Verlangen nach Charlotte saß ihm mit hundert Widerhäkchen im Fleisch, und der Weißdorn verhöhnte ihn jetzt mit seiner stillen, strahlenden Schönheit. Erschöpft ließ er sich unter der Eiche zu Boden fallen.

Nach einer Weile hörte er vom Bachufer her ein Geräusch, ein Rascheln und Knacken, als zwängte sich jemand durch die Büsche. Ein Klumpen Lehm klatschte ins Wasser. Matthew hob den Kopf und spähte über die Lichtung. Vielleicht war ihm eine seiner Kühe gefolgt, oder irgendein Waldtier wollte zur Tränke. Das Geraschel wurde lauter, hinter den Zweigen bewegte sich etwas, und eine weiße Gestalt erschien am Rande der Lichtung.

»Matthew?«

Es war Callie in ihrem weißen Nachthemd.

»Matthew?«, rief sie noch einmal mit ängstlicher Stimme. »Bist du hier?«

»Was ist denn?«, fragte er aus dem Schattendunkel.

Sie stieß einen leisen Schrei aus, der in Lachen überging. »Du meine Güte! Ich hab's mir ja gedacht, aber erschreckt hast du mich trotzdem.« Sie trat auf die Lichtung hinaus und blickte sich suchend um. »Wo bist du? Ich kann dich nicht sehen.«

»Hier.« Er verließ widerwillig den Schatten.

Callie eilte ihm mit einem Ausruf der Erleichterung entgegen. Sie trug einen Schal über den Schultern; das lange, glatte Haar hing offen herab.

»Warum schläfst du nicht?«, fragte er barsch.

»Und du? Was ist mit dir, Matthew? Bist du krank?«

»Nein, nur müde. Ich konnte nicht einschlafen.«

»Das hab ich gemerkt.«

»Deswegen bin ich ein bisschen spazieren gegangen. Frische Luft hilft ja meistens.«

»Und wie schön es hier draußen ist! Gar nicht kalt.« Sie nahm den Schal ab und strich sich das Haar aus der

Stirn. »Richtig Frühling … oh, der Baum, Matthew! Der herrliche Baum!« Sie lief auf den Weißdorn zu. »Hast du schon mal so was Schönes gesehen?«

»Nein«, sagte er abweisend. »Komm, wir gehen nach Hause.«

»Noch nicht!« Callie kam zurück und ergriff seine Hand. »Ich möchte so gern hier bleiben. Nur ein Weilchen, ja? Bitte, Matthew …« Sie ließ seine Hand los und schlug die Augen nieder, schüchtern wie ein Schulmädchen.

»Ich hab ja sonst gar nichts mehr von dir«, fügte sie kaum hörbar hinzu. Das Mondlicht schimmerte bogenförmig auf ihrem gesenkten Kopf. Als Matthew nicht antwortete, blickte sie auf und lächelte. »Aber ich weiß ja, wie furchtbar viel du zu tun hast. Kein Wunder, dass du abends halb tot bist.« Sie holte tief Luft und ließ sich ins Gras sinken. »Setz dich zu mir, mein Schatz.« Sie breitete ihren Schal für ihn aus.

»Steh lieber auf«, sagte er. »Du wirst dir den Tod holen.«

»Ach wo. Komm doch!« Sie zog an seiner Hand.

»Und wenn die Kinder aufwachen?«, fragte er, ohne sich zu rühren.

»Die wachen nicht auf. Wenn sie erst mal im Bett sind, schlafen sie wie die Murmeltiere.« Callie streifte ihre Schuhe ab und schob die nackten Zehen im Gras hin und her. »Wie gut sich das anfühlt!«

»Hast du keine Angst vor den Zigeunern? Es sind welche in der Gegend.«

Sie hörte plötzlich auf, die Füße zu bewegen. »Ja, ich weiß.«

»Ich glaube, ich hab heute Abend ihr Lagerfeuer gesehen«, fuhr Matthew fort. »Am Waldrand, mehr zur Stadt hin. Bis zu uns werden sie wohl kaum kommen, aber vorsichtig muss man doch sein.«

»Ja«, sagte Callie. Und nach kurzem Schweigen: »Na, ins Haus können sie jedenfalls nicht. Ich hab gut abgeschlossen und den Schlüssel mitgenommen. Hier ist er, siehst du, in meinem Schuh.« Sie streckte sich im Gras aus und verschränkte die Arme hinter dem Kopf. »Der Mond ist heute aber groß, nicht?« Ein paar Knöpfe ihres Nachthemdes waren aufgegangen, und eine runde dunkle Brustwarze starrte Matthew an wie ein Auge.

»Steh auf, Callie. Du wirst dich erkälten.«

»Matthew?«, flüsterte sie.

»Wir müssen nach Hause.«

»Wir gehen ja auch. Aber erst leg dich ein Weilchen zu mir.«

»Ich will nicht.«

Stille trat ein. Matthew starrte finster und verbissen ins Leere. Schließlich stand Callie auf und stellte sich dicht vor ihn hin.

»Matthew«, sagte sie mit dünner, fremder Stimme, »Matthew, nimm mich!«

Er wandte sich ab. »Nicht jetzt, Callie.«

»Warum nicht?«

»Nicht hier draußen.«

»Aber zu Hause?«

»Ich weiß nicht.«

»Bitte!«

»Callie, es hat doch keinen Zweck«, stieß er verzweifelt hervor.

»Wie kannst du so reden, wenn ich … Matthew!«

»Morgen vielleicht. Ich weiß nicht … Komm jetzt, Callie.«

Sie schlüpfte um ihn herum, sodass sie nun wieder vor ihm stand, und ehe er es verhindern konnte, hatte sie das Nachthemd von den Schultern gezerrt und ließ es an sich hinabgleiten.

»Zieh dich sofort an«, befahl er.

»Nein!«

Sie stieg aus dem zusammengesunkenen Stoffhäufchen und reckte mit einem seltsamen Lächeln die rundlichen Brüste vor. Matthew unterdrückte einen Fluch, hob hastig das Hemd auf und schleuderte es ihr ins Gesicht und rannte mit langen Schritten davon.

Callie lief ihm nach und packte ihn am Arm. »Matthew, bleib da, bitte!«

»Lass mich in Ruhe!«, schrie er.

»Ich *habe* dich in Ruhe gelassen!«

Sekundenlang standen sie neben dem mondlichtflammenden Weißdorn, schweigend, Auge in Auge. Dann schmiegte sich Callie mit der raschen, geschmeidigen Bewegung einer Elritze an Matthew, riss ihm mit einem Ruck das Hemd auf und presste ihre Brüste gegen seinen nackten Körper. »Zieh dich aus!«, wisperte sie.

»Hinterher hasse ich dich!« Er konnte kaum sprechen.

»Du wirst mich nicht hassen.«

Ihr Körper bewegte sich wellenförmig, ihre Hände glitten über seinen Rücken. Mit einer Stimme, die wie warmer Regen war, flüsterte sie ihm Worte ins Ohr, die er nie aus ihrem Munde gehört hatte – empörend schamlose, aufreizende Worte. Das Hämmern seines Herzens nahm ihr den Atem. Stöhnend, wie in Schmerz oder Grauen, packte er sie und riss sie an sich. Eng umschlungen fielen sie ins Gras.

Nachher lag er auf dem Rücken und schirmte die Augen mit dem Arm gegen das Mondlicht ab. Die Kälte des Bodens drang ihm in die Knochen, aber er war zu müde zum Aufstehen. Er hatte Callie brutal missbraucht, mit Krallen und Zähnen, als sollte es eine Strafe sein. (Später stellte sich heraus, dass sie über und über mit blauen Flecken bedeckt war.) Außer einer bitteren, rachsüchtigen Genugtuung hatte er nichts davon gehabt. Nie war dies seine Art zu lieben gewesen. Ihn ekelte vor sich selber und vor ihr.

Callies langes Haar streichelte seine Schultern, als sie sich über ihn beugte. »Nun war's doch schön, nicht?«, murmelte sie.

Er atmete tief ein und langsam wieder aus. »Ja.«

»Wollen wir jetzt nach Hause gehen?«

»Meinetwegen.«

Aber er blieb regungslos liegen. Nach einer Weile holte Callie ihren Schal und deckte ihn damit zu. Dann saß sie lange neben ihm. Sie sprach kein Wort. Einmal war ihm, als höre er sie weinen, und er blickte sie unter dem Arm hervor an. Ihr Kopf war gesenkt, und das offene Haar verbarg ihr Gesicht. Sie hatte die Hand auf die eine Brust gepresst.

»Ich wollte dir nicht wehtun«, sagte er.

»Es macht nichts. Ich weiß, dass du's nicht absichtlich getan hast.«

Matthew schloss die Augen, und als er sie wieder öffnete, war Callie nicht mehr da. Offenbar hatte er geschlafen. Seine Sachen, die er achtlos über den Boden verstreut hatte, lagen sorgsam gefaltet neben ihm. Er zog sich an und wandte sich zum Gehen. Am Rande der Lichtung sah er sich noch einmal um. Schimmernd weiß und rein und vollkommen unbeteiligt stand der Weißdorn da. Und Matthew ging mit dem Gefühl, ihn verraten zu haben.

14

Als Charlotte nach St. Louis zurückkehrte, nahmen sie mit vielen zärtlichen Küssen Abschied und gelobten, dass sie sich wiedersehen würden – irgendwann, irgendwie. Matthew fühlte sich entsetzlich einsam. Trotzdem fand er es bald ganz angenehm, morgens nicht in die Stadt zu müssen und die schönen Maitage zu Hause verbringen zu können. Er entdeckte seine Farm neu, schaffte überall Ordnung, und seine kleinen Töchter folgten ihm auf Schritt und Tritt. Im Sommer wollte er an einem mehrwöchigen Fortbildungskurs in Clarkstown teilnehmen, und wenn es auch nicht das Gleiche war wie St. Louis, so freute er sich doch darauf. Vorläufig brauchte er weder Lektionen vorzubereiten noch Klassenarbeiten zu zensieren; er wirtschaftete laut singend im Freien herum, und abends schlief er ein, kaum dass sein Kopf das Kissen berührte. An Charlotte konnte er nicht ohne Schmerz denken. Aber es gab Tage, an denen er überhaupt nicht an sie dachte.

Callie war – natürlich – in anderen Umständen. Das hatte weder sie noch ihn überrascht. Obwohl sie ruhig und glücklich schien, kam er sich insgeheim wie ein

Schuft vor. Er konnte sich nicht von dem Gedanken frei machen, dass dieses Kind sein Leben einem Ehebruch verdankte. Denn er hatte seine Frau benutzt – das war der einzig ehrliche Ausdruck dafür –, während er eine andere Frau begehrte.

Und doch hatte er in jener Nacht auch Callie begehrt. Sie hatte es fertiggebracht. Und sie ließ es nicht bei dem einen Mal bewenden. Er nahm es ihr fast übel, dass sie ihn so aufzustacheln wusste, denn dadurch verblasste das Bild der wohlerzogenen Charlotte in seinem Herzen, und mit Charlotte schwanden Konzerte und Museen, gebildete Unterhaltung und kultiviertes Benehmen dahin.

Na schön – sollten sie. Diese Dinge waren ohnehin nicht für ihn bestimmt. Wie durfte er, ein Mann von niedriger Herkunft, so hoch hinauswollen? Was brauchte er Konzertsäle, Gemäldegalerien und die Gesellschaft von Gelehrten? Er hatte dafür die Vögel, deren Musik die Seele tröstete. Er hatte den Himmel, auf den Gott malte. Und er war in Gesellschaft der unerschöpflichen Natur. Was sie die Menschen lehren konnte, übertraf alles Bücherwissen. Matthew besah seinen Acker und fühlte sich getröstet.

Aber ach, wie viele herrliche Bücher wurden geschrieben – und er gehörte nicht zu denen, die sie lesen durften! Ach, was geschah alles in der Welt, wovon er nichts erfuhr! Ach, die Berge, Meere, Krater, Schlösser, Burgen, Schiffe, Statuen, Dschungel, die er nie zu sehen bekommen würde! Und all die schönen, anmutigen Mädchen, auf die er für immer verzichten musste!

15

Das Kind wurde im Januar während eines Schneesturms geboren. Draußen schwankte und bebte die Welt, und fallende Äste krachten aufs Dach.

Morgens redete Callie ihrem Mann zu, er solle zu Hause bleiben. Nicht wegen des Kindes – sie erwartete es erst in den nächsten Tagen –, aber sie sah nicht ein, weshalb er sich diesem abscheulichen Wetter aussetzen sollte.

»Heute kommt ja doch kein Mensch in die Schule«, meinte sie.

»Ich habe den Schlüssel«, sagte Matthew, »und ich möchte nicht, dass auch nur einer vor der Tür stehen muss.«

»Können sie nicht den Pfarrer zum Aufschließen holen – wenn sie schon so dumm sind, bei dem Wetter zu kommen? Der hat doch auch 'nen Schlüssel, nicht wahr?«

»Ja, aber ich bin für die Schule verantwortlich.«

»Die Welt geht nicht unter, wenn du mal fehlst.«

»Das weiß ich. Nur … die Geschäfte und die Bank sind natürlich geöffnet. Da wäre es mir doch sehr peinlich, wenn die Schule geschlossen bliebe.«

»Herrje, die Geschäftsleute und die Bankleute *wohnen* ja in der Stadt.«

»Vielleicht finden sie, ich sollte auch in der Stadt wohnen, damit ich meine Pflichten besser erfüllen kann.«

»Du bist sowieso mehr da als hier.«

»Weil es mein Beruf ist, Callie.«

»Na gut, geh nur. Wenn dir so viel an der Meinung der Leute liegt – bitte schön, geh in die Stadt, geh in die Schule. Ich sage dir bloß, du kannst mitsamt deinem Pferd zu einem Eisklumpen gefrieren, und kein Mensch wird deswegen mehr Respekt vor dir haben. Aber lass wenigstens Jessica zu Hause.«

Jessica, die schon fast sieben war, ging seit dem Herbst zur Schule. Matthew nahm sie jeden Morgen vor sich auf den Sattel und setzte sie unterwegs in Bitterwater ab. An diesem Morgen brach er ohne sie auf, und während er allein durch den Sturm ritt, wütete er gegen Callie, die so gar kein Verständnis für ihn hatte.

Zwei oder drei Stadtkinder erschienen zum Unterricht – genug, dass er sich gerechtfertigt fühlte, aber nicht genug, dass sich das Feueranmachen gelohnt hätte. Mittags schickte er die Schüler nach Hause und trat bald darauf den beschwerlichen Heimweg an. Die Stute rutschte immer wieder auf den vereisten Straßen aus, und auch die abgerissenen Äste machten Matthew und dem Tier schwer zu schaffen. Als er endlich die Farm erreichte, war es schon dunkel.

Auch das Haus war dunkel. Matthew brachte die Stute rasch in den Stall und stürzte in die Küche. Kein Feuer brannte im Herd, keine Lampe war angezündet. »Callie?«, rief er. »Alles in Ordnung …« Ihre Stimme kam aus dem dunklen Vorderzimmer. »Wir sind hier.«

Sie lag im Bett und hatte das Neugeborene im Arm. Jessica und Leonie hockten eng aneinandergeschmiegt auf der Ofenbank.

»Krieg keinen Schreck, mein Schatz«, sagte Callie. »Du hast eine neue Tochter.«

Matthew fiel neben dem Bett auf die Knie. Er konnte nicht sprechen. Die beiden Mädchen kamen zu ihm herüber, und er legte die Arme um sie.

»Nicht weinen«, flüsterte Callie. »Es war gar nicht so schlimm. Jessica hat mir wirklich fein geholfen. Sie hat alles geholt, was ich haben musste, und sie hat den Ofen geheizt und uns schön warm gehalten.« Sie streckte die Hand aus und legte sie auf Jessicas Kopf. »Ich weiß nicht, was Mama ohne dich angefangen hätte, mein Herzchen.«

Matthew küsste sie, und er küsste die Kinder, aber er konnte noch immer kein Wort herausbringen. Lachend und weinend kniete er neben Callie und streichelte ihre Stirn.

Sie lachte. »Na, nun raff dich mal auf, Papa, und zünde die Lampe an. Willst du dir deine Tochter nicht ansehen?«

Es war ein winziges Ding mit einem üppigen dunklen Haarschopf.

»Hallo«, sagte Matthew sanft, als er sich mit der Lampe über das Kind beugte. »Guten Abend, mein Kleines.«

Callie sah mit leuchtenden Augen zu ihm auf. »Sie heißt Matthew«, verkündete sie.

»Aber es ist doch ein Mädchen – und sie sieht aus wie du!«

»Egal. Ich möchte, dass sie den Namen ihres Vaters bekommt.« Sie küsste das dunkle Köpfchen. »Wir werden sie Mathy nennen.«

16

Nun, Jahre später, als Matthew auf dem mondhellen Friedhof von Shawano saß, dachte er an Callie, die dort unten auf ihn wartete. Vielleicht lag sie auch jetzt wach im Dunkeln und lauschte auf seine Schritte – wartend, stets und ständig wartend, mit dem Essen, dem warmen Bett. So hatte sie von jeher auf seine Heimkehr gewartet und dabei gewusst, dass er nicht immer sein Herz mit zurückbrachte. Sie musste es gewusst haben, nicht jedes Mal und nicht alles, aber genug, um darunter zu leiden. Auch über die Sache mit Charlotte war sie, ohne den Namen und die Einzelheiten zu kennen, im Bilde gewesen. Und deshalb war sie ihm zu mitternächtlicher Stunde in den Wald gefolgt. Und deshalb hatte Mathy das Licht der Welt erblickt. Mathy war im Grunde Charlottes Kind. Aber Callie hatte sie unter dem Herzen getragen; sie hatte Charlotte – und ihm – alle Unannehmlichkeiten erspart.

Sie hatte ihm im Laufe der Jahre mit ihrer Treue und Duldsamkeit so manches erspart. Er war ihr dankbar dafür – und verübelte es ihr auch ein wenig. Ein Mann will gar nicht immer gerettet werden. Trotzdem, es war ein Glück, dass er sie hatte. Mochte er ihr auch zuweilen Kummer bereiten, er konnte und wollte nicht ohne sie leben.

»Ich liebe sie«, sagte er leise und wünschte betrübt, dass er nie eine andere als Callie geliebt hätte. Aber sie war nicht seine einzige Liebe gewesen und würde es wohl auch in Zukunft nicht sein. Denn Jahr für Jahr reiften neue Mädchen vor seinen Augen heran. Es war anzunehmen, dass er immer wieder kummervoll von dem Apfel essen würde, den die Töchter Evas ihm boten.

Mathy

Schon mit ihrer ersten Tat – dem voreiligen Erscheinen in Matthews Abwesenheit – hatte Mathy, die Jüngste, ihren Vater in ein ungünstiges Licht gerückt. Manchmal dachte er, ihre Mutter hätte sie absichtlich zu früh geboren, um ihn zu ärgern. Nun, wer auch schuld daran sein mochte, Mathy, Callie oder niemand, es verdross ihn jedenfalls. Er hätte das jedoch sicherlich vergeben und vergessen, wenn Mathy ihm später keine Scherereien mehr gemacht hätte. Sie war ein liebenswertes Kind – aufgeweckt, drollig und oft rührend, aber sie hatte ein ausgeprägtes Talent, Matthew in peinliche Lagen zu bringen – ein Talent, das sich besonders üppig zu der Zeit entfaltete, als die Familie in die Stadt zog.

Das war kurz vor dem Ersten Weltkrieg. Matthew hatte die Stellung in Shawano angenommen, obgleich er starke innere Bedenken hegte. Die neue Position brachte größeres Ansehen und größere Verantwortung mit sich, und das beängstigte ihn ebenso sehr, wie es ihn lockte. Auch Callie hatte gewisse Zweifel. Jahrelang war es ihr Traum gewesen, in der Stadt leben zu dürfen, aber nun betrachtete sie ihre ungepflegten Hände und hörte sich beim Sprechen zu, und ihr kühler praktischer Mut geriet ins Wanken. Dennoch wusste sie so gut wie Matthew, dass sie die große Chance wahrnehmen mussten.

Die beiden älteren Mädchen waren wie alle Farmkinder ein wenig ungelenk und scheu, doch das hinderte sie nicht, sich sehr auf den Umzug zu freuen. Die vielen Leute, die vielen Läden in der Stadt! Da war immer etwas los! Sie dachten sich ihr künftiges Leben in Shawano wie einen ewig währenden Samstagnachmittag.

Die Jüngste dagegen wollte von diesen reizvollen Aussichten nichts wissen. Mathy war in jenem Sommer fünfeinhalb und voll beschäftigt. Sie hatte keine Lust, in die Stadt zu übersiedeln. Als sie sah, dass die Vorbereitungen trotz ihres Widerspruchs weitergingen, versteckte sie ihre Kleider. Sie vergrub die Puppe im Obstgarten. Sie kletterte auf den höchsten Baum und weigerte sich, herunterzukommen. Sie lief zu den Nachbarn und bat flehentlich, bei ihnen bleiben zu dürfen. Und am Morgen des Umzugstages war sie spurlos verschwunden. Warum, sagte Matthew, war bloß keiner auf die Idee gekommen, sie an den Zaun zu binden! Mit bleichen Lippen machte er sich auf den Weg zum Weidenbruch, wo er Mathy oft knietief im Sumpfgras gefunden hatte. Callie suchte derweil im Haus, und die Mädchen durchstöberten den Garten. Jessica entdeckte sie schließlich im Stangenbohnenbeet, dort, wo drei grün berankte Stäbe ein kleines Zelt bildeten. Da hockte sie mit glühenden Augen, bereit zum Kratzen und Beißen.

Niemand brachte es übers Herz, sie zu verprügeln, am

wenigsten Matthew, den das Heimweh bereits quälte, als sie noch nicht aus dem Hof heraus waren. Stumm und verbissen saß er auf dem Kutschbock des großen Umzugswagens. Die beste Kuh war hinten angebunden, die Familie quetschte sich zwischen Möbeln und Hühnerkäfigen zusammen, und Mathy schrie sich die Seele aus dem Leib.

Zu Matthews Erleichterung fügte sich die Kleine bald in das Unvermeidliche. Die neuen Nachbarn, die neuen Eindrücke schienen ihre Gedanken von der Farm abzulenken. Was Jessica und Leonie betraf, so waren sie strahlend glücklich. Schon in den ersten vierzehn Tagen wurden sie zu drei Kindergeburtstagsfeiern eingeladen – für sie war das etwas ganz Neues. Und jeden Nachmittag durften sie zur Post gehen und nach Briefen für Professor Soames fragen. Leonies Glück wurde allerdings dadurch getrübt, dass Papa sie zwang, die fünfte Klasse zu wiederholen. Sie war elf und gehörte demnach in die sechste. Aber sie hatte im vorigen Winter Mandelentzündung gehabt und viel in der Schule versäumt; außerdem hielt Papa nichts von ihrem bisherigen Lehrer in Bitterwater. Obgleich Leonie weinte, protestierte, mit den Füßen trampelte, blieb Papa unnachgiebig. Sie schämte sich halb tot, weil sie nun in der fünften Klasse die Älteste war. Immerhin erlaubte Papa, dass sie bei der Klavierlehrerin, die es in Shawano gab, Unterricht nahm, und das tröstete sie ein wenig über die erlittene Unbill hinweg. Sie betrachtete die Klavierstunden als eine kulturelle Förderung, die ihr rechtmäßig zustand.

Callie hatte fürs Erste gar keine Zeit zu Überlegungen, ob ihr das neue Leben gefiel oder nicht. Für sie bedeutete das Wohnen in der Stadt hauptsächlich mehr Waschen, mehr Bügeln und sehr viel mehr Nähen. Gardinen und Vorhänge mussten gesäumt werden, die Mädchen brauchten neue Kleider, und kaum eine Woche verging, in der nicht ein Theaterkostüm anzufertigen war – Hexenhüte, Pilgergewänder, Engelsflügel. In dieser Schule schien es nichts als Proben und Aufführungen zu geben. Callie beklagte sich bei Matthew und sagte, ihrer Meinung nach seien die kirchlichen Veranstaltungen völlig ausreichend; die Schule solle doch die Finger von so etwas lassen. Matthew erwiderte, die Stadt verlange von ihm solche Beweise des Gemeinschaftssinns. Das mochte ja stimmen; aber Callie stellte fest, dass alle Mütter, mit denen sie sprach, eine kleine Minderung des Gemeinschaftssinns gern in Kauf genommen hätten, wenn eine Minderung ihrer Näharbeit damit verbunden gewesen wäre.

Andererseits war Callie froh, dass sie so viel zu tun hatte, weil es ihr einen guten Vorwand bot, sich dem gesellschaftlichen Leben fernzuhalten. Im Umgang mit ›feinen Leuten‹ geriet sie unweigerlich in Situationen, die sie nicht voraussehen konnte und denen sie nicht gewachsen war. In ihrem eigenen Lebenskreis wusste sie immer genau, was sie zu tun oder zu lassen hatte und wann sie sich eine Ausnahme gestatten durfte. Aber von den gesellschaftlichen Spielregeln darf nur der abweichen, der sie in- und auswendig kennt, und da Callie noch nicht so weit war, stand sie oft vor der Frage, ob sie nicht im Begriff sei, gegen irgendein Tabu zu verstoßen.

Wie sollte sie beispielsweise den Boten des Lebensmittelkaufmanns behandeln?

Matthew hatte Telefon legen lassen, eines der wenigen in der Stadt, und für Callie war es ein besonderes Vergnügen, auf diesem Wege ihre Bestellungen beim Kaufmann aufzugeben. Sie rief an, und binnen einer halben Stunde wurden die Waren an der Hintertür abgeliefert. Der Bote, ein engelhafter Simpel, war so dankbar, sich nützlich machen zu dürfen, dass alle Hausfrauen das Gefühl hatten, er betrachte es als persönliche Auszeichnung, wenn sie einen Sack Mehl bestellten. Dieser allgemeine Favorit hieß Dumpson, war aber in der ganzen Stadt unter dem Namen Clabber – Weißkäse – bekannt, da die Farbe seiner Haare, der Augenbrauen und des flaumigen Bartanflugs auf der Oberlippe ihn als Albino kennzeichnete. Sein zweirädriger Karren wurde von einem Pferd gezogen, das Maude hieß und ebenso steif, langsam und zuverlässig wie Clabber war. Schon lange, bevor die beiden auf der Bildfläche erschienen, kündigten das Knarren der Räder und Maudes Hufgetrappel ihr Herannahmen an. Dann schlurfte Clabber zur Hintertür, meldete sich mit einem kurzen Klopfen und wartete selig lächelnd, bis ihm geöffnet wurde.

Callie schloss ihn auf den ersten Blick ins Herz. Sie ging so weit, dass sie Mathy erlaubte, bis zur nächsten Straßenecke mitzufahren. Allerdings fürchtete sie dann doch, zu freundlich gewesen zu sein, denn bei den nächsten Besuchen zeigte sich Clabber sehr geneigt, längere Zeit dazubleiben. Oh, er wusste genau, was sich gehörte; er setzte sich weder hin, noch wurde er in irgendeiner Weise lästig; er stand nur an der Tür, die Mütze in der Hand, und nickte und lächelte und machte ab und zu ganz vernünftige Bemerkungen. Callie konnte und wollte ihn nicht so ohne Weiteres fortschicken, aber sie hatte Angst, dass die Nachbarn über ihren merkwürdigen Verkehr reden würden. Sie beruhigte sich erst, als sie erfuhr, dass Clabber bei allen Hausfrauen der Stadt gern und lange verweilte. Von da an nahm sie ihn wie einen lieben Gast auf, fütterte ihn mit Kuchen und ließ sich die Stadtneuigkeiten erzählen. Sie tauschten ihre Ansichten über Menschen und Wetter aus und plauderten gemütlich – hier die Herrin, dort der Diener, beide der sozialen Grenzen voll bewusst.

So eine Beziehung war sehr nach Callies Geschmack. Sie hatte sich schon immer als Gebieterin über dienstbare Geister gesehen, und ihr alter Traum erstrahlte heller denn je – der Traum, eines Tages stilvoll in einer weißen Villa zu wohnen und eine Waschfrau zu haben und einen Gärtner, der samstags die Hecken stutzte.

Aus der Tatsache, dass sich die ganze Familie so gut eingelebt hatte, zog Matthew den Schluss, die Übersiedlung nach Shawano sei genau das Richtige gewesen. Eines Mittags im Frühherbst überdachte er auf dem Heimweg dankbar die günstige Entwicklung der Dinge. Es war ein herrlicher Tag, die Sonne schien, die Luft hatte etwas Prickelndes und doch Weiches. Überdies lag in Matthews Brieftasche der erste Gehaltsscheck, den er in Shawano bekommen hatte. Leichtfüßig schritt er die Straße entlang, belebt durch den goldenen Sonnenschein und das Gefühl der Wohlhabenheit. Eine hübsche Frau, die Mutter eines Schülers, grüßte ihn von der Veranda ihres Hauses. Ein Geschäftsmann, der zum Essen heimging, blieb stehen, um ihm die Hand zu schütteln. Nach allen Seiten winkend und lächelnd – ein erfolgreicher, angesehener, bedeutender Mitbürger –, setzte Matthew seinen Weg fort.

Nachdem er den Scheck auf der Bank deponiert hatte, überquerte er die Straße, um die Lebensmittelrechnung zu bezahlen. Zum ersten Mal im Leben, und nur auf Drängen des Kaufmanns, hatte er Waren auf Kredit bezogen. Er fand es nach wie vor merkwürdig, dass Anschreibenlassen hier als vornehm galt. In seinen Augen war es ein Zeichen der Bedürftigkeit, und er beglückwünschte sich im Stillen, dass außer dem Besitzer niemand im Laden war.

»Guten Tag, Professor, guten Tag!« Der Kaufmann löste sich aus dem kühlen bräunlichen Schatten des Hintergrundes und kam zwischen Säcken und Fässern auf Matthew zu. »Was kann ich für Sie tun, Professor?«

Matthew gab ihm die Hand. »Ich wollte nur fragen, was ich Ihnen schulde, Mr. Henshaw. Wenn meine Frau nicht zu wild eingekauft hat, kann ich's vielleicht gerade noch bezahlen.«

»Ja, ja, die Frauen!«, rief Mr. Henshaw. »Mit denen hat

man so seine Sorgen, was, Professor?« Er ließ Matthews Hand los und schlug ihm auf die Schulter.

»Sehr richtig«, bestätigte Matthew.

»Wir Männer sind ja bloß dazu da, das Weibervolk zu versorgen, haha! ›Wo lässt du das alles‹, frag ich meine Frau immer wieder. Jeden Morgen gibt sie mir eine Liste mit, ellenlang, sag ich Ihnen! Clabbers alter Gaul kann die Ladung kaum ziehen. Ich weiß nicht, was sie mit all dem Zeug anstellt. Ich esse es jedenfalls nicht.« Er klopfte sich auf den runden Wanst.

»Bestimmt nicht, das sieht ja ein Blinder«, sagte Matthew, und sie lachten beide. »So, jetzt bin ich aber doch gespannt, was meine Frau mich kostet.«

Mr. Henshaw nahm ein Bündel Rechnungen von einem Haken. »Bitte sehr, Professor. Hoffentlich hab ich richtig addiert. Rechnen Sie's lieber noch mal nach. Ich möchte einen Schullehrer nicht übers Ohr hauen – wenigstens nicht gleich beim ersten Mal.«

Matthew lächelte. »Ich verlasse mich da ganz auf Sie, Mr. Henshaw. Na, so schlimm, wie ich dachte, ist es ja gar nicht. Ich werd's wohl gerade noch zusammenkratzen können.«

Er ging an den Hackblock, um einen Scheck auszuschreiben, während Mr. Henshaw eine Zugabe aus dem Bonbonglas nahm – Gummibonbons, Zitronendrops und Kokosschnittchen mit Sternen und Streifen, eine Nachbildung der Nationalflagge.

Ein Farmer im Overall betrat den Laden. »Tag, Orville, wie geht's?«, grüßte Mr. Henshaw.

»Menschenskind, Walt« – der Farmer schob den Strohhut auf den Hinterkopf –, »warum hast du's bloß so heiß werden lassen?«

»Ja, ist ziemlich warm für die Jahreszeit.«

»Ich brauch 'nen Sack Bull Durham, Walt.«

Wieder öffnete sich die Tür, und eine derbknochige Dame mit raschelnden Röcken und einem gewaltigen Sonnenhut kam herein. »Walter«, sagte sie mit klingender Altstimme – eine jener Stimmen, die jedes Volksgemurmel mühelos übertönen –, »wo bleiben eigentlich die Sachen, die ich bestellt habe? Ist Ihr Bursche noch nicht zurück?«

»Leider nein«, bedauerte Mr. Henshaw. »Wirklich, Mrs. Gunn, es ist mir sehr peinlich. Ich dachte doch, Clabber würde jeden Moment kommen, und wollte ihn dann gleich zu Ihnen schicken. Tut mir so leid, dass Sie sich selber bemühen müssen.«

»Ach, das ist nicht so schlimm. Wissen Sie, ich konnte bloß nicht länger warten. Roy will sein Essen, und ich hab kein bisschen Schmalz im Haus.«

»Sie werden sofort bedient.« Der Kaufmann eilte davon und rief über die Schulter zurück: »Mrs. Gunn, haben Sie schon die Bekanntschaft von Professor Soames gemacht?«

»Noch nicht.« Die Dame ging auf Matthew zu und schüttelte ihm kräftig die Hand. »Freut mich sehr, Sie kennenzulernen. Meine Kinder sind zwar schon lange aus der Schule, aber alle sagen, wir hätten mit Ihnen einen sehr guten Griff getan.«

»Nun, so etwas hört man gern«, erwiderte Matthew geschmeichelt.

»Drei Pfund, nicht?«, fragte Mr. Henshaw aus dem Hintergrund.

»Ja, das langt«, sagte Mrs. Gunn. »Bei der Hitze wird's zu schnell ranzig.«

»Mein Laufbursche hat nämlich heute Morgen sein Pferd verloren«, erklärte Mr. Henshaw, zu Matthew gewandt.

»Oh, das ist aber traurig.«

»Nein, so meine ich's nicht – es ist nicht tot, sondern weg. Verloren gegangen, weggelaufen, gestohlen, was weiß ich. Auf jeden Fall ist die alte Maude mitsamt dem Wagen verschwunden. Wird wohl weitergezuckelt sein, als ihr die Warterei zu langweilig wurde. Sie wissen ja, wie Clab überall herumtrödelt. Und jetzt sucht er nach ihr. Seit heute früh um halb elf ist kein Kunde beliefert worden.«

»Na so was!«

»Das gibt es sonst bei mir nicht, kann ich Ihnen sagen. Ich habe Clab sofort losgeschickt, als Mrs. Gunn anrief. Unterwegs musste er noch woanders was abgeben, und wie er da wieder rauskommt, ist Maude mit Haut und Haar verschwunden. Und der Wagen natürlich auch.«

»Ja, ist denn das zu glauben!«

»Mit Haut und Haar verschwunden«, wiederholte Mr. Henshaw.

»Du, Walt«, meldete sich der Farmer, der am Ladentisch eine Zigarette drehte, »dein Bursche kutschiert doch immer mit so 'nem kleinen zweirädrigen Dings rum, nicht?«

»Ja.«

»Mit 'ner uralten Schindmähre davor?«

»Du beleidigst ein gutes Pferd«, sagte Mr. Henshaw grinsend.

»Gut zum Wurstmachen vielleicht. Ich glaube, ich kann dir 'nen Tipp geben.«

»Herrje, hast du Maude gesehen?«

»Drei Meilen vor der Stadt, wenn sie's war.«

»Drei Meilen!«

Strahlendes Sonnenlicht erhellte für einen Augenblick den dämmrigen Laden, als sich die Hintertür öffnete und Clabber Dumpson hereingeschlurft kam.

»Da bist du ja endlich, Clab!«, rief Mr. Henshaw. »Du, dein Pferd ist gesichtet worden!« Er wandte sich wieder dem Farmer zu. »Hast du Töne? Setzt sich's der Gaul doch in den Kopf, auf die Weide zu gehen!«

»Na, ich weiß nicht«, sagte der Farmer. »Mir sah's mehr nach Diebstahl aus.«

»Diebstahl? Wer soll ausgerechnet die alte Maude stehlen?«

»Um Himmels willen«, rief Mrs. Gunn, »da muss der Sheriff her!«

»Ach was, die Maude stiehlt doch keiner«, versicherte der Kaufmann.

»Sah aber ganz so aus«, meinte der Farmer unerschütterlich.

»Wer tut denn so was!«

»Ein Pferdedieb.«

»Unsinn! Hier gibt's keine Pferdediebe mehr. Der letzte war Ezzer Clark, und der hat das Gewerbe vor zwanzig Jahren aufgegeben, um Pastor zu werden.«

»Ich hab den Dieb aber mit eigenen Augen gesehen, so deutlich wie nur sonst was. Auf dem Kutschbock, mit den Zügeln in der Hand.«

»Also jetzt hole ich den Sheriff«, sagte Mrs. Gunn energisch.

»Wie kann einer dem armen Clabber so was antun!« Mr. Henshaw machte ein sorgenvolles Gesicht. »Hoffentlich war's keiner von hier. Hast du ihn erkannt, Orville?«

»Nö. Ganz fremdes Gesicht.«

»Wie sah er denn aus?«

»War kein Er.«

»Was – eine *Frau?*«, fragte Mrs. Gunn ungläubig.

»Nö«, sagte der Farmer. »Kleines Mädchen. Mit 'nem dunklen Wuschelkopf und knapp so groß wie mein Daumen. Von der würde deine Waage kaum ausschlagen, Walt.«

»Hat man je so was gehört!«

»Eine Schande ist das!« Mrs. Gunn, rechtschaffen empört, stemmte die Hände in die Hüften, sodass der Gang blockiert war. »Manche Kinder dürfen sich heutzutage alles herausnehmen! Wem mag der Balg wohl gehören?«

Matthew wäre vor Scham am liebsten in den Boden gesunken. »Mir«, gestand er mit einem tiefen Seufzer. Alle starrten ihn entgeistert an, während er sich mit niedergeschlagenen Augen an Mrs. Gunn vorbeizwängte und auf den Kaufmann zuging. »Wenn Sie mir irgendein Fahrzeug leihen können, Mr. Henshaw – natürlich gegen Entgelt –, dann mache ich mich sofort auf den Weg und bringe Ihnen Ihr Eigentum zurück.«

Ärgerlich, hungrig, gedemütigt fuhr er mit Mr. Henshaws Einspänner ab. Clabber Dumpson saß neben ihm. Die Straßen waren um diese Zeit sehr belebt, denn die Mittagspause näherte sich ihrem Ende. Clabber beeilte sich, die frohe Kunde zu verbreiten.

»Wir haben Maude gefunden!«, rief er immer wieder. »Sie ist nicht tot, nur gestohlen!«

Geschäftsleute und Schulkinder blieben stehen, Hausfrauen rannten an die Tür, und alle starrten den neuen Schulleiter an, der offensichtlich einen Nachmittagsausflug mit Mr. Henshaws Gehilfen machte.

Sie holten Mathy erst in beträchtlicher Entfernung von der Stadt ein.

»Ich wollte ja bloß nach Hause«, beteuerte sie. ›Nach Hause wollen‹ war für sie nicht dasselbe wie Durchbrennen.

»Zu Hause bist du bei uns, und wir wohnen in Shawano«, sagte Matthew streng.

»Na, ich wäre doch morgen wiedergekommen.«

Sie wendeten und holperten auf der staubigen Landstraße der Stadt zu. Clabber, Maude und der zweirädrige Karren folgten ihnen, blieben aber immer weiter zurück. Mathy saß neben ihrem Vater, ebenso stocksteif wie er und ebenso wütend auf ihn wie er auf sie. Matthews verkniffener Mund glich einer blassen Narbe, die sich quer über das gerötete, schweißglänzende Gesicht zog. Sein Ruf war ruiniert! Wie sollten ihm die Leute ihre Kinder anvertrauen, wenn er nicht einmal mit seinen eigenen fertig wurde? Und zu allem Überfluss kostete ihn Mathys Streich einen Haufen Geld. Mr. Henshaw würde zwar sicherlich keine Mietgebühr für den Einspänner fordern, aber mit Mrs. Gunns Lebensmitteln war es eine andere Sache. Die konnten in ihrem jetzigen Zustand unmöglich zurückgegeben werden. Das Schmalz war in der warmen Mittagssonne flüssig geworden und hatte Kaffee- und Zuckertüten durchtränkt. Eine erstaunliche Menge Ingwerkekse und Gewürzgurken fehlten; ein Paket Haferflocken war fast leer. Mathy hatte eine unerklärliche Vorliebe für rohe Haferflocken. Ein paar hielt sie noch immer in der fest zusammengeballten Faust.

»Wirst du das wohl sofort wegwerfen, Kind! Wisch dir die Hände ab. Nicht an deinem Kleid!«

»Ich muss mich übergeben, Papa!«

»Nicht hier!«, brüllte er. »Warte, bis wir zu Hause sind!«

»Ich muss aber doch!«

Ein grässliches Würgegeräusch bestätigte das. Mathys kleines Gesicht war plötzlich grün geworden. Matthew hatte eben noch Zeit, ihren Oberkörper über den Wagenrand zu kippen. Er hielt sie am Hosenboden fest, und so hing sie da, zuckend und keuchend, während er versuchte, nicht hinzusehen.

»Geht's dir jetzt besser? War das alles?«

»Ja, ich glaube.«

Er wischte ihr das Gesicht mit dem Taschentuch ab. »Das wird dir hoffentlich eine Lehre sein …«, begann er, aber Mathy lehnte mit geschlossenen Augen an seiner Schulter, schlaff wie ein Salatblatt, und ihm wurde klar, dass er sich jedes weitere Wort sparen konnte. Sie hörte ihn nicht. Als er mit ihr nach Hause kam, lag sie in festem, friedlichem Schlaf.

2

Nach diesem Abenteuer führte sich Mathy eine Zeit lang tadellos auf. Gelegentlich lockte sie zwar ein fremdes Hündchen mit nach Hause (Matthew erlaubte nicht, dass die Kinder sich Hunde, Katzen oder Vögel hielten; ein Tier hatte nützlich zu sein, sonst war es unerwünscht), und im Frühling wurde sie einmal nach Mitternacht im Hof angetroffen, aber so etwas musste man bei Mathy eben in Kauf nehmen. Der wahre Ärger begann erst wieder, als sie im Herbst eingeschult wurde. Mathy war die geborene Schulschwänzerin. Alle paar Tage kam die Lehrerin zu Matthew und meldete, dass seine Kleine fehle. Matthew schickte dann Jessica oder Leonie nach ihr aus oder telefonierte mit Callie. Prügel halfen ebenso wenig wie lange Strafpredigten, die Mathy sich ungerührt anhörte und sofort vergaß. Sie rückte weiterhin in kurzen Abständen aus, bis Regen und Kälte das schöne Herbstwetter ablösten.

In den Wintermonaten wurde sie sesshaft, und ihre Leistungen waren so ausgezeichnet, dass sich Matthew auf Drängen der Lehrerin entschloss, sie eine Klasse überspringen zu lassen – ein Zugeständnis, das Leonie ihm niemals verzieh und das er selbst sehr bald bereute. Denn kaum war Mathy von der ersten Klasse geradewegs in die dritte gesegelt, da verlor sie jegliches Interesse und wurde die faulste und unaufmerksamste aller Schülerinnen. »Ihr fällt alles zu leicht«, sagte Matthew. »So etwas tut auf die Dauer nicht gut.« Von nun an zitierte er sie häufig nach Schulschluss in sein Arbeitszimmer, wo sie die Hausaufgaben unter seiner Aufsicht machen musste. Dabei ging es nicht immer ohne Schläge ab. Mit diesen drakonischen Maßnahmen erreichte er, dass sie am Ende des Schuljahres versuchsweise in die vierte Klasse versetzt wurde.

Das Wort ›versuchsweise‹ saß wie ein Stachel in Matthews Seele. Die Tochter des Schulleiters – unter Vorbehalt versetzt! Zur Strafe stellte er ihr einen Arbeitsplan für die Sommerferien auf; für jeden Tag war eine Aufgabe vorgesehen, die er dann samstags mit ihr durchging. Aber da er in der Woche nicht zu Hause war – er nahm wieder an einem Fortbildungskurs teil –, zeigte Mathy die Neigung, fünf Tage lang nichts zu tun und dann, in letzter Minute, das gesamte Pensum auf einmal zu erledigen. Callie verlangte, sie solle sich an den Plan halten, aber Mathy bettelte jedes Mal so lange, hinausgehen und spielen zu dürfen, bis die Mutter nachgab. Schließlich konnte man doch ein kleines Mädchen nicht einsperren, noch dazu in den Ferien. Callie wünschte, dass Matthew etwas weniger streng mit dem Kind wäre.

Wahrscheinlich in dem unbewussten Bestreben, einen Ausgleich zu schaffen, erlaubte sie Mathy, vormittags mit

Clabber Dumpson in der Stadt herumzukutschieren. Da konnte bestimmt nichts passieren. Clabber war zwar keine große Leuchte, dafür aber treu wie Gold. Und wenn Mathy versprach, die Aufgaben bestimmt am Freitagabend zu machen ...

Tag für Tag fuhren sie nun auf dem quietschenden Karren im Schneckentempo durch Shawanos sommerliche Straßen, der sanfte Trottel und das funkeläugige kleine Mädchen. Anfangs blieb Mathy draußen, wenn Clabber die Ware ablieferte, »damit Maude nicht gestohlen wird«, wie sie sagte. Aber das Warten langweilte sie bald, und so ging sie dazu über, Clabber beim Tütentragen zu helfen. Nach und nach kam sie in alle Küchen, und sie unterhielt sich mit den Damen ernsthaft über das Wetter und das Zeitgeschehen. Nebenbei futterte sie vergnügt alles in sich hinein, was man ihr anbot: Erdbeeren, Weintrauben, Butterbrote, Kompott, Kuchen aller Art und dazu ungezählte Gläser Wasser. Die Folge war, dass sie mittags nie Hunger hatte.

»Du sollst nicht immer so viel bei anderen Leuten essen«, schalt Callie eines Tages. »Wie sieht denn das aus! Als ob du um milde Gaben bettelst. Selbst wenn dir die Damen was anbieten, du darfst nichts nehmen. Nichts, hörst du?«

»Clabber tut's doch auch.«

»Das ist ganz was anderes. Du und Clabber, ihr kommt aus verschiedenen Kreisen, merk dir das endlich mal. Dieses Kind«, fuhr sie fort, nunmehr an die Allgemeinheit gewandt, »dieses Kind hat kein bisschen

Urteilsvermögen. Mit jedem freundet sie sich gleich an. Wie sie sich neulich an der Hintertür mit dem Landstreicher unterhalten hat! Zu ihrem Onkel hätte sie nicht netter sein können. Zum Glück bin ich rechtzeitig dazwischengekommen, sonst hätte sie ihn bestimmt noch zum Übernachten eingeladen.«

Mathy beschäftigte sich mit der Kapuzinerkresse, die sie in einem Tapetenmusterbuch presste. Callies Klagen schienen sie nicht zu beeindrucken.

Aber am nächsten Morgen verzichtete sie darauf, sich Clabber anzuschließen. Sie spielte teils im Schuppen, teils auf dem kleinen Stück Weideland, Callie bemerkte, dass sie sich oft an der Pumpe einfand, um einen Sirupeimer mit Wasser zu füllen.

»Was machst du denn mit all dem Wasser?«, fragte Callie.

»Nichts.«

»Erzähl mir hier keinen Unsinn. Irgendwas machst du doch damit, und ich will wissen was.«

»Ach, ich spiele bloß Sandkuchenbacken.«

»Wo?«

»Hinter dem Schuppen.«

Callie musterte sie misstrauisch. Dafür, dass Mathy stundenlang mit Sand und Wasser gespielt hatte, war sie ungewöhnlich sauber. »Bleib in der Nähe«, befahl sie. »Wir essen bald.« Mittags aß Mathy genauso wenig wie sonst, wenn sie den ganzen Vormittag in fremden Küchen herumgeschnorrt hatte. Callie vermutete, das Kind hätte sich auf der Wiese mit Kresse und Sauerampfer vollgestopft. Nach Tisch half Mathy beim Geschirr-abtrocknen und rannte dann schleunigst hinaus.

Am Frühnachmittag kam Besuch, ein alter Herr, der große Stücke auf Callie hielt. Jessica und Leonie versteckten sich so lange in ihrem Zimmer. Bruder Cottrell war ein Veteran des Bürgerkrieges. Sie kannten seine Berichte über das Gefangenenlager in Andersonville auswendig und fanden seine vorsintflutlichen Weisheiten höchst ermüdend. Als er fort war, liefen sie kichernd nach unten. »Na, Mama, was hat er dir diesmal mitgebracht?«

»Pflaumen!«, antwortete Callie in dem gleichen Ton, in dem sie manchmal ›verflixt!‹ sagte. »Überreife noch dazu … Wenn ich die nicht sofort einkoche, verfaulen sie. Muss er mir das Zeug auch ausgerechnet am Freitagnachmittag bringen? Wir werden ja kaum fertig damit, bis Papa kommt.«

Leonie biss in eine Pflaume. »Die halten sich noch.«

»Bestimmt nicht. Wo willst du denn hin?«

»Ich muss Klavier üben.«

»Üben kannst du später. Jetzt bleib mal schön hier und hilf. Es dauert nicht lange.«

»Das sagst du immer, und dann dauert es den ganzen Nachmittag.«

»Diesmal nicht«, versicherte Callie. »Wenn wir zu dritt arbeiten, schaffen wir's im Handumdrehen.«

»Wir haben schon mehr Pflaumenmus, als wir je essen können.«

»Ich weiß, aber Bruder Cottrell wäre gekränkt, wenn

ich seine Pflaumen nicht verwendete. Ich werde ihm später ein paar Töpfe voll geben.«

»Warum gibst du ihm nicht einfach von unserem Pflaumenmus? Schmeckt doch eins wie's andere.«

»Ich lasse nicht gern was umkommen.«

»Wir könnten die Pflaumen weiterverschenken.«

»Das wäre nicht nett.«

»Warum nicht?«

»So was tut man nicht.«

»Jeder verschenkt Sachen, die er nicht brauchen kann.«

»Wir nicht.«

»Warum gerade wir nicht?«

»Leonie, lass das ewige Widersprechen!« Callie stemmte die Fäuste in die Hüften. »Dieser Eigensinn! Wenn du dir mal was in den Kopf gesetzt hast, dann ist es einfach nicht rauszukriegen. So, jetzt gehst du ins Räucherhaus und holst mir Zucker. Hier ist der Topf. Füll ihn voll, ja? Und dass du mir nicht mit den Türen knallst.«

Leonie verschwand leise murrend und kam mit dem halb vollen Topf zurück.

»Du solltest ihn *vollfüllen*«, sagte Callie.

»Mehr war nicht da.«

»Nanu?« Callie war leicht erstaunt. »Ich dachte, ich hätte noch genug, aber das reicht nicht. Hast du den Sack bestimmt gut ausgeschüttelt?«

»Mehr war nicht da, Mama. Ich weiß schon, ob ein Sack leer ist oder nicht.«

»Deswegen brauchst du nicht gleich wieder schnippisch zu werden. Na, wenn der Zucker nicht reicht, muss ich eben schnell mal im Laden anrufen.«

»Lass mich das tun, Mama, bitte!«

»Meinetwegen. Aber sprich bitte deutlich … Jessica?«

»Ich bin hier«, antwortete Jessica aus dem Vorderzimmer. »Was machst du da?«

»Ich nähe die Spitze an mein Kleid.« Jessica klappte hastig ihr Buch zu und griff nach Nadel und Faden. »Brauchst du mich, Mama?«

»Ja, würdest du mal die Lampe füllen, Schätzchen? Ich möchte kein Petroleum an den Händen haben, wenn ich das Obst anfasse.«

Die drei gingen an die Arbeit. Marmeladentöpfe wurden ausgekocht, Pflaumen gewaschen und entsteint. »Jetzt könnte er aber mit dem Zucker kommen«, meinte Callie und warf einen Blick auf die Uhr. »Am besten fangen wir immer schon an. Für einen Kessel voll reicht unser Zucker, und den Rest kochen wir nachher.« Sie verteilten die Pflaumen auf zwei Kessel und setzten den einen aufs Feuer. Callie gönnte sich eine kurze Ruhepause. »Ich koche gern Pflaumenmus«, sagte sie. »Es riecht so gut. Ich wollte nur, Bruder Cottrell hätte die Pflaumen schon gestern gebracht – na ja, er konnte das schließlich nicht wissen. Herrje, wo bleibt bloß dieser Clabber? Wir haben doch schon vor einer Stunde angerufen. Seht mal auf die Straße, ob ihr – ach, da ist er ja!«

Clabber Dumpson war an der Hintertür erschienen. Er lächelte und blubberte schon »bitte sehr, bitte sehr«, bevor jemand Zeit gehabt hatte, ihm zu danken.

»Heute hat's aber lange gedauert«, bemerkte Callie freundlich, während sie ihm den Zucker abnahm.

»Ja, Ma'am, heute hat's lange gedauert.«

»Na, macht nichts. Ist weiter kein Unglück. Essen Sie doch ein paar Pflaumen, sie sind reif und süß.«

»Essen Sie recht viele«, warf Leonie ein.

»Nein, danke, Ma'am.« Clabber betrachtete trübsinnig die Pflaumen. »Ich bin zu Fuß gekommen«, fügte er hinzu.

»Zu Fuß?«, fragte Callie. »Wo ist denn Ihr Wagen?«

»Im Schuppen.«

»Warum fahren Sie nicht? Ist Ihr Pferd krank?«

»Nein, Ma'am.« Er lächelte gewohnheitsmäßig und schien nicht zu merken, dass alle auf eine Erklärung warteten. »Sie ist weg«, sagte er endlich.

»Wer ist weg? Maude?«

»Ja, Ma'am.«

»Wieso? Hat sie sich etwa verlaufen?«

»Sie wollten sie wegholen!«, brach es aus Clabber heraus. Von seinen Gefühlen überwältigt, konnte er auf einmal zusammenhängend sprechen. »Sie wollten sie holen und totschießen!«

»Was, die gute alte Maude totschießen?«, rief Jessica.

»Oje«, sagte Callie mitleidig. »Wer war das?«

»Ein paar Männer – sie wollten Maudes Haut und Knochen haben.« Clabbers rötliche Augen füllten sich mit Tränen. »Mr. Henshaw sagt, er kauft mir ein neues Pferd.«

»Das ist ja nicht zu glauben! Die arme Maude! Sind die Männer heute früh gekommen, um sie zu holen?«

Ein schwaches, listiges Lächeln huschte über Clabbers Gesicht. »Gekommen sind sie, aber geholt haben sie sie nicht. Weil sie nämlich nicht da war.«

»Nicht da? Wo war sie denn?«

»Ich weiß nicht«, antwortete Clabber. »Die sind extra mit 'nem Leiterwagen von der Abdeckerei gekommen. Hat 'ne Menge Ärger gegeben.«

»Das kann ich mir denken. Was mag wohl mit Maude passiert sein?«

»Bitte?«

»Ich sagte, was mag wohl mit Maude passiert sein.«

»Keine Ahnung«, erwiderte er ungerührt.

»Wissen Sie wirklich nicht, wo sie ist?«

»Keine Ahnung«, wiederholte er lächelnd.

Callie sah ihn scharf an. »Haben Sie Maude etwa irgendwo versteckt, Clabber?«

»Sie ist weg.« Clabber winkte ab, als sei das Thema für ihn erledigt, und wandte sich zum Gehen.

»Na, schönen Dank für den Zucker«, sagte Callie.

»Bitte sehr, bitte sehr.« Er trottete davon und kicherte in sich hinein.

»Da stimmt doch was nicht«, murmelte Callie. Sie blickte ihre Töchter nachdenklich an und fragte nach kurzer Überlegung: »Hat eine von euch Mathy seit dem Essen gesehen?«

»Ja, ich«, antwortete Leonie. »An der Pumpe.«

»Hat sie wieder diesen Sirupeimer vollgepumpt?«

»Ja, ich glaube.«

Callie drehte sich um und nahm ihren Gartenhut vom

Haken. »Ich wusste doch, dass mehr Zucker da war als das bisschen.«

»Was meinst du damit, Mama?«

»Pferde fressen gern Zucker, stimmt's?« Callie zog den Hut energisch über die Ohren. »Ich geh jetzt mal eben auf die Weide. Kümmert euch inzwischen um den zweiten Kessel Pflaumen.«

Auf der kleinen Wiese war keine Spur von Pferd oder Kind zu finden. Schließlich entdeckte Callie die beiden hinter der Hecke, Maude an einen Holzapfelbaum gebunden und Mathy lang ausgestreckt auf einem Ast über ihr. Die Kleine wedelte mit einem abgebrochenen Zweig, um die Fliegen von dem alten Pferd wegzuscheuchen. Beim Anblick ihrer Mutter fuhr sie hoch und schrie: »Verrate uns nicht, Mama, bitte verrate uns nicht.«

»Komm du erst mal da runter, junge Dame.«

»Bitte verrate uns nicht!«

»Schrei nicht so«, sagte Callie. »Ich weiß nicht, was dir eingefallen ist, das Pferd hierher zu schleppen, aber ich wünsche, dass du es zurückbringst, und zwar auf der Stelle.«

»Nicht abbinden!« Mathy schwang sich vom Baum und umklammerte das Seil. »Sie dürfen sie nicht finden – sie bringen sie um!«

»Lass los, Mathy. Es geht dich doch wirklich nichts an, was Mr. Henshaw mit seinem Pferd macht.«

»Es ist *mein* Pferd!«

»Dein Pferd! Was soll denn das heißen?«

»Er hat mir Maude geschenkt!«

»Wer?«

»Clabber.«

»Kind, erzähl keine Märchen.« Callie zerrte an dem Knoten.

»Doch, er hat sie mir geschenkt! Wir haben gestern alles besprochen, und er hat gesagt, wenn Maude mein Pferd ist, dürfen sie ihr nichts tun, und darum hat er sie heute früh hergebracht, und jetzt gehört sie mir!«

»Du kannst sie nicht behalten, Mathy.«

»Warum nicht, Mama?«

»Weil es nicht geht. Herrje, wie hast du bloß diesen Knoten zustande gebracht!«

»Ich will sie aber behalten!«, schrie Mathy.

»Sei doch vernünftig, Kind. Was willst du denn mit dem Tier anfangen?«

»Wir könnten sie auf die Farm bringen. Sie könnte da arbeiten.«

»Dazu ist Maude viel zu alt. Lass los, Kleines.«

»Nicht abbinden, Mama!«

»Ich muss.«

»Aber sie wollen sie doch totschießen!«

»Du sollst loslassen, sag ich.«

»Mama, Mama!« Mathy klammerte sich an Callie. »Sie wollen Seife aus ihr kochen!«

Callie, durch das schluchzende Kind in ihrer Bewegungsfreiheit behindert, blickte auf das alte Pferd, in dessen Augen ein Ausdruck stumpfer Schicksalsergebenheit lag. »Du lieber Himmel«, seufzte sie. Mathy heulte und flehte. Das Pferd stand mit hängendem Kopf da. »Also gut«, sagte Callie schließlich, »wir stellen sie erst mal in den Schuppen, bis Papa nach Hause kommt. Er weiß vielleicht einen Ausweg.«

Da gab es natürlich nur eines, sagte Matthew, nachdem er die Geschichte gehört hatte: das Pferd zurückbringen und sich bei Mr. Henshaw entschuldigen. Mathy brach abermals in lautes Weinen aus.

»Schluss jetzt«, befahl er. »Es kann nicht immer nach deinem Kopf gehen, und je eher du dich daran gewöhnst, desto besser. Ich weiß, wie dir zumute ist« – sein alter Maulesel Pharao tauchte kurz in seiner Erinnerung auf –, »und ich wollte, ich könnte dir helfen. Aber die Sache ist nicht zu ändern, und du musst lernen, dich damit abzufinden. Man darf sich nicht einfach über die Rechte der anderen hinwegsetzen.«

Mathy rannte schluchzend aus der Küche. Die Eltern hörten, wie Jessica ihr tröstend zusprach (die beiden Älteren hatten auf der Treppe gesessen und in sicherer Entfernung gelauscht). Matthew schwankte zwischen unwillkürlichem Mitleid und gerechtem Zorn. Schon wieder hatte ihn dieses Kind in eine peinliche Lage gebracht!

»Na schön«, sagte er und stand auf, »dann werde ich also Mr. Henshaw anrufen und ihm sagen, dass ich gleich rüberkomme.«

»Matthew?« Callie arbeitete am Herd und drehte ihm den Rücken zu.

»Ja?«

»Wie viel würde er wohl für sie bekommen?«

»Wer für wen?«

»Mr. Henshaw für Maude.«

»Hm … Fünf Dollar vielleicht.«

»Ziemlich wenig, nicht?«

»Wenn man bedenkt, dass sie extra herkommen und das Tier abtransportieren müssen, dann ist es wohl ein angemessener Preis.«

»Eigentlich eine Schande, dass die alte Maude zum Schluss so zur Abdeckerei gezerrt wird und eine Kugel in den Kopf kriegt …«

»Ja.« Matthew dachte wieder an Pharao, der friedlich auf seiner Streu gestorben war.

»Sie hätte doch wohl verdient, dass man ihr das Gnadenbrot gibt, nicht?«

»Ja«, sagte er geistesabwesend.

»Zur Arbeit taugt sie natürlich nicht mehr, aber die Kinder könnten ab und zu auf ihr reiten, so sanft, wie sie ist.«

»Wa-as?« Er wollte seinen Ohren nicht trauen.

»Ich meine, wenn wir Mr. Henshaw das bieten, was ihm die Abdeckerei …«

»Mama! Du bist wohl nicht ganz bei Trost!«, rief Matthew empört. »Ich zahle doch nicht fünf Dollar für ein wertloses Pferd, nur um ihm das Gnadenbrot zu geben!«

»Ja, aber …«

»Außerdem dürfen wir dem Kind nicht dauernd den Willen lassen. Es ist schädlich für Mathy, wenn wir …«

»Ich hab gar nicht so sehr an Mathy gedacht. Mir geht's jetzt um Clabber. Er hat ihr vertraut. Er hat *uns* vertraut.«

»Mathy ist noch ein Kind, das nicht weiß, was es tut.«

»Ja, aber er auch – geistig, meine ich. Er hat gedacht, sein Pferd wäre hier sicher, und wenn wir's nun weggeben, stürzt für ihn die Welt ein. Er muss ja das Gefühl haben, dass er keinem Menschen mehr trauen kann.«

»Was verlangst du eigentlich von mir!«, explodierte Matthew. »Mir tut das alles sehr leid, aber ich habe nun mal keine Verwendung für das Pferd! Ich brauche es nicht! Ich kann es mir nicht leisten! Und ich denke nicht daran, fünf Dollar auszugeben und mich in Mr. Henshaws Angelegenheiten zu mischen, nur damit Clabber Dumpson nicht den Glauben an die Menschheit verliert!«

Nach diesem Ausbruch herrschte einen Augenblick Stille.

»Wie du meinst«, sagte Callie dann ruhig und wandte sich wieder ihren Kochtöpfen zu.

Nach dem Abendessen, als Mathy zu Bett gegangen war, brachte Matthew das Pferd zu Mr. Henshaw zurück. Eine Stunde später erschien er mit grimmiger Miene in der Küche.

»Du meine Güte«, sagte Callie, die auf ihn gewartet hatte, »war's so schlimm? Was hat er gesagt?«

»Ach, er war ganz freundlich.«

»Das dachte ich mir. Mr. Henshaw ist ein netter Mann.«

»Aber er hat zwei Dollar von mir verlangt.«

»Zwei Dollar? Wofür?«

»Als Schadenersatz. Er hat den Männern von der Abdeckerei was geben müssen. Sie waren so wütend, weil sie die Fahrt für nichts und wieder nichts gemacht hatten.«

»Na ja, man kann's ihnen nicht verdenken, den ganzen Weg von Sedalia her und zurück. Und jetzt müssen sie noch mal kommen.«

»Sie kommen nicht mehr«, sagte Matthew.

»Nanu, warum nicht?«

»Mr. Henshaw hat keine Lust, das Ganze von vorn anzufangen. Es lohnt nicht, meint er.«

»Na, das freut mich aber für Clabber. Jetzt darf er also sein Pferd behalten.«

»Nein, er kriegt ein neues. Mr. Henshaw hat es schon gekauft.«

»Und was tut er mit Maude?«

»Er hat's bereits getan.«

Callie schlug entsetzt die Hände vors Gesicht. »Er hat sie doch nicht etwa selber erschossen?«

»Nein, erschossen hat er sie nicht.«

»Sondern?«

»Er hat sie mir geschenkt«, sagte Matthew und wandte sich zur Treppe. »Mir ist einfach nichts übrig geblieben, als sie anzunehmen.«

Callie schloss aus seinem Ton, dass es das Klügste war, nichts zu erwidern.

Mr. Henshaw war froh, die Sorge für Maude auf jemand anderen abwälzen zu können. Clabber war froh, Maude in guten Händen zu wissen. Und Mathy war vor Freude außer sich. Sie hatte Maude das Leben gerettet, und sie hatte endlich ein Tier, das ihr allein gehörte.

Kurzum, alle waren glücklich und zufrieden – auf Matthews Kosten.

Er grübelte oft über Mathys unheimliche Fähigkeit nach, ihn für ihre Streiche büßen zu lassen. Sie tat das in aller Unschuld; offenbar hatte sie trotz seiner Bemühungen keinerlei Gefühl für Recht und Unrecht. Sie schien jenseits der üblichen Moralbegriffe zu stehen. Matthew konnte tun, was er wollte – sie brach immer wieder aus, entkam durch irgendein Schlupfloch, mit dem er nicht gerechnet hatte. Um ihretwillen musste er ungezählte Ärgernisse, Störungen, Peinlichkeiten und öffentliche Bloßstellungen erdulden.

Manchmal fragte er sich, ob dies vielleicht eine Strafe sei. Denn wie er es auch drehen und wenden mochte: Mathy war in Sünde gezeugt. Gott hatte sie ihm als rächenden Engel geschickt. Vom Tage ihrer Geburt an forderte sie den Sühnelohn, aber nicht etwa in stattlichen Summen, mit denen die Schuld rasch getilgt worden wäre. Sie verlangte eine Abzahlung in kleiner Münze.

3

In ihrem vierundvierzigsten Lebensjahr, mitten im Sommer, brachte Callie Soames ihr viertes Kind zur Welt.

Leonie, die nun schon in der Lehrerausbildung steckte, war empört und peinlich berührt gewesen, als sie von der Schwangerschaft ihrer Mutter erfuhr. Sie genierte sich für die Eltern. Callie hatte sich zunächst auch ein bisschen geniert. Aber insgeheim war sie sehr stolz, und je unförmiger sie wurde, desto weniger genierte sie sich. Matthew und sie freuten sich von ganzem Herzen auf das Kind – sie, die schon einen langen Weg gemeinsam zurückgelegt hatten, würden den Rest auch noch schaffen.

Jessica kam zur Hilfeleistung nach Hause. Sie wohnte nun seit zwei Jahren in den Ozarks und fühlte sich dort auch ohne Tom so wohl, dass sie sich kaum losreißen konnte. Zum ersten Mal in ihrem Leben hatte sie Verehrer (Tom war ihr Mann geworden, bevor er Gelegenheit gehabt hatte, ihr den Hof zu machen), und sie genoss jetzt als Witwe das, was sie in ihrer Mädchenzeit hatte entbehren müssen. Im Vorjahr war sie nur zwei Wochen zu Hause gewesen. Diesmal aber kam sie für den ganzen Sommer, so munter und vergnügt, dass sie die anderen mit ihrer Heiterkeit ansteckte. Sie und Mathy fanden an Mama nichts auszusetzen – warum sollte sie nicht ein Baby kriegen, wenn es ihr Spaß machte? Im Gegenteil, es imponierte ihnen. Sie bedienten sie von hinten und vorn, neckten sie zärtlich, wenn Papa es nicht hörte, und amüsierten sich großartig. Der Erfolg war, dass Leonie einfach nicht abseits bleiben konnte.

Callie hatte inzwischen den Umzug in die Cooper-Villa durchgesetzt, die ihnen allen, Matthew nicht ausgenommen, als Gipfel der Vornehmheit erschien. Es war ein kühles, geräumiges Haus mit vielen Schlafzimmern, einer Vordertreppe, einer Hintertreppe und mehreren Veranden. Der große Hof war von Obstbäumen und Ahorn beschattet; in einem alten Baumstumpf wuchsen Petunien; Reben rankten sich am Spalier hoch, und hinter dem Stallgebäude gab es unerschöpfliche Mengen von vierblättrigem Klee. In einem grasigen Hügel verbarg sich ein Vorratskeller, der nicht nur nützlich, sondern für Callie auch eine große Beruhigung war. Sollte einmal die Gefahr eines Wirbelsturms drohen – davor fürchtete sie sich sehr –, so hatten sie nun einen sicheren Zufluchtsort.

In den heißen Mittagsstunden, wenn Mama ihr Schläfchen hielt, setzten sich die Mädchen gern auf die unterste Stufe der Kellertreppe, wo ihnen angenehm kühle Luft entgegenwehte. Sie rollten die Strümpfe herunter und zogen die Röcke hoch, lasen einander vor, erzählten Witze und lachten. Ihre bevorzugte Lektüre war der *Hausfreund*, der spannende, romantische Geschichten von Temple Bailey, Emma Lindsay-Squier und Carmen Sylva, der Königin von Rumänien, enthielt; manchmal vergnügten sie sich auch mit einem zerfledderten Exemplar der *Wahren Geschichten,* das Jessica im Zug gefunden hatte. Am liebsten aber plauderten sie miteinander. Gegen vier Uhr pflegte Callie im Hof zu erscheinen und sie zu rufen. Von da an steigerte sich das Tempo des Nachmittags immer mehr und erreichte beim Zubereiten des Abendessens ein lärmendes, lachendes Crescendo.

Matthew verbrachte diesen Sommer vorwiegend in der Schule. Während Callie in den Vorrechten der Schwangerschaft schwelgte und selig war, alle drei Töchter bei sich zu haben, fand er, dass dieses Haus zu einer Weiberburg geworden war, in der sich ein Mann nicht wohlfühlen konnte. Man hatte ihn durch eine Revolution von der sanftesten Sorte entthront. Das große Haus war in den Händen der Frauen, die ihre Sommermanöver darin abhielten. Sie fegten, sie lüfteten, sie nähten, sie kochten ein, und vor allem wuschen, putzten und scheuerten sie in einem fort. Sie wuschen Kleider und Gemüse und Marmeladengläser und Gardinen und ihr Haar, sie putzten Fenster, sie scheuerten Dielen und Treppen. Die Pumpe wurde von früh bis spät strapaziert, und Matthew konnte sich nur mit der Gewissheit trösten, dass der Brunnen bis zum August versiegen würde.

Unter diesen Umständen war es für ihn unmöglich, zu Hause zu studieren. Zog er sich beispielsweise in den kühlen Morgenstunden mit einer Fernunterrichtslektion ins Schlafzimmer zurück, so gab es schon ein Dutzend

Störungen, bevor er überhaupt richtig angefangen hatte: Lachsalven aus dem Garten, Gekicher auf der Treppe, Hinundherlaufen. Gewiss, sie schlichen respektvoll auf Zehenspitzen an seiner Tür vorbei, aber gleich darauf ließen sie todsicher die Müllschippe fallen oder stolperten über den Treppenläufer, und dann schrien sie vor Lachen. Und keine von ihnen konnte ein Bett allein machen. Immer mussten sie diese Arbeit paarweise erledigen, was zu endlosen Dialogen und unerklärlichen Heiterkeitsausbrüchen führte. Nichts wurde schweigend getan. Matthews Ohren dröhnten vom Lärm der Haushaltsrequisiten, der Teppichklopfer, Pumpenschwengel, Schneebesen, und in diesen Lärm mischten sich pausenlos die schrillen Töne weiblichen Gelächters.

Was ist nur in die Mädchen gefahren?, fragte sich Matthew. Sie waren total überdreht, wie Callie es nachsichtig ausdrückte. Von Manieren und damenhafter Zurückhaltung war nicht mehr viel zu merken. Sie malten sich an wie die Hottentotten – Jessica war mit geschminkten Lippen nach Hause gekommen! Sie rutschten das Treppengeländer hinunter, kicherten beim Tischgebet und liefen abends bei offenen Fenstern und heller Beleuchtung im Nachthemd herum. Leonie wahrte ja noch ein bisschen den Anstand, aber die beiden anderen schlugen gewaltig über die Stränge. Mathy allein war schon schlimm genug; sie und Jessica zusammen stellten das Haus auf den Kopf. Und Callie ließ ihnen alles durchgehen; sie lachte über ihre Streiche oder machte ihnen so sanfte Vorhaltungen, dass sie nur noch kecker wurden.

Matthew musste allerdings zugeben, dass die Mädchen trotz ihrer Albernheit sehr fleißig waren. Aber ihr dauerndes Kichern und Lachen störte ihn entsetzlich, und da er nach Lage der Dinge weder die Kraft noch den Mut hatte, sie zum Schweigen zu bringen, suchte er Zuflucht im ferienstillen Schulhaus, wo er Alleinherrscher war und einen Gedanken in Ruhe zu Ende denken konnte. Nachdem er seine Pflicht als Erzeuger und Ernährer getan hatte, wurde er zu Hause nicht mehr gebraucht.

Die Mädchen waren froh, wenn Matthew das Feld räumte. Sie erkannten gern an, dass ihr Vater der Spender aller guten Gaben war: Dank ihm wohnten sie in diesem herrschaftlichen Haus, in dem jede ihr eigenes Schlafzimmer hatte; dank ihm wuchsen Bohnen und Tomaten im Garten; dank ihm lieferte der Laufbursche des Kaufmanns Mengen von Lebensmitteln an der Hintertür ab. Die Hühner des Vaters legten Eier für sie, und jeden Morgen und Abend brachte er einen Eimer kuhwarmer, fetter Milch aus dem Stall. Sie lohnten ihm seine Fürsorge, indem sie kochten, butterten, buken, einmachten und ihm dreimal täglich ein üppiges Mahl bereiteten. Freundlich und willig erfüllten sie ihre töchterlichen Pflichten – aber sie strahlten vor Erleichterung, wenn sich die Tür hinter ihm schloss. Ohne ihn war es viel schöner daheim, weil sie sich unbefangen den häuslichen Freuden und der gemeinsam erlebten Schwangerschaft ihrer Mutter widmen konnten.

Das Kind – wieder ein Mädchen – wurde im Juli geboren. Die Schwestern gaben ihm den Namen Mary Jo und nahmen es in Empfang wie eine Puppe, mit der die Eltern sie großzügig beschenkt hatten. Sie vergötterten die Kleine. Sie badeten und wickelten, wiegten und hätschelten sie und ernährten sie mit allerlei ›neumodischem Kram‹, wie ihre Mutter es nannte.

Callie, die ihre drei Ältesten mit Schweinespeck großgezogen hatte, hielt Orangensaft, Lebertran und ähnliche Neuerungen für absolut überflüssig. Aber Leonie hatte ein Buch gekauft, in dem die Mädchen fortwährend nachschlugen. Und dessen Vorschriften sie getreulich befolgten. Auf jeden Fall schien diese Diät dem Kind nicht zu schaden. Es gluckste vergnügt, strampelte kräftig und entwickelte sich zufriedenstellend. Matthew fand seine neue Tochter recht erfreulich, vor allem, weil ihre Anwesenheit die Lautstärke der anderen dämpfte. Sie kreischten nicht mehr so viel, denn sie hatten Angst, das Baby zu wecken. Außerdem akzeptierten sie ihn wieder als Familienvorstand. Er plusterte sich mit geziemender Würde auf, alle waren nett zueinander, und so neigte sich der segensreiche Sommer dem Ende zu.

4

Mathy, die fast fünfzehn Jahre lang das Nesthäkchen gewesen war, übernahm begeistert die Rolle der älteren Schwester. Sie liebte das Baby abgöttisch. Einen Hund oder eine Katze zu halten war ihr nie erlaubt worden – nun hatte sie endlich ein Lebewesen, das sie streicheln und verwöhnen konnte. Sobald das Kind laufen gelernt hatte, machte sie mit ihm lange Spaziergänge über Hof und Wiesen und dachte sich fantasievolle Spiele für die Kleine aus. Sie zäunten den Hof mit Kleegirlanden ein und bastelten abenteuerliche Hüte aus Blumen und Wäscheklammern. Callie fand ihre beiden Jüngsten bezaubernd – wenn sie sich nicht gerade halb tot um sie ängstigte. Man musste Mathy scharf auf die Finger sehen. Sie schleppte die Kleine in den Regen hinaus, um ihr den Regenbogen zu zeigen, rollte sie in Schneewehen herum oder schaukelte sie gefährlich hoch. Der Einfluss des Kindes wirkte auf Mathy zwar etwas besänftigend, was aber den Einfluss Mathys auf das Kind betraf, so hatte Callie ihre Zweifel.

Mathy war fast über Nacht erwachsen geworden. Plötzlich sah sie nicht mehr wie ein Lausbub aus, sondern hatte sich in eine junge Dame mit Busen und hübschen schlanken Beinen verwandelt. Eines Abends, bei einer geselligen Zusammenkunft der Methodistengemeinde, beobachtete Callie, dass ein junger Mann mit ihr flirtete. Oje, dachte sie, das hat gerade noch gefehlt! Und sie fragte sich, was sie wohl tun sollten, wenn Mathy anfing, sich für Jungen zu interessieren. Jessica, die von Natur brav und fügsam war, hatte es fertiggebracht, mit einem Tagelöhner durchzubrennen – unvorstellbar, worauf man sich bei der wilden, impulsiven Mathy gefasst machen musste! Matthew teilte diese Sorge. Die Eltern versuchten jedoch nach gründlicher Gewissenserforschung aus den Erfahrungen mit Jessica eine Lehre zu ziehen und Mathy nicht allzu sehr unter Druck zu setzen.

»Du meine Güte, Mama«, sagte Leonie, »ihr erlaubt Mathy Sachen, an die Jessica und ich nicht einmal hätten denken dürfen.«

»Ja, weißt du«, erwiderte Callie, und es klang wie eine Entschuldigung, »wir haben inzwischen eingesehen, dass manches nicht passiert wäre, wenn wir euch etwas mehr Freiheit gelassen hätten.«

»*Ich* bin mit keinem Tagelöhner durchgebrannt.«

»Nein, Herzchen, du nicht. Du bist ein braves Kind, und Mama ist sehr froh darüber. Aber du kennst ja Mathy. Wenn wir sie zu hart anfassen, kommt sie am Ende noch auf die unmöglichsten Ideen. Außerdem hat sich die Welt in den letzten Jahren wohl auch ein bisschen verändert.«

Manchmal, wenn in der Stadt ein Film lief, den Matthew für erzieherisch wertvoll hielt, durfte Mathy ins Kino gehen. Sie nahm mit ihren Freundinnen an Picknicks teil, natürlich unter zuverlässiger Aufsicht. Es gab Klassenausflüge, und im Sommer veranstaltete die Sonntagsschule italienische Nächte. Während die ältere Generation auf der Veranda plauderte und für Kuchen und Eiscreme sorgte, vergnügten sich die Jungen und Mädchen auf dem von Lampions beleuchteten Rasen mit Spielen, die ihnen gestatteten, sich an den Händen zu halten. Gelegentlich – sehr selten – durfte Mathy mit ihrer besten Freundin und zwei Jungen im Auto zu solchen Veranstaltungen fahren, obwohl Matthew bei dem Gedanken, dass seine Tochter mit einem Jungen im Auto saß, jedes Mal einem Schlaganfall nahe war.

Er zog jedoch Grenzen und achtete streng darauf, dass sie nicht überschritten wurden. Als Mathy sechzehn war, lernten sie und ihre Schulfreundinnen tanzen. Trotz religiöser Bedenken duldeten es einige Eltern, dass die Kinder in ihrem Hause Foxtrott übten. Matthew erfuhr davon, äußerte sich empört über die gewissenlosen Eltern – allerdings nicht in ihrem Beisein – und verbot Mathy, weiterhin in diesen Familien zu verkehren. Statt zu gehorchen, entwischte Mathy eines Abends und ging Foxtrott tanzen. Daraufhin vergaß Matthew alle Nachsicht und entzog Mathy für den Rest des Sommers die meisten der ihr gewährten Freiheiten. Zu Geburtstagen und dergleichen durfte sie nur noch gehen, wenn die Feier nachmittags stattfand und keine Jungen anwesend waren. Kinobesuche wurden ihr lediglich in Leonies

Begleitung gestattet. Davon abgesehen hatte sie Haus-arrest.

»Tut mir leid, Schätzchen«, sagte Leonie. »Wer aus-rückt, muss eben die Folgen tragen.«

»Immerhin hat sich's gelohnt«, erwiderte Mathy und rekelte sich träge auf dem Bett. »Ich hab mich herrlich amüsiert. Nein, nein, ich tu's nicht wieder«, fügte sie als Antwort auf Leonies Stirnrunzeln hinzu, »aber diesmal ging's einfach nicht anders. Ruths Vetter Bobby war aus Kalifornien gekommen, und Ruth hatte uns doch im-merzu vorgeschwärmt, was für ein toller Bursche er wäre. Vetter Bobby war eine Niete«, stellte sie sachlich fest. »Die anderen Mädchen haben's bloß nicht gemerkt. Sie fanden ihn fantastisch und schick und unwiderstehlich, weil Ruthie ihnen das dauernd vorgebetet hatte. Alle ha-ben sich um ihn gerissen, aber er war immer nur hinter mir her. Na, den habe ich vielleicht abblitzen lassen.« Sie rollte sich mit selbstzufriedener Miene auf den Bauch. »Mach nicht so ein Gesicht, Leonie. ›Lasset uns tanzen und fröhlich sein‹ – so ähnlich steht's sogar in der Bi-bel.«

»In der Bibel steht auch: Du sollst Vater und Mutter ehren.«

»Stimmt.« Mathy grinste und fuhr dann ohne jeden Spott fort: »Du bist so brav und gut, Leonie. Nie tust du was Unrechtes oder bringst irgendwen in Schwierigkei-ten. Wie fängst du das bloß an? Hast du nie Lust, etwas zu tun, was Papa und Mama verboten haben?«

»Doch«, gestand Leonie, »manchmal schon.«

»Aber du tust es nicht.«

»Ich gebe mir jedenfalls Mühe ... weil ich sie lieb habe.«

»Lieb hab ich sie auch, aber ...«

»Es ist genauso wie mit der Liebe zu Gott«, sagte Leonie schlicht. »Wenn man jemanden liebt, versucht man um seinetwillen das Rechte zu tun.«

»Ach, so gut wie du werde ich nie!« Mathy wälzte sich auf den Rücken und strampelte mit den Beinen. »Du, ob ich wohl in die Hölle komme, wenn ich mal sterbe?«

»Das halte ich für unwahrscheinlich«, antwortete Leonie lächelnd.

»Glaubst du an die Hölle?«

»Natürlich.«

»Ich nicht. Ich glaube nur an den Himmel.«

Mathy war über vieles anderer Ansicht als Leonie, aber sie bewunderte die ältere Schwester sehr wegen ihrer Tugend und Schönheit. Leonie war schon seit zwei Wintern als Lehrerin in einer Kleinstadt tätig. Sie hatte bei Besuchen in der Bezirkshauptstadt einige Theaterstücke gesehen, sie hatte Bücher gelesen und eifrig weitergelernt, und sie steckte voll großer Zukunftspläne. Die Idee, Konzertpianistin zu werden, hatte sie aufgegeben und wollte sich nun zur Musiklehrerin ausbilden; dieses Ziel war leichter zu erreichen. Sie hatte alles bis ins Kleinste überlegt: In den nächsten vier Jahren wollte sie so viel Geld sparen, dass es für ein Studienjahr auf der Universität reichte. Damit war sie dann für eine bessere Stellung qualifiziert, verdiente mehr, sparte mehr und konnte wiederum ein Jahr studieren, diesmal in New York. Dann eine noch bessere Stellung, wieder fleißig sparen, Studienurlaub nehmen und so weiter und so weiter, bis sie endlich ihre Ausbildung in Europa abschließen konnte.

»Wann wirst du dich ein bisschen amüsieren?«, fragte Mathy.

»Amüsieren? Du meinst, mir Verehrer anschaffen?«

»So ähnlich.«

Leonie schüttelte den blonden Kopf. »Ich warte, bis ich dem Richtigen begegne, und ich habe gar keine Eile.«

»Und wo, denkst du, wirst du dem Richtigen begegnen?«

»In Europa«, sagte Leonie.

»Genügt dir ein Baron, oder muss es der Prinz von Wales sein?«

»Warum nicht?«, erwiderte Leonie.

»Na ja, warum eigentlich nicht. Aber an deiner Stelle würde ich mich doch erst mal hier in der Nähe umsehen.«

»Du meine Güte – wen gibt es denn hier?«

»Vetter Bobby!«, empfahl Mathy und krümmte sich vor Lachen. »Nein, im Ernst, Leonie, wenigstens eine von uns sollte sich in diesem Sommer ein bisschen amüsieren, und wenn's Papa mir nicht erlauben will, dann musst du's eben sein. Du bist sowieso die Ältere. Die Frage ist nur, wo wir jemanden für dich finden.«

Die Antwort kam ein paar Tage später vom Himmel, im wahrsten Sinne des Wortes.

Leonie und Matthew waren eines Vormittags auf dem

Wege nach Clarkstown (wo sie beide an Sommerkursen für Lehrer teilnahmen), als sie über Seaberts Wiese ein Flugzeug kreisen sahen. »Herrje«, sagte Matthew und verrenkte sich fast den Hals, »ich glaube, der will landen.«

»Pass lieber auf, wohin du fährst«, mahnte Leonie.

»Wirklich, er kommt runter.«

»Vorsicht, Papa! Links! Links!«

Zu spät. Das Auto rutschte sanft in den Straßengraben, Matthew musste aussteigen und schieben, während Leonie steuerte. Als sie endlich weiterfuhren, war er verschwitzt, mit Öl beschmiert und wütend.

Hinter ihnen war das Flugzeug wieder in die Lüfte gestiegen. Nach einer Ehrenrunde über der Stadt landete es tatsächlich auf der Wiese, und wie der berühmte Rattenfänger zog es alle Müßiggänger der Main Street und alle Kinder, die ihren Müttern entwischen konnten, unwiderstehlich zu sich. Lachend und winkend kletterte der Pilot aus dem Steuersitz. Er war jung, breitschultrig, goldbraun gebrannt, kurzum, er sah blendend aus. Die Kunde verbreitete sich in der Stadt und erreichte am frühen Nachmittag auch ein Grüppchen höherer Töchter, die gelangweilt auf einem schattigen Rasen saßen und Geburtstagskuchen verzehrten. Einmütig erhoben sie sich aus dem Grase, in ihren Organdykleidern wie ein Flamingoschwarm anzusehen, und flatterten zu Seaberts Wiese hinüber. Der Pilot war noch da; jeder, der Mut und Geld hatte, konnte einen Rundflug mit ihm machen. Er ließ seinen Adlerblick über die Mädchenschar gleiten und streckte gebieterisch den Zeigefinger aus.

»*Ich?*«, fragte Mathy.

»Sie«, sagte er. Damit hob er sie an Bord und schnallte sie fest.

»Haben Sie Angst?«

»Nein«, erwiderte Mathy, gelassen wie eine Heilige.

Nun ging es unter Gewackel und Motorengetöse hinauf in den Junihimmel. Nach ein paar Loopings und einer Pirouette kamen sie im Gleitflug wieder herunter.

Callie war wie vom Donner gerührt, als sie das erfuhr. Und sie erfuhr es aus erster Hand, denn Mathy brachte den Piloten mit nach Hause. Sie hatte sich um Leonies willen von ihm begleiten lassen, und sie sorgte dafür, dass er blieb, bis ihre Schwester und der Vater aus Clarkstown zurückkehrten.

»Allmächtiger, das ist doch ...« Matthew traute kaum seinen Augen.

»Hallo Professor.« Ed Inwood erhob sich von der Schaukel, die auf der vorderen Veranda hing, und ging ihm entgegen. Ed Inwood, der Ruchlose, der Lehrerschreck und Entführer hübscher Mädchen! Er umfasste mit beiden Händen Matthews Rechte. »Ich freue mich mächtig, Sie wiederzusehen, Sir!«

»Dann war es also Ihr Flugzeug, das wir heute Vormittag gesehen haben?«

Ed bejahte das und stürzte sich unverzüglich in einen Bericht über seine Abenteuer.

Wie Othello bei der Begegnung mit Brabantio sprach er von haarsträubenden Gefahren, rührenden Zwischenfällen und wundersamen Errettungen. Leonie und Mathy lauschten in hingerissenem Schweigen.

Vier Jahre waren vergangen, seit er Shawano verlassen hatte (den Grund, nämlich die Entführung von Alice Wandling, erwähnte er mit keinem Wort), und in dieser Zeit war er ziemlich weit herumgekommen. Er hatte in Kansas City, St. Joe und Chicago gearbeitet, er hatte fliegen gelernt und gemeinsam mit anderen Piloten Schauflüge veranstaltet, er hatte in Texas Flugzeuge repariert und es schließlich zu einer eigenen Maschine gebracht. »Ich hab die Kiste beim Pokern gewonnen, aber ich musste sie beinahe bis zur letzten Schraube erneuern.« Dann war er kreuz und quer durch die Staaten geflogen, hatte Felder mit Schädlingsbekämpfungsmitteln bestäubt, Kühe erschreckt und Jahrmarktsbesucher zu Rundflügen aufgefordert. Nachdem er sich mit diesem Privatunternehmen einen gewissen Ruhm erworben hatte, war er zu Nutz und Frommen seiner ehemaligen Mitbürger in das gute alte Shawano zurückgekehrt.

»Na, so was!«, sagte Matthew halb bewundernd, halb missbilligend (dieser Bursche war entweder verrückt oder ein Aufschneider oder beides). »Und was haben Sie jetzt für Pläne?«

»Ach, ich bleibe erst mal ein Weilchen zu Hause. Hier in der Gegend gibt's ja auch Jahrmärkte, und im Übrigen verlasse ich mich auf meinen Schwager.«

»Wollen Sie nicht irgendeinen Beruf ergreifen?«

»Nanu, ich dachte, ich hätte schon einen.«

Matthew lächelte nachsichtig. »Gewiss, gewiss. Aber ist das nicht eher eine Nebenbeschäftigung – ein Sport?«

»Das möchte ich nicht sagen, Professor. Es ist ein regelrechtes Gewerbe. Das Flugwesen hat eine große Zukunft. Ich habe glänzende Aufstiegsmöglichkeiten – wenn ich mir nicht den Hals breche. Und den breche ich mir nicht«, fügte er im Brustton der Überzeugung hinzu.

»Das will ich hoffen. Haben Sie – äh – wieder geheiratet?«, fragte Matthew.

»*Wieder* geheiratet? Ach, Sie meinen Alice?« Ed lachte. »Das konnte man ja eigentlich keine Ehe nennen. Wir waren damals beide sehr jung und sehr dumm. Ein Glück, dass ihre Leute dazwischenfunkten, denn früher oder später wär's sowieso schiefgegangen. Alice war ein nettes Mädchen, aber ...« Er zuckte die Achseln. »Vor einem Jahr oder so hab ich sie übrigens mal in Kansas City getroffen. Sie ging auf die Handelsschule. Die Wandlings wohnen nämlich jetzt in Kansas City. Himmel, ist das Mädchen fett geworden!« Er lachte wieder. »Nein, ich bin nicht verheiratet. Nicht etwa aus Mangel an Gelegenheit – Mädchen lerne ich ja massenhaft kennen. Aber ich bleibe wohl nie lange genug an einem Ort. Man landet vor irgendeiner Kleinstadt auf einer Wiese, lässt sich von einem Autofahrer mit reinnehmen, logiert ein, zwei Nächte in einem obskuren Hotel und haut wieder ab. Ich kann Ihnen sagen, ich habe mindestens ebenso oft in meinem Flugzeug geschlafen wie mit ... wie in einem Bett. Ich weiß noch, einmal in Nebraska ...« Und schon steckte er mitten in einer neuen abenteuerlichen Geschichte. Er redete und redete, bis Callies Essen nahezu verschmurgelt war und sie ihn zum Bleiben einlud.

»Tausend Dank, Mrs. Soames, aber meine Schwester erwartet mich. Herrje, ich hab gar nicht gemerkt, dass es schon so spät ist. Na, Sie und ich, wir waren ja nie um Gesprächsstoff verlegen, nicht wahr, Professor?«

Am nächsten Nachmittag fand er sich wieder ein und am übernächsten auch. Sein Auto, ein uralter Klapperkasten, fuhr immer um die Zeit vor, zu der Matthew und Leonie nach Hause kamen.

»Der ist ja das reinste Fleckfieber«, sagte Callie ungehalten, als Ed zum vierten Mal bei ihnen auftauchte. »Was lungert er eigentlich dauernd hier rum?«

»Wegen Leonie«, erklärte Mathy.

»Du lieber Himmel!«

»Ist dir nicht aufgefallen, wie er sie ansieht?«

»Ich hab nicht drauf geachtet. Hoffentlich merkt Papa nichts!«

»Na wennschon.«

»Mathy! Wie kannst du so reden.«

»Mamachen, Leonie ist doch erwachsen. Sie hat ein Recht auf ein bisschen Vergnügen. Wenn sie so weitermacht, wird eine ehrpusselige alte Jungfer aus ihr, bevor sie fünfundzwanzig ist. Möchtest du das?«

»Nein, eigentlich nicht ...«

»Irgendwer muss sie mal etwas auflockern. Wenn Ed und sie sich anfreundeten – es braucht ja nichts Ernsthaftes zu sein –, dann würde ihr das bestimmt guttun.«

»Hm ... Aber weißt du – ausgerechnet Ed Inwood! Na, unterhaltsam ist er, das muss man ihm lassen.«

Ed warf Leonie in der Tat bewundernde Blicke zu. Sie war ein bildhübsches Mädchen: schlank, etwas über Mittelgröße, so aufrecht wie ihre Prinzipien und von jener kühlen Anmut, die festen inneren Überzeugungen entspringt. Sie trug den Kopf stolz auf dem schlanken Hals; das blonde Haar war glatt zurückgekämmt und im Nacken wie ein Strang Seide zusammengedreht. Ihr Gesicht mit der porzellanglatten Stirn und den klaren braunen Augen hatte einen Ausdruck ernster Gelassenheit, wenn es nicht gerade von einem fast paradox wirkenden kindlich eifrigen Lächeln erhellt wurde. Das alles entging Ed natürlich nicht, und doch schien er sich weniger um Leonie zu bemühen als um ihren Vater. Er kam nachmittags, und während Matthew im Hof oder im Stall arbeitete, wich er ihm nicht von der Seite. Manchmal kam er in den frühen Abendstunden noch einmal und redete weiter. Er sprach über Flugzeuge, Radios und Automotoren – Dinge, von denen Matthew sehr wenig verstand und die ihn nicht interessierten. Er erzählte von Reisen, von Leuten, die er kennengelernt, und von Büchern, die er gelesen hatte (*überflogen,* dachte Matthew; Ed plätscherte ja immer an der Oberfläche, fischte sich hier und dort ein Problem heraus und verstand alles nur halb). Er faselte von ›neuen Strömungen‹, gebrauchte Fachausdrücke und würzte sein Geschwätz mit Namen, die Matthew nicht kannte und denen er misstraute: Mencken und Russell, Freud und Sinclair Lewis. Er jonglierte mit Worten wie jemand, der weiß, wovon er spricht. Glitzernde *-ismen* und *-ologien* regneten wie Konfetti über Matthews vorsichtig formulierte Argumente. Matthew wurde es müde, den *Kansas City Star* zu verteidigen. Er mochte nicht mehr hören, dass Calvin Coolidge der Hampelmann der Großindustrie sei, und es ärgerte ihn, wenn Ed die Amerikaner eine Rasse von Hohlköpfen nannte. Er wünschte auch nicht, den Scopes-Prozess noch einmal des Langen und Breiten zu erörtern; die Sache hatte ihn seinerzeit genügend beunruhigt, da er nicht recht wusste, auf welcher Seite er eigentlich stand. Und er hatte es satt, über neumodische Moralbegriffe zu diskutieren. Psychologie hin, Psychologie her – er war noch immer für seine Handlungen verantwortlich, und dass es so etwas wie Sünde gab, ließ sich nicht leugnen.

Kurzum, Ed fiel ihm erheblich auf die Nerven. Außerdem konnte er ihm die Geschichte mit Alice Wandling nicht verzeihen. Wenn er auch seine Vernarrtheit längst überwunden hatte, so war doch sein Stolz damals zu tief verletzt worden, und die Narbe schmerzte ihn noch bei bestimmten Wetterlagen. Nach zehn, spätestens zwanzig Minuten hatte er immer genug von Ed, zog sich mit einer kurzen Entschuldigung zurück und vertiefte sich aufatmend in die *Geschichte der Höheren Schulen in Missouri* oder in die *Anleitung zum Aufbau eines Lehrplans*.

Fand sich Ed seines Partners beraubt, so stöberte er Callie und die Mädchen auf, trödelte noch eine halbe Stunde herum und plauderte mit ihnen. Es war allgemein bekannt, dass er später am Abend andere Mädchen – oder ein anderes Mädchen – besuchte, aber darüber wurde niemals gesprochen. In der Zeitspanne zwischen Matthews Flucht in sein Zimmer und Eds Aufbruch ins Unbekannte bemühte Mathy sich redlich, Ed und Leonie zusammenzubringen und ihnen ein Gespräch unter vier Augen zu ermöglichen. Aber kaum war ihr das gelungen, so folgte Leonie dem Beispiel ihres Vaters und zog sich mit einer Entschuldigung in ihr Zimmer zurück.

Mathy hörte sie eines Abends heraufkommen und lief in das Zimmer der Schwester. »Herrje, Leonie, warum bist du nicht unten geblieben?«

»Unten? Was soll ich denn da?«

»Ich denke mir sonst was aus, um Mama wegzulotsen, und du Schaf sagst einfach Gute Nacht!«

»Wovon redest du eigentlich?«

»Von Ed natürlich! Warum gibst du ihm keine Chance?«

»*Ed?*«, wiederholte Leonie in ungläubigem Ton.

»Ja, was meinst du wohl, weswegen ich ihn hierher geschleppt habe?«

»Doch nicht etwa *meinetwegen?*«

»Na klar! Hat mich ganz schöne Mühe gekostet, bis ich ihn so weit hatte.«

»Aber Mathy! Du hast ihm hoffentlich nicht gesagt …«

»Ach wo, ich bin doch nicht blöd. Ich habe Papa vorgeschoben. Du weißt ja, wie er Papa früher immer gereizt hat. Na, und ich hab ihm erzählt, Papa werde jetzt mächtig stolz auf ihn sein, und er müsse unbedingt kommen und ihm seine Erlebnisse erzählen. Die anderen Mädchen hätten mich vor Eifersucht am liebsten erwürgt.«

Leonie lachte. »So was Verrücktes wie dich gibt's nicht so bald wieder.«

»Ich wollte doch verhindern, dass er dir weggeschnappt wird, Leonie.«

»Kindchen, hast du im Ernst gedacht, mir könnte etwas an ihm liegen?«

»Na hör mal! Er ist groß und gescheit und sieht fantastisch aus – und er ist Flieger! Was willst du denn mehr?«

»Für mich ist er immer noch Ed Inwood, der nicht mal eine abgeschlossene Schulbildung hat.«

»Ach, du kannst einen zum Wahnsinn treiben!« Mathy stieß dramatisch mit dem Kopf gegen die Wand.

»Mathy, ich habe Ed Inwood schon gekannt, als er noch ein kleiner Bengel in langen braunen Baumwollstrümpfen war. Er ist in meinen Augen nichts Besonderes, nur weil er seitdem ein bisschen herumgekommen ist.«

»Aber er ist *Flieger!*«

»Das macht ihn noch lange nicht zum Helden. Fliegen ist Nervensache – damit kann er mir nicht imponieren.«

»Du redest genau wie Papa. Ach, Leonie, er passt doch im Alter und in der Größe so gut zu dir, und ihr seid beide blond und hübsch … Ich weiß, dass er kein italienischer Baron ist, aber ich dachte, du würdest ihn trotzdem mögen.«

»Liebling«, sagte Leonie versöhnlich, »ich habe ihn ja gern – nur eben nicht so.«

»Schade. Er ist nämlich verrückt nach dir.«

Leonie hob die Brauen. »Woher weißt du das?«

»Ich bin ja nicht blind.«

»Unsinn. Ich habe jedenfalls nichts dergleichen bemerkt.«

»Weil du nicht hinsiehst. Du hast ja dauernd zu tun.«

»Ich will im Leben vorankommen, und da kann ich's mir nicht leisten, meine schöne Zeit zu verplempern.«

»Kannst du etwas verplempern, was du nicht hast?«, fragte Mathy.

»Wie bitte?«

»Ich meine: *schöne* Zeit. Du solltest dir ruhig mal ein bisschen Vergnügen gönnen.«

»Mathy, es gibt wirklich Wichtigeres, als sich zu amüsieren. Sag mal, hoffentlich bildet Ed sich nicht ein, dass ich seine Gefühle erwidere.«

»Solange du dich so benimmst wie jetzt, ist das wohl ausgeschlossen.«

»Er soll sich nur keinen Illusionen hingeben. Ich bin nicht Alice Wandling.«

»Alices Typ ist nicht der einzige, der ihn reizen könnte.«

»Tut mir leid, ich bin trotzdem nicht interessiert.«

»Hab's schon begriffen«, sagte Mathy. »Gute Nacht, Frau Baronin.«

5

Eine Woche später, als Leonie abends über ihren Büchern saß, kam Mathy auf Zehenspitzen zu ihr herein. Sie schloss die Tür hinter sich, schlug mit den Füßen im Charlestonrhythmus aus und sang dazu in heiserem Flüsterton: »So ungeschickt – doch sie macht mich verrückt – meine süße Georgia Brown!«

»Ihr habt euch da unten aber ganz schön ausgetobt«, bemerkte Leonie.

Mathy lachte. »Ja, ich dachte jeden Moment, Papi würde runterkommen und uns die Bibel an den Kopf schmeißen.«

Sie zog einen Zettel aus der Tasche. »Hör dir das mal an, Leonie.« Und sie las vor:

*»Preisen wir Liebe und Unverstand,
nichts gibt es sonst zu erstreben.*

*Was ich auch sah in manchem Land,
nichts sonst lohnte das Leben.*

Lieber möcht ich mein Mädchen besingen,
ob auch Rosen vor Gram vergehen,

als in Ungarn Taten vollbringen,
wie sie noch niemand gesehen.«

»Woher hast du denn das?«, fragte Leonie.

»Ed hat's mir aufgesagt, und ich hab's aufgeschrieben.«

»Und woher hat er es?«

»Aus Chicago. Ich meine, er hat's da in einem Bibliotheksbuch gefunden. Der Dichter heißt Ezra Pound. Hast du den Namen schon mal gehört?«

»Ja, gehört habe ich ihn.«

»In der Schule haben wir noch nie was von ihm gelesen.«

»Das wundert mich nicht«, sagte Leonie.

Mathy faltete den Zettel zusammen und steckte ihn in die Tasche. »Mir gefällt's sehr.«

»Wieso hat Ed gerade das zitiert?«

»Ach, wir redeten über Gedichte, und da sagte er, das wäre die Art, die er gernhat. Du, Leonie, ob Papa wohl erlaubt, dass ich am nächsten Samstag mit Ed nach Eldon fliege?«

»Na, so eine Frage, Mathy! Natürlich erlaubt er's nicht. Was wollt ihr denn ausgerechnet in Eldon?«

»Da findet irgendein Picknick statt, und Ed soll Rundflüge mit den Leuten machen – er bekommt zwei Dollar pro Person. Und er hat gesagt, wenn Papa einverstanden ist, nimmt er mich mit.«

»Papa erlaubt dir das nie im Leben.«

»Ich hätt's mir ja denken können.« Mathy warf sich auf Leonies Bett. »Verflucht und zugenäht!«

»Lass ihn das lieber nicht hören.«

»Ich möchte aber so gern mit. Es ist doch kein Rendezvous oder so was. Getanzt wird auch nicht, und wir sind spätestens zum Abendessen zurück. Ich verstehe nicht …«

»Ich finde, du hast in einem Flugzeug nichts zu suchen«, fiel Leonie ihr ins Wort. »Es ist gefährlich.«

»Mir egal – ich finde Fliegen wunderbar. Es ist das Schönste, was es gibt, Leonie. Du solltest dich mal von Ed mitnehmen lassen.«

»Nein, besten Dank. Und du tu's auch nicht mehr. Einmal genügt.«

»Ich war schon zweimal oben.«

Leonie sah sie scharf an. »Wann?«

»Na, am ersten Tag und dann noch mal in dieser Woche.«

»Weiß Mama davon?«

Mathy schüttelte den Kopf. »Sie denkt, ich war bei Ruth. Ich war auch wirklich da, aber Ruthie und ich sind dann einkaufen gegangen, und da haben wir Ed getroffen. Wir sind mit ihm zu Seaberts Wiese rausgefahren, und er hat mit mir einen Flug gemacht. Ruthie wollte nicht – sie hatte Angst.«

Leonie nahm die Nadeln aus ihrem Haarknoten. Während sie mit den Fingern die langen blonden Strähnen glatt strich, blickte sie Mathy im Spiegel an. Ihr

Gesicht war sehr ernst. »Ich werde dich nicht bei Mama verpetzen, weil sie sich zu Tode ängstigen würde«, sagte sie. »Aber du musst mir versprechen, dass du nicht mehr mit Ed fliegst.«

»Leonie!«

»Liebling, es ist zu gefährlich. Und wenn dir etwas passierte, und ich hätte davon gewusst und dich nicht zurückgehalten … Ich müsste mir dann doch zeitlebens Vorwürfe machen. Verstehst du das nicht? Ich darf es einfach nicht zulassen.«

»Ach was, mir passiert bestimmt nichts.«

»Das kann man vorher nie wissen«, sagte Leonie und fing an, ihr Haar für die Nacht zu flechten.

»Bei Ed bin ich sicher – er weiß, was er tut.«

»So fest überzeugt bin ich davon nicht.«

»Aber ich.«

»Mag sein, dass Ed fliegen kann, aber deswegen ist er noch längst nicht Commander Byrd.« Leonies Bewegungen wurden heftiger.

Mathy lag auf dem Rücken und sang leise: »›So ungeschickt, doch sie macht mich verrückt …‹«

»Sei still«, befahl Leonie. »Ich kann diesen albernen Schlager nicht mehr hören.«

»Weißt du was?« Mathy setzte sich auf. »Ed ist viel hübscher als Commander Byrd.«

Leonie vergaß, ihren Zopf weiterzuflechten, und sah die Schwester im Spiegel forschend an.

»Gute Nacht«, sagte Mathy und ging zu Bett.

Leonie verlor keine Zeit. Am nächsten Morgen, als sie

sich für die Schule anzog, bat sie Callie, in ihr Zimmer zu kommen. »Mama, ich glaube, du solltest ein Auge auf Mathy haben.«

»Was hat sie denn schon wieder angestellt?«

»Hast du's noch nicht gemerkt? Sie ist auf dem besten Wege, sich in Ed zu verlieben.«

»Ach wo!« Callie lachte ungläubig. »Ich weiß, dass er ihr mächtig imponiert …«

»Das kann man wohl sagen.«

»… aber er ist für sie nur so 'ne Art großer Bruder.«

Leonie schüttelte den Kopf. »Sie betrachtet ihn nicht als großen Bruder.«

»Er ist doch so viel älter als Mathy. Seid ihr nicht gleichaltrig, du und er?«

»Ja, und das ist es eben«, sagte Leonie. »Halte mich jetzt bitte nicht für übergeschnappt, aber ich habe den deutlichen Eindruck, dass er sich für *mich* interessiert.«

»So habe ich's auch von Mathy gehört.«

»Ich dagegen mache mir überhaupt nichts aus ihm. Und natürlich habe ich ihn in keiner Weise ermutigt.«

»Das weiß ich.«

»Ich fürchte nur, Mathy könnte sich so nach und nach einbilden, dass er ihretwegen hier herumlungert. Das würde mit einer bitteren Enttäuschung enden. Außerdem ist sie für so was zu jung.«

»Ja, und deshalb bin ich gar nicht auf die Idee gekommen, das ernst zu nehmen«, erwiderte Callie. »Wahrscheinlich steckt auch nichts weiter dahinter. Aber ich werde trotzdem aufpassen. Ich möchte wahrhaftig nicht, dass sie sich was in den Kopf setzt.«

Leonie hatte kaum ihre warnende Stimme erhoben, als auch Matthew die seine erhob. »Ich finde«, sagte er am Abend desselben Tages zu Callie, »dass sich dieser Junge ein bisschen zu oft bei uns sehen lässt.«

»Zuerst ist er nur deinetwegen gekommen«, bemerkte Callie. »Aber du wolltest dich ja nie mit ihm unterhalten.«

»Ich habe keine Zeit für sein Geschwätz. Er könnte den Wink mit dem Zaunpfahl allmählich kapieren und wegbleiben. Diese dicke Freundschaft mit Mathy gefällt mir nicht.«

»Sie tun doch nichts Unrechtes, Matthew. Und ich bin immer dabei.«

»Trotzdem, Ed ist nicht der Umgang, den ich mir für meine Tochter wünsche. Er war von jeher ein leichtsinniger Draufgänger und wird sich bestimmt nicht mehr ändern.«

»Ja, ich erinnere mich noch, wie er mit der kleinen Wandling durchbrannte«, sagte Callie. »Aber die war wohl auch ein mannstolles Ding. Ed benimmt sich jedenfalls tadellos, und ich kann ihm nichts vorwerfen.«

»Du weißt nicht, wie er sich außerhalb unseres Hauses benimmt. Bei dem Vagabundenleben, das er führt, kommt er mit allem möglichen Gesindel zusammen, und so was muss doch unweigerlich abfärben.«

»Die Leute in der Stadt halten große Stücke auf ihn.«

Matthew stieß einen verächtlichen Grunzlaut aus.

»Weil er Flieger ist! Weil er sich als Held aufspielt und in diesen lächerlichen Stiefeln herumstolziert! Was hat er denn schon Nützliches geleistet? Er hat noch keinen Tag seines Lebens richtig gearbeitet. Für ihn gab's immer nur Basketballspielen und Autofahren. Und das Fliegen gehört in dieselbe Kategorie.«

»Na ja, aber du musst doch zugeben, dass er ein wirklich kluger Junge ist.«

»*Vox, et praeterea nihil*«, sagte Matthew. »Große Töne kann er reden, es steckt nur nichts dahinter. Und dabei bildet er sich ein, er wüsste alles besser als ältere und erfahrene Leute.«

»Dich achtet er aber sehr.«

»Dann hat er eine merkwürdige Art, es zu zeigen. Er fällt mir mit seinem Gefasel entsetzlich auf die Nerven. Ich wünsche vor allem nicht, dass er dauernd um Mathy herumschwänzelt.«

»Ich möchte nur wissen, wie wir ihm das beibringen sollen«, warf Callie ein.

»Wir sagen es ihm rundheraus.«

»Oje … Wenn wir das tun, kommt er vielleicht erst auf gewisse Gedanken.«

»Auf die ist er meiner Meinung nach längst gekommen.«

»Sollten wir dann nicht lieber warten? So etwas kühlt sich doch meistens von selber ab.«

»Bei Ed Inwood weiß man nie, wie weit er gehen wird. Ich habe die größte Lust, ihm das Haus zu verbieten.«

»Matthew, das kannst du nicht machen!« Callie warf

ihm einen anklagenden Blick zu. »Denk daran, wie es bei Jessica war.«

Er dachte daran und bereute in diesem Moment bitter, dass er Jessica jemals verziehen hatte.

Nach diesem Gespräch war er eine Weile friedlich, wenn auch keineswegs besänftigt. Ed Inwood setzte seine Besuche nicht nur fort, sondern brachte auch noch sein Radiogerät mit, sodass die warme Abendluft mit schmachtenden Schlagern getränkt und von dem Geräusch atmosphärischer Störungen zerfetzt wurde. Matthew saß in seinem Zimmer, schlug Bücher auf und zu und räusperte sich mit lautem, wütendem Ähemm. Morgens hing sein verdrossenes Schweigen unheilverkündend über dem Frühstückstisch.

Er wäre noch viel besorgter gewesen, hätte er gewusst, was hinter seinem Rücken geschah. Ed fand sich nämlich außer abends auch tagsüber ein, wenn Matthew und Leonie in Clarkstown waren. Manchmal erschien er schon um zehn Uhr morgens, strahlend vergnügt, und schmeichelte Callie ein Frühstück ab. Sie und Mathy speisten und tränkten ihn und kommandierten ihn herum. Er musste Wasser holen und Teig rühren. Callie wusch seine Hemden. Mathy und er machten für Callie Besorgungen in der Stadt. Alle drei genossen diese heiteren, gemütlichen Vormittage, und die Notwendigkeit, Eds Besuche geheim zu halten, gab ihrem Zusammensein eine prickelnde Würze.

Callie wusste sehr wohl, dass sie zu nachsichtig war, und sie entlastete ihr Gewissen, indem sie sich abfällig über Ed äußerte, sobald er den Rücken gekehrt hatte. Er nahm nichts ernst; er war zappelig; er aß zu schnell, fuhr zu schnell, bewegte sich zu schnell; er war schlecht erzogen; er rauchte Zigaretten – wahrscheinlich trank er auch, und wer weiß, wie viele Mädchen er hatte. Mit diesen herabsetzenden Bemerkungen fuhr sie fort, bis Mathy eines Tages zu ihr sagte: »Mama, du hältst Selbstgespräche.«

»Ich – wieso?«

»Du zählst dauernd Eds schlechte Eigenschaften auf, aber nicht, damit ich sie höre, sondern weil du dir nicht eingestehen willst, dass du ihn ebenso gern hast wie ich.«

»Na, das ist doch …«, begann Callie kampfbereit, hielt aber plötzlich inne und fragte vorsichtig: »Wie gern hast du ihn denn?«

»Gern genug, um ihn zu heiraten«, erwiderte Mathy.

Callie starrte sie entsetzt an. Es war die Wahrheit, das spürte sie. Ed hatte das Haus und die Herzen mit jener sanften Unverschämtheit erobert, die mehr Frauen verdirbt als das Laster. Und sie hatte es geduldet!

Am Abend sagte sie behutsam zu Matthew: »Ich hab mir die Sache mit Mathy überlegt. Was meinst du – ob wir sie für den Rest der Ferien zu Jessica schicken?«

»Das nützt nichts«, antwortete Matthew. »Der Bursche fliegt ihr doch sofort nach.«

»Ach herrje, daran hab ich gar nicht gedacht.«

»Hier, wo wir sie im Auge behalten können, ist sie immer noch am besten aufgehoben.«

»Ja, du hast recht«, stimmte Callie zu, »wenn sie ihn bei uns sieht, wissen wir wenigstens, was vorgeht.«

»Wozu muss sie ihn überhaupt sehen?«, fragte Matthew erbittert.

»Ich mag es nicht so ohne Weiteres verbieten, Matthew. Je fester man den Deckel aufsetzt, desto leichter kocht der Topf über.«

»Ja, aber man kann Wasser aufs Feuer gießen«, versetzte er, und darauf wusste Callie nichts zu erwidern. »Ich habe dir gleich gesagt, dass sich so was nicht von selber abkühlt. Diesem Ed Inwood ist nicht zu trauen. Mathy übrigens auch nicht. Mit der Sache muss jetzt ein für alle Mal Schluss sein. Ich werde den Burschen vor die Tür setzen.«

»Matthew, denk an Jessica!«

»Schön. Ich denke an sie! Ich werde ihn *nicht* hinauswerfen, aber ich werde dafür sorgen, dass sie es tut.«

Der Gedanke, mit Mathy über dieses Thema zu sprechen, war Matthew äußerst unangenehm; er hätte lieber einem Bullen einen Ring durch die Nase gezogen. Trotzdem notierte er sich einige Punkte als Gedächtnisstütze auf einen alten Briefumschlag und sagte am nächsten Morgen beim Frühstück: »Sobald du hier fertig bist, Tochter, habe ich in meinem Zimmer mit dir zu reden.«

»Was ist denn los, Papa?« Mathy, die eifrig kaute, hob den Kopf. »Ach so – Ed soll wohl nicht mehr kommen?«

Matthew wurde vor Ärger rot. Er warf Callie einen vorwurfsvollen Blick zu, stellte jedoch fest, dass sie nicht weniger verblüfft zu sein schien als er. »Wir unterhalten uns nebenan«, sagte er kurz.

»Auf so was hab ich schon lange gewartet«, bemerkte Mathy.

»Bitte nicht diesen Ton!«

»Warum regst du dich so auf, Papa? Wenn Eds Besuche dir nicht passen, brauchst du's ihm doch nur zu sagen.«

»Wie die Dinge liegen«, erwiderte er scharf, »wäre das wohl eher deine Sache.«

»Okay.« Mathy langte nach dem Siruptopf. »Wenn dir das lieber ist …« Die Stille im Zimmer wurde nur von dem klebrig schmatzenden Geräusch unterbrochen, das beim Verrühren von Sirup und Butter entsteht. Schließlich blickte Mathy auf. »Wolltest du mir sonst noch was sagen, Papa?«, erkundigte sie sich.

Matthew zögerte und kratzte ein kaum sichtbares Fleckchen von seinem Ärmel. »Ich nehme an, du hast mich verstanden. Und ich erwarte, dass du dein Wort hältst.«

»Ich halt's schon.«

Er stand auf und entfernte sich. Aller Wind war ihm aus den Segeln genommen.

»Das hättest du nicht tun dürfen«, sagte Leonie, als er außer Hörweite war.

»Wär's denn besser gewesen, mit ihm zu streiten?«

»Nein, aber er wollte doch seine Rede loswerden.«

»Ich dachte, die Mühe könnte ich ihm ersparen.«

»Es war wirklich nicht nett von dir«, tadelte Callie.

»Vielleicht hatte er dir noch ein paar andere Dinge zu sagen.«

»Kann ich ja alles schon auswendig.«

»Zuhören solltest du trotzdem. Er meint es doch gut mit dir. Wir wollen alle nur dein Bestes.«

»Du wirst bald drüber wegkommen«, tröstete Leonie. »Nimm's nicht zu schwer.«

»Bitte reich mir den Toast«, sagte Mathy. Sie aß noch zwei Scheiben und beendete ihr Frühstück mit einer Portion gerösteter Weizenflocken.

6

Ed ließ sich nicht mehr blicken. Offenbar hatte er die Stadt verlassen. In ihrer Freude, Mathy wieder für sich zu haben, stürzte sich Callie voller Tatkraft auf Arbeiten, die sie schon lange hatte erledigen wollen. Mutter und Tochter räumten alte Koffer aus, nähten Kleider für Mary Jo, trennten sämtliche Kissen auf, wuschen und trockneten die Federn und füllten sie in neue Inlette. Mathy arbeitete flink, eifrig und umsichtig und war dabei so vergnügt, als gäbe es keinen Ed Inwood auf der Welt. Nie mehr kam sein alter Klapperkasten die Straße entlanggerattert, nie mehr erbebten die Verandastufen unter seinen Schritten, nie mehr klang die ›süße Georgia Brown‹ durchs Haus. Das Radio schwieg. Matthew und Leonie konnten ungestört arbeiten. Nichts rührte, nichts regte sich. Sie wurden derart nervös davon, dass sie es kaum noch aushielten.

Nachts fanden Matthew und Callie keinen Schlaf – sie lagen nur da und spitzten die Ohren. Mathy war oft genug zu nächtlicher Stunde aus dem Hause geschlüpft, und das zu einer Zeit, als es noch keinen so handfesten Grund wie Ed gegeben hatte.

»Du glaubst doch nicht, dass sie's tun wird?«, fragte Callie immer wieder, wenn sie angstvoll ins Dunkel lauschte.

Jedes Möbelknacken, jedes Gardinenwehen scheuchte die Eltern auf. ›Denk an Jessica‹ wurde zur Parole wie der Schlachtruf der Texaner ›Denkt an Alamo‹.

»Ich traue dem Frieden nicht«, sagte Callie. »Sie scheint sich kein bisschen zu grämen.«

Infolgedessen wurde Mathy auf Schritt und Tritt beobachtet. Lief sie einmal hinaus auf die Wiese – schon war Callie an der Tür und rief sie zurück. Machte sie samstagnachmittags Einkäufe in der Stadt, so schlossen sich Matthew oder Leonie unter irgendeinem Vorwand an. Sie konnte nicht in den Garten und kaum auf die Toilette gehen, ohne belauert zu werden. Callie durchstöberte heimlich ihr Zimmer, fand jedoch weder eingeschmuggelte Briefe noch irgendwelche Anzeichen, die auf Fluchtpläne hindeuteten. Mathy verriet mit keinem Wort, keinem Blick, ob sie diese Überwachungsmaßnahmen bemerkte.

»Warum redet sie denn nicht«, klagte Callie. Für sie war es immer ein Genuss, menschliche Probleme haarklein zu erörtern und dem Betroffenen Trost zu spenden. Aber Mathy gab ihr keine Gelegenheit dazu. Heiter und schweigsam widerstand sie jeglichem Versuch, sie auszuhorchen.

»Es gefällt mir nicht, dass sie alles so in sich verschließt«, sagte Leonie. »Bei Mathy muss man auf das Schlimmste gefasst sein.«

»Gott helfe uns!«, rief Callie. Sie lag wieder die ganze Nacht wach und bereute ihre Torheit. Schreckliche Visionen quälten sie: Mathy, die durch fremde Straßen irrte und nach Ed suchte … Mathy, die im Zug von verdächtigen Individuen angesprochen wurde … ihre samtäugige, unerfahrene Mathy! Als der Morgen graute, schmerzte Callies Kopf zum Zerspringen.

»Matthew, was sollen wir denn bloß tun?«, stöhnte sie.

»Du darfst dir nicht so viel Sorgen machen.«

»Ich kann nicht anders. Immerzu sehe ich sie vor mir, wie sie durch die Straßen läuft und ihn sucht – so ein ahnungsloses kleines Ding, weit weg von zu Hause …« Ihre Stimme überschlug sich. »Ich halt's nicht mehr aus!« Schluchzend verbarg sie das Gesicht an Matthews Schulter.

»Weine doch nicht«, sagte er und tätschelte ihr unbeholfen den Rücken.

»Ich lasse das nicht zu! Ich lasse nicht zu, dass uns auch dieses Kind bei Nacht und Nebel davonläuft!«

»Dann wäre mein Ruf in der Stadt endgültig ruiniert.«

»Am liebsten würde ich erlauben, dass er wieder zu uns kommt. Ab und zu wenigstens. Dann wissen wir doch, was los ist.«

»Vielleicht – vielleicht auch nicht.«

»Mehr als jetzt würden wir auf jeden Fall wissen. Ist ja durchaus möglich, dass sie sich zufriedengeben, wenn sie manchmal zusammen sein dürfen. Und wer weiß …« Callie fuhr hoch und lauschte gespannt. Dann stieg sie aus dem Bett und schlich auf Zehenspitzen in den Flur.

»Sie ist noch da«, flüsterte sie, als sie ebenso leise zurückkehrte. »Jeden Morgen, wenn ich nachsehe, bleibt mir fast das Herz stehen. Wirklich, ich wäre froh und erleichtert, wenn er wiederkäme. Du, Matthew, ich werde ihr sagen, sie soll ihm Bescheid geben. Ist immer noch besser, als dass sie uns durchbrennt.«

»Callie, wir wissen ja gar nicht, ob sie Fluchtpläne hat.«

»Wir wissen aber auch nicht, ob sie keine hat. Denk an Jessica!«

»Also meinetwegen«, entgegnete er und sprang aus dem Bett. »Mach, was du willst. Du hast ihm schon immer das Wort geredet, und wenn du darauf bestehst, dass er wiederkommt, dann kann ich's eben nicht ändern.«

Keine fünf Minuten nach dieser Kapitulation wurde die zarte Morgenstille von Motorendonner zerrissen. Die Fenster klirrten, die Möbel erzitterten, das Haus bebte, als ein Flugzeug darüber hinwegraste.

»Da ist er schon«, sagte Matthew resigniert. »Dieser Vollidiot! Ein Wunder, dass er das Dach nicht runtergerissen hat.«

Eine halbe Stunde später wurde Ed von einem Autofahrer, der ihn in die Stadt mitgenommen hatte, vor dem Haus abgesetzt. Von Liebe, Unverstand und der ungeschickten, aber süßen Georgia Brown singend, überquerte er den Hof. »Mr. Soames«, sagte er, als er sich in der Küche am Frühstückstisch niederließ, »ich bitte um die Hand Ihrer Tochter Mathy.«

7

Sie ließen nichts unversucht. Callie weinte, Leonie argumentierte, Matthew tobte. Nur die Mahnung »Denk an Jessica!« hinderte sie daran, Mathy aus dem Hause zu werfen. Er erging sich in düsteren Prophezeiungen. Sie werde ihren Entschluss bereuen, sagte er, sie werde ihn teuer bezahlen (dies war geistig gemeint; der Preis für eine solche Torheit konnte nur ewige Buße und Reue sein). Aber er predigte tauben Ohren.

Es nützte auch nichts, dass er sie beschwor, an ihren – oder seinen – guten Ruf zu denken.

»Und die Schule? Willst du die nicht erst fertig machen?«, rief er in äußerster Not.

»Wozu denn?«, sagte Mathy.

Das setzte ihn außer Gefecht. Er flüchtete sich als geschlagener Mann in sein Schulhaus. Nun gut, sie war die Tochter ihrer Mutter und hatte keinerlei Bildungsdrang. Aber warum, wenn sie schon all ihre Chancen in den Wind schlug und mit sechzehn heiratete – warum musste es dann gerade Ed Inwood sein? Ed, der ihm mehr Ärger und Sorgen bereitet hatte als irgendein anderer Schüler. Nun, von Mathy war wohl nichts Besseres zu erwarten. Sie waren einander würdig, diese beiden. Trotzig, überheblich, respektlos … Weder Ed noch Mathy hatten je eine Lehre von ihm annehmen wollen. Schön, mochten sie gehen! Vielleicht soll es so sein, dachte er. Sie werden schon noch lernen, dass das Leben mehr ist als Spielerei und dass man nicht immer nur im Sonnenschein herumfliegen kann, wie die Schmetterlinge. Wer nicht hören will, muss fühlen.

Unten klappte die Tür. Matthew hob den Kopf und sah Ed die Treppe heraufkommen. Wie oft hatte er den Bengel so arrogant, so aufreizend dreist den Korridor entlangstolzieren sehen! Irgendwie erinnerte Ed an einen Löwenbändiger, der weniger edel als seine Tiere, dafür aber flinker und wendiger ist. Sein Revolver war mit Argumenten ohne Durchschlagskraft geladen – mit Platzpatronen. Er stieß und bedrängte einen ebenso höflich wie unnachgiebig mit den wackligen Schemeln seiner Vernunftgründe, bis man, den Rest seiner Würde wahrend, auf den befohlenen Platz sprang und still saß. Matthew fühlte sich angesichts seines Dompteurs alt und müde.

»Hallo Professor!«

Matthew seufzte tief. »Also meinetwegen, Ed, Sie können sie heiraten.«

»Ist das Ihr Ernst?«, schrie Ed.

»Ja. Und nun gehen Sie bitte.«

»Aber Mr. Soames …«

»Ich möchte mich auf keine Diskussion mehr einlassen.«

»Ich will ja auch nicht diskutieren, Sir. Sie sollen nur wissen, dass ich Mathy sehr liebe und …«

»Ed, ich habe gesagt, Sie können sie heiraten. Ersparen Sie mir bitte alles Weitere.«

Der junge Mann stand unschlüssig im Türrahmen. »Ich danke Ihnen«, sagte er nach kurzem Schweigen. »Professor, ich wünschte …«

Matthew kehrte ihm den Rücken und öffnete den Rollschrank. Ed zögerte noch einen Moment, dann ging er.

So wurden Ed und Mathy an einem Tag im August getraut und stiegen von Seaberts Wiese in den Himmel auf, im Beisein von Verwandten, Freunden und neugierigen Gaffern. Mathy, mit Schutzbrille und Fliegerhelm, warf ihren Brautstrauß aus der offenen Kabine, während Callie ihr Gesicht mit den Händen bedeckte und einen Niagarafall von Tränen weinte. Matthew stand steif und feierlich da und fragte sich, ob seine Schuld nun endlich abgezahlt sei.

8

Diese letzte Kränkung, die schlimmste von allen, konnte Matthew seiner Tochter nicht verzeihen, obgleich er wusste, dass ein Teil der Schuld bei Callie lag. Und doch vermisste er Mathy sehr. Sie und Ed waren im Süden, wo Ed wieder einmal Pflanzungen mit Insektenvertilgungsmitteln bestäubte und Rundflüge gegen Entgelt machte. Eine Zeit lang gab er Unterricht in einer Fliegerschule. Nach aufsehenerregenden Taten klang das alles nicht, und Matthew sorgte sich im Stillen um Mathy. Gewiss, sie hatte es nicht anders gewollt, und wie man sich bettet, so liegt man, aber er sorgte sich dennoch. Manchmal fragte er sich, ob sie wohl ein Dach über dem Kopf habe und ob sie nicht etwa Hunger leide. An langen Winterabenden, wenn Mary Jo schon schlief und er mit Callie allein war und der Wind im Ofenrohr heulte und das große Haus so leer in der Kälte stand, dachte er oft an Mathy und Leonie und Jessica, im Geist sah er sie alle drei am Tisch sitzen, den blonden oder dunklen Kopf über ein Buch gebeugt, und er sehnte sich insgeheim nach jenen friedlichen Zeiten zurück. Hin und wieder entlockte ihm die Erinnerung an Mathys Streiche ein trauriges Lächeln. Sie war so ein drolliges kleines Ding gewesen … Eigentlich hätte sie jetzt hier sitzen und ihre Schularbeiten machen müssen, und dass sie es nicht tat, lag einzig und allein an Ed Inwood. Wie schon so oft, verwünschte Matthew die Existenz dieses Burschen. Warum hatte das Schicksal Ed dazu ausersehen, ihn ohne Ende zu quälen?

Im Juli kam Ed mit seiner Frau nach Hause, denn sie erwartete im August ein Kind. Die Familie erkannte Mathy kaum wieder. Sie trug das Haar kurz wie ein Junge, war dunkelbraun gebrannt und so aufgeschwollen wie nur je eine Frau im neunten Monat, dabei aber gesund und übermütig wie ein Fohlen. Ein paar Wochen später gebar sie ohne jede Schwierigkeit einen kräftigen Jungen.

Ed sonnte sich unterdessen in Bewunderung, nicht nur zu Hause, wo die Frauen ebenso viel Aufhebens um ihn machten wie um das Baby, sondern auch in der Stadt. Lindbergh hatte gerade seinen berühmten Ozeanflug hinter sich gebracht, und die Einwohner von Shawano, vor Begeisterung nicht weniger hysterisch als der Rest der Vereinigten Staaten, erhoben Ed zu ihrem Privathelden. Er war Flieger, wie Lindy; das genügte.

Matthew konnte nicht über die Straße gehen, ohne dass ihm alle möglichen Leute erzählten, wie stolz er auf seinen Schwiegersohn sein müsse. »Ed macht sich großartig, finden Sie nicht?«

»Ja, er fliegt ganz schön hoch«, antwortete Matthew regelmäßig, und dann lachten sie.

»Ich hab ja immer gesagt, in dem steckt was.«

Matthew begriff einfach nicht, warum man Ed derart verherrlichte. Der Bursche hatte weder Ozeane überflogen noch neue Rekorde aufgestellt; er riskierte lediglich seinen Hals. Wurde die Welt davon besser? Half das den Armen und Kranken, förderte es die Wissenschaft? Nein, Ed leistete der Allgemeinheit nicht den geringsten Dienst. Für ihn gab es keine ernste Arbeit, nur Sport, Schaugeschäft, Vergnügen. Er war leichtsinnig und verantwortungslos; er missachtete die göttlichen Gebote und die Naturgesetze. Aber damit kam er der sensationslüsternen Menge entgegen. Heutzutage war dergleichen ›gefragt‹. Eds Fehler galten als moderne Tugenden. Matthew fühlte sich altmodisch und beiseitegeschoben. Abwarten, sagte er sich, die alten Tugenden sind stärker. Der Tag wird kommen …

Auch später besuchten Ed und Mathy gelegentlich die Eltern, entweder mit dem Flugzeug oder in einem Auto, das Ed alt gekauft und gründlich überholt hatte. Mathy trug die gleichen Hosen und Stiefel wie Ed und sah ganz und gar nicht wie eine Mutter aus. Das Kind, das sie überallhin mitnahmen, gedieh trotz des unruhigen Lebens prächtig und wuchs zu einem liebenswerten kleinen Jungen heran. Sie waren immer unterwegs, einen Monat hier, einen Monat dort, wie es Ed gerade einfiel – die reinsten Zigeuner, und offenbar wünschten sie es sich auch nicht anders. Obwohl sie weder säten noch ernteten, sondern wie die Vögel unter dem Himmel lebten, hatten sie ihr Auskommen und waren – auf ihre alberne Art – gut gekleidet. Matthew wunderte sich, wie sie das fertigbrachten. »Aber das ist nicht von Dauer«, erklärte er oft und forderte damit Callies Widerspruch heraus. »Sie können nicht ewig wie Schmetterlinge von Blüte zu Blüte flattern. Wart's nur ab, der Tag wird kommen …«

Und er behielt recht. Das Flugwesen dehnte sich aus, wie Ed vorausgesagt hatte, und die Konkurrenz wurde immer größer. Die Zeiten, da ein Pilot sich allein mit Mut und Charme durchsetzen konnte, waren unwiderruflich dahin. Jetzt brauchte man Spezialkenntnisse – Meteorologie, Navigation, Technik –, die zu erwerben Ed versäumt hatte. (Wozu die Mühe? Er flog ja auch ohne das wie ein Vogel. Besser sogar als ein Vogel, denn er konnte auch in der Rückenlage fliegen!) Außerdem drohte eine Wirtschaftskrise. Kleinere Banken meldeten Konkurs an. Die Leute hatten weniger Geld und weniger Lust, es auszugeben. Sie bekamen es mit der Angst zu tun. Dann brach die Wirtschaft tatsächlich zusammen, und Panik kroch von Osten her durch das Land. Es war keine gute Zeit für einen Zigeunerflieger.

Matthew und Callie spürten aus Mathys Briefen heraus, dass nicht alles zum Besten stand. Mathy klagte niemals, sie ging über ihre Schwierigkeiten mit einem Scherz hinweg, aber die Eltern dachten sich ihr Teil. Schließlich forderte Matthew sie auf, mit Mann und Kind nach Hause zu kommen. Sie konnten auf der Farm leben, wo ihr Unterhalt durch die Gartenerzeugnisse und eine Kuh gesichert war. Mathy schrieb zurück, sie sei Papa so dankbar und sie habe die Farm ja auch immer geliebt, aber Ed sei nun mal Flieger, etwas anderes gebe es für ihn nicht, und er werde sich schon irgendwie durchbeißen. Er hoffe, bald eine Stellung als Verkehrspilot zu finden.

Callie machte sich große Sorgen, trat aber nach wie vor für Ed ein. Er sei ein braver Junge, behauptete sie. Mit der Zeit werde er sich schon die Hörner ablaufen. Vielleicht seien ein paar Rückschläge gerade das, was ihm nottue.

Doch der Tag kam, an dem ihr Glaube ins Wanken geriet. Ed war nach Kalifornien geflogen, um Arbeit zu suchen (eine hirnverbrannte Idee, wie Matthew sagte), und hatte Mathy und das Kind in Texas zurückgelassen. Er blieb lange fort, und aus Mathys Briefen war nicht klar zu ersehen, was er eigentlich trieb. Einmal hieß es, er habe sich mit einem anderen Flieger zusammengetan; dann schrieb sie etwas von Transportflügen, ein andermal erwähnte sie, dass Ed als Mechaniker auf irgendeinem kleinen Flugplatz arbeite. Sie drückte sich so unbestimmt aus, dass die Eltern allmählich den Eindruck gewannen, sie sei selber nicht genau im Bilde. Um Ostern herum verwandelte sich ihre Besorgnis in regelrechte Angst, als sie erfuhren – Leonie, die es von Jessica gehört hatte, brach aus Pflichtgefühl ihr Schweigeversprechen –, dass Mathy seit mehr als einem Monat nichts über Eds Verbleib wusste. Sie arbeitete als Kellnerin, um sich und Peter durchzubringen. Matthew schrieb ihr sofort, sie solle nach Hause kommen, und legte einen Scheck bei. Mathy sandte den Scheck postwendend mit einem Dankbrief zurück. Ed war wieder da – alles war in bester Ordnung.

Dann hörten sie wochenlang nichts. Das Schuljahr

ging zu Ende, sie übersiedelten für den Sommer auf die Farm, und dort erreichte sie die Nachricht von dem Unfall. Ed war spätabends mit dem Flugzeug aufgestiegen, um anlässlich irgendeines Gedenktages ein Feuerwerk abzubrennen. Mathy hatte ihn begleitet, weil er Hilfe brauchte, und der Junge war in der Obhut eines Mechanikers geblieben. Alles klappte vorzüglich – bis zur Landung. In der Dunkelheit und auf dem fremden Feld setzte Ed die Maschine so hart auf, dass sie zu Bruch ging. Er wurde schwer, wenn auch nicht lebensgefährlich verletzt. Mathy war auf der Stelle tot.

Die Familie daheim stolperte fast wortlos durch den Tag. Jeder forschte in den Zügen der anderen, als erwarte er die Bestätigung, dass dies lediglich ein böser Traum sei. »Ich habe doch gebetet«, sagte Callie ab und zu mit der Stimme eines verwirrten Kindes. »Ich habe die ganze Zeit gebetet.«

Aber Mathy war tot, und Matthew fuhr hin, um sie nach Hause zu holen.

Ed war nicht bei Bewusstsein. Man hatte ihm schwere Betäubungsmittel gegeben, und er wachte nicht auf, als Matthew an sein Bett trat. Matthew blickte lange auf die bandagierte, reglose Gestalt und sagte stumm Lebewohl. Von Ed war er nun befreit. Ed hatte ihm seinen letzten Streich gespielt, Matthew nahm seinen Enkel mit sich.

Zuletzt ging er zu Mathy. Sie lag wie in Gedanken verloren, mit einem rätselhaften halben Lächeln auf dem Gesicht, als heiße sie den neuen Zustand willkommen und gehe kühl mit sich zurate, was nun mit dem Tod anzufangen sei. Matthew stand trockenen Auges neben ihr. Sein Schmerz wurde von Zorn übertäubt – von einer Art göttlichen Zornes, dass dies gegen seinen Willen hatte geschehen können, dass Mathy jetzt so eigensinnig daliegen durfte und nicht zu kommen brauchte, wenn er sie rief. Dann aber veränderte sich dieses schmale Gesicht in seiner Erinnerung – ach, so wenig nur –, und das dunkelhaarige Neugeborene war wieder da, das er an jenem stürmischen Winterabend im finsteren Farmhaus begrüßt hatte. Seine Tränen begannen zu fließen. *Guten Abend, mein Kleines ...* Nun hieß es: Gute Nacht.

9

Wenige Tage nach dem Begräbnis kam eine eigenartige Schweigsamkeit über Callie. Sie war nach dem ersten Verzweiflungsausbruch sehr tapfer gewesen, und die Anwesenheit von Jessica und Leonie schien sie ein wenig zu trösten.

Der Schmerz, den sie gemeinsam trugen, brachte sie einander nahe. Nun aber verstummte Callie plötzlich. Wenn man sie anredete, schien sie nicht zu hören. Sie griff immer wieder zur Bibel, las Seite um Seite, den Kopf gesenkt, mit dem Finger die Zeilen verfolgend. Auf freundlichen Zuspruch reagierte sie meistens mit einem Blick, als seien die anderen ihren Augen entrückt und für sie nicht mehr erkennbar. Sie wanderte allein im Hof umher und stocherte in den Büschen. Manchmal stand sie im Gemüsegarten lange zwischen den Beeten, ohne zu wissen, weswegen sie eigentlich gekommen war.

Matthew und die Töchter beobachteten sie heimlich, voller Angst, dass sie sich etwas antun könnte. Sie folgten ihr unauffällig, wohin sie auch ging. Eines Tages jedoch gelang es Callie, ihnen zu entschlüpfen, und ihre Abwesenheit wurde erst nach längerer Zeit bemerkt. Aufgeregt durchsuchten die anderen Haus und Scheune und streiften dann auf verschiedenen Wegen durch die Wälder. Jessica fand sie endlich beim ›alten Schornstein‹, wo Mathy als Kind so gern gespielt hatte. Callie saß in der flachen Mulde innerhalb der alten Grundmauern, wo Gestrüpp und hoch aufgeschossenes Unkraut sie wie ein Schutzwall umgaben. Sie sprach leise mit sich selber.

»Mama«, rief Jessica zaghaft.

Callie murmelte weiter vor sich hin. Jessica wusste nicht recht, was sie tun sollte. Vielleicht war es gefährlich, die Mutter aus ihrer Versunkenheit herauszureißen. Sie verstand nur hin und wieder ein Wort, aber ihr schien, dass Callie mit Gott sprach, übrigens ganz ruhig und verständig, mit Pausen dazwischen, als lausche sie der Antwort. Nach einigen Minuten verstummte sie, faltete die Hände um die Knie und blickte zu Boden. Gerade als Jessica sie anreden wollte, hob Callie den Kopf und sagte: »Ich möchte bloß wissen, wo die alte Glucke war!« Mit einem leisen Lachen, einem Lachen unbeschwerter Heiterkeit, stand sie auf, klopfte ihren Rock ab und wandte sich zum Gehen. Jessica zog sich lautlos ins Gebüsch zurück und ließ sie unbehelligt, folgte ihr aber in einiger Entfernung nach Hause, angstvoll überzeugt, dass die Mutter nun wirklich den Verstand verloren habe.

Stattdessen hatte Callie ihn wieder gefunden. Von dieser Stunde an lebte sie gleichsam auf. Ihr Blick wurde hell und klar wie der Himmel nach langer Bewölkung, und wenn sie auch mit zitternder Stimme von Mathy sprach und gelegentlich weinte, so äußerte sich doch ihr

Schmerz in einer schlichten, vertrauten Form und ebbte mit der Zeit zu jenem stillen, erträglichen Kummer ab, der stets nach dem Verlust eines geliebten Menschen zurückbleibt.

Matthew machte ihr niemals Vorwürfe, weil sie für die Heirat gewesen war und auf Ed vertraut hatte. Hier bestand keine Notwendigkeit für ein ›Ich habe es dir ja gleich gesagt‹.

10

So vergingen der Juni und ein guter Teil des Juli. Peter, der nun fast drei Jahre alt war, hörte auf, nach seiner Mutter zu fragen. Leonie hatte die Familie beschworen, den Jungen nicht zu verwirren. »Wir dürfen ihn keinesfalls bedauern oder ihm etwas vorweinen. Benehmt euch ganz natürlich und macht kein Getue um ihn.« Alle bemühten sich gewissenhaft, diesen Rat zu befolgen. Nur manchmal – abends, wenn die Töchter noch beim Geschirrspülen waren – nahm Callie den Jungen auf den Schoß, streichelte ihn und murmelte immer wieder: »Armes Baby, mein armer Kleiner.« War er dann in ihren Armen eingeschlummert, so trug Matthew ihn hinauf und saß noch eine Weile im Dunkeln an seinem Bett, bis tiefe Atemzüge ihm verrieten, dass Peter fest schlief. Morgens standen Großvater und Enkel gleichzeitig auf, zogen sich an, gingen hinunter, machten Feuer und füllten den Kessel mit Wasser. Dann wuschen sie sich in der großen Waschschüssel, kämmten das nasse Haar schön glatt an den Kopf und führten dabei lange, ernste Gespräche über Schweine, Kühe, Waschbären und Engel.

Mary Jo, die gerade sieben geworden war, hatte an Peter einen guten Spielgefährten. Jessica tollte mit den beiden herum, erzählte ihnen Geschichten und nahm sie auf Waldspaziergänge mit. Auch Leonie bemühte sich um die Kinder, vor allem um Peter. Wenn irgendein großes oder kleines Problem auftauchte, runzelte sie nachdenklich die Stirn und fragte sich: »Was würde Mathy jetzt tun?« Und dann versuchte sie, entsprechend zu handeln.

Am ersten August fuhr Jessica nach Hause, und eine Woche später verabschiedete sich Leonie. Matthew und Callie blieben mit den Kindern allein. Auch für sie wurde es nun bald Zeit, in die Stadt zurückzukehren.

In den letzten Augusttagen, an einem kühlen, fast herbstlichen Morgen, arbeitete Matthew auf dem Heuboden. Die Kinder hatten ihn begleitet und vergnügten sich damit, im Heu Purzelbäume zu schlagen. Plötzlich erschien Callies Kopf in der Luke.

»Papa«, sagte sie atemlos, »er ist da!«

Matthew, der gerade ein Bündel Heu auf die Gabel gespießt hatte, hielt mitten in der Bewegung inne.

»Er möchte Peter sehen.«

Matthew warf das Heu in den Stall und stach eine neue Portion aus dem Stapel. »Gut, nimm ihn mit.«

Callie half den Kindern die Leiter hinunter und kletterte noch einmal nach oben. »Kommst du nicht auch?«

Wieder flog eine Ladung Heu in den Stall, bevor er antwortete. »Ja, gleich.«

Callie, deren Augen sich etwa in Dielenhöhe befanden, blickte schüchtern zu ihm auf.

»Papa … Er hat's schließlich nicht mit Absicht getan. Ihm ist furchtbar elend zumute.«

Als Matthew schwieg, zog sie sich zurück. Er arbeitete weiter, bis der Heuvorrat für etwa eine Woche reichte. Dann stieg er hinunter, wusch sich die juckenden Arme im Pferdetrog und ging langsam zur Vorderseite des Hauses. Ihm graute vor der Begegnung. Aber nur diese eine noch, sagte er sich, dann ist die Sache erledigt.

Peter kam ihm entgegengelaufen. Er schleifte einen sperrigen Gegenstand hinter sich her. »Sieh mal, Opa, Daddys Krücke!«, schrie er und zwängte ihm das Ding in die Hand. Matthew hielt es ungeschickt fest. Seltsamerweise hatte er vergessen, dass Ed an Krücken gehen musste.

Ed saß auf der obersten Verandastufe, ein Bein angewinkelt, das andere steif ausgestreckt, als wäre es aus Holz. »Hallo Professor«, sagte er mit seinem gewohnten Lächeln.

»Wie geht's, Ed?«

»Danke, ganz gut. Entschuldigen Sie bitte, dass ich nicht aufstehe.«

»Selbstverständlich, bleiben Sie sitzen.« Matthew sprach mit jener formellen Höflichkeit, die unter Staatsmännern sowohl beim Abschluss von Verträgen als auch beim Abbruch der diplomatischen Beziehungen üblich ist.

»Ich freue mich, Sie wiederzusehen.« Ed hielt ihm die Hand hin.

Matthew nahm sie schweigend, und dabei bemerkte

er, dass neben Ed eine zweite Krücke lag. »Ja«, sagte Ed, dem dieser Blick nicht entgangen war, »ich muss mich noch eine Weile auf allen vieren bewegen.«

»Hoffentlich nicht mehr lange.«

»Ich weiß nicht. Das Bein ist voller Knoten und Verwachsungen. So richtig wird's wohl nie wieder werden. Taugt gerade noch als Stützpfahl für die linke Seite.«

»Das tut mir leid.«

»Ach, langsam gewöhne ich mich daran. Ich bin ja noch ein bisschen wacklig, aber wenigstens kann ich mit dem verdammten Ding Auto fahren. Solange das geht, bin ich ganz zufrieden.«

Autofahren und Basketballspielen! »Wann sind Sie aus dem Krankenhaus entlassen worden?«, fragte Matthew.

»Vor vierzehn Tagen. Seitdem wohne ich in Shawano bei meiner Schwester.«

»Sie ist hingefahren und hat ihn geholt«, warf Callie ein.

Eine Pause entstand. Jetzt kommt es, dachte Matthew.

»Das Nichtstun macht mich nervös«, sprach Ed weiter. »In zwei, drei Wochen werde ich mich wohl nach 'nem Job umsehen. Ich kenne ein paar Leute auf dem Richards-Flugplatz, vielleicht haben die was für mich. In den Hangars oder so.«

»Meinen Sie denn, dass Sie so bald schon wieder arbeiten können?«, erkundigte sich Callie besorgt.

»O ja. Wenn erst mal dieses verflixte Händezittern aufhört, kann ich eine Maschine genauso gut überholen wie jeder andere.«

»Ganz bestimmt«, sagte Callie ermutigend.

»Und je eher ich's versuche, desto besser. Lange darf ich nicht mehr so rumsitzen, sonst rauche ich mich zu Tode. Was mir fehlt, ist Beschäftigung. Außerdem« – er wandte sich Matthew zu – »muss ich ja meine Schulden abzahlen. Ich bin Ihnen sehr dankbar, Sir, dass Sie die Krankenhausrechnung erledigt haben und … und das andere.«

»Ja …« Matthew sah an ihm vorbei und ließ das Wort in der Luft hängen.

»Ich zahle es so bald wie möglich zurück.«

»Machen Sie sich deswegen keine Sorgen.«

»Ich tu's aber.« Ed senkte den Kopf. Nach einer Pause fügte er leise hinzu: »Ich brauche Ihnen wohl nicht zu sagen, wie mir zumute ist. Was da … passiert ist, kann ich nie wiedergutmachen. Aber ich will wenigstens tun, was ich kann.«

Matthew blickte starr auf die Straße, wo Eds Wagen neben dem Briefkasten stand. (Derselbe alte Wagen. Derselbe alte Ed.) Callie putzte sich verstohlen die Nase. Am Gartenzaun hatten die Kinder Eds Krücke zwischen den Rosenbüschen in die feuchte Erde gesteckt. Ed begann von anderen Dingen zu sprechen. Ist das alles?, dachte Matthew. Ein kleines Wort des Bedauerns? Die höfliche Entschuldigung für einen zufälligen Missgriff? Dafür, dass Mathy ihr Leben verloren hat?

»Ich will mir eine kleine Wohnung mieten«, hörte er Ed sagen. »Lil wird fürs Erste mitkommen und mir helfen.«

»Das ist aber nett von ihr«, bemerkte Callie.

»Ja, nicht wahr? Ich hab meinen Schwager gefragt, ob er inzwischen auch nicht verhungern würde, und da meinte er, mit dem Büchsenöffner könnte er ebenso gut umgehen wie Lil. Meine Schwester ist nicht gerade die beste Köchin der Welt, wissen Sie. Macht ihr alles viel zu viel Arbeit. Sie spielt lieber Bridge oder liest ihr Filmmagazin.«

Während Callie und er miteinander plauderten, liefen die Kinder bald hierhin, bald dorthin. Mary Jo, geschäftig und wichtigtuerisch, kommandierte ihren kleinen Neffen herum. Nach einer Weile kam Peter zu seinem Vater.

»Daddy, bleibst du über Nacht bei uns?«

Er lachte und verstrubbelte ihm das Haar. »Nein, mein Sohn, das geht nicht.«

»Warum nicht?«

»Daddy muss zurückfahren.«

»Warum musst du zurückfahren?«

»Peter!«, rief Mary Jo.

»Warum kannst du nicht bei uns bleiben, Daddy?«

»Weil es eben nicht geht.«

»Peter! Komm!«

»Warum nimmst du mich nicht mit, Daddy?«, fragte Peter.

»Komm doch, Peter, ich will dir was zeigen!«

Mary Jo heuchelte Aufregung, indem sie wie ein Gummiball hüpfte.

Peter trollte sich. Auf der Veranda herrschte gedrückte Stille. Das Stichwort war gefallen, und nun …

»Ich würde ihn gern mitnehmen«, sagte Ed sonderbar demütig. »Er fehlt mir.«

Endlich war es heraus. Matthew fühlte sich fast erleichtert.

Ed hob den Kopf und sah erst Matthew, dann Callie an. »Wahrscheinlich möchten Sie ihn behalten, und vielleicht wäre das sogar besser für ihn. Aber ich … ich hätte ihn so gern bei mir. Ich werde gut für ihn sorgen, da können Sie ganz sicher sein. Meine Schwester hilft mir ja auch. Und ich dachte – wenn Sie einverstanden sind –, ich dachte, ich nehme ihn am besten gleich mit.«

Callie saß mit niedergeschlagenen Augen da. Matthew starrte auf die Straße. Keiner von beiden sprach.

»Wäre es Ihnen recht, Mrs. Soames?«, fragte Ed.

Sie wischte sich die Tränen ab. »Ich habe das nicht zu entscheiden, Ed«, stieß sie hervor.

Matthews Stimme klang hart und kalt, als er sagte: »Ich kann Ihnen den Jungen nicht lassen.«

Ed blickte ihn an und senkte dann den Kopf.

Callie stand auf. »Kommt, Kinder«, rief sie und führte die beiden hinter das Haus, sodass die Männer allein blieben.

Ed zündete sich eine Zigarette an. Der Rauch, bläulich und beizend, trieb auf Matthew zu, der gewohnheitsmäßig schnüffelte, als wären seine wachsamen Nüstern in den Gängen der Schule wieder einmal einem Übeltäter auf die Spur gekommen.

»Ich habe diese Antwort befürchtet«, sagte Ed nach längerer Pause.

»Kann ich denn anders handeln, Ed?«

»Ich … ich dachte nur, wenn Sie wüssten, wie leid mir das alles tut …«

»Das Wort ist wohl nicht ganz angemessen.«

»Ich weiß.« Ed rauchte eine Weile schweigend. »Mr. Soames, ich habe viel gutzumachen – an Ihnen und an Peter. Und ich will tun, was nur irgend möglich ist, das habe ich mir fest vorgenommen. Können Sie mir das nicht glauben.«

»Leider nein, Ed.«

»Diesmal ist es …«

»Ich kenne Sie schon zu lange.«

Ed lächelte wehmütig. »Nun ja, Professor«, sagte er, »aber Peter ist immerhin mein Sohn.«

»Sie waren kein guter Vater. Haben Sie ihm ein Zuhause gegeben? Haben Sie ordentlich für Ihre Familie gesorgt?«

»Nicht auf Ihre Art, das mag sein.«

»Kein verantwortungsbewusster Mann würde Ihre Art gutheißen. Sie haben ein Zigeunerleben geführt. Sie sind nach Kalifornien geflogen und haben Ihre Familie sich selber überlassen. Mathy hatte die meiste Zeit keine Ahnung, wo Sie waren.«

»Ich weiß – und das bereue ich ganz besonders. Aber ich war so viel unterwegs …«

»Unterwegs, immer unterwegs! Sie haben nie Sitzfleisch gehabt, Ed. Alles angefangen, nichts fertig machen – so war's schon immer bei Ihnen.«

»Ich könnte mir denken, dass es schlimmere Charakterfehler gibt«, erwiderte Ed. »Vielleicht bin ich rastlos, und vielleicht lässt sich dagegen nichts tun. Aber vielleicht hätte Mathy mich nicht so geliebt, wenn ich anders gewesen wäre. Sie hat mich geliebt, Mr. Soames. Und sie würde wünschen, dass unser Sohn bei mir aufwächst, meinen Sie nicht?«

»Glauben Sie diesen Sohn verdient zu haben?«

»Im Hinblick auf die Vergangenheit wahrscheinlich nicht. Aber im Hinblick auf die Zukunft.«

»Wie die Dinge liegen«, sagte Matthew, »wird kein Gericht in den Vereinigten Staaten Ihnen das Kind zusprechen.«

Sekundenlang herrschte Schweigen. Dann fragte Ed leise: »Dazu wären Sie fähig?«

»Wenn es nötig ist, ja. Eigentlich sollte Sie das nicht überraschen.«

»Aber es überrascht mich. Für so rachsüchtig hätte ich Sie nie gehalten.«

»Ich habe lediglich das Wohl des Jungen im Auge.«

»Und zugleich zahlen Sie mir meine Untaten heim. War ich wirklich so schlimm, Professor, habe ich Sie so sehr geärgert?«

»Ich denke an das, was Sie meiner Tochter angetan haben.«

»Mathy hat mich geliebt. Sie war glücklich mit mir.«

»Und nun ist sie tot, nicht wahr?«

Ed wandte den Blick ab. Als er weitersprach, hatte seine Stimme etwas Beschwörendes. »Es handelt sich jetzt aber um Sie, Mr. Soames. Ich weiß, Sie haben mich nie leiden können, schon in meiner Schulzeit nicht. Ich habe Sie oft geärgert, das gebe ich zu, aber war ich deswegen ein schlechter Mensch? Böse hab ich's doch nie gemeint. Ich mochte Sie immer gern, Professor, ich habe Sie verehrt und bewundert.« Er hielt plötzlich inne und sah Matthew mit einem Ausdruck ungläubigen Erstaunens an. »Es ist doch nicht etwa wegen *Alice*? Sollten Sie mir das immer noch nachtragen? Das wäre ja … So viele Jahre lang!«

Matthew fühlte, dass er blass wurde. Alte, halb vergessene Ängste sprangen in ihm auf wie träge Schildwachen, die den Feind erst bemerken, wenn er schon da ist, und die nun mit lautem Alarmgeschrei durcheinanderrennen. Alice und all die anderen Mädchen – all die koketten, lächelnden Mädchen, die einst seiner Eitelkeit geschmeichelt hatten – drangen wie rächende Furien auf ihn ein, und am wildesten gebärdete sich Charlotte. Seine Schwäche, die er so wohlverborgen geglaubt hatte, lag klar zutage. Ed wusste Bescheid!

»Was meinen Sie damit?«, fragte er tonlos.

Ed zuckte die Achseln, ohne seinen forschenden Blick von ihm zu wenden. »Alice hat's mir erzählt. Aber das war gar nicht mehr nötig. Hatte sich längst rumgesprochen.«

»Nun, ich … ich habe sie … geschätzt«, stotterte Matthew. »Wir waren befreundet, aber selbstverständlich nur … nur so wie es zwischen Schülerin und Lehrer üblich ist. Sollte sie übertrieben oder irgendetwas falsch ausgelegt haben …«

»Lassen Sie's gut sein, Professor«, unterbrach ihn Ed mit müdem Lächeln. »Sie hatten ja immer was für hübsche Mädchen übrig.«

»Sie können mir nichts nachweisen!«, brauste Matthew auf. »Nichts, gar nichts! Gerüchte verbreiten, das ist alles, was Sie können! Ich habe nie …« Die Stimme erstarb ihm im Halse, als er Eds Lächeln sah, ein eigenartig abwägendes Lächeln. Matthew fühlte, wie der Bau seines öffentlichen Ansehens, den er so strebsam und mühevoll errichtet hatte, ins Wanken geriet. Ein Gerücht, der Hauch eines Gerüchtes konnte alles zum Einsturz bringen. Er, der in so gutem Ruf stand, durfte doch nicht an einer kleinen Torheit scheitern!

»Hab einen Schmetterling gefangen«, sagte ein Stimmchen hinter ihm. Matthew fuhr herum, und in seiner Erregung glaubte er, dort stünde Mathy, die dreijährige, funkeläugige Mathy, die etwas Flatterndes zwischen den gewölbten Händen hielt.

»Sieh doch, Opa«, bat Peter eingeschüchtert.

Matthew betrachtete ihn. Dieses winzige weiche Tonklümpchen! Was würde Ed aus ihm machen? Er wandte sich um.

»Und wenn Sie sich auf den Kopf stellen, Ed«, sagte er fest, »ich werde ihn behalten.«

Sie schauten einander in die Augen, und Ed senkte als Erster den Blick. Peter war schon fortgelaufen. In der Stille hörte man Callie in der Küche mit Töpfen und Tellern klappern; die Schöpfkelle schlug klirrend gegen den Wassereimer. Ein Erntewagen rumpelte draußen vorbei.

Der Farmer, der daraufsaß, hob grüßend die Hand. Matthew und Ed winkten zurück.

Schließlich griff Ed nach seiner Krücke. »Wird Zeit, dass ich heimfahre«, sagte er und deutete mit einer Kopfbewegung auf die zweite Krücke, die noch im Rosenbeet steckte. »Leider muss ich Sie bitten …«

»Ach ja – die Krücke!« Matthew sprang beschämt auf und brachte sie ihm.

Ed zog sich auf die Füße und streckte, als er sicher stand, die Hand aus. »Also dann … leben Sie wohl.«

»Leben Sie wohl, Ed. Es tut mir leid, aber ich kann nicht anders.«

Ed nickte nur.

»Soll ich Peter rufen?«, fragte Matthew.

»Nein.«

»Also dann … Gute Besserung, Ed.«

Der junge Mann humpelte auf das Gartentor zu, sorgsam darauf bedacht, den Feldsteinen am Wegrand auszuweichen. Matthew sah schmerzlich erstaunt, wie mühselig er das steife Bein nachschleifte, wie schief und verkrampft der große, kräftige, junge Körper zwischen den Krücken hing. Dass es so schlecht um Ed bestellt war, hatte er nicht gedacht. Von plötzlichem Mitleid überwältigt, lief er hinter Ed her, um ihm die Tür zu öffnen – und riss ihm beim hastigen Überholen die eine Krücke weg. Er hätte nicht sagen können, wie es geschah: Irgendwie blieb er mit dem Schuh hängen, und gleichzeitig rutschte wohl die andere Krücke an einem Stein ab – jedenfalls verlor Ed das Gleichgewicht. Fliegende

Krücken, rudernde Arme, ein Aufschrei Matthews ... Ed taumelte und schlug der Länge nach hin.

Erschrocken, Entschuldigungen stammelnd, beugte sich Matthew über ihn und wollte ihm aufhelfen.

»Lassen Sie das«, sagte Ed ruhig.

»Nehmen Sie doch meinen Arm ...«

»Ich brauche keine Hilfe.« Ed lag mit geschlossenen Augen da. »Bitte fassen Sie mich nicht an.«

Matthew wich zurück. Obwohl er sich seiner Neugier schämte, beobachtete er wie gebannt Eds Bemühungen, auf die Füße zu kommen. Der junge Mann stützte die Arme auf den Boden, zog ruckweise das eine Knie an und kroch auf den Zaun zu. Das steife Bein schleppte er nach wie ein verletztes Tier die Schlagfalle. Am Torpfosten angelangt, umklammerte er ihn mit beiden Händen und stemmte sich hoch. Als er stand, leuchteten seine Augen triumphierend auf, ein Ausdruck, der gleich darauf einer Miene kläglichen, ohnmächtigen Zorns wich. Die Krücken lagen noch auf dem Weg gerade außer Reichweite. Hastig, ohne ein Wort, hob Matthew sie auf. Ohne ein Wort nahm Ed sie entgegen. Er weinte.

»Ed ...«, sagte Matthew.

Ed drehte sich um, hinkte zu seinem Wagen, stieg ein und fuhr ab.

II

Nein, vor Ed brauchte er sich nicht mehr zu fürchten. Er hatte ihn in seiner tiefsten Erniedrigung gesehen. Aber er musste den ganzen Tag daran denken, wie die Tränen über das jämmerlich stolze Gesicht gelaufen waren. Ed hatte unrecht getan, doch er bezahlte nun teuer dafür. »Der Herr hat ihn gestraft«, sagte Matthew. »Wie darf ich wagen, ihn auch noch zu strafen?«

Er sagte es laut vor sich hin, als er bei Sonnenuntergang sein Weideland überquerte. Und an einer bestimmten Uferstelle fügte er hinzu: »Ich selber bin auch nicht frei von Schuld.«

Nach kurzem Zögern stieg er die Böschung hinunter, watete durch den Bach, erklomm nun das Ufer und gelangte zu der dreieckigen Lichtung, in deren Mitte der Stumpf eines alten Weißdorns stand. Mit Ausnahme eines schmalen Randstreifens lag der grasige Winkel schon in tiefem Schatten; nächtliche Stille hing über ihm. Es war ein verwunschener Ort, heimgesucht von den Gespenstern halb vergessener Schuld und Sehnsucht. Matthew stand lange in der Dämmerung und gedachte jener längst vergangenen Frühlingsnacht und des Wintertages, an dem Mathy zur Welt gekommen war.

»Herr«, sagte er schließlich, »als du sie mir nahmst, dachte ich, nun wäre die letzte Rate meiner Schuld abgezahlt. Aber vielleicht muss ich auch noch den Jungen dreingeben. Und vielleicht ist es dann genug.«

So fuhren Großvater und Enkel am folgenden Nachmittag nach Shawano. Dicker Staub lag auf der Straße, roter Staub, der zu Graubraun verblasste, als sie aus dem Hügelland in die Ebene kamen. Er quoll in Wolken unter den Autorädern hervor und senkte sich langsam auf die Sonnenblumen, Spanischen Nadeln, bronzefarbenen und scharlachroten Zinnien, die vor den Farmhäusern blühten. Die Luft war erfüllt von dem schrillen Zirpen der Heuschrecken, die unermüdlich das Sterbelied des Sommers sangen. Matthews Stimmung passte zu dieser Jahreszeit, in der alles von Abschied und Wehmut kündete.

»Sag mal, mein Kleiner«, fragte er in ernstem Ton, »freust du dich auf deinen Daddy?«

»Ja«, antwortete Peter.

»Möchtest du bei ihm bleiben?«, fuhr Matthew fort. Er hatte diese Frage wohl schon zwanzigmal gestellt.

»Auch nachts?«, erkundigte sich Peter mit drollig nachdenklicher Miene.

»Ja, auch nachts. Immer. Möchtest du bei Daddy schlafen und nicht mehr mit Opa heimfahren?«

»Will in Daddys Flugzeug fliegen«, sagte Peter und machte surrende Geräusche mit den Lippen. »Opa, darf ich mal hupen?«

»Meinetwegen, aber nur einmal.« (Er war ja noch so klein – erst drei Jahre.)

»Opa, ich hab Durst.«

»Schön, wenn wir eine Pumpe sehen, kriegst du zu trinken.« Sie hielten vor einer Dorfschule. Matthew pumpte und zeigte dem Kleinen, wie man das Wasser in den hohlen Händen auffing, Peter tauchte das Gesicht hinein und lachte. Das Gras im Schulhof war schon gemäht worden; in wenigen Tagen würden sich hier wieder Kinder tummeln. Jetzt war der Hof leer und still. Man hörte nur das Rauschen des Windes. Matthew beugte sich über den Jungen, um ihm das Gesicht abzutrocknen, und plötzlich drückte er ihn fest an sich. Noch war Zeit, noch konnten sie umkehren! Diese Regung verging jedoch so schnell, wie sie gekommen war, denn er sah wieder Ed vor sich – Ed, der mit tränenüberströmtem Gesicht dastand und den Torpfosten umklammerte.

Sie fuhren weiter. Am Stadtrand von Shawano bog Matthew in eine schmale, ungepflasterte Straße ein, in deren Mitte Wegerich und Quecken wucherten. Das Haus stand am Ende der Straße in einem verwilderten Garten. Matthew hielt vor der Pforte, unmittelbar hinter Eds altem Wagen, und stellte den Motor ab.

»Wohnt Daddy hier?«, fragte Peter.

»Ja. Komm her, lass dich fein machen.« Er kämmte den Kleinen, wischte ihm mit dem Taschentuch das Gesicht ab und küsste ihn. Dann nahm er den Pappkarton, der Peters Sachen enthielt, und drückte dem Jungen eine Tüte in die Hand – selbst gebackene Plätzchen, die Callie für Ed mitgeschickt hatte.

»So, nun können wir gehen.«

Sie stiegen die Stufen zur Haustür hinauf. Matthew klopfte. Die Tür und die Fenster waren geschlossen, die Vorhänge zum Schutz gegen die Hitze zugezogen. Matthew klopfte noch einmal, lauter, und wartete. Nichts rührte sich. Auch die Straße war menschenleer. »Ist denn die ganze Stadt ausgeflogen?«, murmelte er und klopfte abermals. »Komm, wir versuchen's mal an der Hintertür. Vielleicht sind sie in der Küche und hören uns nicht.«

Er ging mit Peter um das Haus herum. »Die Küchentür ist jedenfalls offen«, stellte er fest, als sie sich der überdachten Veranda näherten. Auf der obersten Stufe blieb er erstaunt stehen. Ed war da. Er saß in der äußersten Ecke der Veranda an einem runden Eichentisch, zusammengesunken, den Kopf auf den Armen. Offenbar war er über einem aufgeschlagenen Buch eingeschlafen.

»Ed!«, rief Matthew leise.

Ed richtete sich auf und starrte ihn an. Matthew erschrak. War Ed krank? Hatte er geweint? Oder war er nur benommen von Hitze und Schlaf? Nein, daran konnte es nicht liegen. Der Blick seiner Augen war seltsam stumpf, und das unrasierte Gesicht wirkte verwüstet. Matthew zögerte, aber nur eine Sekunde lang. Dann ging er auf Ed zu, das Kind an der Hand. »Ich habe Ihnen Peter gebracht«, sagte er und erwartete, diesen traurigen, gebrochenen Menschen unter dem unverhofften Segen aufleben zu sehen.

Ein heißer Windstoß wehte über die Veranda, eine

Heuschrecke zirpte in der nahen Ulme. Ed starrte, leckte sich die trockenen Lippen und schluckte, als bemühe er sich, ein Wort herauszubringen. Dann beugte er sich vor. Er streckte die Hand aus, und plötzlich ging Matthew ein Licht auf. Ed war weder krank noch verschlafen – er war betrunken.

Auf dem Fußboden stand die Flasche, auf dem Tisch das halb geleerte Glas, das Eds zitternde Hand soeben beiseitegeschoben hatte. Matthew sah das alles, und ihm war schrecklich zumute. Denn nun wusste er überhaupt nicht mehr, was er tun sollte. Wäre er nur wütend auf Ed gewesen – nun, dann hätte er einfach kehrtmachen und mit dem Kind nach Hause fahren können. Aber sein Blick entdeckte noch etwas anderes, und das hielt ihn zurück. Ed hatte nicht nur im Alkohol Trost gesucht. Das aufgeschlagene Buch vor ihm war die Bibel. Auf der einen Seite hatte das Whiskyglas einen feuchten Ring hinterlassen. Matthew stand unbeweglich, das Kind fest an der Hand, zwischen Entrüstung und Mitleid hin- und hergerissen.

»Entschuldigen Sie mich einen Moment«, murmelte Ed und griff nach den Krücken. »Ich will mir nur das Gesicht waschen.« Er nahm die Flasche vom Boden auf und humpelte in die Küche. Sie hörten ihn mit Wasser plätschern.

»Setzen Sie sich doch«, sagte er, als er zurückkam; er sah nun etwas frischer aus.

Matthew, der sich nicht von der Stelle gerührt hatte, zögerte wiederum eine Sekunde lang, bevor er sich einen

Stuhl zurechtrückte. Peter ging schüchtern auf seinen Vater zu.

»Hallo Peter.« Ed strich dem Jungen zärtlich über das Haar, machte aber keine Anstalten, ihn an sich zu ziehen oder zu küssen. Offenbar wusste er über seinen Zustand Bescheid und hielt sich eisern im Zaum. Peter plapperte unbefangen, turnte an Eds Stuhl herum, lief dann zu Matthew zurück und kletterte auf seine Knie.

»Du darfst jetzt im Garten spielen«, sagte Matthew und stellte ihn auf die Füße. »Opa und Daddy haben etwas zu besprechen.«

Peter zog ab. Er nahm wieder eine der Krücken mit, schleifte sie geräuschvoll die Stufen hinunter. Matthew sah ihm nach. Er empfand ein schmerzhaftes Unbehagen und wusste nicht, wie er beginnen sollte. All die schönen Worte, die er hatte sagen wollen, waren nun nicht mehr am Platze. Schließlich brach Ed das peinliche Schweigen, indem er bemerkte: »Sie haben mir Peter also doch gebracht.«

»Ja«, erwiderte Matthew unsicher, »deswegen bin ich gekommen.«

»Gestern wollten Sie ihn noch behalten. Wieso haben Sie sich plötzlich anders besonnen, Mr. Soames?«

»Nun …«

»Doch nicht etwa Alices wegen? Weil Sie Angst hatten, ich würde darüber reden?«

»Nein«, sagte Matthew ernst. »Nicht deswegen. Und ich hoffe, Sie glauben mir das. Es war … etwas anderes. Mir schien, Sie hätten nun genug für Ihre Fehler gebüßt.

Ich dachte, Sie hätten aus dem, was geschehen ist, eine Lehre gezogen und wären ehrlich gewillt, sich zu bessern. Ja, das dachte ich – später, als Sie fort waren … Aber jetzt …« Er betrachtete Ed halb mitleidig, halb angewidert.

»Jetzt sehen Sie mich *so*.« Ed lächelte bitter.

»Warum trinken Sie?«, fragte Matthew.

»Manchmal hilft es.«

Matthew verzog das Gesicht und schüttelte den Kopf.

»Im Augenblick hilft es nicht«, fügte Ed hinzu.

»Es wird niemals helfen. Begreifen Sie das nicht? Finden Sie denn keinen anderen Weg? Versuchen Sie es, Ed, ich bin überzeugt, dass Sie es können.«

»Ich glaube nicht, dass es mir gelingen wird.«

»O doch! Sie brauchen nur zu wollen.«

»Ich weiß nicht, wie und wo ich anfangen soll.«

»Sie haben ja schon angefangen.« Matthew deutete auf die Bibel. »Wenn Sie dabeibleiben, wird Gott Ihnen helfen.«

»Ist das so sicher?«

»›Bittet, so wird euch gegeben.‹ Sie werden es in diesem Buch lesen.«

»Ich hab's schon gelesen. Was hilft mir das, wenn ich nicht daran glaube?«

»Aber Sie glauben doch an Gott?«

Ed schüttelte den Kopf. »In Ihrem Sinne nicht.«

»Ich weiß, dass Sie oft Zweifel geäußert haben, Ed. Ich erinnere mich an unsere Gespräche in der Schule, aber zuweilen brauchen wir gerade den Zweifel, um uns zu einem tieferen Glauben durchzuringen. Wenn Sie nur …«

»Warum musste Mathy sterben?«, unterbrach Ed. »War das Gottes Wille?«

Matthew nickte. »Alles auf Erden geschieht nach seinem Willen.«

»Alles? Krieg, Hungersnot, Mord?«

»Gott lässt uns die Wahl. Wir treffen nicht immer die richtige Entscheidung.«

»Ich habe mich nicht dafür entschieden, Mathy umzubringen.«

»Dann … dann hat vielleicht Gott sich dafür entschieden«, sagte Matthew.

»Natürlich – um mich für meine Sünden zu strafen.« Ed lachte bitter auf.

»Oder mich für meine«, fügte Matthew leise hinzu.

Ed beugte sich über den Tisch und brachte sein gerötetes Gesicht dicht an Matthew heran. »Warum musste sie für meine Sünden sterben? Warum nicht ich selber?«

»Der Herr hat seine Gründe. Vielleicht ist Mathys Tod Ihre Rettung. Vielleicht ist sie gestorben, damit Sie durch Leiden büßen und gerettet werden.«

»Musste Gott zu solchen Mitteln greifen?«, rief Ed. »Bin ich ein so verhärteter Bösewicht?«

»Seine Wege sind unerforschlich. Wir müssen ihm und seiner Gnade vertrauen.«

»Wenn das Gnade sein soll …«, murmelte Ed.

»Gottes Antlitz ist uns verhüllt«, sagte Matthew. »Aber lesen Sie die Bibel. In ihr ist Trost.«

Ed warf einen Blick in das aufgeschlagene Buch. »Ja, vielleicht für die Leute, die sie geschrieben haben. ›Und Gott sprach …‹ Wie hübsch und einfach das war. Wenn sie keine vernünftige Lösung fanden, konnten sie sich immer an Gott halten. Nun, inzwischen sieht die Sache ein bisschen anders aus.« Er blätterte in der Bibel. »Diese Fragen nach der Stimme des Sturmes, der Größe der Erde, dem Vater des Regens, der Herkunft des Schnees, dem Geheimnis der Ozeane – alle diese Fragen haben wir mittlerweile ohne Gottes Hilfe beantwortet.«

»Nicht alle«, wandte Matthew ein. »Jede Erkenntnis zieht neue Fragen nach sich.«

»Auf die wir die Antworten auch noch finden werden.«

»Wird Gott dadurch überflüssig?«

»Dieser – ja«, erwiderte Ed und klappte das Buch zu.

»So leicht lässt Gott sich nicht abschieben«, sagte Matthew. »Denn wenn alle Fragen beantwortet sind, bleibt doch die eine: Wer ist der Urheber des Ganzen?«

»Wer also?«

»Wir nennen ihn Gott.«

»Ich auch. Aber mit diesem Gott« – Ed legte die Hand auf die Bibel –, »mit diesem Gott hat er nichts zu tun.«

»Wir haben Beweise!«, rief Matthew. »Wir haben die Lehren Christi!«

»Gottes Sohn, geboren von der Jungfrau Maria«, psalmodierte Ed. »Im Namen des Vaters, des Sohnes und

Josephs, den der Heilige Geist zum Hahnrei machte ...«
Er bekreuzigte sich.

»Schweigen Sie, Ed! Sie dürfen nicht lästern, nicht spotten!«

»Ich verspotte den Aberglauben, nicht den Mann. Den Mann lasse ich gelten. Er hat ein gutes Leben geführt und ist tapferer gestorben als die meisten.«

»Ja, und er ist von den Toten auferstanden.«

»Das bezweifle ich. Immerhin hat er das Risiko auf sich genommen, und gerade deswegen achte ich ihn. Ich achte ihn um seiner Zweifel willen.«

»Zweifel?«, wiederholte Matthew erstaunt.

»Ja. Hat er in seiner Qual nicht aufgeschrien: ›Mein Gott, mein Gott, warum hast du mich verlassen?‹ Er tut mir so leid, dieser Jesus. Denn Gott ließ ihn im Stich, wie er uns alle im Stich lässt. Ich glaube nicht an Gott, den Familienvater. Er hat uns nicht geschaffen. Wir sind etwas Zufälliges, Ungewolltes, und unser Geschick ist ihm absolut gleichgültig. Warum sollte er über uns wachen, uns führen und leiten? Wir und unsere Sorgen bedeuten ihm nicht das Geringste. Was kümmert ihn meine Seele? Was kümmert es ihn, ob ich meine Liebste dereinst wiedersehe? Ich bin für Gott unwichtig. Ich zähle nicht für ihn.«

»Aber ich«, sagte Matthew schlicht.

Sie blickten einander schweigend an. »Eitelkeit«, meinte Ed dann und zuckte die Achseln.

»N... nein«, erwiderte Matthew langsam, aus tiefem Nachdenken heraus. »Ich zähle für ihn, weil er groß ist.

Nicht etwa meiner Bedeutung wegen. Dieser Glaube entspringt wohl nicht nur der Eitelkeit.«

»Sondern auch der Furcht«, ergänzte Ed.

»So nennen es Ungläubige immer.«

»Staffieren Sie Ihren Glauben aus, wie Sie wollen – was ihn zusammenhält, ist die Furcht. Sie ist so eine Art Sicherheitsnadel.«

Matthew überlegte einen Moment. »Gut«, sagte er dann, »wenn es Furcht ist, akzeptiere ich sie. Vielleicht ist Furcht der einzige Hebel, den Gott ansetzen kann, um uns in den Himmel zu heben. Und ich glaube, dass es sein Wunsch und Wille ist, uns dorthin zu bringen. Freilich müssen wir mitarbeiten. Erstrebenswert ist nur das, was unter Mühen errungen wird. Wir müssen uns hier auf Erden anstrengen, das Rechte zu tun. Es wäre gewiss rühmlicher, wenn wir Gottes Gebote befolgten, ohne an künftige Belohnung zu denken – aber ich fürchte, dann würden nicht viele von uns das Himmelreich erwerben. Die Versuchungen der Welt sind zu groß. Vielleicht hat Gott die Furcht geschaffen, weil er uns helfen, uns anstacheln will, die ewige Seligkeit zu gewinnen. Ich akzeptiere also auch die Furcht als einen Teil seiner Gnade.«

Ed sah ihn lange an. »Ich glaube Ihnen«, sagte er schließlich. Dann schwiegen sie beide und blickten in den sommerlichen Garten.

Der kleine Peter spielte friedlich in der hügeligen Landschaft der Ulmenwurzeln. Ein welkes Blatt löste sich und schwebte zu Boden. In seiner neuen tödlichen

Freiheit drehte und wendete es sich bald hierhin, bald dorthin, und doch fiel es, fiel und fiel.

»Ich möchte, dass Sie ihn behalten«, sagte Ed leise.

»Ich habe ihn hergebracht, damit er bei Ihnen bleibt.«

»Es muss Sie gewaltige Überwindung gekostet haben. Dafür danke ich Ihnen. Aber ich bitte Sie, ihn wieder mitzunehmen.«

Matthew hob den Kopf. »Jetzt bin ich es, der fragen muss: Wieso haben Sie sich plötzlich anders besonnen?«

Ed lächelte. »Wegen Alice.«

»Alice?«, wiederholte Matthew, peinlich berührt.

»Ja«, sagte Ed, noch immer lächelnd. »Ich hatte nie die Absicht, Ihnen aus dieser Geschichte einen Strick zu drehen. Ich tauge nicht viel, Professor, aber so was bringe ich nun doch nicht fertig. Mag zwischen Ihnen und ihr gewesen sein, was da will – ich habe mich nie darum gekümmert. Es war mir einfach nicht wichtig genug. Aber gestern merkte ich, dass es *Ihnen* wichtig war. Sie dachten: Der will mich erpressen, und ich sah, dass Sie bereit waren, sogar das in Kauf zu nehmen. Und da sagte ich mir: Wenn ihm der Junge so viel wert ist, dann verdient er es, ihn zu behalten.«

Matthew blickte schweigend vor sich hin.

»Das ist aber nicht der einzige Grund«, fuhr Ed fort. »Peter ist bei Ihnen besser aufgehoben als bei mir – in jeder Beziehung. Sie wissen, dass ich in vielen Dingen nicht so denke wie Sie, Professor, doch Sie gehören zu den wenigen Menschen, die ich für gut halte.«

»Ich habe nicht immer richtig gehandelt«, sagte Matthew, ohne aufzusehen.

»Aber Sie gestehen sich das wenigstens ein. Und Sie bemühen sich, das Rechte zu tun.«

»Ich bin von jeher eitel gewesen. Ich habe meine Tugenden ausgebreitet und mich besser gedünkt als andere ... als Sie ...«

»Und trotzdem haben Sie nie an Ihre Tugenden geglaubt«, vollendete Ed lächelnd. »Dafür glaube ich daran. Ich glaube nicht an Ihren Gott, aber ich glaube an Sie.«

»Das freut mich«, sagte Matthew leise und sah beharrlich zu Boden.

Bei Sonnenuntergang fuhren sie ab, die Straße entlang, in deren Mitte Quecken und Wegerich wuchsen und wo der Staub vermoderter Knochen hinter ihnen hochwirbelte. Sie fuhren an den Bäumen vorbei, in denen Heuschrecken ihre monotonen Prophezeiungen schrillten, fort von dem einsamen Haus und dem anderen Vater. Draußen vor der Stadt lohten die Wiesen im klaren, stillen Abendrot. Die Bäume warfen lange Schatten über die Landstraße, es wurde allmählich kühler, ein leichter Tau fiel, und abendliche Düfte stiegen auf: Heu und Geißblatt, der Geruch von Ställen und wohlgenährtem Vieh, der reine Bittermandelhauch der Nachtkerzen, die sich in der Dämmerung öffneten. Matthew atmete dankbar die frische, würzige Luft ein. Und während dieser Rückkehr in eine vertraute Welt dachte er staunend über die Schicksalswendung nach, die ihn wider Erwarten nicht beraubt nach Hause fahren ließ, sondern mit dem Enkel an seiner Seite.

Als Unterlegener war er nach Shawano gekommen, als Sieger zog er davon. Er war Zeuge gewesen, wie Eds hochfliegender Stolz zuschanden wurde, wie sich seine Leichtfertigkeit in bittere Reue verwandelte. Ed hatte für seine Irrtümer bezahlen müssen, und das war nur gerecht.

Warum aber empfand Matthew trotz allem keine Genugtuung? Ed hatte etwas an sich, selbst in der tiefsten Niederlage ... Die Niederlage stand ihm gut zu Gesicht, wie ihm offenbar alles stand; er trug sie auf seine Art, die sie würdiger erscheinen ließ als jeden Triumph. Matthew grübelte im Fahren darüber nach. Ed hatte bisher nichts Gutes getan, aber viel Schaden angerichtet. Er hatte nicht nur sein Leben ruiniert, sondern auch das anderer Menschen. Er verwarf Gott und war, wie er selber zugab, verworfen. Und doch – mochte er auch noch so geknickt, erledigt und betrunken dasitzen, er hatte etwas an sich, was Matthew Respekt und sogar Bewunderung abforderte. Ja, und Neid. Denn er beneidete Ed, und dieses Gefühl war unausrottbar tief in ihm verwurzelt. Um was aber, um Himmels willen, um was beneidete er ihn?

»Daddy hat geweint«, sagte das Kind plötzlich. Es hatte seit der Abfahrt sehr still in seiner Ecke gesessen.

»Ja, Daddy hat geweint.«

»Warum hat er geweint, Opa?«

»Nun ... er war wohl traurig.«

Peter sann über das Wort nach. »Hatte er Angst?«

Matthew wiederum sann über die Deutung nach, die Peter dem Wort gab. »Nein!«, sagte er dann nachdrücklich und erstaunt, denn dies war des Rätsels Lösung. Ed hatte keine Angst, er war furchtlos von Natur, und das Beneidenswerte an ihm war sein Mut, der Mut, rücksichtslos so zu handeln, wie es ihm beliebte. Rücksicht

nehmen, das war es, was Matthew lähmte. Er berück-
sichtigte so vieles: das Heu in der Scheune, das pflück-
reife Obst im Garten, das Diplom an der Wand, den
unterschriebenen Kontrakt, die Meinung der Nachbarn,
Gottes Gunst oder Ungunst, die Unsterblichkeit seiner
Seele. Nichts davon hemmte Eds Unternehmungen.
Freilich hatte er auch kein Heu in der Scheune. Dennoch
war er, satt oder hungrig, anerkannt oder verstoßen, sein
eigener Herr. Wie sehr Matthew ihn darum beneidete!

Er fragte sich plötzlich, ob der Glaube an Gott etwa
ein Surrogat für den Glauben an sich selber sei. War seine
Furcht so geheiligt, wie er es von ihr behauptete? Handelte es sich am Ende gar nicht um Furcht, sondern um
Feigheit? Das war ein beträchtlicher Unterschied. Und
vielleicht schätzte Gott den Mut höher ein als die zitternde Demut. (Der vorsichtige Diener, der das Pfund in sein
Tuch knüpfte, zog den Zorn seines Herrn auf sich, nicht
jene, die mit dem Pfunde gewuchert hatten!) Möglicherweise gehörte Ed zu den Letzten, die die Ersten sein sollen. Den Sanftmütigen war zwar das Erdreich verheißen
worden, nicht aber der Himmel.

Und wenn Matthew auf sein eigenes Leben zurückblickte, so hatte er, was die Seligpreisungen betraf, gewisse Zweifel. Er war sanftmütig gewesen, er hatte nicht viel
gewagt. Und genau genommen hatte er auch nicht viel
erreicht. Eine Kleinstadtschule, eine Farm, die ihn mit
knapper Not ernährte, und ein Schöpflöffel voll Weisheit
aus dem unergründlichen Brunnen – was war das schon!
Der Mangel an irdischen Gütern gewährleistete auch

nicht unbedingt Schätze im Himmel. Die leiblich Armen waren nicht immer reich im Geiste.

War an diesem kümmerlichen Ergebnis nicht allein die Angst schuld? Er hatte versucht, mit einem Fuß fest stehen zu bleiben und mit dem anderen vorwärtszugehen. Er hatte weder die Farm um der Schule willen aufgeben wollen noch umgekehrt. Er hatte sich in junge Mädchen verliebt und sich doch nicht von Callie trennen können. Obgleich ihn neue Erkenntnisse lockten, klammerte er sich ängstlich an die alten. Er griff nach den Sternen und klebte am Boden. Er war der Mann der Kompromisse, der alles haben, aber nichts dafür opfern wollte und der schließlich mit leeren Händen dastand. Hohe Preise schreckten ihn ab; er hielt sich lieber an das Billige, Kleine, Sichere, an das ungefährliche ›Es genügt ja‹. Und damit sollte sich der Mensch eben *nicht* zufriedengeben.

Vielleicht war dies seine Sünde: geistige Feigheit. Feigheit und Neid also – und nicht die Fleischeslust, der alle mehr oder weniger erliegen, die kleinen, verstohlenen Seitenblicke. Ed hatte wahrscheinlich recht. Alice und ihre Vorgängerinnen, sogar Charlotte, waren ganz und gar unwichtig. Matthew fühlte sich bloßgestellt wie ein Mann, den man bei kindischen Spielereien ertappt. Er hatte seine kleinen Torheiten so überaus wichtig genommen und sie insgeheim voller Behagen gehätschelt. Nun aber lastete eine wirkliche Schuld auf ihm. Mit der Todsünde der Wollust hatte er allenfalls geliebäugelt, der Todsünde des Neides aber war er mit Haut und Haaren verfallen.

447

Und er hatte nicht nur Ed beneidet, wie er sich jetzt unter Gewissensqualen eingestand. Auch Mathy: Sie und Ed waren einander gleich, und er hatte es ihnen beiden verübelt, dass sie seine Lebensangst nicht teilten. Sorgt vor!, hatte er ihnen gepredigt, und sie taten es nicht – jedenfalls nicht in der Art, die er für richtig hielt. Bleibt am Boden!, hatte er gemahnt, und stattdessen flogen sie. Er hatte sie zwingen wollen, sich zu sorgen und ein bisschen zu leiden. Er hatte sie aus ihrer Höhe herunterbringen wollen. Nun waren sie unten. Und die Erkenntnis, dass er es halb und halb so gewünscht hatte, traf ihn bis ins Mark.

Vielleicht konnte er es wenigstens an Ed wiedergutmachen. Er würde nichts unversucht lassen. Aber an Mathy? Bei dem Gedanken an sie entschlüpfte ihm ein Stöhnen der Verzweiflung. Es war zu spät.

Und doch – er fühlte plötzlich an seinem Arm den Druck des schlafenden kleinen Körpers –, das Kind, Mathys Kind, war ihm geblieben! Er blickte auf den dunkelhaarigen Jungen nieder, der seiner Mutter so ähnlich sah, dass er ihn manchmal mit ihr verwechselte. Sein Herz füllte sich mit stiller Freude. Gott hatte ihm einen Fingerzeig gegeben. Gepriesen seien die Wege des Herrn! Er küsste das schlafende Kind und fuhr getröstet durch die sinkende Abenddämmerung nach Hause.

Leonie

I

Die Nachbarn, die in jenem Sommer auf dem Wege zur Stadt oder zurück an der Soames-Farm vorüberkamen, wurden oft durch ein sonderbares Geräusch erschreckt, das einem Ächzen, einer dumpfen Klage glich. In der nachmittäglichen Stille, wenn das Farmhaus blind und wie betäubt dastand, konnte man glauben, die Stimme der Einsamkeit zu hören, und später, am Abend, klang es so unheimlich, als heule dort drinnen ein sterbender Wolf.

Gerade um diese Zeit – nachmittags und abends – war das Geräusch am häufigsten zu vernehmen. Denn das waren die Stunden, zu denen sich Leonie ihrem Akkordeon widmete. Da aus dem Orgelstudium nichts geworden war, hatte sie sich zum Trost ein Akkordeon gekauft. Auf der Farm war es zugleich ein Ersatz für das Klavier, das sie neuerdings nicht mehr hin- und hertransportierten. Leonie zog sich so oft wie möglich in den Salon zurück, um zu üben. Sie stellte ein Gesangbuch auf den Notenständer und suchte sich auf der ungewohnten Tastatur Melodie und Begleitung irgendeines Chorals zusammen. War ihr das gelungen, so brachte sie Mary Jo und Peter den Text bei, und sie führten das neue Lied gemeinsam vor. Besonders gern sangen sie in ihren Abendkonzerten ›Überschütte uns mit deinem Segen‹, denn das war ihre Glanznummer.

Peter stand kurz vor seinem vierten Geburtstag; Mary Jo war acht, Leonie unterrichtete sie jeden Vormittag im Singen, und sie fand, die Kinder müssten Gelegenheit haben, ihre Lieder einem Publikum vorzutragen. Zu diesem Zweck fanden die Abendkonzerte statt, die darüber hinaus eine angenehme Unterhaltung für die ganze Familie waren und dem Werktag einen erhebenden Abschluss gaben, bevor man sich zu Tisch setzte.

An einem Juliabend waren sie wieder einmal im Salon versammelt. Matthew und Callie hatten auf dem Sofa Platz genommen und lauschten dem Trio, das sie mit Segen überschüttete. Als das Lied verklungen war, klatschten sie Beifall.

»Das war wirklich schön«, lobte Matthew.

»Ihr werdet immer besser«, meinte Callie.

»Wir arbeiten ja auch tüchtig«, sagte Leonie. »Vielleicht schaffen wir's noch, dass wir den Choral an einem Sonntag in der Kirche singen.«

»Das wäre fein.«

»Tante Linnie, unser neues Lied!«, bettelte Peter.

»Ja, Herzchen, das kommt jetzt an die Reihe.« Leonie wandte sich ihren Eltern zu und erklärte: »Wir haben nämlich für heute Abend ein neues Lied eingeübt. So, Kinder, stellt euch da drüben auf, wie ihr's gelernt habt, und vergesst nicht das Mienenspiel.«

Die Kinder liefen zur Wand, machten dort kehrt und nahmen Haltung an.

»Fertig?«, fragte Leonie und hob das Akkordeon höher. »Fangt aber erst an, wenn ich nicke.« Sie spielte ein paar Takte voraus, gab das Zeichen, und die Kinder setzten ein:

> *»Wenn du lächelst, wenn du lächelst,*
> *lächelt mir die ganze Welt ...«*

Sie sangen eifrig und untermalten den Text, der jeweiligen Stimmung des Liedes entsprechend, mit breitem Grinsen und fürchterlichem Stirnrunzeln. Matthew und Callie applaudierten begeistert.

»Nun verbeugt euch«, kommandierte Leonie.

Die beiden klappten zusammen wie die Taschenmesser. Peter nahm die Gelegenheit wahr und schlug einen Purzelbaum.

»Peter!«, rief Leonie vorwurfsvoll.

Der Junge lag auf dem Rücken und zappelte mit den Beinen.

Matthew ging lachend auf ihn zu. »Na, junger Mann, so verbeugt man sich aber nicht als Künstler. Warte, dir werde ich helfen.« Damit umfasste er Peters Fußgelenke und stellte ihn auf den Kopf. Als Mary Jo das sah, verlangte sie, auch auf den Kopf gestellt zu werden, und es dauerte eine Weile, bis Leonie die Regie wieder fest in die Hand bekam.

»Nun singen wir zusammen ein Lied, und dann

können wir essen. Also: Überschütte uns mit deinem Segen …«

»Das war ganz reizend«, bemerkte Callie, als sie fertig waren. Dann folgte sie den Kindern in die Küche.

»Ja, Hausmusik ist etwas sehr Schönes«, sagte Leonie zu ihrem Vater, während sie das Akkordeon einpackte. »Heutzutage gibt es nicht mehr viele Familien, die sich damit befassen, wie wir es tun.«

»Da magst du recht haben, Tochter.«

»Jedenfalls nicht in unserer Gegend.«

»Nein, hier bestimmt nicht.«

»Du hast uns schon als Kinder in die Musik eingeführt, Papa, und dafür bin ich dir sehr dankbar. Weißt du, mir geht es darum, die Musik zu einem regelrechten, natürlichen Bestandteil unseres täglichen Lebens zu machen.«

»Ja, so sollte es auch sein. Unbedingt.«

Vater und Tochter gingen in die Küche. Callie griff nach der Petroleumlampe, um sie auf den gedeckten Tisch zu setzen.

»Oh, nicht die Lampe, Mama!«, protestierte Leonie. »Das wollten wir doch nicht mehr. Wir hatten uns doch vorgenommen, wieder bei Kerzenlicht zu essen.«

»Ach ja«, sagte Callie, »das hatte ich ganz vergessen.«

»Dabei stehen sie doch direkt vor deiner Nase.«

»Richtig. Ich hab bloß nicht dran gedacht.«

Leonie zündete die Kerzen in den silbernen Leuchtern an, die sie ihrer Mutter zu Weihnachten geschenkt hatte. In dem matten Lichtschein sah man kaum, wie zusammengestoppelt das billige Geschirr und die Gläser waren. Jedes Stück zeigte ein freundliches Glanzpünktchen am Rande, und die Damaststreifen des Tischtuchs (reines Leinen; ebenfalls ein Geschenk von Leonie) glänzten silbrig. »Na, ist das nicht hübsch?«, fragte sie.

»Ja, sehr«, sagte Callie. »Wunderbar sieht es aus. Nur … Wird's dir denn nicht zu viel, Kindchen, wenn du das Tischtuch so oft waschen musst? Werktags könnten wir doch ebenso gut vom Wachstuch essen.«

»Mama, ich habe dir schon ein paarmal gesagt, dass es mir nicht zu viel wird. Wir wollen doch kultiviert leben, und dafür lohnt sich die kleine Mehrarbeit.«

»Wo ist das Essen?«, erkundigte sich Mary Jo. »Auf dem Tisch stehen ja bloß Teller mit nichts drauf. Essen wir heute Teller?«

»Teller essen!«, quiekte Peter entzückt, und beide Kinder wollten sich vor Lachen ausschütten.

»Pst, seid nicht so albern!«, mahnte Callie. »Ihr werdet euer Essen schon kriegen.«

»Wo ist es denn?«, fragte Mary Jo. »Auf dem Tisch nicht … auf dem Herd nicht …«

»Es ist auf der Veranda. Setzt euch anständig hin und benehmt euch. Das Essen kommt heute nicht in Schüsseln auf den Tisch, wie sonst. Leonie tut es uns gleich auf die Teller.«

»Warum?«

»So macht man's bei feinen Leuten in der Stadt.«

Leonie, die inzwischen hinausgegangen war, kam mit den gefüllten Tellern zurück. Von allerlei kalten Vorspeisen umrahmt, war jeweils eine Portion Geflügelsalat auf grünen Salatblättern angerichtet.

»Meine Güte, du hast dich aber angestrengt!«, rief Callie.

»Hoffentlich reicht der Geflügelsalat«, sagte Leonie mit bescheidenem Stolz. »Ich habe alles, was da war, auf die Teller getan.«

»Scheint genau die richtige Menge zu sein.«

»Ja, mit der Roten Bete, den geraspelten Karotten und den russischen Eiern müsste es eigentlich genügen. Wie findet ihr die Farbenzusammenstellung? Die Ernährungswissenschaftler haben herausgefunden, dass Farben den Appetit anregen.«

»Es sieht zweifellos sehr appetitlich aus«, meinte Matthew und beugte den Kopf zum Tischgebet. Er hatte kaum das Amen ausgesprochen, als auf dem Hof eine durchdringende Autohupe ertönte.

»Ach herrje«, sagte Callie.

»Das ist Daddy!«, schrie Peter. Er und Mary Jo sprangen ohne ein Wort der Entschuldigung auf und rannten hinaus.

»Ja, das ist Ed.« Callie schob ihren Stuhl zurück. »Was will der denn hier, mitten in der Woche?«

»Verflixt!«, sagte Leonie. »Mit einem Gast hatte ich nicht gerechnet.«

»Ach, den kriegen wir schon satt. Wir können ja schnell noch was zurechtmachen.«

»Aber der Geflügelsalat …«, jammerte Leonie und blickte betrübt auf den Tisch, an dem sie jetzt allein saß.

Ihr schönes Formen- und Farbenmosaik! Alles war so sorgfältig angeordnet, dass jede Änderung es verderben musste. »Puh«, machte sie ärgerlich und erhob sich, um ein weiteres Gedeck aufzulegen.

»Hallo Tante Linnie!« Ed kam in die Küche gehumpelt, von Peter begleitet, der sich an seinen Stock klammerte.

»Hallo Ed. Hast du deine Stellung verloren?«

»Aber wieso denn, Tante Linnie?« Er pikte sie scherzhaft mit dem Stock.

»Lass das.«

»Ich hab gerade mal ein paar Tage frei, und da dachte ich, hier würde vielleicht jemand zum Maisribbeln gebraucht.«

»Komische Zeit zum Maisribbeln!«

»Na, mit irgendwas werde ich mir meinen Unterhalt schon verdienen.« Er schenkte sich ein Glas Wasser ein. »Habt ihr noch nicht gegessen?«

»Wir wollten gerade anfangen«, antwortete Callie.

»Ach, und jetzt bin ich dazwischengekommen. Lasst euch bitte nicht stören. Tut, als ob ich nicht da wäre.«

»Hast du denn schon was gegessen?«

»Ja, unterwegs. Einen *Hamburger*.«

»Na, davon bist du bestimmt nicht satt geworden. Komm, setz dich.«

»Ich brauch nicht mehr viel«, sagte Ed.

»Wir haben auch nicht viel«, entgegnete Leonie.

Callie lachte. »Du hättest dich anmelden sollen, dann wären wir nicht so knapp, Papa, hol doch mal den Schinken aus dem Räucherhaus. Wir braten schnell ein paar Scheiben.«

»Oh, bitte keinen gebratenen Schinken!«, rief Leonie.

»Warum nicht?«

»Weil es so gar nicht zu dem Übrigen passt. Ed kann meinen Geflügelsalat haben.«

»Kommt nicht infrage«, widersprach Ed.

»Ich habe sowieso keinen Hunger.«

»Das glaubst du wohl selber nicht, Leonie«, sagte Callie energisch. »Was ist schon dabei, wenn wir ein bisschen Schinken dazugeben? Und Ed mag Schinken, das weiß ich.«

»Macht euch doch nicht so viel Umstände«, bat Ed.

»Ach was, Umstände! Ihr Männer geht am besten raus auf die Veranda. Wir sind in ein paar Minuten fertig.«

Eine halbe Stunde später rief Leonie die beiden herein. Erhitzt und missmutig setzte sie sich an den Tisch, dessen festliches Aussehen völlig ruiniert war. Die Blumen in der Tischmitte hatten einer dampfenden Schüssel Bratkartoffeln und einer Platte mit brutzelndem Schinken weichen müssen. Die Kerzen waren längst erloschen; stattdessen brannten jetzt die Petroleumlampen.

Nach dem Essen kehrten die Männer auf die Veranda zurück. Ed rauchte, und sie unterhielten sich. Leonie und Callie hörten beim Abwaschen ihre Stimmen.

»Nun wird's wohl heute Abend nichts werden mit unserem Shakespeare«, sagte Leonie.

»Kaum«, meinte Callie.

»Zu schade! Papa hat so viel Freude daran.«

»Ja, Lesen war schon immer sein Schönstes.«

»Und ich dachte, diesen Sommer würden wir endlich mal Zeit dazu haben. Aber es ist wie verhext. Immer kommt was dazwischen.«

»Wirklich, wie verhext«, bestätigte Callie.

»Dabei war ich so sicher, dass wir jede Woche ein Stück schaffen würden. So viel ist das doch gar nicht.«

»Na, die Stücke sind ganz schön lang. Besonders, wenn wir zwischendurch immer noch darüber reden müssen.«

»Ohne Diskussion geht es nicht«, sagte Leonie. »Man kann Shakespeare nicht bloß so runterlesen.«

»Hm, das ist auch wieder wahr.«

Leonie tunkte die Bratpfanne ins Spülwasser. »Ich verstehe nicht, dass Ed kein Interesse an so etwas hat.«

»Hat er denn keins?«, fragte Callie. »Ich denke, er liest dauernd Bücher.«

»Das schon – jedenfalls behauptet er es. Er hat aber noch nie etwas über seine Lektüre geäußert.«

»Vielleicht redet er nicht gern darüber.«

»Oder er kann's einfach nicht, was wahrscheinlicher ist. Papa hat immer gesagt, dass Ed die Bücher nur überfliegt, statt sie gründlich zu lesen.«

Callie seufzte. »Na ja, ich weiß nicht … Ich fürchte, bei ihm steht nicht alles zum Besten. Er lebt wohl so ziemlich von der Hand in den Mund. Dabei hab ich immer gedacht, er würde es mal zu was bringen. Vielleicht, wenn Mathy noch am Leben wäre …«

»Mama, lass das«, unterbrach Leonie sie sanft. »Wir

hatten uns doch vorgenommen, nicht mehr unnütz zu grübeln.«

»Ja, ich weiß. Ich geb mir ja auch Mühe.«

»Und mit Erfolg, Mama. Willst du jetzt nicht in den Salon gehen und deine Magazingeschichte zu Ende lesen?«

»Aber der Abwasch …«

»Ach, die paar Töpfe schaffe ich auch allein. Geh nur und lies. Du bist heute noch gar nicht dazu gekommen.«

Callie hängte das nasse Geschirrtuch auf. »Ich glaube, ich werde mich lieber ein Weilchen mit Ed unterhalten. Bei Lampenlicht lesen ist sowieso nichts für mich. Mir tun dann immer die Augen weh.«

»Wie du willst. Ich mache das hier rasch fertig.«

Callie verließ die Küche. Wenig später trug Leonie die Abwaschschüssel auf die Hinterveranda und entleerte sie in den Schmutzeimer, nicht ohne das verhasste Ding im Stillen zu verwünschen. Was hätte sie um ein Spülbecken und fließendes Wasser gegeben! Drinnen trocknete sie sich die Hände ab und rieb sie mit Mandel-Honig-Creme ein. Dann nahm sie eine der Lampen und begab sich in den Salon. Sie versuchte zu lesen, aber die Stimmen der beiden Männer auf der Vorderveranda störten sie. Ed sprach über den *Post-Dispatch,* eine in St. Louis erscheinende Zeitung, die seiner Ansicht nach viel besser war als der *Kansas City Star.* Matthew, heimattreu wie immer, verteidigte den *Star,* worauf Ed wieder einmal über Pendergast herzog – er sei der reinste Diktator und beherrsche alles in Kansas City, einschließlich der Presse. Leonie hatte ihre Not, sich bei diesem Gerede auf *König Lear* zu konzentrieren. Warum musste sich Ed eigentlich immer mit Papa streiten?

Sie stützte die Ellbogen mit einem ärgerlichen kleinen Bums auf den Tisch – es klang wie der ruhegebietende Hammerschlag eines Versammlungsleiters –, bettete das Kinn fest in die Hände und vertiefte sich von Neuem in den eng gedruckten Text.

Irgendwo auf der Heide musste sie dann wohl eingedöst sein, denn als sie hochfuhr, hatten die Männer das Thema gewechselt. »… den Grabstein«, hörte sie ihren Vater sagen. »Nächste Woche soll er gebracht werden.«

»Ich wusste gar nicht, dass ihr ihn schon bestellt habt«, erwiderte Ed.

»Ja, vor ein paar Wochen.«

»Eigentlich wäre das meine Sache gewesen. Ich wollte es auch tun, aber ich hab's immer wieder aufgeschoben.«

»Nun ist es ja erledigt.« Matthews Stimme klang ein wenig verlegen.

»Wahrscheinlich widerstrebte es mir, daran zu denken.«

»Ja, manchmal versucht man unbewusst, solche Dinge zu umgehen.«

Leonie schloss das Buch. Der Vater hatte Ed verschwiegen, dass er schon im vorigen Sommer, bald nach Mathys Tod, einen Grabstein in Auftrag gegeben hatte. Erst als der Stein geliefert und aufgestellt war, hatte Matthew seinen Irrtum bemerkt – er hatte den Namen Soames in die Granitplatte einmeißeln lassen, und Mathy war doch, ob es ihm gefiel oder nicht, als eine Inwood gestorben. Er musste die Fuhrleute zurückrufen, und das war ihm sehr peinlich. Die Männer kamen brummend, zertrampelten die Petunien auf dem Grab und nahmen den Stein wieder mit. Für den Rest des Jahres war ein Einmachglas mit Blumen der einzige Grabschmuck gewesen. Nun aber, nachdem sich Matthew mit der richtigen Inschrift abgefunden hatte, war er zu dem Steinmetz gegangen, und in der nächsten Woche sollte Mathys Tod also endgültig bestätigt werden – abgestempelt mit der strengen Unwiderruflichkeit ihres eingemeißelten Namens:

INWOOD
Mathy Elizabeth

Leonie ließ die Lampe im Salon stehen und ging hinauf in ihr Zimmer, bedrückt von dem Gedanken an das, was ihr bevorstand. Natürlich mussten sie nun alle zum Friedhof pilgern, um den Stein zu begutachten. Für Gedächtnisfeiern dieser Art hatte Leonie gar nichts übrig, gerade weil sie Mathy so sehr vermisste. Die Farm war ohnehin voller Erinnerungen, und durch den neuen Grabstein würden sie aufs Schmerzlichste wieder belebt werden. O Gott, muss das sein!, dachte Leonie, während sie die Lampe auf dem Frisiertisch anzündete. Mama wird schluchzen, Papa wird bleich und krampfhaft beherrscht dastehen, und die Kinder werden ängstlich von einem zum anderen sehen. So etwas ist doch nur eine Qual für alle Beteiligten.

Ihre Gedanken gingen zurück, zu Mathys erstem Todestag im Juni. Was hatte es sie für Anstrengungen gekostet, die Eltern so einigermaßen über diesen Tag hinwegzubringen! Sie hatte sich zur Heiterkeit gezwungen; sie war erfindungsreich gewesen wie noch nie, um Mama zu beschäftigen und sie von ihrem Kummer abzulenken; zwischendurch war sie hinausgelaufen und hatte mit Papa geplaudert, damit er sich nicht so einsam fühlte. Von früh bis spät hatte sie sich bemüht, die beiden aufzumuntern, ihnen ein Lächeln zu entlocken. Es war eine grausame Strapaze gewesen, aber sie hatte es geschafft, dass der Tag fast ohne Tränen verging, und nun musste sie es eben noch einmal schaffen.

Leonie blies die Lampe aus und legte sich nieder. Mit einem langen »Aaaah!« entspannte sie ihren Körper und wurde sich, wie jeden Abend, unversehens ihrer Erschöpfung bewusst. Auf der Farm gab es so viel zu tun, tagaus, tagein. Manchmal fragte sie sich empört, ob denn das ihre Ferien sein sollten. Sie hatte ganz andere Pläne für diese Zeit gehabt, und der Verzicht war ihr nicht leichtgefallen.

Sie dachte daran, wie sie die Eltern im Frühling angefleht hatte, den Sommer doch ausnahmsweise in der Stadt zu verbringen. Die Farm war noch zu sehr von tragischen Erinnerungen beschattet. Leonie konnte jene Wochen nach Mathys Tod nicht vergessen, als Papa in verbissenem Schweigen umherging und Mama wie von

Sinnen war. So bald zurückkehren hieß doch nur neuen Kummer heraufbeschwören. Aber der Vater vertrat eine andere Auffassung. In diesen schlechten Zeiten, sagte er, gehörten sie im Sommer auf die Farm, wo sie sich selber versorgen konnten. Der Umzug kostete sie nichts als das Benzin für die Fahrt und die Zeit zum Hinübertreiben der Kuh. Einen Möbelwagen brauchten sie nicht mehr. Das Farmhaus war längst vollständig eingerichtet; im Laufe der Jahre hatten sich die Möbel Stück für Stück angesammelt wie Staub.

Natürlich hätte Leonie die Eltern nicht zu begleiten brauchen. Sie hatte sich so sehr gewünscht, nach New York zu gehen und dort Orgelstunden zu nehmen. Als sie jedoch davon sprach, machte Mama ein trauriges Gesicht und sagte, dann würde es wohl sehr einsam für sie werden. Und damit hatte sie recht – es wäre ein trübseliger Sommer für die beiden geworden, so ganz allein auf der Farm, nur in Gesellschaft der Kinder, die noch nicht verstanden, was die Erwachsenen bedrückte. Leonie vermochte den Gedanken nicht zu ertragen. Und wer hätte sich denn bereitgefunden, an ihrer Stelle mitzugehen?

Jessica bestimmt nicht. Jessica war seit zwei Jahren wieder verheiratet. Ein unberechenbares Mädchen! Man stelle sich vor: Eine erfolgreiche Lehrerin, verlobt mit einem jungen Staatsbeamten, einem Akademiker, gibt unvermutet, sozusagen aus heiterem Himmel, den Ring zurück und heiratet einen Hinterwäldler, einen Witwer mit vier Kindern zwischen zehn und siebzehn Jahren!

Gewiss, nach Mathys Tod war Jessica sofort gekommen; in äußersten Notfällen konnte man auf sie zählen. Aber Leonie war diejenige, die den Eltern treu und ausdauernd beistand, Jahr für Jahr. Leonie war es, die mit Mama zum Optiker ging und Papa überredete, ein anständiges Auto zu kaufen. Leonie war es, die dafür sorgte, dass den Kindern die Mandeln herausgenommen wurden und dass sie abends keine Speckpfannkuchen aßen. Leonie war es, die ihre Familie nicht um irgendeines Mannes willen im Stich ließ.

Dabei hätte sie gerade in diesem Frühjahr heiraten können. Kenny, der Basketballtrainer ihrer Schule, hatte ihr einen Antrag gemacht. Er sah gut aus, war ehrgeizig und hatte eine wunderschöne Stimme. Bei jeder Schulfeier sang er, und manchmal sangen Leonie und er Duette. Aber er war ein klein wenig unzuverlässig – nicht ganz der Typ, der ihrem Vater zugesagt hätte. Außerdem kam es für sie nicht infrage, so bald nach Mathys Tod zu heiraten. Dazu hatte sie nun doch zu viel Familiensinn. Und wenn sich sonst niemand bereitfand, musste eben sie diesen Sommer auf der Farm verleben. Sie ehrte Vater und Mutter. Ihre Aufgabe war es, sie aufzuheitern. Und soweit es an ihr lag, sollte es ein guter Sommer werden.

Nachdem Leonie solchermaßen den Schleier genommen hatte, trat sie unverzüglich ihr schweres Amt an. Jetzt ging es vor allem darum, die Eltern auf andere Gedanken zu bringen. Wenn Arbeit allein das erreicht hätte – daran war auf der Farm wahrhaftig kein Mangel. Aber Arbeit genügte nicht. Sie brauchten Entspannung, neue Interessen. Die Psychologie lehrte, dass nichts so vom Grübeln ablenkt wie neue Interessen. Folglich mussten sich die Eltern ein paar Hobbys anschaffen – irgendetwas sammeln zum Beispiel. Und viel lesen. Mama hatte ja noch niemals ein Buch zu Ende gelesen, nicht einmal eine Illustrierte. Und warum nicht? Weil es ihr sowohl an Zeit als auch an passender Lektüre gefehlt hatte. Nun, in diesem Sommer sollte sie beides haben. Leonie bestellte sofort *The Ladys' Home Journal*. Mama konnte daraus manches über Wohnkultur lernen, außerdem brachte diese Zeitschrift viele neue Rezepte und praktische Ratschläge für Hausfrauen.

Auch Papa las in den letzten Jahren zu wenig. Seit *Mrs. Wiggs of the Cabbage Patch* hatte er bestimmt kein aktuelles Buch mehr in die Hand genommen, und vielleicht kannte er nicht einmal das. Er hatte durchaus nicht alle Dramen von Shakespeare gelesen – Leonie übrigens auch nicht. Was lag also näher, als sie gemeinsam zu lesen, wie die Bibel? Ja, sie konnten einander die Stücke vorlesen und zwischendurch darüber diskutieren. Leonie lächelte vor Freude über das Bild, das vor ihrem inneren Auge entstand: die Familie des Schulleiters, in ein angeregtes Gespräch über *König Lear* vertieft. Auch die Hausmusik sollte gepflegt werden – dafür war Papa gewiss zu haben –, und sie würden aktiv am kulturellen Leben teilnehmen. Durch all diese Pläne in einen Zustand innerer Gehobenheit versetzt, packte Leonie ihren Shakespeare und ihr Akkordeon ein und fuhr nach Hause.

Alles klappte recht gut, und das war nicht weiter erstaunlich, denn Leonie gab sich ja die größte Mühe. Sie musizierten, sie veranstalteten Picknicks, und manchmal übertrafen sie sich selber, indem sie aus dem Abendessen eine Dinnerparty machten. Bei diesen Gelegenheiten paradierte Leonie mit einem neuen Gericht (in der Küche flatterten die Rezepte aus dem Journal dutzendweise herum), die Kinder mussten Tischkarten malen, und Leonie stellte wunderbare Blumenarrangements zusammen. Bei jedem Gedeck lag eine Extragabel für den Salat, und die Suppenteller wurden am Kopfende des Tisches aufgestapelt, damit Papa als Hausherr die Suppe austeilen konnte. Jeder machte sich so fein wie möglich und achtete auf sein Benehmen, und so lernten sie bei diesem vergnüglichen Spiel mühelos gute Manieren.

»Woher weißt du das bloß alles?«, fragte Callie einmal.

»Ach, als Lehrerin lernt man so allerlei«, erwiderte Leonie, »besonders in größeren Städten, wo die Leute mehr Lebensart haben. Und unsere Schule veranstaltet oft Festessen und Ähnliches. Das ist ein Verdienst der Haushaltslehrerin – Carol Pokorny, du erinnerst dich vielleicht an den Namen. Wir sind sehr befreundet.«

»Ja, du hast schon öfter von ihr gesprochen.«

»Zum Schulschluss hat sie einen Tee für die Lehrerinnen und Lehrer gegeben. Fantastisch, sage ich dir! Entzückende kleine Kuchen und hauchdünne Sandwiches und eine ganz besondere Teesorte. Ich durfte einschenken, und Carol bat mich, auf jede Untertasse eine Teerose zu legen – eine Teerose! War das nicht eine zauberhafte Idee?«

Callie war tief beeindruckt. Leonie stellte mit Freude fest, dass sich Mama, so altmodisch sie war, in diesem Sommer sehr aufgeschlossen für neue Ideen zeigte. Ein bisschen gutes Zureden – und sie nahm sich jeden Tag ihre Frauenzeitschrift vor. Wenn sie auch außer den Rezepten kaum etwas las, so war es doch immerhin ein Anfang.

Nur zu Shakespeare kamen sie leider sehr selten. Papa hatte zu viel zu tun. Aber manchmal bestand Leonie abends darauf, die Kuh selber zu melken, und damit schlug sie die Zeit zum Lesen heraus. Auf diese Weise bewältigten sie wenigstens den *Sturm*.

Alles in allem war es ein guter Sommer. Leonie bewahrte sich ihre hoffnungsvolle Energie, obgleich es ihr nicht immer leichtfiel. Manchmal, an heißen Tagen, kam es vor, dass die übersprudelnde Zuversicht, mit der sie allmorgendlich aufstand, schon gegen Mittag zu versiegen drohte. Dann füllte sich ihre innere Leere mit der schuldbewussten Sehnsucht, anderswo zu sein und anders zu leben. Sie war so einsam auf dem Lande, so abgeschnitten von der Welt. Sie vermisste ihr Radio und die Wochenendfahrten nach Kansas City. Sie vermisste ihren Bekanntenkreis. Hier konnte sie mit niemandem reden als mit Mama und den Kindern und gelegentlich mit Papa, wenn er nicht gerade über einem Problem brütete.

Der einzige regelmäßige Besucher war Ed Inwood, der jedes zweite Wochenende kam, um Peter zu sehen. Man hätte meinen sollen, dass Ed, der in Kansas City wohnte, über Theateraufführungen und sonstige kulturelle Veranstaltungen auf dem Laufenden gewesen wäre. Weit gefehlt! Nun ja, er war eben nur ein Garagenmechaniker ohne höhere Interessen. Er konnte froh sein, wenn er seine Stellung behielt, denn er war faul. Und obendrein ein Krüppel. Das steife Bein schien ihn übrigens nicht sehr zu behindern; er ging so ausdauernd und schnell wie jeder andere, und an sein Hinken gewöhnte man sich. Es fiel einem kaum noch auf, ebenso wenig wie einem der Stock aufgefallen wäre, wenn er ihn nicht immer wie einen Golfschläger geschwungen oder einen damit gepikt hätte. Offenbar wurde Ed nie erwachsen. Mathys Tod hatte ihm ja einen kleinen Dämpfer aufgesetzt, aber im Grunde war er der Tausendsassa geblieben, den Leonie schon in der Schule verabscheut hatte. Dass er jetzt zur Familie gehörte, wollte ihr einfach nicht in den Kopf.

Ab und zu kam eine Nachbarin, um ein Stündchen zu verplaudern. Leonies Versuche, die Mutter zu einem Gegenbesuch zu bewegen, hatten niemals Erfolg. Mama kümmerte sich grundsätzlich nur um Verwandte oder sehr, sehr alte Freunde. Ja, Verwandtenbesuche – das war etwas, wofür sie und Papa geradezu schwärmten. Leonie erinnerte sich mit leichtem Grausen jenes Sonntags, an dem Mamas Cousine Ophelia, Vetter Ralph und ihr Sohn Ralphie zu ihnen gekommen waren. Ralphie war achtzehn und ein bisschen sonderbar; er sabberte und nahm alles auseinander, vorzugsweise Uhren, aber er redete kaum und störte daher nicht, Ralph und Ophelia waren im gleichen Alter wie Leonies Eltern und stammten aus demselben Dorf. So etwas von Schwatzen und

Lachen wie bei diesem Wiedersehen hatte Leonie selten erlebt. Die Verwandten blieben den ganzen Tag auf der Farm, und Mama wurde nicht müde zu sagen: »Ihr müsst unbedingt noch mal zu uns kommen, ehe der Sommer vorbei ist.«

»Ich wüsste nicht, was ich lieber täte«, versicherte Ophelia. »Aber es ist doch 'ne mächtig lange Fahrt mit unserer alten Kiste. Und ich lasse Ma nicht gern allein.«

»Das nächste Mal bringt ihr Tante Cass einfach mit.«

»Ach, das ist so eine Sache. In ihrem Alter … Wer weiß, wie lange wir sie noch bei uns haben.«

Sie seufzten und machten ernste Gesichter. Aber gleich darauf gab es schon wieder lautes Hallo und Gelächter. Fast bis zum Dunkelwerden saßen sie auf der Veranda, plauderten, rülpsten und schlugen Fliegen tot. Leonie hatte schon gefürchtet, sie würden überhaupt nicht mehr wegfinden. Schön, sie waren Verwandte und gewiss aller Ehren wert, aber nicht gerade der Umgang, den Leonie sich gewünscht hätte.

Da versauerte sie nun auf dem Lande, meilenweit von aller Kultur entfernt, ohne einen Menschen, der ihre Sprache sprach oder ihre Vorstellung von einem lebenswerten Leben teilte. Manchmal, wenn sie Wasser pumpte oder sich die Fingerknöchel am Waschbrett wund rieb, tauchten Visionen vor ihrem inneren Auge auf, Bilder, die so strahlend hell waren, dass sie davon geblendet wurde und nichts deutlich erkannte – etwa so, als schaue sie in die Sonne. Es hatte mit schlossartigen Landsitzen zu tun, mit gepflegten Gärten, künstlichen Teichen und

Schwänen darauf, mit Ozeandampfern und Segeljachten, mit weißem Strand und Tennispartien und Tanztees im Freien – kurzum, mit jenem Luxusleben sehr reicher Leute, das die eleganten Magazine in Bild und Wort schilderten und von dem Leonie glaubte, es sei erreichbar, wenn man sich redlich anstrengte.

Dann konnte es geschehen, dass sie der Pumpe einen wütenden Fußtritt versetzte oder einen brandstifterischen Blick auf das Räucherhaus heftete, das mit leeren Jutesäcken, zerfledderten Büchern und altem Gerümpel vollgestopft war. Sie hasste das Farmhaus und all die verschrammten, immer wieder ausgebesserten, ewig wackelnden Möbel darin. Diese behelfsmäßige Einrichtung machte sie krank. Wie konnte ein Schulleiter derart ärmlich wohnen! Und Mama fand offenbar nichts dabei, obgleich sie doch in der Stadt sehr viel auf Äußerlichkeiten gab. Eines Tages konnte Leonie nicht mehr an sich halten.

»Ich begreife das nicht«, sagte sie zu ihrer Mutter. »Müssen wir eigentlich so wohnen?«

»Wie denn?«, fragte Callie.

»All diese ramponierten alten Möbel! Das Sofa da mit dem Wachstuchflicken!«

»Für die Farm ist es noch gut genug.«

»Ja, das sagst du immer!«

»Na, ist doch wahr. Für die paar Sommermonate brauchen wir's nicht so fein zu haben wie in einem Stadthaus.«

»Wir hätten uns schon längst hübsche Bauernmöbel

anschaffen können. Und einen richtigen Kamin. Warum müssen wir leben wie die ärmsten Leute?«

Callie sah sie erschrocken an. »Ist es wirklich so schlimm, Kind?«

»Nein, natürlich nicht.« Leonie hätte sich am liebsten die Zunge abgebissen. »Ich meine nur, dass du und Papa … Es ist ja klar, dass ihr euch keine neue Einrichtung leisten könnt, aber wenn ihr ein bisschen anders darüber dächtet … Ich meine, wenn ihr nur wolltet … Ach, ich weiß nicht, was ich meine. Tut mir leid, dass ich überhaupt davon angefangen habe, Mama.«

Zerknirscht lief sie hinaus und flüchtete in das Abort-häuschen, den einzigen Ort, wo sie sich ungestört ihren Selbstvorwürfen überlassen konnte. Papa und Mama hatten ihr Leben lang schwer gearbeitet. Es war nicht ihre Schuld, dass sie es nur zu einer schäbigen alten Farm und nicht zu einem vornehmen Landsitz gebracht hatten. Wenn man in Betracht zog, dass sie arm geboren waren, dann grenzte das, was sie erreicht hatten, an ein Wunder. Leonie beschloss, sich in Zukunft jeglicher Kritik zu enthalten; gewiss war es nützlicher, den Eltern stattdessen neue Anregungen zu vermitteln. Damit hatte sie ja schon ganz gute Erfolge erzielt. »Das Kind leitet den Mann«, wie die Bibel sagte.

Sie kehrte ins Haus zurück. Beim Staubwischen nahm sie für eine Minute ihr Akkordeon und spielte ›Wenn du lächelst …‹, und das beruhigte sie vollends.

Ihre rebellischen Anwandlungen waren nie von Dauer. Im Allgemeinen war sie viel zu sehr damit beschäftigt, Frohsinn im Hause zu verbreiten. Und es war ihr gelungen. Sie hatte die Eltern glücklich über den Heldengedenktag und sogar über Mathys Todestag hinweggesteuert. Nun aber gab es wieder eine Stromschnelle zu überwinden – die Besichtigung des Grabsteins.

Sie lag in ihrem dunklen Zimmer auf dem Bett, starrte zur Decke hinauf und lauschte mit halbem Ohr dem undeutlichen Stimmengemurmel auf der Veranda. Wie ihr vor diesem unerbittlich näher rückenden Tag graute! Sie musste sich irgendetwas einfallen lassen … Plötzlich kam ihr ein Gedanke. Sie stand auf, zündete die Lampe an und holte ihre Schreibmappe aus der Kommodenschublade. Auf der Bettkante sitzend, schrieb sie in aller Eile einen Brief.

2

Gott sei Dank, das Wetter war gut, und die Julihitze wurde durch eine frische Brise gemildert. Leonie blickte zufrieden zu dem klarblauen Himmel auf, als sie von Renfro, wo sie den Gottesdienst besucht hatten, nach Hause fuhren. Ihr Gebet, dass kein Regen den klug ausgetüftelten Plan zunichtemachen möge, war erhört worden. Vor dem Farmhaus hielt Matthew an, ließ jedoch den Motor laufen.

»Bleibt im Wagen, Kinder«, sagte Callie. »Wir sind gleich wieder da.«

Ihre Stimme, die auf der Heimfahrt recht heiter geklungen hatte, ging plötzlich in Moll über, eine Tonart, die ihren Eindruck auf Peter und Mary Jo nicht verfehlte. Sie verstummten augenblicklich und saßen mucksmäuschenstill auf dem Rücksitz, bis die Erwachsenen mit leeren Einmachgläsern, Geranienpflanzen und einem riesigen Blumenstrauß zurückkamen. Die Blumen – farbenprächtige Dahlien, Rittersporn und lange Asparaguswedel – waren am Morgen im Garten gepflückt worden.

Als alles untergebracht war, fuhren sie zur Grove-Kapelle weiter.

In Grove wurden seit Langem keine regelmäßigen Gottesdienste mehr abgehalten. Die Gemeinde war im Laufe der Zeit zusammengeschmolzen, und eines Tages, bald nach Mathys Begräbnis, hatte man die Kapelle endgültig geschlossen. Der Friedhofshügel blieb der Pflege derjenigen Nachbarn überlassen, die dort ihre Angehörigen zur letzten Ruhe gebettet hatten. Hin und wieder kamen sie mit Sicheln und Rasenmähern, um die unkrautüberwucherten Gräber zu säubern. Matthew und Callie hatten schon vor vielen Jahren eine Grabstelle gekauft, die groß genug für sie selber und jede beliebige Zahl von Nachkommen war. Die Familie sollte auch im Tode nicht auseinandergerissen werden.

Unterwegs dachte Leonie an die Stille und Einsamkeit, der sie entgegenfuhren, an das lange, flüsternde Gras und den Wind, der in den Zedern seufzte. Warum pflanzte man auf Friedhöfen nie Birken und hellen Ahorn? Warum mussten es immer Zedern und Zypressen sein, die dunkelsten, traurigsten Bäume von allen? Ja, das entsprach so recht der altmodischen Auffassung, dass der Tod etwas Düsteres, Bedrückendes sei. Trotz allen Grübelns hielt Leonie gespannt Ausschau und drückte heimlich die Daumen. Als sich das Auto dem Gipfel des Friedhofshügels näherte, atmete sie erleichtert auf. Dort oben stand ein Wagen, und auf den Stufen der Kapelle saßen ein Mann und zwei Frauen.

»Wer ist denn das?«, fragte Callie. »Die denken wohl, hier gibt's noch Gottesdienst?« Die Leute auf den Stufen begannen zu winken. »Herrje, die sieht ja aus wie Ophelia … Tatsächlich, sie ist es! Ophelia und Ralph und – du meine Güte, sie haben sogar Tante Cass mitgebracht!«

»Na so was«, murmelte Matthew und brachte den Wagen zum Stehen.

»Hallo, hallo!« Ralph, ein ausgemergelter, sonnengebräunter kleiner Mann, schwenkte seinen Strohhut und eilte auf sie zu.

Leonie sprang aus dem Wagen und sagte mit strahlendem Lächeln: »Na, Mama, willst du nicht aussteigen?«

»Ich kann's noch gar nicht fassen! Wie kommen die denn nach Grove?«

»Ja, das ist eine Überraschung, was? Ich hab ihnen geschrieben.«

»Huhu!«, rief Ophelia, die nicht so schnell vorankam, weil sie Tante Cass am Arm führen musste. »An uns habt ihr heute nicht gedacht, wie?«

Callie stieg aus, lief auf die beiden Frauen zu und umarmte sie. In all dem Kreischen, Lachen und Reden konnte man das eigene Wort nicht verstehen. Matthew und Ralph klopften einander herzhaft auf den Rücken. Tante Cass war so freudig erregt, dass sie völlig die Fassung verlor. Ralphie, der plötzlich aus dem Nichts auftauchte, stand da und grinste. Wie immer hingen ihm ein paar lange strohgelbe Haarsträhnen in die Augen.

»Wirklich, so was von Überraschung hab ich noch nicht erlebt!«, rief Callie, als sich der Lärm ein wenig gelegt hatte.

»Wir können's ja selber kaum fassen«, sagte Ophelia. »Dass wir dies Jahr noch mal hier raufkommen würden, hätten wir bestimmt nicht gedacht. Aber Leonie hat uns so nett geschrieben – na, und da sind wir nun.«

Callie wandte sich besorgt an Leonie. »Haben wir genug zum Mittagessen?«

»Ja, Mama, du brauchst dich um nichts zu kümmern. Alles ist vorbereitet.«

»Dann fahren wir am besten gleich zurück und machen uns ans Kochen. Ihr müsst ja hungrig sein nach der langen Fahrt, und Tante Cass ist bestimmt todmüde.«

»Ich denke, ihr wollt das Grab schmücken«, sagte Ophelia.

»Ach, das können wir auch ein andermal tun.«

»Aber hattet ihr's euch nicht für heute vorgenommen? Leonie schrieb doch …«

»Natürlich«, warf Leonie rasch ein. »Wenn wir schon hier sind, können wir das auch noch erledigen.«

»Dann kommen wir so spät zum Essen …«, wandte Callie ein.

Ophelia winkte ab. »Ach was, so hungrig sind wir ja gar nicht. Kommt nur, wir helfen euch beim Schmücken. Ich möchte das Grab sowieso gern mal sehen. Wir sind doch seit dem Begräbnis nicht mehr hier gewesen.«

»Wenn du meinst …« Callie blickte etwas skeptisch auf die kleine Greisin, die an Ophelias Arm hing. »Nur … wird's denn deiner Ma nicht zu viel?«

Tante Cass hörte zwar nicht mehr gut, verstand jedoch den Blick. »Ich denke, wir wollen auf den Friedhof«, sagte sie mit ihrer nörgeligen Altweiberstimme.

»Bleib lieber hier«, schrie Ophelia ihr ins Ohr. »Es ist zu weit für dich.«

»Ich will aber mit.«

»Der Weg ist schrecklich steil!«, schrie nun auch Callie.

»Egal, ich schaff's schon.«

»Aber die Hitze … Wenn du nun schlappmachst?«

»Ich will das Grab sehen«, beharrte die Alte eigensinnig. Ihr Arm rankte sich wie eine vertrocknete Wurzel an Ophelia fest. »Nehmt mich in die Mitte«, forderte sie und streckte den anderen Arm nach Callie aus.

»Na schön«, sagte Ophelia, »warum nicht, wenn sie so gern möchte?«

Leonie und die beiden Männer gingen mit den Blumen voraus. Ralphie war verschwunden. Das fiel niemandem auf, denn bei ihm hatte man immer, selbst wenn er anwesend war, den Eindruck, er sei nicht da.

Mathys Grab lag am äußersten Ende des Friedhofs im tiefen Schatten einer Zypressengruppe. Es wirkte winzig klein auf der großen freien Fläche – wie ein Kind, das in dem breiten Bett seiner Eltern schläft. Für Leonie war dieser Anblick quälend. Mathys Seele war im Himmel, gewiss; aber Leonie kam nicht von dem Gedanken los, dass der kleine, weiß gekleidete Körper hier in der Erde vermoderte. Sie wusste, dass auch ihre Eltern daran dachten. Und wenn es schon ihr so schmerzlich war, wie weh musste es dann erst ihnen tun.

Ralph ging, um einen Eimer Wasser vom Brunnen zu holen, sodass Matthew und Leonie für ein paar Minuten allein blieben. Matthew beugte sich über das Grab und betrachtete den Stein.

»Er sieht gut aus, nicht?«, sagte Leonie.

Matthew zog die Stirn kraus. »Hm ... Sehr sorgfältig haben sie nicht gearbeitet.«

»Nein?« Leonie bückte sich, und nun sah sie es auch: Unter dem ›Inwood‹ schimmerte der Name Soames noch durch. »Oh ...«, machte sie und fügte rasch hinzu: »Es fällt aber gar nicht auf. Wer es nicht weiß, wird's nie merken.«

»Ich komme mir so idiotisch vor«, murmelte Matthew.

»Es war ein ganz natürlicher Irrtum, Papa. Denk nicht mehr dran, das ist das Beste.« Sie klopfte ihm beruhigend auf den Arm. »Hilf mir jetzt lieber die Geranien einpflanzen.« Die drei Frauen waren inzwischen auch angelangt, und sie rief ihnen entgegen: »Na, sieht der Stein nicht hübsch aus?«

»Wirklich ein Prachtstück«, lobte Ophelia.

»Wer liegt denn da?«, quengelte Tante Cass.

»Mathy!«, brüllte Ophelia ihr ins Ohr. »Ich hab's dir doch unterwegs erzählt, Ma.«

»Wieso – ist das nicht Mathy?«, fragte Tante Cass und zeigte auf Mary Jo.

»Nein, das ist die Jüngste.« Ophelia sah Callie an und zuckte hilflos die Achseln. »Ma vergisst einfach alles.«

Callie hörte nicht zu. Sie war dicht an das Grab herangetreten und strich sanft über den sonnenwarmen Stein.

»An die Arbeit!«, sagte Leonie laut. »Da kommt das Wasser … Mama, bitte, füll du die Vasen. Papa kann pflanzen, und ich sortiere die Blumen …«

»Ich will mich hinsetzen«, krächzte Tante Cass.

»Hier gibt's keine Bank«, schrie Ophelia. »Die paar Minuten wirst du wohl stehen können.«

»Mir tun die Beine weh. Ich muss mich setzen.«

»Ach du liebe Zeit … Schön, setz dich ins Gras.«

»Ich komm nicht so weit runter.«

»Ja, dann tut's mir leid, was anderes gibt's hier nicht. Höchstens …« Ophelia hielt inne und warf Callie einen fragenden Blick zu.

Callie nickte. »Natürlich, sie kann sich ruhig draufsetzen, das schadet ihm nichts.«

Sie geleiteten die Greisin zu Mathys Grabstein. »So«, sagte Ophelia. »Pass aber auf, Ma, dass du so wenig wie möglich auf das Grab trittst. Was habt ihr für einen Haufen Blumen mitgebracht, Callie! Gib her, ich helfe dir.«

Jeder fand irgendetwas zu tun, und fröhliches Geplauder begleitete die Arbeit. Tante Cass hockte über ihnen wie die Aufseherin auf einem Gemeindeacker. Leonie war glücklich, dass sie es geschafft hatte – die Eltern waren abgelenkt, und nun würde wohl keine übertriebene Feierlichkeit mehr aufkommen. Als sie fertig waren, traten sie zurück und begutachteten ihr Werk.

»Na, wie findet ihr …«, begann Leonie munter, doch Ophelia unterbrach sie.

»Die arme Kleine!«, sagte sie in einem so unerwartet wehleidigen Ton, dass es alle kalt überlief. »Das arme

Kind … Wir lachen und scherzen, und sie liegt steif und tot unter der Erde.«

Leonie hätte sie ohrfeigen mögen. Sie starrte Ophelia wütend an. Was war denn in die dumme Person gefahren! Aber Ophelia verharrte unbeirrt in einer Haltung tiefer Trauer. »Ach, es bricht mir das Herz«, jammerte sie.

Eine verlegene Stille trat ein. Ralph nahm den Hut ab, Matthew folgte hastig seinem Beispiel. Leonie blickte ratlos umher. Ihre Mutter stand mit bebenden Lippen vor dem Grab. Ophelia zückte das Taschentuch und schnäuzte sich geräuschvoll. Tante Cass, von dem Stimmungswechsel angesteckt, fing an zu weinen. Und gerade das hatte Leonie mit so viel Mühe zu verhindern gesucht. Bis jetzt war doch alles so gut gegangen! Sie schaute zu ihrem Vater hinüber und stellte erschrocken fest, dass es auch in seinen Zügen krampfhaft arbeitete. Die Kinder sahen die Erwachsenen ängstlich an. Callie streckte die Hand aus und zog Peter an sich. Leonies sorgsam aufgebauter Plan drohte endgültig zu scheitern. Was soll ich nur tun, überlegte sie verzweifelt. Ich muss einen Ausweg finden, ich muss … O Herr, bitte …!

Im gleichen Augenblick drang von der Kapelle her ein halb erstickter Hilfeschrei an ihr Ohr. (Gott sei gepriesen!) »Was ist denn das?«, fragte Leonie rasch.

Alle hatten sich erschrocken umgedreht. Noch einmal erklang der merkwürdig dumpfe Schrei. Ophelia zuckte zusammen, als hätte man sie ins Hinterteil getreten. »Ralphiiie!«, kreischte sie und rannte los, so schnell sie nur konnte. Ralph folgte ihr. Die Kinder stürmten hinter den beiden her und traten dabei unbekümmert auf die Gräber.

»Was ist denn da passiert?«, fragte Matthew.

»Ralphie muss in den Brunnen gefallen sein«, mutmaßte Callie, und nun setzten sich auch Vater, Mutter und Tochter in Bewegung.

Bei der Kapelle liefen Ralph und Ophelia verstört hin und her. »Wo bist du, Sohn?«

»Hier!«

»Aber wo denn?«

»Am Auto! Macht ein bisschen schnell, ja?«

Sie fanden ihn auf der Stoßstange des Wagens: ein zappelndes Durcheinander von Armen und Beinen ohne Kopf. Matthew klappte die Motorhaube zurück, und aus der öligen Tiefe grinste Ralphies gerötetes Gesicht von der Seite zu ihnen herauf. »Gut, dass ihr da seid«, ächzte er. »Ich bin mit dem Haar hängen geblieben.«

Seine strohblonden Strähnen hatten sich so fest in den Röhren des Kühlers verfangen, dass Matthew ihn mit dem Taschenmesser abschneiden musste. Alle starben beinahe vor Lachen – der arme Ralphie sah so wahnsinnig komisch aus. Callie lachte buchstäblich Tränen, und das tat Leonie wohl. Mitten im schönsten Durcheinander schrie Ophelia gellend auf. »Du lieber Himmel! Wir haben Ma auf dem Grabstein sitzen lassen!« Sie lachten noch den ganzen Nachmittag – über Ralphie, über Tante Cass und dann wieder über Ralphie. Keiner der beiden Betroffenen nahm es übel. Ralphie ging nach dem Essen ohnehin seiner Wege, und Tante Cass, die wie ein Barometer auf die jeweilige Stimmung der anderen reagierte, lachte eifrig mit, obwohl sie sich kaum noch des Anlasses erinnerte. Abends, als sie den Verwandten nachwinkten, sagte Leonie: »So einen vergnügten Tag haben wir lange nicht mehr gehabt.«

»Die arme Tante Cass! Wenn ich dran denke, wie sie da mutterseelenallein auf dem Stein saß …« Callies Augen wurden feucht vom Lachen.

Matthew winkte ein letztes Mal. »Na, das ist aber spät geworden«, bemerkte er. »Höchste Zeit zum Melken. Sukie!«, rief er und warf einen Blick in den Stall. »Nicht da. Sie hat wohl das Warten sattgehabt und ist wieder auf die Wiese gelaufen. Ich gehe sie holen.«

»Ich komme mit«, sagte Callie.

Leonie beobachtete lächelnd und voller Genugtuung, wie die Eltern unter den Walnussbäumen auf die Wiese zuwanderten. Es war wie das Happy End eines Films: Das alte Ehepaar, Arm in Arm, schreitet in die Abenddämmerung hinein und entschwindet langsam dem Blick. Vor Erleichterung wie berauscht, kehrte Leonie ins Haus zurück. Sie hatte es wieder einmal geschafft!

Im Überschwang der Freude begab sie sich in den Salon und streifte die Riemen des Akkordeons über die Schultern. Es war schon zu dunkel zum Notenlesen, aber das kümmerte sie nicht. Sie tastete sich durch einen Choral, und jedes Mal, wenn sie danebengriff, sagte sie lachend: »Schiet l'amour!« Es war das einzige Kraftwort, das sie je von ihrer Mutter gehört hatte. Für gewöhnlich störte es sie, aber an diesem Abend fand sie es komisch.

Sie wechselte zu ihrem Lieblingslied über und spielte es ohne Rücksicht auf Fehler herunter. »Wenn du lächelst, wenn du lächelst, lächelt mir die ganze Welt …«, sang sie aus voller Kehle, und da sie sich allein im Haus und durch die Dunkelheit geschützt wusste, riskierte sie sogar ein paar übermütige Tanzschritte. Zum Schluss sank sie in eine tiefe Verbeugung. Als sie sich aufrichtete, entdeckte sie zwei kleine Gestalten, die sich am Fliegengitter der Verandatür die Nase platt drückten.

»Was fällt euch denn ein, Kinder!«, schalt sie.

Unterdrücktes Kichern antwortete ihr. Dann fragte Mary Jo: »Was machst du da?«

»Nichts … Ich übe.«

»Du bist aber so komisch rumgehopst.«

»Davon verstehst du nichts. Los, Kinder, kommt herein und wascht euch die Füße. Für euch ist Schlafenszeit.«

Nach dem üblichen Hin und Her gehorchten die beiden endlich. Leonie fütterte sie in der Küche ab und beförderte sie dann ins Bett. Als sie zurückkam, stellte sie fest, dass ihre Eltern die Milch noch immer nicht gebracht hatten. Sie öffnete die Hintertür und lauschte. Vom Stall drang kein Laut herüber. Hatten sie etwa die Kuh nicht gefunden? Leonie zündete eine Lampe an und setzte sich an den Küchentisch, um einen übrig gebliebenen Hühnerflügel abzuknabbern. Nach einer Weile blickte sie wieder hinaus. Es war jetzt stockfinster. Und die Eltern hatten keine Laterne mitgenommen. Leonie trat vor die Tür und rief. Keine Antwort.

»Merkwürdig«, murmelte sie halblaut und ging auf den Stall zu. Irgendwas bewegte sich in der Dunkelheit, und sie blieb erschrocken stehen. »Sukie?«, fragte sie. Die schwarze Gestalt näherte sich ihr, und Leonie klopfte der gutmütigen alten Kuh die Flanke. Dann fühlte sie nach dem Euter und sagte erstaunt: »Was, du bist ja noch nicht gemolken! Du alte Ausreißerin! Und auf der Wiese suchen sie nach dir.«

Sie führte Sukie in den Stall. Beim Herauskommen hörte sie die Stimmen der Eltern. Gerade wollte sie sich bemerkbar machen, als sie einen Satz auffing, der sie bewog, in den Schatten zurückzutreten und zu lauschen.

»Wir dürfen sie nicht kränken«, sagte der Vater.

Kränken – wen?

»Nein, bloß nicht«, erwiderte die Mutter. »Sie hat's ja so gut gemeint.«

Leonie wich noch ein wenig weiter zurück. Von wem sprachen sie nur? Sie gingen dicht an der Tür vorbei und blieben gleich darauf stehen.

»All die Leute«, hörte sie die Mutter sagen. »Und dieses schreckliche Trara! Dabei hätt's doch still und würdig sein müssen … Nur wir … Nur die engste Familie.«

Wie sonderbar ihre Stimme klang!

»Still, mein Liebes«, bat der Vater. »Gräme dich doch nicht so, mein Herz.«

»Ich kann nicht anders!« Die Worte gingen in ein leises, herzzerreißendes Jammern über. »Ich halte es nicht mehr aus. Den ganzen Sommer hat sie uns nicht weinen lassen!«

Leonie traute kaum ihren Ohren. Wie erstarrt lauschte sie dem unterdrückten Schluchzen auf der anderen Seite der Stallwand. Und sie sah das Gesicht der Mutter vor sich, wie es auf dem Friedhof gewesen war, von Lachtränen überströmt. O nein, Mama hatte gar nicht gelacht. Sie hatte die ganze Zeit geweint!

Das halb erstickte Schluchzen hielt noch minutenlang an. Schließlich sagte Matthew sanft: »So, komm jetzt, beruhige dich. Wir müssen ins Haus, sie wird sich schon wundern, wo wir bleiben.«

Leonie wartete, bis sie die Pforte klappen hörte. Dann schlüpfte sie aus dem Stall und rannte wie gehetzt über den Hof und um das Haus herum. Im Vorgarten ließ sie sich auf einen Stuhl sinken, der noch vom Nachmittag hier draußen stand. Sie glaubte, das Hämmern ihres Herzens müsse durch alle Wände dringen und sie verraten.

Kaum war sie etwas zu Atem gekommen, als Callie auf der Veranda erschien.

»Leonie! Meine Güte, hast du mich erschreckt. Ich dachte, du wärst oben.«

»Nein, ich bin hier.«

»Ich wollte gerade die Stühle holen.«

»Die bringe ich nachher rein.«

»Soll ich dir nicht helfen?«

»Danke, nicht nötig. Ich möchte noch ein Weilchen hier sitzen.«

»Du bist müde, Schätzchen, nicht wahr?«

»Ein bisschen.«

»Ich auch. Wir haben so lange nach Sukie gesucht,

aber die ist wohl inzwischen von selber nach Hause gekommen. Ich werde gleich mal die Zentrifuge zurechtstellen.«

»Mama?« Leonie zwang sich zur Ruhe und fragte dann mit fester Stimme: »Hat dir der Tag heute gefallen?«

Callies Zögern war kaum zu bemerken. »Aber gewiss, Schätzchen. Es war so richtig nett und gemütlich.«

Sie log. *Mama, ich habe dich nie im Leben belogen – nicht in wichtigen Dingen. Warum belügst du jetzt mich? Kannst du mir nicht die Wahrheit sagen? Musst du dich mir gegenüber verstellen?* Der Gedanke traf sie wie ein Guss kalten Wassers: Die Eltern hatten sich schon den ganzen Sommer verstellt! Sie hatten ihr zum Munde geredet wie einem schwachsinnigen Kind. Erinnerungen an zaghafte Proteste, Achselzucken, Ausflüchte, verstohlene Seitenblicke stürmten auf Leonie ein. Ihr Gedächtnis hatte das alles aufgezeichnet, aber verkehrt herum, gewissermaßen in Spiegelschrift. Erst jetzt, im Spiegel der Erinnerung, wurde es deutlich lesbar. Mama, die immer vergaß, die Kerzen anzuzünden. Papa, der angeblich keine Zeit zum Lesen hatte. Wie wenig hatte er zu der Diskussion über Shakespeare beigetragen – genau genommen hatte sie ganz allein geredet. Und die Abendkonzerte – wie oft hatte sie die Eltern erst holen, sie zum Singen auffordern müssen! Und die Dinnerpartys – wie steif hatten die beiden dagesessen, sich mit den neuen Tischsitten geplagt und immer wieder vergessen, die Salatgabel zu benutzen! Und Mama – Leonie hätte weinen mögen, als ihr einfiel, wie oft sie die Mutter dabei ertappt hatte, dass sie träumerisch wie ein gelangweiltes Schulkind aus dem Fenster starrte, statt in dem aufgeschlagenen Magazin zu lesen.

Sie *wollten* nicht lesen – oder singen – oder lernen – oder sonst etwas tun, was schön und gut war und den Geist förderte! Aber warum sagten sie das nicht freiheraus? Sie, Leonie, hatte doch nur versucht, ihnen zu helfen, sie aufzuheitern. Aber sie wollten nicht aufgeheitert werden – sie wollten weinen. Warum hatten sie es dann nicht getan?

Sie ahnte den Grund. Die Eltern hatten Angst. Sie hatten Angst, sie merken zu lassen, dass nichts, was sie tat, ihnen zu helfen vermochte. Leonie konnte ihnen Opfer bringen, sie konnte ihnen Geflügelsalat, Heiterkeit, Kerzenlicht und Musik geben, sie konnte sie lieben und ehren und ihnen gehorchen bis zum Jüngsten Tage – nichts, was sie ihnen gab oder was sie um ihretwillen aufgab, würde sie je für Mathys Verlust entschädigen.

3

Ihre erste Regung war, hinzugehen und Mathys Grabstein umzustürzen.

Natürlich nahm sie den Gedanken sofort und tief beschämt zurück. Aber sie lechzte nach Vergeltung. Am liebsten wäre sie in heiligem Zorn ins Haus gestürmt und hätte die Eltern angeschrien: »Seht *mich* doch an, ihr Blinden – *ich* bin euch treu geblieben, nicht sie!« Musste Mathy auch über den Tod hinaus das Vorzugskind bleiben? Oh, die Bibel hatte manch strenges Wort für undankbare Kinder – aber wie stand es mit elterlicher Undankbarkeit?

Zusammengekauert saß sie da und betete um Hilfe. In ihrer bitteren Enttäuschung fragte sie sich, ob es mit Gott am Ende das Gleiche sei – ob er lebenslängliche Treue wirklich nicht höher bewerte als ein Glaubensbekenntnis in letzter Minute. Sprach nicht sogar die Bibel von dem bußfertigen Sünder, über den im Himmel mehr Freude herrscht als über neunundneunzig Gerechte? Weshalb sollte man sich dann eigentlich bemühen, gottgefällig zu leben?

»Leonie?«, rief die Mutter aus einem Fenster des oberen Stockwerks. »Bist du noch immer draußen?«

»Ja.«

»Willst du nicht lieber schlafen gehen? Morgen bist du sonst ganz kaputt.«

Na wennschon, sagte Leonie zu sich selber. Aber sie stand gehorsam auf und trug die Stühle hinein. Geh schlafen, steh auf, lerne deine Aufgaben, geh zur Kirche, arbeite, übe Klavier, komm pünktlich nach Hause, sei brav … Tag für Tag, so weit sie zurückdenken konnte. Sie stieg langsam die Treppe hinauf, schloss die Tür ihres Zimmers hinter sich und zündete die Lampe an. Auf dem Frisiertisch lag der Band Shakespeare, die Haarbürste als Lesezeichen zwischen den Seiten. Leonie schauderte bei diesem Anblick, der sie daran erinnerte, wie lästig ihre Bildungsversuche den Eltern gewesen sein mussten. Aber Papa hatte doch immer *gesagt* … Einerlei, was er gesagt hatte. Worte, Worte, nichts als Worte. Sie schnitt eine Grimasse, schlug das Buch zu und versteckte es in der Kommodenschublade, ganz hinten unter der Wäsche. Nun brauchten sie sich nicht mehr damit zu quälen.

»Mama«, sagte sie am nächsten Morgen, »ich möchte gern für ein paar Tage verreisen.«

»Verreisen?«, wiederholte Callie erstaunt. »Wohin denn?«

»Ist das so wichtig?«

Callie hob die Brauen. »Ich frage ja bloß. Natürlich brauchst du's mir nicht zu erzählen, wenn du nicht willst.«

»Na, ich werd's dir verraten: Ich fahre nach Kansas

City, lache mir einen Kavalier an, gehe in Tanzlokale und tolle Kneipen und lebe mich mal so richtig aus.«

»Wa-as?« Callie starrte sie entgeistert an.

»Ist ja nur Spaß, Mama.«

»Na, das will ich hoffen!«

»Weißt du, Carol Pokorny hat mich so sehr gebeten, sie in Plattsburg zu besuchen, und ich hätte große Lust, für eine Woche hinzufahren.«

»Das klingt schon besser.«

»Wir könnten Einkäufe machen, es ist ja nicht weit bis zur Stadt. Ich brauche sowieso ein paar Kleider fürs neue Schuljahr.«

»Ja, das wäre bestimmt eine nette Abwechslung für dich, Kindchen.«

»Eine Woche lang werdet ihr wohl auch ohne mich fertig, nicht wahr?«

»O ja, gewiss, das schaffen wir schon.«

Wenige Tage später fuhr Matthew seine Tochter zum Bahnhof. Callie blieb zu Hause, denn sie kochte an diesem Morgen Apfelgelee; die Küche war voller Dampf und heißgestellter Töpfe und Blechschüsseln mit Apfelschalen. Aber das konnte Leonie nicht von ihrem Vorsatz abbringen. Sie kamen viel zu früh in Renfro an und mussten auf den Zug warten. Beide schwiegen, Matthew trommelte ungeduldig mit den Fingern auf dem Lenkrad; er hatte einem Nachbarn versprochen, ihm bei der Haferernte zu helfen. Endlich fuhr der Zug ein.

»Also, viel Spaß«, sagte Matthew und küsste sie flüchtig auf die Wange. »Sei schön brav.«

Leonie beugte sich aus dem Abteilfenster, um zu winken, aber der Vater war schon zum Wagen zurückgegangen. Umso besser, dachte sie und machte es sich in ihrer Ecke bequem. Und doch – Papas gewohnheitsmäßiges, rein mechanisches ›Sei schön brav‹ hatte ein leises Schuldgefühl in ihr geweckt. Denn sie hatte gelogen. Es war keineswegs ihre Absicht, die Woche bei Carol Pokorny zu verbringen. Statt in Kansas City umzusteigen und nach Plattsburg weiterzufahren, wollte sie in der Stadt bleiben und genau das tun, was sie ihrer Mutter ›im Scherz‹ erzählt hatte – ausgehen und tanzen und tüchtig über die Stränge schlagen. Der einzige Unterschied war, dass sie sich nicht erst einen Kavalier anzulachen brauchte. Sie hatte schon einen: Kenny, den Basketballtrainer, der hübsch und draufgängerisch war und eine wundervolle Stimme hatte und der sie sehnsüchtig erwartete. Jedenfalls hatte er ihr das immer wieder geschrieben. Leonie nahm seinen letzten Brief aus der Handtasche. Da stand es: ›Wenn sie dich mal von der Kette lassen, dann vergiss ja nicht, mich anzurufen. Unter meiner bewährten Führung werden wir beide die Stadt auf den Kopf stellen und unser Leben genießen.‹ Ja, das war es, was ihr vorschwebte. Zuallererst würde sie ein paar neue Kleider kaufen und dann Kenny anrufen und sich mit ihm so richtig amüsieren: groß ausgehen, in einem Schlemmerrestaurant speisen, eine Show besuchen, und falls Kenny sie in eine Bar oder einen Nachtclub führen wollte – na schön, ihr sollte es recht sein. Im Sinne ihrer Eltern war das alles natürlich nicht, aber sie wussten ja nichts davon. Und selbst wenn sie es gewusst hätten, wäre das noch lange kein Grund zur Aufregung gewesen. Die Zeiten hatten sich geändert. Heutzutage gingen auch achtbare Leute am Sonntag ins Theater; sie tanzten und spielten Karten; viele junge Mädchen rauchten sogar, und es war keine Rede davon, dass sie deswegen in die Hölle kämen. Die Hölle hatte ihren Standort gewechselt; sie war weiter entfernt, als die Leute früher gedacht hatten.

Kurz nach zwölf Uhr mittags traf Leonie in Kansas City ein. Im Winter hatten sie und ihre Freundinnen jeden Einkaufsbummel mit einer Coca-Cola in Fred Herveys Schnellrestaurant eingeleitet, eine geheiligte Tradition, der sie auch jetzt folgte. Coca-Cola gab es auf der Farm nicht. Leonie hatte immer gefunden, dass dieses prickelnde Getränk ausgesprochen nach Großstadt schmeckte – leicht beißend, bittersüß, synthetisch, anregend. Sie trank es langsam durch den Strohhalm und sog gleichzeitig die Geräusche und Eindrücke ihrer Umgebung in sich ein. Gestärkt durch das Elixier, machte sie auf dem Wege zur Tür am Büfett halt und kaufte Zigaretten, die sie nach einem raschen Rundblick in ihre Handtasche schob. Gegenüber dem Bahnhof, auf einem lang gestreckten, parkartig angelegten Hügel, ragte der hohe Schaft des Freiheitsdenkmals auf. Leonie blieb am Straßenrand stehen und blickte hinüber. Sie tat das teils aus Pietät und teils wegen der Orientierung, denn in der Stadt ließ ihr Ortssinn sie unweigerlich im Stich. Während sie sich bemühte, Norden und Süden ausfindig zu machen, dachte sie an den Tag, an dem das Denkmal eingeweiht worden war. Damals hatte sie eine Stunde lang zitternd in der Kälte gestanden, um die Königin von Rumänien zu sehen. Heute dagegen brannte die Sonne auf den Bahnhofsplatz und verwandelte ihn in ein Hitzemeer.

»Meine Dame«, sagte eine Stimme neben ihr, »wenn Sie kein Taxi brauchen, gehen Sie doch aus dem Weg, ja?«

Leonie blickte den Chauffeur hochmütig an. »Ich brauche ein Taxi«, entgegnete sie und ließ jeden Gedanken an die Straßenbahn fallen. »Zum Muehlebach-Hotel, bitte.« Diesmal wollte sie nicht knausern; das Beste war gerade gut genug für sie.

Die Preise waren etwas höher, als Leonie vermutet hatte, aber das schreckte sie nicht. Sie kam sich ungemein großartig vor, als sie ihr Zimmer betrat und dem Pagen ein reichliches Trinkgeld in die Hand drückte. Das Zimmer war sehr schön, mit einem dicken, weichen Teppich, vielen Spiegeln und einem gekachelten Bad. Heiß war es auch hier, aber im Sommer konnte man wohl nichts anderes erwarten. Und der Straßenlärm störte sie nicht. Der gehörte nun einmal zur Stadt und war nach dem Gackern der Hühner und dem Muhen der alten Sukie eine willkommene Abwechslung. Leonie machte sich ans Auspacken. Während sie in Strümpfen hin und her ging und dabei ein Lied trällerte, warf sie von Zeit zu Zeit einen Blick in den Spiegel in der Tür des Badezimmers. Den ganzen Sommer hatte sie sich kein einziges Mal von oben bis unten gesehen! Sie setzte sich auf den Bettrand, dem Spiegel gegenüber, und kramte wieder Kennys Brief hervor. Tagsüber war er nicht zu Hause, denn er arbeitete während der Ferien im Geschäft seines Vaters. Aber sie konnte ja anrufen und eine Nachricht für ihn hinterlassen. Leonie hatte den Hörer schon in der Hand, als sie sich eines anderen besann. Vielleicht war es doch besser, zu warten und mit ihm selber zu sprechen. Inzwischen wollte sie gehen und ein neues Kleid kaufen, damit sie für die abendlichen Unternehmungen gerüstet war.

Sie wusch sich, benutzte zum ersten Mal in diesem Sommer Rouge und Lippenstift, setzte den Hut auf, zog die Handschuhe an und begab sich in die Petticoat Lane, eine Straße, die sie schon des Namens wegen bezaubernd fand. Nachdem sie die eine Seite hinauf- und die andere hinuntergeschlendert war und sämtliche Schaufenster betrachtet hatte, ging sie in einen der Modesalons. Aber erst im dritten oder vierten Geschäft fand sie das, was sie suchte: ein Abendkleid aus feuerfarbenem Crêpe de Chine, eng anliegend, die schmalen Träger mit Strass besetzt und vorn so tief ausgeschnitten, dass sie sich geradezu nackt vorkam. Aber es war der letzte Schrei, und sie konnte nicht leugnen, dass es ihr stand. Mit einer lässigen Bewegung – hoffentlich merkte es die Verkäuferin nicht! – drehte Leonie das Preisschildchen herum. Oh… Nun ja, so ein Modell kostete eben mehr als ein biederes Alltagskleidchen.

Im Hotelzimmer probierte sie das Kleid noch einmal

an und steckte die Träger hoch, um das Dekolleté zu verkleinern.

Aber dann zog sie kurz entschlossen die Nadeln heraus und ließ alles, wie es war. So ging man eben heutzutage, und sie würde sich bald daran gewöhnen. Mittlerweile war es fünf Uhr geworden. Bald konnte sie Kenny anrufen, aber vorher wollte sie noch ein Bad nehmen. Sie ließ die Wanne volllaufen und färbte das Wasser mit rosarotem Badesalz. Während sie sich genießerisch einseifte, flogen ihre Gedanken zur Farm zurück. Was machten sie jetzt wohl zu Hause? Mama pflegte um diese Zeit die Lampen aufzufüllen und dann mit den Vorbereitungen zum Abendessen zu beginnen. Die Küche war heiß und stickig, die Kinder quengelten müde herum, Papa kam mit der Milch und brachte natürlich wieder Kuhmist an den Stiefeln herein – sie aber, Leonie, lag in einem duftenden Bad und würde später mit einem Herrn zum Dinner ausgehen.

Allerdings musste sie diesen Herrn erst anrufen. Sie stieg aus der Wanne, rieb sich trocken, puderte sich und schlüpfte in den blauseidenen Kimono, der für besondere Gelegenheiten gedacht war. Als sie in der Handtasche abermals nach Kennys Brief suchte, kam das Zigarettenpäckchen zum Vorschein. Leonie zögerte kurz, dann riss sie es auf und zündete sich mit bebender Hand die erste Zigarette ihres Lebens an. So schmeckt das also, dachte sie und rümpfte ein wenig die Nase. Ihr Herz klopfte, als täte sie etwas Verwerfliches. Sie zog den Kimono eng um den Leib, ging zur Badezimmertür und stellte sich in

Mannequinhaltung vor den Spiegel, eine Hand auf der Hüfte, die andere mit der Zigarette halb erhoben. Was würden die Eltern sagen, wenn sie ihre Tochter so sehen könnten! Und Kenny – was würde der wohl sagen! Im Winter hatte er so oft und immer erfolglos versucht, ihr eine Zigarette aufzudrängen. Leonie runzelte die Stirn, als sie sich daran erinnerte. Ein Basketballtrainer sollte eigentlich nicht rauchen, auch außerhalb der Schule nicht. Kenny tat überhaupt manches, was Leonie im Grunde ihres Herzens missbilligte. Aber er war tüchtig und sang gut und sah blendend aus. Wer weiß, vielleicht würde er ihr jetzt sogar besser gefallen, als sie während der Trennung gedacht hatte. Und bestimmt konnte sie sich in seiner Begleitung amüsieren. Sie wäre so gern mal in einen Nachtclub gegangen – mit Alkoholschmugglern und einer Negerjazzband und interessantem Publikum! Leonie zog hastig an der Zigarette und wandte sich zum Telefon. Im letzten Moment fiel ihr ein, dass es unklug war, allzu großen Eifer zu zeigen. Schließlich war sie gerade erst in Kansas City eingetroffen.

Sollte sie nicht lieber allein essen gehen und später am Abend bei Kenny anrufen? Wenn er dann schon etwas anderes vorhatte, konnten sie sich ebenso gut für morgen verabreden. Sie hatte ja noch die ganze Woche vor sich.

Als sie das Hotel verließ, ging die Sonne bereits unter – natürlich im Westen oder zumindest in der Himmelsrichtung, die Leonie in der Stadt immer für Westen hielt. Sie kehrte ihr ungeduldig den Rücken. Ihr Schritt war etwas weniger energisch als am Nachmittag, denn diesmal hatte sie kein festes Ziel und wusste nur, dass sie irgendwo essen wollte. Aber es war ja noch lange nicht dunkel, und sie hatte keine Eile. Sie würde einfach durch die Straßen spazieren, bis sie auf ein kleines Lokal stieß, das nett und anheimelnd aussah.

Die Menschen, in deren Strom sie dahintrieb, hatten es alle sehr eilig. Sie liefen, um die Straßenbahn noch zu erwischen, drängten sich rechts und links an Leonie vorbei, rempelten sie an, und ein Mann rannte sie fast um. Sie bog in eine Querstraße ein, um aus dem Gewühl herauszukommen. Hier war es ruhiger, und sie konnte ungestört die Schaufenster besehen. Einmal, als sie gerade Möbel betrachtete – Bauernmöbel, die so gut auf die Farm gepasst hätten –, merkte sie, dass jemand neben ihr stehen geblieben war. Ohne sich etwas dabei zu denken, wandte sie den Kopf. Der Mann erwiderte ihren Blick mit einem ermunternden Lächeln. Sie drehte sich hastig um und ging weiter. Offenbar war es nicht ratsam, zu lange vor einem Schaufenster zu verweilen, jedenfalls nicht um diese Zeit und ohne Begleitung.

Bei früheren Stadtbesuchen war sie immer mit einer oder mehreren Freundinnen zusammen gewesen, und sie hatte jetzt das unbehagliche Gefühl, jeder müsse aus ihrem Alleinsein schließen, dass sie vogelfrei sei. Obwohl es noch hell war, beschleunigte sie ihr Tempo und hielt Ausschau nach einem passenden Restaurant, damit sie rasch essen und dann ins Hotel zurückkehren könnte. Sie sehnte Carol oder irgendeine andere Kollegin herbei, denn es widerstrebte ihr, ganz allein in ein Restaurant zu gehen. Aber was half's – sie musste unbedingt etwas essen, und zwar bald. Außer der Coca-Cola hatte sie seit dem frühen Morgen noch nichts zu sich genommen, und sie merkte plötzlich, wie hungrig und erschöpft sie war. Sie hatte ja schon um fünf Uhr früh aufstehen müssen; der Hof war noch blaugrau gewesen, als sie hinausging, und die Sonne hatte eben erst die Baumwipfel über der östlichen Wiese erhellt. (Zu Hause ging die Sonne dort auf, wo man es von ihr erwartete!) Die Luft war in dieser Morgenstunde so kühl und weich, das Gras strömte einen frischen Duft aus, und der Vogelgesang am Waldrand klang süß und sehr weit entfernt. Ach, alles schien jetzt so weit entfernt … War sie denn wirklich erst heute früh abgefahren? Leonie machte an einer Straßenecke halt, um die Richtung zu erkunden, und auf einmal spürte sie wieder jene Einsamkeit, unter der sie als Kind gelitten hatte, wenn sie von daheim fort war und die Nacht und die Müdigkeit kamen. Die Anwandlung ging schnell vorüber, aber zurück blieb ein Gefühl traumhafter Verwirrung, das in der Frage ›Was mache ich eigentlich hier‹ seinen Ausdruck fand. Sie spähte unsicher umher – wo war denn nur das Hotel? Es musste irgendwo in der Nähe sein, so viel stand fest; aber da ihr die Nebenstraßen nicht vertraut waren, fand sie keines der Kennzeichen, die ihr sonst den Weg zu weisen pflegten. Erst als sie sich umdrehte, bemerkte sie in einiger Entfernung eine massige graue Kirche, an die sie sich von früher her erinnerte. Kurz entschlossen strebte sie darauf zu, als hätte sie unerwartet einen lieben Freund auf der Straße getroffen.

Sie hatte keine Ahnung, was sie da wollte – allerdings war es schon immer ihr Wunsch gewesen, diese Kirche zu besichtigen, etwa so wie ein Tourist die Kathedralen Europas besichtigt. Als sie näher kam, drang das gebieterische Dröhnen einer Orgel an ihr Ohr. In der freudigen Hoffnung auf ein Abendkonzert stieg sie die Stufen hinauf und lauschte. Gab es auf Erden einen Klang, der schöner und edler war? Sie drehte zaghaft den Türknopf. Das Portal öffnete sich, und Leonie trat ein.

Dämmrige Kühle empfing sie. Nur die bunten Glasfenster leuchteten noch im Abendrot. Als sich Leonies Augen an das Halbdunkel gewöhnt hatten, sah sie, dass außer dem Organisten niemand in der Kirche war. Der Mann – ein junger Mann, wenn die Entfernung nicht täuschte – saß in Hemdsärmeln an der Orgel, wie ein Arbeiter, dem es beim eifrigen Schaffen zu heiß geworden ist. Der schmale Rücken war fortwährend in Bewegung, die Arme griffen kräftig aus, die Hüften schwangen hin und her, und die wuchtvollen Orgeltöne wogten durch das Kirchenschiff, als wollten sie die Wände zum Einsturz bringen. Leonie hörte bewundernd zu. Wie gut der junge Mensch spielte! Und für einen Augenblick empfand sie schmerzliches Bedauern, dass nicht sie es war, die da oben ihren Willen auf Register und Tasten übertragen und dieses glorreiche Donnergetöse entfesseln durfte. Gleich darauf aber reinigte die Schönheit der Musik ihre Seele von allen Neidgefühlen. Sie schlich auf Zehenspitzen zur letzten Bank und setzte sich mit dem Empfinden, ein Ziel erreicht zu haben.

Die Musik ging zu Ende. Dann, nach einer kurzen Pause, begann sie von Neuem, zart und leise diesmal, ohne Oktaven. Die Flötenstimme, durchsichtig und exakt, gab ein schlichtes Thema an, wiederholte es mit zierlichen Triolen und verstummte, um eine zweite Stimme antworten zu lassen. Gütig klingende Bässe mischten sich einer nach dem anderen ein, und so wechselten Rede und Gegenrede, bis die hellen und tiefen Stimmen allmählich anschwollen und sich in einer Harmonie zusammenfanden, die Leonie vor Glück erschauern ließ.

O Musica,
du kleines Wort,
das mehr als jedes andre Gottes Name ist!

Ja, das war es, was sie von jeher geliebt hatte – Musik und Kirchen und reines Streben nach Gottes Gnade. Und sie hatte gedacht, dafür werde ihr der gerechte Lohn zuteilwerden. Aber vielleicht irrte sie sich. (Die Eltern hingen viel mehr an Mathy als an ihr!) Wahrscheinlich war es Gott vollkommen gleichgültig, wen oder was sie liebte. Denn anderenfalls hätte er ihr, der redlich versuchte, sich selber zu helfen, seine Hilfe gewiss nicht versagt. Oder hatte sie es etwa falsch angefangen? Vielleicht führte nicht der gerade Weg zum Ziel, sondern der lange Umweg durch Abgründe, Schlamm und Erniedrigung. Sie musste den Weg finden, um jeden Preis musste sie ihn finden. Leonie schloss die Augen. Lieber Vater im Him-

501

mel … Aber nein, sie konnte Gott doch nicht bitten, ihr beim Sündigen zu helfen!

Sie stand auf und tastete sich zur Tür. Es war spät, das Kirchenschiff lag nahezu im Dunkeln, und draußen brannten bereits die Laternen. Vor dem Portal blieb Leonie stehen und focht abermals einen Kampf mit ihrem mangelhaften Ortssinn aus. Dort drüben lockten die hellen Lichter des Stadtzentrums, doch der Instinkt zog sie nach der anderen Seite, und sie folgte ihm. Verbissen hastete sie durch den Schatten. Wo befand sie sich nur? An jeder Straßenecke blickte sie angstvoll nach rechts und links, bis sie endlich das Hotel erspähte. Fast laufend erreichte sie es und stürzte sich mit hämmerndem Herzen in den Lift. Ihre Hand zitterte so sehr, dass sie kaum die Zimmertür aufschließen konnte. Sie knipste das Licht an, ging geradewegs auf das Telefon zu, ohne auch nur den Hut abzunehmen, und verlangte Kennys Nummer.

»Hallo?«, meldete sich eine weibliche Stimme, vermutlich die seiner Mutter.

Leonie holte tief Luft, um ihre Stimme zu festigen. »Bitte, könnte ich Kenneth sprechen?«

Kurze Pause. »Liebes Kind«, sagte die Dame am anderen Ende in einem Ton erlahmender Geduld, »Kenneth ist *immer noch* in den Ozarks. Daran hat sich seit Ihrem gestrigen Anruf nichts geändert.«

»Aber ich habe ja gar nicht …«

»Er ist mit seinem Vater zum Angeln gefahren und kommt erst in vierzehn Tagen wieder. Ich wollte wirklich, ihr Mädchen würdet ihn nicht dauernd anrufen. Sehr damenhaft ist das nicht. Können Sie nicht warten, bis er *Sie* anruft? Es wird allmählich lästig, und …«

Leonie legte den Hörer auf und schnitt damit die vorwurfsvolle Stimme ab. Sie wusste nicht, was größer war – ihre Wut oder ihre Verlegenheit; jedenfalls war sie puterrot, sie sah es im Spiegel. Sie hatte Kenny gestern nicht angerufen! *Sie* hatte überhaupt keine Sehnsucht nach ihm! Sie freute sich, dass er nicht da war! Aber all ihre Pläne für diese Woche fußten auf seinem Versprechen, gemeinsam mit ihr ›die Stadt auf den Kopf zu stellen‹. Was nun? Sollte sie tagsüber allein durch die Straßen laufen und abends allein in ihrem Hotelzimmer sitzen? Im Widerstreit der Gefühle, hin und her gerissen zwischen Ärger und Erleichterung, Lachen und Weinen, knallte sie die Badezimmertür mit einem so heftigen Fußtritt ins Schloss, dass die Möbel zu zittern begannen und der lange Spiegel von unten bis oben zersprang. Leonie starrte die Zickzacklinie sekundenlang mit offenem Mund an. Dann ließ sie sich zu Boden fallen, noch immer mit dem Hut auf dem Kopf, und heulte los.

Konnte sie denn nichts, gar nichts richtig machen? Sie brachte es nicht einmal fertig zu sündigen! Und sie hasste dieses Herumexperimentieren. Auch wenn nie jemand davon erfuhr – sie war zu so etwas nicht fähig. Als sie nach dem Taschentuch suchte, stieß sie auf die Zigaretten. In den Papierkorb damit? Sie *wollte* nicht rauchen und unanständige Kleider tragen und über die Stränge schlagen. Das war falsch. Vielleicht nicht für andere Leute, bestimmt aber für sie. Sie war in diesem Sinne erzogen worden und konnte sich jetzt nicht mehr ändern. Mochten Mathy und Jessica durchbrennen und tun, was ihnen beliebte – ihr lag es eben nur, ›brav‹ zu sein, so brav, wie Gott und ihre Eltern sie haben wollten. Aber sie hätte so sehr gewünscht, um ihrer Bravheit willen geliebt zu werden!

Sie weinte und weinte … Die Tränen, die sie während des Sommers zurückgedrängt hatte, wollten jetzt alle auf einmal geweint werden. Und nachdem sie sich ihren Kummer vom Herzen geweint hatte, weinte sie vor Erbitterung. Hier saß sie nun, in einem Luxuszimmer, das sie sich eigentlich gar nicht leisten konnte, und hatte eine Todesangst, unter Menschen zu gehen. Und dabei war sie so hungrig! Plötzlich sah sie sich in dem zersprungenen Spiegel, und dieser Anblick reizte sie zum Kichern, obgleich ihre Tränen noch immer flossen. Wie eine arme Irre – auf dem Fußboden – mit dem Hut auf dem Kopf! Es geschah ihr recht. Sie hatte sich selber in diese Lage hineinmanövriert. Und wie kam sie nun wieder heraus? Ed – ja, sie würde Ed anrufen! Der Gedanke war wie eine Erleuchtung. Sie hatte ganz vergessen, dass er in Kansas City wohnte. Mit einem leisen Freudenschrei griff sie zum Telefon.

Ed erschien eine halbe Stunde später, in Hemdsärmeln und ohne Schlips. Er sah wie ein sauber gewaschener Vagabund aus. Aber er war ein Mensch, den sie kannte – ein Familienmitglied sogar –, und sie war nie zuvor so glücklich über ein Wiedersehen gewesen.

Er führte sie in ein Lokal an der nächsten Straßenecke und bestellte ihr einen *Hamburger* und ein großes Glas Malzmilch. Als der letzte Tropfen im Strohhalm gurgelte, lehnte er sich zurück und griff nach einer Zigarette.

»So, Tante Linnie, und nun raus mit der Sprache. Wo drückt der Schuh?«

»Was für ein Schuh?«, fragte sie und zerknickte den Strohhalm.

»Du siehst aus wie ein verprügeltes Baby. Warum hast du geweint?«

Sie hatte nicht die Absicht gehabt, ihm ihren Kummer zu beichten. Aber da sie irgendetwas sagen musste, fing sie mit dem zerbrochenen Spiegel an und kam dann unversehens auf weiter zurückliegende Dinge zu sprechen. Ed fragte und bohrte so lange, bis er die ganze trostlose Geschichte aus ihr herausgeholt hatte.

»Ich dachte, ich hätte sie abgelenkt und aufgeheitert, aber in Wirklichkeit habe ich sie bloß furchtbar gequält. Sie können mich nicht ausstehen!« Leonie schluchzte auf und vergrub das Gesicht in der Papierserviette.

»Das stimmt nicht, und du weißt es genau«, sagte Ed ruhig.

»Doch, es stimmt!«

»Du bist jetzt so durcheinander, wie ein einsames Mädchen nur sein kann. Weißt du wirklich nicht, dass sie dich kein bisschen weniger lieben als Mathy? Sie würden genauso um dich trauern, wenn du an Mathys Stelle umgekommen wärst.«

»Und was soll ich tun? Mich umbringen?«

»Du bist auf dem besten Wege dazu.« Er atmete langsam aus. »Ich habe dich diesen Sommer auf der Farm beobachtet.«

»Ich war glücklich«, widersprach Leonie. »Meistens jedenfalls.«

»Gewiss, gewiss – so glücklich, wie ein hübsches Mädchen in Gesellschaft alter Leute und kleiner Kinder nur sein kann. Du wusstest kaum noch wohin vor Glück.«

»Ich hab aber wirklich nichts entbehrt.«

»Das beweist wieder mal, wie dumm du bist, Tante Linnie. Du kennst dich eben selber nicht. Ein so nettes Mädchen wie du ist viel zu schade zum Versauern. Wenn hier einer abgelenkt und aufgeheitert werden muss, dann bist du es. Was hast du denn für den Rest der Woche vor?«

»Ich weiß nicht«, antwortete sie kläglich.

»Na, du brauchst ein bisschen Unterhaltung, so viel steht fest. Und am besten fangen wir gleich damit an. Wie wär's mit einer Show? Oder was würde dir sonst Spaß machen?«

»Ich möchte nach Hause.«

»Herr des Himmels!« Ed schüttelte den Kopf. »Okay, wenn das wirklich dein einziger Wunsch ist, wollen wir keine Zeit verlieren. Hol dein Zeug aus dem Hotel. Ich fahre dich.«

»Du meinst, richtig nach Hause – heute Abend noch?«

»Ich schaff's in anderthalb Stunden.«

»Aber das geht doch nicht, Ed! Sie erwarten mich ja

erst am Wochenende. Wie soll ich ihnen denn das erklären?«

»Denk dir irgendwas aus.«

»Ich kann sie nicht schon wieder belügen! Ich muss hier bleiben, ob ich will oder nicht, und dabei kann ich's mir gar nicht leisten, und ich weiß überhaupt nicht … Und der Spiegel! Was mache ich bloß mit dem Spiegel?«

Ed lachte. »Pass auf. Du gehst jetzt ins Hotel und bringst erst mal die Sache mit dem Spiegel in Ordnung. Natürlich erzählst du nicht den wahren Hergang, sondern sagst einfach, der Wind hätte die Tür zugeschlagen. Tu so, als findest du es empörend, dass so was passieren kann – du, ein Hotelgast, hättest ja durch herumfliegende Glassplitter verletzt werden können!«

»Nein, das kommt nicht infrage. Es war doch meine Schuld.«

»Das brauchst du ihnen nicht auf die Nase zu binden.«

»Außerdem ist es heute ganz windstill.«

»O du Unschuld vom Lande!«

»Ich möchte lieber den Schaden bezahlen und ein für alle Mal damit durch sein.«

»Schön, dann bezahle das verdammte Ding und die Zimmerrechnung gleich dazu. Du kannst bei mir wohnen, wenn du schon hier bleiben musst. Mit dem Ritz ist es nicht zu vergleichen, aber dafür kostet es dich wenigstens nichts.«

Leonie hob das tränenfeuchte Gesicht. »Du meinst, ich soll in deine Wohnung ziehen?«

»Ja. Ich habe zwei Zimmer und Küche, wie du weißt. Die Straßenbahn hält vor dem Haus, und bis zur Innenstadt sind's nur zehn Minuten.«

»Aber was wird aus dir?«

»Aus mir? Wieso?«

»Ich meine, wo wirst du denn wohnen?

»Natürlich auch da. Hast du was dagegen?«

Leonie senkte die Augen und fühlte zu ihrem Ärger, dass sie rot wurde.

Ed lachte. »Liebe Tante Linnie, du brauchst dir wirklich keine Sorgen zu machen. Ich gehöre immerhin zur Familie, ob's dir nun passt oder nicht.«

»Das weiß ich«, sagte sie spitz. »Aber was werden die Leute denken?«

»Welche Leute? Hier schnüffelt keiner herum. Das ist einer der Vorteile des Stadtlebens.«

»Trotzdem …«

»Ich schlafe auf der Couch, und du kannst das andere Zimmer haben. Morgens gehe ich weg, bevor du aufstehst, und tagsüber gehört die Wohnung dir. Für den Fall, dass du abends nicht allein ausgehen magst, stehe ich dir gern als männlicher Schutz zur Verfügung. Dein Vater würde dich sicherlich immer noch lieber mit mir herumziehen sehen als ganz ohne Begleitung.«

Leonie brachte ein etwas törichtes Lächeln zustande.

»Okay«, sagte Ed, »dann komm jetzt. Während du deinen Koffer runterholst, werde ich mit dem Hotelmanager über den Spiegel reden.«

»Nein, nein!«, widersprach sie erschrocken. »Lass mich

das tun. Ich möchte nicht den Eindruck erwecken, dass ich … ich meine, dass du und ich …«

Ed zuckte die Achseln. »Großer Gott!«, murmelte er.

4

Als Leonie am nächsten Margen erwachte, war Ed noch nicht zur Arbeit gegangen. Behaglich ausgestreckt, lauschte sie den leisen Geräuschen, die aus dem Nebenzimmer und der Küche herüberdrangen. Wie schön, dass sie nicht ganz allein und verlassen hier in der Großstadt war und dass sie den heutigen Tag unbeschwert genießen konnte. Hoffentlich räumte Ed bald das Feld. Gleich nach dem Frühstück wollte sie mit der Straßenbahn in die Stadt fahren, das schreckliche Abendkleid zurückgeben und sich stattdessen ein paar vernünftige Schulkleider kaufen. Auch Mitbringsel für die Kinder und die Eltern musste sie besorgen. Nach einem gemütlichen Lunch im Forum würde sie, wenn noch Zeit war, in der Musikalienhandlung Jenkins Noten kaufen und sich einige klassische Schallplatten vorspielen lassen. Herrje, konnte sich Ed nicht ein bisschen beeilen!

Endlich hörte sie die Wohnungstür ins Schloss fallen. Sie sprang aus dem Bett und spähte vorsichtig auf die Straße, um sich zu vergewissern, dass er wirklich fort war. Die Unordnung im Wohnzimmer schien seit dem Vorabend noch größer geworden zu sein. Auf dem Fußboden waren Schuhe, Bücher und Zeitungen in buntem Durcheinander verstreut, die Aschenbecher quollen über, auf allen Möbelstücken standen benutzte Tassen und Gläser. Ein weißes Hemd nebst Krawatte hing über der Leselampe. Junggesellenwirtschaft!, dachte Leonie. Auf einem Tisch an der Wand lagen Radiozubehörteile, Werkzeuge, Drahtspulen und dazwischen ölige Lappen – anscheinend war Ed dabei, etwas zusammenzusetzen oder auseinanderzunehmen. Leonie, die sich wie ein Eindringling fühlte, schlich auf Zehenspitzen umher und steckte ihre Nase in alles. Wie wenig sie von Ed wusste! Sie hatte das unbehagliche Gefühl, ihm nachzuspionieren – im Grunde tat sie das ja auch. Eine Postkarte lag auf dem Boden, die beschriebene Seite nach oben. Leonie bückte sich und las den Text, ohne die Karte aufzuheben. Es war ein Feriengruß von jemandem namens Billy, und nach dem Wortlaut zu urteilen, war Billy kein Mann. Leonie machte ihren Böhnchenmund. Wenn Ed eines Tages mit einem Mädchen namens Billy zu Hause aufkreuzte, würde Papa schon dafür sorgen, dass er Peter niemals bekam.

Ed hatte den Kaffee auf dem Herd warm gestellt. Nachdem sie eine Tasse ausgespült und den Küchentisch abgeräumt hatte, drehte sie das Radio an und setzte sich hin. Es war nett, mit Musik und der Morgenzeitung in aller Ruhe zu frühstücken – so richtig städtisch. Dann aber, als der Kaffee getrunken und der Toast gegessen war, gewannen ihre ländlichen Instinkte die Oberhand. Sie konnte den Anblick des vielen schmutzigen Geschirrs einfach nicht länger ertragen. Nach einem Blick auf die Uhr – es war noch früh; ihr blieb reichlich Zeit für die geplanten Unternehmungen – befestigte sie ein Handtuch als Schürzenersatz am Gürtel ihres Kimonos, krempelte die Ärmel auf und legte los. Bei der Arbeit sang sie mit dem Radio um die Wette. Eines führte zum anderen, und sie hielt nicht eher inne, als bis Küche und Wohnzimmer vor Sauberkeit blitzten.

»Meine Güte!«, sagte sie, als sie auf die Uhr sah. Es war zwölf vorbei. Sie lief ins Schlafzimmer, um sich anzuziehen, aber sie war so verschwitzt, dass sie unbedingt baden musste. Das setzte jedoch eine gründliche Säuberung der Wanne voraus. Da sie nun schon dabei war, reinigte sie auch das Waschbecken, die Toilette und das Medizinschränkchen. Zuletzt scheuerte sie, auf den Knien liegend, die Fliesen des Fußbodens.

Als sie endlich gebadet hatte und angezogen war und der Stadtmitte entgegenfuhr, war es vier Uhr.

Sie hatte gerade noch Zeit, das feuerfarbene Abendkleid zurückzugeben und in einem Einheitspreis-Kaufhaus ein paar Geschirrtücher zu erstehen – Ed hätte schon längst neue gebraucht. Dann schlossen die Läden, und Leonie musste sich mit einem ausgedehnten Schaufensterbummel begnügen. Als sie gegen sieben in die Wohnung zurückkam, wartete Ed bereits auf sie. Er hatte sich fein gemacht, war frisch rasiert und wirkte erstaunlich gepflegt. Leonie starrte ihn mit großen Augen an. Seit seinem Hochzeitstag hatte sie ihn nicht mehr so gesehen.

»Ich hab mich ein bisschen herausgeputzt, damit ich nicht so sehr von dir absteche«, sagte er lachend. »Aber hör mal, du Scheuerteufel, kennst du kein anderes Vergnügen als Arbeit?«

»Findest du nicht, dass die Wohnung viel hübscher geworden ist?«, fragte sie.

»Märchenhaft sieht sie aus, aber eigentlich müsste ich dich übers Knie legen. Großherzig, wie ich bin, werde ich dich stattdessen ausführen.«

»Oh, das ist wirklich nicht nötig.«

»Gönn mir doch die Freude. Los, zieh dir was Schickes an, ich will dir die große Welt zeigen.«

Ihre Augen leuchteten auf. »Also gut – ich bin dabei!«

Sie lief ins Schlafzimmer, nahm ihr geblümtes Chiffonkleid, die guten Seidenstrümpfe und die hochhackigen Sandaletten aus dem Koffer und kleidete sich um. Dann bürstete sie ihr Haar, bis es so hell glänzte wie das seidene Gürtelband des Kleides. Nach kurzem Zögern färbte sie sich dezent die Lippen. Als sie im Wohnzimmer erschien, stieß Ed einen lang gezogenen Pfiff aus.

»Tante Linnie! Wie kommt Greta Garbo in mein bescheidenes Heim?«

»Ach, sei doch still«, wehrte sie mit verlegenem Lächeln ab.

»Du siehst fantastisch aus.«

»Du brauchst mir nicht zu schmeicheln.«

»Kein Mensch würde glauben, dass du den ganzen Tag mit Scheuern verbracht hast.«

»Den ganzen Tag? Das stimmt ja gar nicht.«

»Na, die Wohnung sieht jedenfalls danach aus – aber du nicht.« Er angelte mit der Stockkrücke nach ihrem Arm. »Darf ich bitten?«

In dem Restaurant, das sie aufsuchten, hingen Kristallkronleuchter von der Decke, der Teppich war goldfarben, und auf jedem Tisch stand ein Lämpchen mit bernsteingelbem Schirm. Ein Orchester spielte romantische Weisen.

»Hier ist es aber vornehm!«, sagte Leonie begeistert.

»Du magst so was, wie?«

»Du nicht?«

Er zuckte lächelnd die Achseln. »Es ist genau das, was man als Talmi bezeichnet.«

»Oh, wirklich?« Ihr Blick war so besorgt, dass Ed lachen musste.

»Lass dir's nicht verderben, Tante Linnie. Wenn's dir gefällt, ist es in Ordnung.«

Er konnte wirklich sehr nett sein, wenn er wollte. Außerdem hatte er tadellose Manieren, wie Leonie zu ihrer größten Überraschung feststellte. Abgesehen von den Händen, in deren Rillen das Schmieröl tief eingedrungen war, verriet nichts an ihm den Garagenmechaniker. Er benahm sich wie ein Mann von Welt, und Leonie konnte kaum glauben, dass ihr Begleiter jener Ed war, der auf der Farm so gern mit aufgestützten Ellbogen am Tisch saß. Allerdings – wenn sie es recht bedachte, musste sie zugeben, dass er sich niemals flegelhaft aufgeführt hatte. Während des Essens überlegte sie dauernd, an wen er sie erinnerte. Es musste jemand sein, den sie irgendwo kennengelernt hatte, aber sie kam einfach nicht darauf, wer es war. Jedenfalls genoss sie den Abend sehr. Das Einzige, was sie ein klein wenig störte, war die Kostenfrage. Ob Talmi oder nicht – teuer war das Lokal bestimmt. Nun, ab und zu konnte man ja ruhig verschwenderisch sein.

Als die Rechnung gebracht wurde, öffnete sie eilig ihr Täschchen. »Wie viel macht es für mich?«, fragte sie.

»Aber Tante Linnie!« Ed sah sie vorwurfsvoll an. »Man beißt nicht in die Hand, die einen füttert.«

»Ich bezahle grundsätzlich für mich selber.«

»Wenn du mit deinen Kolleginnen ausgehst, meinetwegen. Aber heute bist du in Herrengesellschaft.«

»Für mich gibt's da keinen Unterschied. Ich bestehe darauf, dass ich …«

»Tante Linnie«, mahnte er, »eine Dame streitet sich nicht öffentlich über Geldangelegenheiten.«

»Na schön. Aber wenn wir draußen sind, rechnen wir sofort miteinander ab.«

»Nun hör mal zu«, sagte er und beugte sich über den Tisch. »Wir gehören beide zur Gattung *Homo sapiens*, nicht wahr? Mir als dem männlichen Teil hat die Natur gewisse Funktionen zugeteilt. Mit anderen Worten, ich bezahle die Rechnung, du, der weibliche Teil, bist nach den Regeln der Biologie die Empfangende. Also empfange; um Gottes und der Natur willen, sträube dich nicht gegen das, was dem schönen Geschlecht auferlegt ist. Ich muss mich ja sonst für dich schämen.«

Leonie wusste nicht recht, wie sie diese Rede auffassen

sollte, und zog es daher vor, zu schweigen. Erst als sie im Wagen saßen, sagte sie: »Vielen Dank, Ed. Das war wirklich ein hübscher Abend.«

»Na, das freut mich.«

»Aber in Zukunft kann ich so etwas nicht mehr annehmen.«

»Herr und Heiland!« Ed lehnte erschöpft die Stirn an das Lenkrad. »Also wenn's dir so peinlich ist, dann betrachte diese Einladung als Honorar für die rührende Sorgfalt, die du meinem Sprössling angedeihen lässt. Und nun erzähl mir von ihm.«

Das tat sie gern. Sie fuhren in der Stadt umher und sprachen von Peter und der übrigen Familie, von der Wirtschaftskrise, von Politik und dem russischen Fünfjahresplan. Mochte auch Ed nichts von Literatur verstehen, so wusste er doch auf diesen Gebieten recht gut Bescheid. Leonie fand seine Ansichten interessant, obgleich sie nicht immer mit ihm übereinstimmte. Sie argumentierte, wie sie es von ihrem Vater gehört hatte: Die Welt werde schon von selber besser werden, wenn die Menschen sich anständig aufführten, fleißig arbeiteten, ehrlich blieben und die Verantwortung für ihr Tun auf sich nähmen. Dann erzählte sie von ihren Zukunftsplänen und Ed von den seinen. Im Augenblick ging es ihm nur darum, seine Stellung in der Garage zu behalten. Aber falls ihm das gelang und die Zeiten nicht noch schlechter wurden, wollte er in Abendkursen Jura studieren. Leonie war von dieser Idee hell begeistert. »Ich weiß allerdings nicht, ob ich's wirklich tue«, schränkte er ein. »So ein Studium ist mächtig anstrengend, und ich bin nun mal faul.«

»Ach, das ist doch nicht dein Ernst.«

»Und es nimmt mir zu viel schöne Zeit weg.« Er grinste sie so entwaffnend an, dass sie lachen musste. An wen erinnerte er sie nur?

»Sieh mal!«, rief sie plötzlich. »Da ist ein Minigolf-platz!«

Ed stöhnte. »Und nun willst du natürlich aussteigen und spielen, nicht wahr?«

»Machst du dir nichts aus Minigolf?«

»Ich hab's noch nie versucht.«

»Das solltest du aber. Es ist so ein nettes Spiel.«

»Okay, wir können's ja mal probieren.«

»Aber nur, wenn du magst.«

»Ich sterbe schier vor Lust. Also los!«

Sie spielten eine Partie, und Ed erwies sich als so geschickt, dass er zwei Freispiele gewann, und die ließen sie sich natürlich nicht entgehen. Ed war glänzend gelaunt und sorgte mit ungezählten Witzen für die Unterhaltung der übrigen Spieler.

»Stell dir vor«, sagte Leonie, als sie nach Hause kamen, »wenn ich dich nicht angerufen hätte, würde ich jetzt mutterseelenallein in meinem Hotelzimmer sitzen – ein grässlicher Gedanke!«

»Allerdings«, bestätigte Ed. »Hübsche Mädchen sollten nie allein herumsitzen.«

»Manchmal gefällt ihnen das aber.«

»Ja, weil sie's nicht besser wissen.« Ohne ihre Antwort

abzuwarten, fügte er in ernsterem Ton hinzu: »Ich bin froh, dass du angerufen hast. Deine Familie hat viel für mich getan, und es ist schön, dass ich zur Abwechslung mal was für dich tun kann.«

»Das ist lieb von dir, und ich bin dir sehr dankbar.« Sie lächelte ihm zu. »Gute Nacht, Ed.«

Am Morgen überlegte sie, wie sie sich für den schönen Abend revanchieren könnte, und beschloss, Ed zu einem Picknick einzuladen. Sie ging gleich nach dem Frühstück los, um die Zutaten einzukaufen, und verbrachte den Rest des Tages mit Vorbereitungen. Als Ed von der Arbeit kam, fuhren sie in den Swopepark und verzehrten ihr leckeres Mahl. Hinterher saßen sie im Gras und lauschten einem Konzert der Musikkapelle.

Am nächsten Abend besuchten sie ein Drive-in-Kino, zu Hause tranken sie Eistee und plauderten dann noch bis zwei Uhr morgens.

Es geschah am dritten Tage, kurz vor fünf Uhr nachmittags, dass Leonie eine Entdeckung machte. Sie zog sich gerade zum Ausgehen um, als sie plötzlich im Spiegel ihr träumerisches Lächeln bemerkte. Sie hatte an Ed gedacht, an eine seiner Bemerkungen vom Abend zuvor (sie hätte ein gut gebautes Gestell – »wie ein ordentlicher Wagen, der muss auch ohne jeden Aufputz gut aussehen!«). Und auf einmal wusste sie, an wen er sie erinnerte. An ihn selbst, an den Schulkameraden von einst, den großen Ladykiller, der jedem Mädchen den Kopf verdrehte. Ja, genau das hatte er in den letzten drei Tagen getan – er hatte ihr nach allen Regeln der Kunst den Kopf verdreht.

Ihr, die ihn für so nett und anständig hielt! O nein, er war weder nett noch anständig. Er hatte sie – Mathys Schwester! – betört wie jedes andere Mädchen. Und wie jede andere war sie auf ihn hereingefallen. Sie hatte den ausgeworfenen Köder geschluckt, mitsamt Leine, Haken und Kork. Sie war in ihn vernarrt.

Ihr wurde so schwach in den Knien, dass sie sich auf die Bettkante setzen musste. Von allen Torheiten, die sie hätte begehen können, war diese die schlimmste. Bei Weitem die schlimmste. Sie hatte moralische Bedenken gehabt, zu rauchen oder in einen Nachtclub zu gehen oder Kenny zu heiraten, aber sie war imstande gewesen, sich in den Mann ihrer Schwester zu verlieben! Ein typischer Fall von ›Mücken seihen und Kamele verschlucken‹! Nein, das ging einfach nicht. Das ging ganz und gar nicht.

5

Beim Abendessen war Leonie sehr still, und sie weigerte sich, Eds Gast zu sein. Sie bezahlte ihren Anteil.

»Wenn's dich beruhigt – bitte sehr«, sagte Ed. »So, und was machen wir nun?«

»Wäre es dir recht, wenn wir gleich in die Wohnung zurückführen?«

»Wollen wir nicht noch ein bisschen durch die Gegend gondeln?«

»Nein, danke.«

»Was ist denn heute mit dir los? Fehlt dir was?«

»O nein, gar nichts. Ich möchte nur mit dem Packen anfangen, weil ich nämlich morgen nach Hause fahre.«

»Morgen? Das ist ja zwei Tage zu früh.«

»Ich weiß. Aber ich finde, ich war lange genug hier.«

»Und wie willst du das deinen Eltern erklären? Sie erwarten dich doch erst am Wochenende.«

»Ich werde einfach sagen, dass ich's mir anders überlegt habe.«

»Da bin ich aber sehr enttäuscht, Tante Linnie. Ich hatte den Eindruck, dass wir uns recht gut vertragen.«

»Das tun wir ja auch – es war reizend hier.«

»Und warum willst du dann Hals über Kopf abreisen?«

»Weil ich lange genug von zu Hause weg war.«

»Deine Eltern kommen großartig ohne dich zurecht, und das weißt du. Was hast du denn nur? Gefällt's dir hier nicht mehr?«

»Doch, aber …« Sie zog mit dem Daumennagel eine Linie auf dem Tischtuch.

»Habe ich dir etwas getan?«

»Nein, nichts. Nur …«

»Nur?«

»Ach, gar nichts«, sagte sie und verschränkte die Hände fest im Schoß. »Du warst sehr nett zu mir.«

»Warum läufst du dann weg? Wirklich, Tante Linnie, in letzter Zeit bist du dauernd auf der Flucht.«

»Ich laufe nicht weg.«

»Weißt du das ganz genau?«

In die Enge getrieben, schaute sie auf und begegnete seinem seltsam forschenden Blick. In dem einen Mundwinkel saß ein kleines Lächeln, und er sah so gut aus und war so herrlich selbstsicher, und sie war so wütend auf ihn und so verliebt in ihn … Das Blut schoss ihr ins Gesicht, und sie senkte hastig den Kopf.

»Aha, das wollte ich nur wissen«, sagte er. »Du möchtest morgen ebenso wenig nach Hause fahren, wie ich dich fortlassen möchte.«

»Sei doch still«, stieß sie hervor und begann vor Verwirrung zu weinen.

»Komm, gehen wir erst mal.«

Er führte sie aus dem Lokal, setzte sie in den Wagen und fuhr lange Zeit mit ihr durch die Straßen. Leonie hockte in ihrer Ecke, ein in Tränen aufgelöstes Häufchen Elend. Sie schämte sich fast zu Tode, aber sie konnte einfach nicht aufhören zu weinen. Schließlich hielt Ed irgendwo am Straßenrand an.

»Liebling«, sagte er und legte ihr die Hand auf die Schulter.

»Fass mich nicht an!«, fauchte sie.

»Ich möchte aber.«

»Untersteh dich … Ich hasse dich!«

»Unsinn. So wenig, wie ich dich hasse. Können wir das nicht unumwunden und ohne große Aufregung zugeben, Tante Linnie? Was ist denn daran so schlimm?«

»Du bist der Mann meiner Schwester!«

Eine kleine Pause trat ein. Dann sagte Ed leise: »Jetzt nicht mehr.«

»Wie kannst du so reden!«, fuhr Leonie auf. »Du bist ein schrecklicher Kerl … Sie ist erst ein Jahr tot!«

»Es war ein sehr langes Jahr.«

»Ich verstehe nicht, wie du sie so schnell vergessen konntest.«

»Ich habe sie nicht vergessen. Ich werde sie auch nie vergessen. Aber sie ist tot, Leonie, und keine Macht der Erde bringt sie zurück.«

»Ein anständiger Mensch würde zumindest noch eine Weile warten. Aber du … du hast schon längst andere Mädchen – eine gewisse Billy zum Beispiel. Oh, ich kenne dich, Ed! Und trotzdem, die Gemeinheit, dass du

522

Mathys eigene Schwester verführen willst, hätte ich dir nie zugetraut.«

»Mein Gott, du glaubst doch nicht im Ernst ...«

»All diese Schmeicheleien ... Dauernd erzählst du mir, wie hübsch ich wäre ... Damit köderst du sie ja alle. Und du denkst, ich werde genauso anbeißen wie die anderen. Aber ich bin nicht wie die anderen! Mich kriegst du nicht! Ich bin nicht Alice Wandling!«

»Endlich mal wieder der liebe alte Name!«, sagte Ed mit einem Auflachen. »Sei unbesorgt, Tante Linnie, kein Mensch wird je auf die Idee kommen, dich mit Alice zu vergleichen. Du bist nämlich das genaue Gegenteil von ihr. Außer in puncto Schönheit, und da bist du ihr weit voraus.«

»Halt den Mund!«

»Du warst schon in der Schule das hübscheste Mädchen von allen, aber du warst immer so erhaben, dass sich kein gewöhnlicher Sterblicher an dich heranwagte. Na, jetzt tu ich's. Falls es dich irgendwie interessiert: Ich mag dich sehr gern.«

»Das ist wieder so ein Köder.«

»Nein«, sagte er ruhig, »ich glaube nicht. Ich glaube, es ist mir ernst damit. Warum, das weiß ich eigentlich selber nicht. Vielleicht, weil du so verdammt unerfahren in allen Dingen bist, auf die es ankommt, Ach, was das betrifft, würde ich dir mit Wonne einiges beibringen! Du magst ja ein bisschen begriffsstutzig sein, aber wenn dir erst mal ein Licht aufgegangen ist – heureka! Bei euch dreimal gepanzerten Jungfrauen lohnt der Erfolg die

Mühe. Vielleicht bin ich wirklich nur *darauf* aus – vielleicht bin ich ein Bösewicht und will dich verderben, weil jungfräuliche Unschuld etwas ungemein Aufreizendes hat. Aber ich glaube, es steckt mehr dahinter. Du bist so ein gutes, liebes Mädchen, Tante Linnie, und … wirklich und wahrhaftig, ich liebe dich.«

»Aber du bist doch mein Schwager!«, rief sie verzweifelt.

»Na und? Ein Schwager ist schließlich kein Bruder, und du hast mich auch nie als Bruder betrachtet. Dafür war ich nicht gut genug. Hör also auf, so zu tun, als wäre es Blutschande. Sieh mal«, fuhr er in verändertem Ton fort, »ich habe deine kleine Schwester sehr geliebt, und ich liebe sie noch immer. Aber sie ist tot, und auch den Mann, mit dem sie verheiratet war, gibt es nicht mehr. Zurückgeblieben ist lediglich so eine Art entfernter Verwandter. Manchmal ist er mir noch sehr fremd, aber so nach und nach gewöhne ich mich an ihn. Vielleicht werde ich mich eines Tages sogar mit ihm befreunden. Und du auch, wenn du ihn so betrachtest. Er mag dich jedenfalls sehr, sehr gern«, schloss er sanft.

»Er hält mich für eine blöde Gans, die sich überrumpeln lässt.«

»Keineswegs, mein Herz. Du bist zwar in mancher Beziehung ein bisschen blöde, aber nicht in dieser. Dazu bist du zu störrisch. Und gerade das gefällt mir. Es gefällt mir, wie du an die Dinge herangehst – leider meist an die falschen Dinge, aber das ließe sich ja ändern. Du könntest es beispielsweise mit mir versuchen.

Ich will dich sogar in allen Ehren heiraten, Tante Linnie.«

»Oh«, jammerte sie, »ich kann doch nicht jemanden heiraten, der mich Tante Linnie nennt!«

Er lachte und zog sie an sich.

»Nein!« Sie stieß ihn energisch zurück. »Und wenn du der letzte Mann auf Erden wärst und ich dich heiraten *wollte* – ich würde meinem Vater zuliebe darauf verzichten. Du hast ihm genug angetan. Und nun das … Wie kannst du nur daran denken?«

»Das kann ich ohne Weiteres«, sagte Ed. »So edel bin ich nicht. Übrigens hält er jetzt mehr von mir als früher.«

»So viel mehr aber nicht. Und meine Mutter wäre auch nicht sehr glücklich darüber. Es ist mir egal, ob sie mich lieben oder nicht – ja, wirklich, es ist mir egal. Ich jedenfalls liebe meine Eltern und kann ihnen das nicht antun.«

»Auch dann nicht, wenn du mich sehr lieb hättest?«

»Auch dann nicht.«

»Jesus Christus!«

»Lass das ewige Fluchen.«

»Es ist meine Form des Gebets. Leonie, du bist entweder eine Masochistin – oder abergläubisch.«

»Unsinn! Wie meinst du das überhaupt?«

»Wenn jemand freiwillig auf sein Glück verzichtet, hat er entweder einen perversen Genuss davon, oder er hofft, damit etwas erreichen zu können.«

»Ein Genuss ist es mir bestimmt nicht.«

»Dann willst du damit also etwas erreichen.«

»Wovon redest du eigentlich?«

»Warum, glaubst du, haben die Menschen von jeher den Göttern geopfert? Warum geißeln sie sich oder tragen härene Gewänder? Weil sie hoffen, sich damit bei den überirdischen Mächten beliebt zu machen. Es ist nichts als krasser Egoismus. Rede dir also nicht ein, dass du mich um irgendeiner Gottheit willen aufgibst. Du tust es um deinetwillen, damit du ganz groß dastehst und mit einem schönen goldenen Stern belohnt wirst. Möchtest du stattdessen nicht lieber glücklich sein?«

»Ich werde schon noch glücklich werden – du bist schließlich nicht der einzige Mann in der Welt.«

»Liebling, du wirst auch an jedem anderen etwas auszusetzen finden. Auf diese Art wirst du den Göttern dein ganzes Leben opfern und zu spät erkennen, dass es ihnen herzlich gleichgültig war. Und bilde dir nicht ein, dass du sie zwingen kannst, deine Bemühungen zu würdigen. Je mehr du dich anstrengst, desto weniger erreichst du. Sieh der Wahrheit ins Auge, Leonie.«

»Das tue ich bereits.«

»Du musst deinen Dickkopf wieder mal durchsetzen, wie? Okay, Leonie, dann fahr morgen nach Hause. Lebe in Keuschheit, Armut und Gehorsam und sei deinen Eltern ein braves Töchterchen. Und während du dich in diesen Tugenden übst, denke gelegentlich auch hieran.« Er packte Leonie an den Schultern, drückte sie gegen das Wagenpolster und küsste sie. Dann umschlang er sie mit beiden Armen und hielt sie fest, bis sie aufhörte, sich zu sträuben.

6

»*Schätzchen*«, *sagte ihre Mutter,* »du hättest aber gern ein paar Tage länger bleiben können. Wir sind hier sehr gut zurechtgekommen.«

»Ach weißt du, ich hatte einfach keine Ruhe mehr. Die Schule fängt ja bald an, und ich habe noch eine Menge zu tun – Kleider in Ordnung bringen und so weiter.«

»Ich dachte, du wolltest dir neue Kleider kaufen. Seid ihr denn gar nicht in der Stadt gewesen, Carol und du?«

Leonie kehrte ihr geflissentlich den Rücken. »Doch, ein- oder zweimal. Aber ich habe nichts gesehen, was mir so richtig gefiel.«

»Nanu! In all den vielen Geschäften?«

»Die Auswahl war nirgends groß, und Ladenhüter wollte ich nicht.«

Nach einer kleinen Pause fragte Callie: »Sonst habt ihr euch aber gut amüsiert, ja?«

»Ja, es war sehr nett.«

»Was habt ihr denn so unternommen?«

»Nichts Besonderes … viel gefaulenzt und ein bisschen rumgebummelt.«

»Keine Verehrer dabei?«

»Ach wo.«

»Schade«, meinte Callie. »Ich hab ja nun bestimmt gedacht, deine Carol würde dir ein paar nette junge Leute vorstellen. Hast du gar keine Freunde von ihr kennengelernt?«

»Doch, ein paar.«

»Seid ihr nicht wenigstens im Kino gewesen?«

»Ja, einmal. Mit Ed. Ich habe ihn angerufen, als wir in der Stadt waren, und da lud er uns ein.«

»Tatsächlich? Das ist mir ja ganz neu, dass du mit ihm zusammen warst. Davon hast du noch gar nichts erzählt.«

»Ach, ich ... ich hab einfach nicht dran gedacht.«

»Na so was!«

Wieder entstand eine Pause, in der Leonie krampfhaft nach einem anderen Gesprächsthema suchte. Aber sie konnte an nichts denken als an ihn.

»Wie ging's ihm denn?«, erkundigte sich Callie.

»Wem? Ach Ed ... Gut natürlich.«

»Und wann kommt er wieder mal her?«

»Das weiß ich nicht.«

Aber sie wusste es. Morgen Abend, hatte er gesagt. Und er hatte hinzugefügt: »In der Zukunft komme ich jedes Wochenende. Ich werde dich nicht anrühren, ich werde dich auch nicht drängen. Aber du sollst mich sehen – und dich erinnern.« Der Gedanke an ihn regte sie derart auf, dass sie fürchtete, ihre Stimme werde sie verraten. Sie war sehr erleichtert, als die Mutter keine weiteren Fragen stellte.

Leonie glaubte ihm jetzt, dass er sie liebte – er hatte es ihr unmissverständlich klargemacht und sie auch davon überzeugt, dass er sie um ihrer selbst willen haben wollte, nicht nur als Mutter für Peter. Aber sogar die Tatsache, dass sie ihm glaubte, machte sie wütend. Er hatte kein Recht, sie zu begehren, geschweige denn ähnliche Gefühle in ihr zu wecken! Ein Mann hatte schließlich Verpflichtungen gegenüber der Frau, die er liebte. Er musste ihr ein Heim, materielle Sicherheit und eine Zukunft bieten. Bei Ed konnte sie mit nichts dergleichen rechnen. Alles, was er ihr zu bieten hatte, waren ein verkrüppelter Körper und ein Kind aus erster Ehe, für das sie ohnehin schon sorgte. Dennoch begehrte sie ihn, und das verübelte sie sich und ihm.

Ed hielt Wort. Er kam jedes Wochenende, ohne etwas zu sagen oder zu tun, was Leonie bloßstellte. Aber er beobachtete sie auf Schritt und Tritt – sie fühlte förmlich, wie seine Blicke sie durchbohrten –, und die Folge war, dass sie das Silber fallen ließ, alle möglichen Sachen umwarf und in seiner Gegenwart kein unbefangenes Wort herausbrachte. Je öfter sie ihn sah, desto mehr liebte sie ihn und desto klarer wurde ihr auch, dass sie es nicht durfte.

Sie arbeitete wie besessen, in der Hoffnung, sie werde dann weniger an ihn denken. Den ganzen Tag war sie auf den Beinen und rackerte sich so sehr ab, dass sie nachts vor Erschöpfung erst recht nicht schlafen konnte. Von Wohnkultur und feinen Sitten wurde nicht mehr geredet; die Zeit der Kerzenbeleuchtung und der Abendkonzerte war vorbei. Nur manchmal flüchtete sich Leonie in die Einsamkeit des Salons und spielte ›Wenn du lächelst, wenn du lächelst, lächelt mir die ganze Welt ...‹. Mit wehem Herzen quetschte sie aus dem Akkordeon das Lied heraus, dessen jubelnde Zuversicht ihrer Verzweiflung spottete. Danach spielte sie voller Bußfertigkeit einen Choral. Aber auch diese Musik schien sie zu verhöhnen: Selbst wenn sie kein einziges Mal danebengriff, kam sie sich vor wie ein elender Stümper. Keinem Instrument vermochte sie die Töne zu entlocken, die ihr vorschwebten, jenes süße, überirdische Klingen, das nie verstummte – ähnlich wie die Stimmen, die manche Menschen zum Wahnsinn treiben. Ihr Leben lang hatte sie diese Klänge gehört. Was konnte sie nur tun, um sie zu fassen, sich ihrer zu bemächtigen? Denn Musik war nun das Einzige, was ihr blieb; auf alles andere musste sie verzichten – auf die Liebe der Eltern, weil Mathy für alle Zeit zwischen ihnen und ihr stand; auf Ed, weil sie zu sehr an den Eltern hing.

Edward, Edward ... Unablässig dröhnte sein Name in ihrem Kopf, hallte in ihrem Körper wider. Aber niemand durfte es hören, und das quälte sie grenzenlos. Sie hatte sich immer ausgemalt, wie stolz und hochgemut sie einmal lieben würde. Ihre Liebe sollte wie eine Flagge am hohen Mast flattern, damit jeder ihr seinen Gruß entbieten konnte. Aber das war ein Wunschtraum gewesen; die Wirklichkeit sah ganz anders aus. Das, was sie jetzt durchlebte, war wie eine Krankheit, die sie niemandem eingestehen durfte und durch die sie sich tief gedemütigt fühlte. Edward, der Geliebte, verkörperte alles, was sie von jeher abgelehnt hatte – und obendrein war er der Mann ihrer Schwester. Das war es, was am meisten gegen ihn sprach, obwohl gerade dieser Punkt der unwirklichste von allen zu sein schien. (Sogar Peter sah Ed jetzt viel ähnlicher als seiner Mutter.) Sprach Ed die Wahrheit, wenn er behauptete, dass er und Mathys Ehemann gewissermaßen zwei Personen seien? Hatten Kummer und Reue ihn reifen lassen, war er verändert – *genügend* verändert? Gott gebe es! Denn wenn er wirklich zur Einsicht gelangt war und den ehrlichen Wunsch hatte, sich zu bessern – oh, dann konnte sie ihm helfen! Sie hatte die nötige Willensstärke. Sie war imstande, das Beste aus ihm herauszuholen, wie Mathy es nie gekonnt hätte, denn sie war nun einmal anders als Mathy, und er liebte sie aus anderen Gründen. Leonies Fantasie gaukelte ihr kühne Bilder vor. Sie sah den hübschen Männerkopf unter einem Barett, sie sah Ed im Richtertalar, eine hochgewachsene Gestalt, deren leichtes Hinken das Herz rührte … Sie sah sein künftiges Arbeitszimmer, mit Bücherregalen bis zur Decke hinauf, von Lederduft und wohlriechendem Zigarrenrauch durchzogen. Abends würden sie gemeinsam lesen, die geistige Elite der Stadt würde sich bei ihnen versammeln, um kluge Gespräche zu führen oder zu musizieren …

Nein, es hatte keinen Zweck! Er war und blieb Ed, der ihre kleine Schwester auf dem Gewissen hatte, und sie wusste, dass die Eltern nie ganz darüber hinwegkommen würden. Mochte sie ihnen auch weniger bedeuten als Mathy – ohne den elterlichen Segen konnte sie keinesfalls heiraten. Und wie sollten Vater und Mutter es je über sich bringen, *diese* Ehe zu segnen? Helft mir doch, flehten ihre Augen. Mama – Papa – helft mir! Der Blick entging Matthew und Callie nicht. Sie sahen, wie ihre Tochter durch die Tage hastete, stumm und gequält, mit einer immer tiefer werdenden Doppelfalte zwischen den Brauen; sie sahen, wie sie abmagerte, in Schwermut versank und dabei hartnäckig behauptete, dass ihr nichts, gar nichts fehle. Und da sie das unklare Gefühl hatten, an diesem Unglück schuld zu sein, behandelten sie Leonie rücksichtsvoll und außerordentlich zart, um das wiedergutzumachen, was sie ihr möglicherweise angetan hatten. Die unbestimmte Furcht, dass sie Leonie nicht so liebten, wie sie sollten, bewog sie, ihre Liebe offener zu zeigen, als man es bei nahestehenden Menschen gemeinhin tut – wie man ja auch zu Fremden oft höflicher ist als zu alten Freunden.

Callie sagte zum Beispiel: »Setz dich doch in den Salon und lies, Schätzchen. Die Pfirsiche kann ich allein einmachen.«

Oder: »Lass mich die Kinder zu Bett bringen. Du musst endlich mal deine Ruhe haben.«

Und eines Abends klatschte sie in die Hände und sagte munter: »Weißt du was? Heute essen wir mal wieder bei Kerzenlicht! Zu dumm, wir sind ganz davon abgekommen. Und du schmückst den Tisch wieder mit Blumen, ja?«

»Ich bin zu müde«, murmelte Leonie.

»Ja, Schätzchen, du siehst furchtbar müde aus. Setz dich – ich stampfe die Kartoffeln.«

»Nein, nein, das besorge ich schon.« Leonie ging zum Herd, um sich dem zärtlich forschenden Blick der Mutter zu entziehen.

Auch ihre Befangenheit in Eds Gegenwart und ihre schroffen Antworten blieben nicht unbemerkt. Einmal schlug Ed vor, nach dem Abendessen ins Kino zu gehen, und sie fertigte ihn mit einem kurzen »Nein danke« ab.

»Du warst nicht sehr nett zu ihm«, stellte Callie beim Geschirrspülen fest.

»Er müsste allmählich wissen, dass ich abends zu müde zum Ausgehen bin.«

»Ich finde aber, er hat recht – ein bisschen Abwechslung würde dir guttun. Warum nimmst du die Gelegenheit nicht wahr?«

»Weil ich keine Lust habe.«

»Du bist doch immer so gern ins Kino gegangen.«

»Aber nicht in Renfro.«

»Na ja, da spielen sie uralte Filme, das stimmt schon. Aber die sind doch manchmal ganz schön. Warum fährst du nicht mit?«

»Weil ich nicht mag, Mama.«

»Und warum magst du nicht?«

Unter dem festen Blick der Mutter wurde Leonie dunkelrot. »Ich … ich bin zu müde«, stammelte sie. »Mir ist heute nicht besonders gut … ich habe Kopfweh …«

»Wird wohl eher Herzweh sein«, sagte Callie ruhig.

»Das ist nicht wahr!«, rief Leonie wütend. »Du musst

ja eine sehr schlechte Meinung von mir haben, wenn du denkst, dass ich …«

»Dass du was?«

Leonie blickte verlegen zur Seite. »Na, dass ich gleich springe, wenn Ed mit dem kleinen Finger winkt … Ich bin weder leichtsinnig noch dumm …«

»Kindchen, davon habe ich ja kein Wort gesagt. Nun weine doch nicht! Mama hat dich nicht aufregen wollen.«

»Ich will nicht, dass du auf falsche Ideen kommst.«

Callie nahm sie in den Arm. »Liebling, was ist denn mit dir?«

»Nichts.« Leonie machte sich los. »Ich bin völlig in Ordnung.«

Callie ging schweigend daran, das Geschirr in den Schrank zu räumen und die Töpfe aufzuhängen. Nach ein paar Minuten putzte sich Leonie die Nase. »Mama?«, fragte sie, »glaubst du, dass ich an Mathys Tod schuld bin?«

»Aber nein, Schätzchen. Wie kommst du denn auf so was?«

»Ich war manchmal so hässlich zu ihr … Es ärgerte mich, dass sie mit allem durchkam und dass ihr alles so leichtfiel. Und da dachte ich, vielleicht wollte Gott mich dafür bestrafen.«

»Nein, Liebling. Wenn er überhaupt jemanden bestrafen wollte, dann mich.«

»Wieso dich?«

»Oh … weil ich sie ein bisschen verzogen habe. Sie

war eben zu lange meine Jüngste. Und dadurch seid ihr benachteiligt worden, du und Jessica.«

»Jessica hat sich nie etwas daraus gemacht.«

»Na ja, sie hat Mathy auch besser verstanden als wir anderen. Mathy war nicht so wie wir. Aber hör auf, darüber zu grübeln. Ich glaube nicht, dass Gott in dieser kleinlichen Weise gibt und nimmt, bloß um uns zu bestrafen. Ich kann das einfach nicht glauben.«

»Aber ich«, sagte Leonie.

»Nun … Geh jetzt lieber zu Bett, Kindchen, du brauchst Ruhe.«

Die Eltern beobachteten voller Sorge, wie Leonie durch die langen gelben Tage irrte, fiebrig und stumm, mit dem Blick eines kranken Hundes. Und sie sahen, dass auch Ed sie beobachtete. Der August schleppte sich dahin, die Heuschrecken schrillten, das Akkordeon ächzte im Salon, und dieser Klang wurde zum Symbol von Leonies Qual. Matthew und Callie lauschten schweigend und litten mit ihrer verzweifelten, starrköpfigen Tochter und ertrugen es, solange sie konnten.

»Was sollen wir bloß tun?«, fragte Callie eines Tages. »Sie richtet sich ja zugrunde.«

»Ich weiß«, sagte Matthew.

Er war gerade dabei, auf dem Weideland eine Abzugsrinne zu graben, durch die das Wasser in den Bach fließen sollte, wenn der Augustregen einsetzte. Callie hatte ihn zu einem Gespräch unter vier Augen aufgesucht.

»Es ist wegen Ed«, fuhr Callie fort. »Ich bin jetzt meiner Sache ganz sicher. Sie liebt ihn, und ich glaube, er liebt sie auch.«

Nach einer langen Pause fügte sie hinzu: »Wie würdest du dich dazu stellen?«

»Auf meine Meinung kommt's wohl nicht an«, sagte Matthew.

»O doch, Papa, diesmal sehr. Leonie würde nichts gegen deinen Willen tun.«

Er grub weiter, ohne zu antworten.

Schließlich begann Callie von Neuem: »Ich glaube, Mathy würde es so wünschen. Sie wollte die beiden ja zusammenbringen, bevor sie selber …« Ihre Stimme versickerte. Sie setzte sich auf einen flachen Stein im Schatten und fächelte sich mit ihrem Strohhut. Ein frischer, sandiger Geruch stieg von dem Bach auf, der jetzt sehr wenig Wasser führte. Wird Zeit, dass es regnet, dachte Callie, und laut sagte sie: »Weißt du, ich muss immer dran denken – wenn sie nun wirklich heiraten, wo soll Ed dann mal begraben werden? Neben Mathy oder neben Leonie? Denn zwischen ihnen, die eine links, die andere rechts und er in der Mitte, das würde doch ein bisschen merkwürdig aussehen, nicht?«

»Das sollte wohl unsere geringste Sorge sein.«

»Na ja, es ist mir auch nur so durch den Kopf gegangen.«

Matthew warf einen Spaten voll Erde aus und klopfte sie fest. »Er sagt, vom Herbst an will er Jura studieren.«

»Ich weiß, und es scheint ihm ernst damit zu sein. Er

könnte ein guter Rechtsanwalt werden, denn flink mit dem Mund ist er ja.«

»Zum Juristen gehört etwas mehr als Redegewandtheit.«

»Aber es ist immerhin nützlich.«

»Die Ausbildung kostet Geld«, sagte Matthew. »Wie stellt er sich das vor, Abendkurse nehmen und eine Familie erhalten, noch dazu in diesen Zeiten?«

»Sie brauchen ja nicht vom Fleck weg zu heiraten – ein Jahr oder so könnten sie ruhig noch warten.«

»Das wäre sicherlich klüger.«

»Nicht wahr? Aber ich finde, sie müssten wissen, dass wir nicht dagegen sind … Nächste Woche fängt Leonies Schule wieder an. Mir ist der Gedanke so grässlich, dass sie mit all ihrem Kummer abfahren soll und dass sie die ganze Zeit denkt, wir gönnen ihn ihr nicht. Natürlich, Ed ist nicht gerade der Mann, den wir uns für sie wünschen. Aber ich weiß nicht, wie man ihr das erklären soll, ohne dass sie's falsch auffasst – so, als ob wir ihr etwas nicht gönnen, was wir Mathy gegönnt haben.«

»Mathy hat sich nicht darum gekümmert, ob wir dafür oder dagegen waren.«

»Ja, aber Leonie ist da ganz anders. Sie würde ihn niemals ohne unsere Einwilligung heiraten. Und wenn sie es sich so sehr wünscht …«

»Diese Ehe kann nicht gut gehen«, sagte Matthew.

»Das fürchte ich auch. Aber genau weiß man das vorher nie. Es ist ihr Leben – nicht unseres.«

»Da hast du recht. Wir sind keine Propheten.«

»Wie bei Jessica und Creighton«, bemerkte Callie nachdenklich. »Da hab ich auch gesagt, es geht nicht gut ... Oder ich hätt's gesagt, wenn ich gefragt worden wäre. Und nun scheint doch alles zu klappen.«

»Sieht so aus.«

»Ich möchte nur wissen, warum sie ausgerechnet ihn geheiratet hat, besonders, wo schon ihr erster Mann so ein Habenichts war. Creighton ist ja ein netter Kerl, aber all die großen Kinder! Und diese kümmerliche Farm am Berghang – ich begreife gar nicht, wie er da genug zum Leben rausholt. Aber Jessica hatte schließlich Gelegenheit, sich besser zu verheiraten, und wenn sie's nicht getan hat, muss es ihr wohl bei Creighton besser gefallen. Wahrscheinlich hat sie sich genau das gewünscht: ein Haus voll lärmender Kinder und dauernd Tanzen und Singen und Fiedeln, und überall stolpert man über Katzen und Hunde ... Ich muss immer lachen, wenn ich dran denke, wie wir sie damals besucht haben.« Sie wischte sich die Augen. »Ja, Jessica ist bestimmt glücklich. Da könnte es mit Leonie und Ed auch besser gehen, als wir denken. Wie gesagt, es ist ihr Leben, nicht unseres.«

Sie saß ein Weilchen schweigend da. »Papa«, sagte sie dann und erhob sich, »ich war immer diejenige, die ein gutes Wort für Ed eingelegt hat, und vielleicht war das nicht richtig. Von jetzt an halte ich den Mund. Diesmal sollst du allein entscheiden. Ich werde dir nicht dazwischenreden.« Damit wandte sie sich ab und ging auf dem Wiesenpfad zurück.

Matthew arbeitete weiter. Sein Hemd war feucht von

Schweiß, und die Bremsen plagten ihn. Nach einiger Zeit stieg er aus dem Graben, setzte sich in den Schatten und nahm den Hut ab. Vielleicht war die Sache gar nicht so ernst, wie sie glaubten. Vielleicht würde Leonie ihren Kummer bald vergessen, wenn der Beruf sie wieder vollauf beanspruchte. Vielleicht war es nur ein Fall von Jugendliebe. Aber als er zurückdachte (es war ihm ein wenig peinlich, denn er kam sich vor wie ein Schnüffler), konnte er sich nicht entsinnen, sie je verliebt gesehen zu haben. Leonie, das pflichtbewusste junge Mädchen, war Tag für Tag von der Schule nach Hause geeilt, um der Mutter zu helfen; sie hatte jeden Abend über ihren Büchern gesessen oder Klavier geübt. Und später, als College-Studentin und als Lehrerin, war sie treu und brav jedes Wochenende heimgekommen und hatte auch die Sommerferien stets im Elternhaus verbracht. Soweit er sich erinnerte, war niemals in all den Jahren ein junger Mann in Leonies Nähe aufgetaucht, und niemals hatte irgendetwas in ihrem Verhalten darauf hingedeutet, dass das Leben für sie nicht nur aus Pflichterfüllung bestand. War es denkbar, dass sie sich nie zuvor verliebt hatte? Dann stand es schlimm. Sich in ihrem Alter – wie alt war sie eigentlich, fünfundzwanzig, sechsundzwanzig? – zum ersten Mal zu verlieben, das war eine ernste Angelegenheit. Blutjunge Menschen konnten so etwas unbeschadet überstehen; in reiferen Jahren aber war es gefährlich wie eine verspätete Kinderkrankheit. Falls Leonie sich wirklich so lange ›aufgespart‹ hatte … Oh, und sie hatte einen harten Schädel. »Steinhart«, sagte Matthew vor sich hin und stieß mit der Stiefelspitze einen locker sitzenden Sandstein aus der Erde. Wenn sie sich diesen Ed in den Kopf gesetzt hatte, würde sie ihn nie aufgeben – egal, ob sie ihn heiratete oder nicht.

Und Ed? Matthew musste zugeben, dass er Ed jetzt recht gernhatte und dass er den Wunsch hegte, ihn für die Jahre der Ablehnung zu entschädigen. An eine Wiedergutmachung dieser Art hatte er freilich nicht gedacht. Er nahm den Stein vom Boden auf und rieb ihn am Hosenbein ab. Wenn er nun Nein sagte? Vielleicht war es zu ihrem Besten. Denn selbst wenn sie einander ehrlich liebten, standen ihnen Schwierigkeiten aller Art bevor. Sie waren zu verschieden. Er hatte inzwischen gelernt, Ed zu verstehen, und mit einigem Einfühlungsvermögen konnte er seine Denkweise sogar akzeptieren. Aber ob Leonie das konnte? Vermutlich nicht. Sie legte so viel Wert auf Dinge, die Ed ihr kaum geben würde: ein vornehmes Haus, Reisen, Kultur, sichtbarer Erfolg. Leonie brauchte Ziele, nach denen zu streben sich lohnte, genau wie er selber. Ed und Mathy hatten diesen Ehrgeiz nie gehabt.

Er warf den Stein hoch, fing ihn wieder auf. Wie sollte er ihr das klarmachen, fragte er sich seufzend. Kein Mensch vermag einem anderen etwas klarzumachen, am wenigsten das Ausmaß seiner Liebe. Das ist das Schwerste von allem. Und er liebte dieses eigensinnige, verwirrte Kind, dessen Natur der seinen so sehr glich. Die einzige Möglichkeit, Leonie seine Liebe zu beweisen, bestand wahrscheinlich darin, dass er ihr gab, was sie wollte.

Hatte er ihr eigentlich je zuvor einen Wunsch erfüllt?

Gewiss, er hatte ihr ein gutes Elternhaus und eine ordentliche Ausbildung gegeben (ihr Studium hatte sie allerdings zum Teil selber bezahlt). Seine Töchter waren auch zu den üblichen Gelegenheiten immer beschenkt worden. Aber das war Callies Sache gewesen, nicht seine. Hatte er je daran gedacht, ihnen von einer Reise eine Kleinigkeit mitzubringen? Nein, kein einziges Mal. Und wie geizig war er gewesen, wenn es darum ging, ihnen ein wenig Zeit zu widmen! Er senkte beschämt den Kopf. So viele Unterlassungssünden! Sicherlich wäre es besser gewesen, den Mädchen nicht nur das tägliche Brot und moralische Unterweisung zu geben. Kinder brauchten auch Puppen und Schokoladenplätzchen und allerlei unnützen Kram. Wenn er ihnen das geschenkt hätte … Nun, was Leonie betraf, so wollte er ihr wenigstens diesen einen Wunsch erfüllen, auf die Gefahr hin, dass es ihr schlecht bekam. Besser, ein Kind verdarb sich einmal den Magen an zu vielen Süßigkeiten, als dass sie ihm stets verweigert wurden. Und vielleicht ging es ja trotz allem gut. Vielleicht war sie die einzige Frau, die aus Ed etwas machen konnte. Weiß Gott, entschlossen war sie dazu.

Er starrte geistesabwesend auf den Stein in seiner Hand. Sandstein … wahrscheinlich tonhaltig. Er befeuchtete ihn mit dem angeleckten Finger und schnupperte. Ja, das war der charakteristische Geruch. Ton. Matthew drehte den Stein hin und her und betrachtete die winzigen Partikel, die in der rauen braunen Oberfläche glitzerten. Glimmer, gemischt mit Sand, und Sand war ein Bestandteil des Quarzes, und alles zusammen war einmal Granit gewesen und im Anfang Magma. Feuer war der Ursprung aller Dinge. Matthew kratzte eine Vertiefung im Stein aus und blies die anhaftende Erde weg. Die Innenwände waren gerieft, als handle es sich um ein Fossil. Aber wahrscheinlich hatte Erosion diese kleinen Furchen verursacht, irgendeine chemische Einwirkung auf den Stein. Fossilien fand man eher in Schiefer und Kalkstein – Kalk war ja selber organische Substanz. Matthew dachte an die Meere des Kambriums und Siluriums, die sein Land überflutet hatten. Beim Zurückebben war jedes Mal ein breiter Streifen zermalmter, gepresster, versteinerter Lebewesen zurückgeblieben. Und nach den Meeren waren hier tropische Dschungel gewachsen und im Schlick vermodert und hart geworden, bis er sie nach Jahrmillionen ausgrub und als Steinkohle mit nach Hause nahm. Paläozoische Wälder kräuselten sich als Rauch aus seinem Schornstein! So endete alles, wie es begonnen hatte: im Feuer. Und doch endete es nicht. Die mineralische Asche, mit der er seinen Garten düngte, vermischte sich wieder mit Erde, erneuerte sich in anderer Form und lebte weiter. Es gab immer ein Weiterleben.

Aber er schweifte ab … Er blickte in die flimmernden Hitzewellen, die von den Äckern aufstiegen. Wie still es hier war – so still, dass er sogar das Akkordeon in der Ferne hören konnte. Herzzerreißende Töne, als versuche jemand, unter Tränen zu lachen.

Mit einem Seufzer legte er den Stein an seinen Platz zurück, schulterte den Spaten und machte sich auf den Heimweg.

Callie

Der rote Kardinal flötete *Richard* – dreimal hintereinander durchschnitt dieser Ruf die Stille. Callie schlug die Augen auf. Es war Morgen. Die Satinstreifen der Tapete schimmerten in dem blassen Licht. Ein leichter Luftzug bewegte die weißen Gardinen. Nun erwachten auch andere Vögel – mehrere Blauhäher, dann eine Spottdrossel. Aus der Zeder kam lautes Geflatter, dazwischen erklang die Stimme eines Rotkehlchens. Wie anmutig der Tag heraufzog, ohne Hast, mit schöner Sicherheit! Nichts blieb von der Nacht als die Stille, und die gehörte im Grunde gar nicht der Nacht an, sondern dieser ersten Morgenfrühe. Die Nacht war voll von Gemurmel und kleinen Bewegungen, piepsenden Verfolgungsjagden im Gras und den endlosen Selbstgesprächen des müden Hirns. *Ich bin alt,* sagte man sich nachts, und längst vergessene Kümmernisse tauchten wieder auf und flüsterten auf einen ein, bis der Schlaf herniederbröckelte wie eine verwitterte Mauer und das Flüstern unter sich begrub. Ruhe und Frieden gab es erst beim Morgendämmern, und die Vogellaute hoben die Stille noch mehr hervor.

Wie sie den Sommer liebte! Die Nächte waren kurz,

und einer jeden folgte ein langer Morgen – und die Kinder kamen nach Hause. Endlich gestattete sie sich, auch an dieses Sommerglück zu denken. Heute kamen sie! Callie hatte den Gedanken bis zuletzt aufgespart, um mehr davon zu haben. Sie blieben immer nur so kurze Zeit, und deshalb musste die Vorfreude in ganz kleine Portionen aufgeteilt und genießerisch ausgekostet werden. In zwei Wochen fuhren sie schon wieder fort und nahmen den Sommer mit sich. Jedes Mal war es für Callie eine Art Sterben. Aber nein, heute, am ersten Tag, durfte sie sich mit solchen Gefühlen das Herz nicht schwer machen. Sie musste so tun, als blieben die Kinder immer und ewig. Der Abschiedsschmerz war nie so groß wie die Freude über ihre Ankunft.

Matthew war noch nicht aufgewacht. Da lag er, ein hagerer alter Mann im Nachthemd, zusammengekrümmt, mit hochgezogenen Knien. Selbst im Schlaf schien er sprungbereit. Er schlief angestrengt, konzentriert, mit gerunzelter Stirn. Alle seine Töchter hatten das von ihm geerbt. Keine von ihnen liebte den Schlaf; Tageslicht und Tätigkeit waren ihnen wichtiger.

Callie deckte ihn behutsam zu und stieg aus dem Bett. Am Waschtisch goss sie Wasser in die Schüssel und ließ das Nachthemd bis zur Taille herunter. Ihr Körper war mager und alt, aber noch ziemlich glatt und fest, mit Ausnahme der Stelle, die damals, als man ihr die eine Brust abgenommen hatte, mit vielen Stichen zusammengenäht worden war. Sie wusch sich vorsichtig; die Narbe war noch immer gegen kaltes Wasser empfindlich.

Sonst aber fühlte Callie nichts mehr, weder Furcht noch irgendwelche Bitterkeit. Die rote Zickzacklinie auf ihrer Brust war eine Art Medaille geworden, eine Tapferkeits-auszeichnung, die sie nicht ohne Genugtuung und sogar mit einer Spur von Humor trug. Matthew hatte damals all ihre Qualen mitgelitten und sich mit dem Gedanken herumgeschlagen, Gott habe diese Heimsuchung ge-schickt, um *ihn* zu strafen. Armer Matthew! Er verlor so leicht den Kopf und das Herz; er ließ sich so leicht ver-wirren. Callie kannte ihn durch und durch. Sie wusste, dass er ihr körperlich treu geblieben war; sie wusste aber auch, dass seine Treue zum Teil der Vorsicht entsprang. Dummer, braver alter Umstandskrämer! Und dennoch (sie drehte sich um und betrachtete den grauen Kopf auf dem Kissen), wenn sie an Gott dachte, stellte sie ihn sich so ähnlich wie Matthew vor. Ihr Blick ruhte liebevoll auf dem Schlafenden. Dann hängte sie das Handtuch auf und begann sich anzuziehen.

Der frische Geruch der im Freien getrockneten und sorgsam gebügelten Wäsche machte ihr Freude. Sie kämmte ihr kurzes weißes Haar und setzte die Brille auf. Der Wecker hatte noch nicht geläutet. Sie nahm ihn vom Regal und stellte ihn ab. Matthew wachte schon von selber zur rechten Zeit auf. In dem Regal waren kleine Vasen, Puppengeschirr und anderer Krimskrams auf-gereiht – Dinge, mit denen die Mädchen einander vor langer Zeit beschenkt hatten. Zwei holzgeschnitzte Jagd-hunde und ein kleiner Fuchs waren auch dabei. Callie gab dem Füchslein einen sanften Schubs, um die Entfernung zwischen ihm und den Hunden zu vergrößern. Der Wecker zeigte auf zwanzig Minuten vor sechs.

Die Küche war kühl und dämmrig, noch im Schlaf. Callie dachte daran, wie laut und vergnügt es später am Tage hier zugehen würde. Die Kinder kamen! Als sie auf die Veranda hinaustrat, schlug ihr ein leichter Tabakgeruch entgegen – ein Duft, der in diesem Hause ungewöhnlich war. Sie warf einen raschen Blick auf die Fliegentür und stellte erleichtert fest, dass sie ordnungsgemäß verriegelt war. Welcher Mann hatte hier so früh etwas zu suchen gehabt? Aber nein, es war gar kein Mann gewesen! Draußen vor der Tür stand auf der obersten Stufe der Verandatreppe ein Steintopf mit einem sauberen weißen Tuch darüber. Callie lächelte. Eine Freundin war gekommen und gegangen – Miss Hagar. Und sie hatte natürlich ihr Pfeifchen geraucht. Callie öffnete die Tür und schaute neugierig in den Topf. Er enthielt zwei rundliche, sauber getupfte Hähnchen. Miss Hagar musste schon vor Tau und Tag aufgestanden sein. Callie sah förmlich, wie die gute Alte das Feuer unter dem Kessel entzündete, während die Kuh aufs Melken wartete. Und dann war Miss Hagar zwei Meilen weit gewandert, um ihre Gabe darzubringen, bevor hier noch jemand wach war und ihr danken konnte. Sie, die keine Angehörigen hatte, wollte auf ihre Art an dem Besuch der Kinder teilhaben. Wir müssen sie einladen, dachte Callie. Aber wann …? (Zwei Wochen waren eine so kurze Zeit, und sie hätte ihre Töchter am liebsten von der ersten bis zur letzten Minute für sich gehabt.)

Sie verstaute die Hähnchen im Eisschrank. Nun konnte sie ihre fette Henne für eine spätere Gelegenheit aufsparen. Vielleicht machten sie mal Geflügelsalat. Das würde Leonie freuen. Die liebe Leonie – immer noch so penibel in allem! Callie schmunzelte. Na, sie war gerüstet; die Damasttücher lagen bereit, die Kerzen ebenfalls, und sie hatte die silbernen Leuchter geputzt, bis sie den Küchenherd widerspiegelten. Man konnte zwar bei Kerzenlicht kaum das Essen auf dem Teller sehen, aber wenn es Leonie glücklich machte …

Callie ging hinaus. Auf ihrem Weg über den Hof blieb sie am Räucherhaus stehen, um die Knospen der Mondwinde zu zählen. In ein, zwei Tagen würden die ersten aufblühen. Schade, dass die wunderschönen Blüten so rasch verwelkten. Es war damit ähnlich wie mit dem Besuch der Kinder – man freute sich das ganze Jahr darauf, und wenn sie dann endlich kamen, war es vorbei, kaum dass es angefangen hatte. Aber vielleicht musste das so sein. Vielleicht wünschte sie es sich im tiefsten Herzen gar nicht anders. Alles zu seiner Zeit. Wenn die Kinder immer da wären, hätte sie ja nichts mehr, worauf sie sich freuen könnte.

»Ich muss Leonie ein paar Samen mitgeben«, sagte sie vor sich hin. Leonie würde sicherlich gern ihren neuen Zaun mit Winden beranken. Ach, dieser Zaun! Callie schüttelte den Kopf. Vor zwei Jahren angefangen und noch immer nicht fertig! Leonie hatte ihn mit einer Malvenhecke verlängert, um das Chaos dahinter zu verbergen – Autowracks, die Ed von der Garage abschleppte und an denen er in seiner Freizeit herumbastelte. Manchmal brachte es Leonie fast zur Raserei. Die beiden hatten es nicht leicht gehabt. Im Verlauf der Wirtschaftskrise war Ed arbeitslos geworden, gerade als Soames unterwegs war, und sie hatten Peter wieder in die Obhut der Großeltern geben müssen. Dann war der Krieg gekommen. Ed arbeitete in einer Rüstungsfabrik in Kansas City und Leonie als Lehrerin in einem Dorf, wo sie mit dem kleinen Soames ein möbliertes Zimmer bewohnte. Aber jetzt ging es ihnen zum Glück besser. Bei aller Verschiedenheit der Charaktere schienen Leonie und Ed einander zu brauchen wie der Mörser den Stößel und umgekehrt. Was das betraf, so gab es keinen Anlass zur Sorge. Anders war es mit dem Verhältnis zwischen Leonie und Soames. Es war ein Jammer: Leonie liebte Peter, ihren Stiefsohn, mehr als ihr leibliches Kind, und Soames wusste das besser als sie selber. Die Folge war, dass sie einander unverzeihliche Dinge antaten – und doch spannten sich über die trennende Kluft hinweg Bande der Liebe. In Kürze sollte Soames nun zur Luftwaffe einrücken. Er hatte Angst, aber er konnte nicht anders. Er musste fliegen, wie sein Vater … Merkwürdig, dass gerade er diese Sucht geerbt hatte und nicht Peter. Und Leonie, die spürte, wie der Sohn ihr entglitt, bemühte sich verzweifelt, ihn zu erreichen, bevor es zu spät war.

Arme Leonie. Armer Junge. Callie, die inzwischen weitergegangen war, seufzte und notierte gleichzeitig in ihrem Gedächtnis, dass die Bohnen gepflückt werden mussten. Kinder haben immer den Wunsch, ihre Eltern zu lieben, überlegte sie, aber die Eltern machen es ihnen oft so schwer. Sie selber war da keine Ausnahme. Rückblickend erkannte sie ihre Fehler und Versäumnisse. Trotzdem, alles in allem hatte sie wohl gar nicht so übel abgeschnitten. Die Kinder waren zwar in die Ferne gezogen, doch jedes hatte auf seine Art zurückgefunden. Man musste sie nur in Ruhe lassen, dann kamen sie ganz von selber. Und gerade das war für eine Mutter das Schwerste: sie in Ruhe zu lassen.

Sie hatte es immer wieder von Neuem lernen müssen. Zuerst bei Jessica, dann bei Mathy und Leonie und jetzt bei Mary Jo. Sooft Callie an ihre Jüngste dachte, fühlte sie das altgewohnte Bedürfnis, die Flügel auszubreiten und sie zu beschützen. Aber von allen ihren Töchtern war Mary Jo ihr am weitesten entrückt. Der Altersunterschied zwischen ihnen war so groß, und das Kind kam sich so welterfahren vor. Mary Jo wusste auf alles eine Antwort, maßte sich über alles ein Urteil an. »Mama, sei doch nicht altmodisch! Die Zeiten haben sich nun mal geändert, seit du ein junges Mädchen warst … Liebstes Mamachen, das ist so *spießig!* Begreifst du denn nicht …« Und dazu all die neuen Ausdrücke und Ideen, die sie aus Büchern aufgeschnappt hatte. Darin war sie noch schlimmer als Leonie. Manchmal hatte Callie das Gefühl, einer wildfremden Frau gegenüberzustehen. Von Jahr zu Jahr gab es weniger Gemeinsamkeiten zwischen ihnen. Was Mary Jo in der großen Stadt New York tat, wie sie lebte, mit wem sie umging – das überstieg Callies Vorstellungsvermögen. Nur die Gefahren konnte sie sich mühelos ausmalen, und sie zitterte für ihr Lämmchen. Mary Jo war klug und gebildet, alles gern zugegeben, aber sie war auch, wie ihr Vater, ein bisschen närrisch. Sie ließ sich von jedem auf den Leim führen, hatte keinerlei Menschenkenntnis und wünschte nichts sehnlicher, als bewundert zu werden. Der Verehrer durfte ruhig schielen; Hauptsache, sie wurde geliebt. So einem Kind konnte man natürlich besonders leicht wehtun; vielleicht war es schon geschehen, und sie, Callie, war machtlos dagegen.

»Aber heute kommt sie nach Hause«, sagte sie fröhlich zu dem bunten Hahn, der den Gartenweg entlangstolzierte. »Dann wissen wir endlich wieder genau, wie es ihr geht! Raus aus dem Garten, du Stromer. Schsch …!«

Sie scheuchte ihn mit der Schürze in den Hof zurück. Vor dem Stall lagen die großen, sanften Kühe im graublauen Morgenschatten. Eine von ihnen erhob sich und kam, nachdenklich wiederkäuend, an den Zaun. »Ja, du wirst gleich gemolken«, versprach Callie. »Wenn ich bloß wüsste, wo ich all die Sahne lassen soll«, sagte sie dann zu sich selber und zählte in Gedanken die Krüge voller Sahne, die schon im Eisschrank standen. »Ich werde wohl heute noch buttern müssen. Mr. Corcoran freut sich bestimmt, wenn wir ihm ein Pfund bringen. Wir haben die ganze Woche nicht nach dem Alten gesehen. Ah, guten Morgen, Sir!«, begrüßte sie den wohlgenährten Bullen, der eben um die Scheune herumkam. Das glatte Fell seiner Flanken schimmerte im Rhythmus der gemächlichen Gangart bald heller, bald dunkler. Matthew war mit Recht stolz auf seinen prächtigen roten Stier.

Im Süden, hinter dem Little Tebo, hatten die Sonnenstrahlen eine hochgelegene Wiese erreicht, die sich nun strahlend von dem Schwarz der Wälder abhob. Bald würde auch die Walnusspflanzung an die Reihe kommen. Wenn die goldgelben Sonnenkringel in den Blättern spielten, war es dort besonders hübsch. »Ich werde Heidelbeeren suchen gehen«, sagte Callie vor sich hin. Matthew aß zum Frühstück so gern Heidelbeeren mit Sahne. Das Pflücken dauerte ja nicht lange; außerdem war er noch nicht einmal aufgestanden.

Sie holte den kleinen Beereneimer und machte sich auf den Weg. Die Heidelbeeren waren in diesem Jahr erst spät gereift, weil es zur Unzeit geregnet hatte. Dafür waren sie nun besonders dick und blank und lösten sich so leicht von den Stängeln, dass sie wie von selber in Callies Hand fielen. Das Eimerchen war rasch gefüllt. Aber Callie hatte es auf einmal nicht mehr eilig. Sie ließ sich von dem schönen grünen Morgen noch ein wenig tiefer ins Gehölz locken. Die breiten Eichenblätter glänzten; am Bachufer wehten die zarten Schleier der Weiden. Dahinter wogte das Kornfeld – ungefähr so stellte sich Callie das vom Wind gekräuselte Meer vor. Der Little Tebo war im Frühling über die Ufer getreten und hatte alles überschwemmt – wer würde das jetzt wohl glauben? Callie dachte an den schlammigen braunen See, in den sich die unteren Felder verwandelt hatten. Das Wasser war nur langsam abgeflossen und hatte umgestürzte Zäune, Haufen von angeschwemmtem Gestrüpp und Unrat und tote Fische hinterlassen. Und auf den kalten, nassen

Frühling war ein nasser, kühler Frühsommer gefolgt. Erst vor Kurzem war es schön geworden. Aber besser zu viel Regen, dachte Callie, als jene entsetzliche Dürre in den Dreißigerjahren. Damals hatte die Sonne Tag für Tag unbarmherzig auf das Land niedergebrannt und alles Grün ausgelöscht, sodass man mitten im Juli weit und breit nur verdorrtes Laub und Gras, verschrumpeltes Obst und Staub sah. Wirklich, es schien nichts mehr in vernünftigem Maße zu geben, weder Wasser noch Sonne, noch Kummer. Allerdings gab es manchmal auch übermäßige Freuden, und die entschädigten einen dann für das andere.

In Gedanken verloren ging Callie weiter. Wie viel Glück und Leid wurde einem im Wechsel der Jahreszeiten zuteil, und wie schnell flog die Zeit dahin … Erinnerungsfetzen tauchten ohne ihr Zutun auf. Einmal hatte Mathy, knapp drei Jahre alt, im Dickicht ein neugeborenes Kälbchen gefunden, das ebenso sanft und erstaunt in die Welt blickte wie sie selber. (Mathy war nun schon seit zwanzig Jahren tot, aber für Callie so gegenwärtig, als hätte sie sich nur zum Spaß hinter einem Baum oder einem Busch versteckt.) Dann sah Callie ihre beiden Ältesten vor sich, niedliche kleine Mädchen, die zum Maifest Glockenblumen, Bartnelken und Verbenen pflückten … Und die tolle Kuh, die am Bachufer hinter ihr hergestürmt war, ein armes verrücktes Tier, das sich bäumte und ausschlug, als sie es im Stall anbanden, und dem der Strick schließlich die Luft abschnürte, sodass es elend zugrunde ging … Und auch Bilder aus ihrer Kindheit erstanden vor Callies Augen – die verwahrloste Farm zwischen den Hügeln, ein leeres Haus …

Callie blieb auf dem Waldpfad stehen, von einem vagen Gefühl der Traurigkeit überkommen. Das Säuseln der Eichenblätter hatte sie an etwas erinnert … Woran nur? Klang es nicht wie fast vergessene Stimmen? Kinderstimmen … *Da auf der Wiese können wir sie singen hören.* Was bedeutete das? So weit entfernt … es musste lange her sein. *Da auf der Wiese …*

War es jemand gewesen, den sie geliebt hatte? Ja, richtig, nun sah sie es ganz deutlich: zwei einsame kleine Jungen an einem Wiesengatter, die angespannt auf das ferne Singen lauschten.

Ein Schluchzen entrang sich ihr, ohne dass sie es wusste. Ihre kleinen Brüder, braunäugige Bürschchen, tapsig wie junge Hunde, verschüchtert, immer im Wege … Halbbrüder, genau genommen, die Kinder jener verbitterten Frau, die der Vater als Witwer im Herbst seines Lebens geheiratet hatte. Callie hatte die kleinen Jungen mit aufgezogen und sie lieb gehabt. Doch dann war sie fortgegangen wie ihre Schwestern und hatte die beiden bei einer Mutter zurückgelassen, die sie nicht mochte, und bei einem Vater, der sich in seiner zunehmenden Geistesverwirrung nicht um sie kümmerte. *Wir dürfen nicht zur Kirche, Ma erlaubt's nicht …* Keine Sonntagsfreude, keine Spielgefährten! *Ma erlaubt's nicht … Aber da auf der Wiese können wir sie singen hören.*

Fünfzig Jahre war das her, und doch weinte Callie jetzt um die kleinen Brüder. Thad war inzwischen gestorben, und Wesley war *alt,* und Gott mochte wissen, ob einer von ihnen jemals näher an das Singen herangekommen war. Vielleicht erging es allen Menschen so – man sehnte sich zeitlebens nach irgendetwas und dachte immer, man würde es schon noch erreichen, und eines Tages merkte man plötzlich, dass man am Ende des Weges stand und dem Ersehnten keinen Schritt näher gekommen war.

Callie blickte zum strahlenden Morgenhimmel auf. Ich bin siebzig, sagte sie sich. Siebzig ist alt. Wie viele Jahre bleiben mir wohl noch? Zehn? Ihre Gedanken glitten über die letzten zehn Jahre zurück … Aber das war ja gar nichts! Zehn Jahre waren im Nu vorbei! Hatte sie wirklich nicht mehr zu erwarten? In zehn Jahren, im Handumdrehen also, würde sie achtzig sein – eine sehr alte Dame. Und wo war die weiße Stadtvilla mit dem vornehmen Steingarten und dem Gärtner, der samstags die Hecke schnitt? Wie sollte sie das jetzt noch erreichen, in lächerlichen zehn Jahren?

War dies wirklich schon alles? Alles, was ihr bestimmt war? Sie machte kehrt und ging langsam zurück. Das Flüsschen, das Feld, der Bach, der Wald, das ansteigende Weideland und dort hinten das Scheunendach – das war ihre Welt. Die Farm und ein paar Kleinstädte. Und mehr würde sie wohl niemals kennenlernen.

»Dabei wollte ich doch immer das Meer sehen.«

Sie sagte es laut und erstaunt, denn ihr war zum ersten Mal klar geworden, dass sie das Meer möglicherweise *nicht* sehen und dass auch manches andere, was sie sich vorgenommen hatte, unausgeführt bleiben würde.

»Ich hab nie lesen gelernt«, sagte sie und senkte beschämt den Kopf, obgleich sie allein auf der Wiese war. Sie konnte allenfalls die Wörter zusammenbuchstabieren, die in einem Kochrezept standen, und auch da war sie ihrer Sache nicht immer sicher. Sie hatte die Bibel nicht *gelesen,* sondern nur auf die Seiten geschaut und sich die Verse vorgesprochen, die sie vom häufigen Hören auswendig wusste – das dicke Buch in ihren Händen war ihr dabei eine Art Stütze. Die anderen wussten das natürlich nicht. Um den Betrug zu mildern, hatte sie sich wieder und wieder gelobt, nächste Woche richtig lesen zu lernen – sobald das Großreinemachen vorbei war, sobald sie die Wäsche gebügelt hatte. Aber die Arbeit riss ja nie ab. Und nun war sie siebzig. In der Zeit, die ihr noch blieb, würde sie wahrscheinlich ebenso wenig lesen lernen, wie sie hoffen durfte, das Meer zu sehen. Die Zukunft lag plötzlich wie eine öde Steppe vor ihr. Es gab kein Ziel mehr – außer dem Himmel.

Und vielleicht war ihr nicht einmal der beschieden! Sie bewegte unruhig die Schultern. O ja, den Himmel gab es; davon war sie überzeugt. Aber sie hatte auf einmal starke Zweifel, ob sie hineinkommen würde. Bisher war ihr das selbstverständlich erschienen – sie hatte es ja nie an Gebeten und Bußfertigkeit fehlen lassen. Doch wer weiß – wenn Gott über die Sünder Gericht hielt, schwand für sie, Callie Soames, vielleicht auch der Himmel dahin wie der Ozean und die feine weiße Villa.

Sie stand auf der morgenstillen Wiese, und in ihrer Seele erdröhnte der Donner des Jüngsten Tages. Eingeschüchtert verstummte der Geist. Und leise, leise stieg eine alte Erinnerung auf, so frisch und lebendig, als sei sie nicht jahrzehntelang begraben gewesen. Das voll entfaltete Grün des Sommers verwandelte sich in Frühlingsknospen, und die Luft wurde so mild, so zärtlich und weich, wie man es nur selten erlebt. Callie entsann sich jeder Einzelheit. Und doch war es mehr als vierzig Jahre her.

2

Es war April. Die Ferien hatten noch nicht begonnen. Matthew ritt jeden Morgen nach Renfro, wo er an der Höheren Schule unterrichtete, und kam erst im Abenddämmern zurück. Je länger die Tage wurden, desto länger blieb er in der Stadt. Dabei gab es auf der Farm viel zu tun, aber das kümmerte ihn offenbar nicht. Für gewöhnlich wusste er sich im Frühling vor Arbeitslust und Gesang nicht zu halten; diesmal jedoch tat er nur das Nötigste, schweigsam, mürrisch und ständig gereizt. Callie und die Kinder wagten kaum noch, ihn anzureden, und wenn sie es taten, hörte er nicht hin. Im Grunde war das nichts Neues; er hatte schon öfter solche Anwandlungen gehabt, besonders im Frühling, wenn er mit Arbeit überlastet war. Aber in diesem Jahr schien noch etwas anderes dahinterzustecken. Callie dachte an seinen Bruder Aaron, der an Schwindsucht gestorben war, und sie fürchtete ernstlich, dieses Leiden könnte auch Matthew befallen haben. Obgleich er behauptete, kerngesund zu sein, beobachtete sie ihn voll ängstlicher Sorge.

Irgendetwas war mit ihm los, so viel stand fest. Er war völlig verändert. Er machte sich nichts aus den Kindern und erst recht nichts aus ihr. Sein unverhohlenes Bestreben, ihr aus dem Wege zu gehen, ließ auf die Dauer nur den Schluss zu, dass eine Frau im Spiel war. Eine Frau, die er täglich sah. Callie erkannte das mit schmerzlichem Staunen. Es gab sonst keine Erklärung. Nur eine andere Frau konnte einen Ehemann so verwandeln, dass er zu einem Fremden wurde.

Callie war fast ebenso neugierig wie gekränkt. Wer in aller Welt mochte das sein? In Gedanken ging sie sämtliche Frauen und Mädchen ihrer Nachbarschaft durch, und der gesunde Menschenverstand sagte ihr, dass es sich um keine von diesen handelte. Sie war nicht eitel, aber sie kannte ihren Wert. Mit den Farmersfrauen der Umgegend konnte sie es noch allemal aufnehmen! Sie war hübscher als die meisten, und sie hatte das »gewisse Etwas«. Kein Mädchen hatte ihr je einen Verehrer ausgespannt – wenn schon ausgespannt wurde, dann hatte *sie* das besorgt. Wer also drehte jetzt den Spieß um? Eine Städterin, zweifellos – irgendein Weibsbild, das den armen Matthew eine Zeit lang verrückt machte und ihn dann mir nichts, dir nichts fallen ließ. Sie kannte diese Sorte Frauen. Die Männer waren ihnen ebenso wehrlos preisgegeben wie dem Frühlingsschnupfen. Aber so eine Krankheit dauerte nicht lange – spätestens mit dem Kommen des Sommers würde Matthew sie überwunden haben. Callie hatte nicht vor, ihm deswegen eine Szene zu machen. Darauf hofften die Männer nämlich. Erstens kamen sie sich dann wichtig vor, und zweitens konnten sie es einem später vorwerfen. Nein, den Gefallen würde sie Matthew nicht tun! Wenn er unbedingt fremdgehen musste, sollte er ihr wenigstens nicht nachsagen können, dass sie ihn dazu getrieben hätte.

Manchmal plagte ihn das Gewissen, und dann war er so unleidlich, dass es ihr schwerfiel, den Mund zu halten. Ach, wie gern hätte sie ihn nach Strich und Faden heruntergeputzt!

Aber sie beherrschte sich und tat mit Sassafras-Tee, Wildkräutern und Geduld ihr Möglichstes, sein Blut zu verdünnen, seine Verdauung in Ordnung zu halten und seine Rückkehr zu beschleunigen.

Jessica war in jenem Frühling sieben Jahre alt. Matthew setzte sie jeden Morgen auf dem Wege nach Renfro vor der Dorfschule in Bitterwater ab. Nachmittags ging sie allein über die Felder nach Hause oder ließ sich von einem Nachbarn im Wagen mitnehmen. Leonie, die eben erst fünf geworden war, wünschte sich nichts sehnlicher, als auch zur Schule gehen zu dürfen. Sie bat und bettelte so lange, bis ihr die Eltern an einem warmen und sonnigen Aprilmorgen erlaubten, Jessica ausnahmsweise zu begleiten. Matthew war ärgerlich, denn nun musste er den Wagen nehmen und verlor durch das Anspannen kostbare Zeit. Aber Leonies Quengelei ging ihm auf die Nerven, und er hoffte, sich für eine Weile Ruhe zu erkaufen, wenn er ihr den Willen ließ.

Callie winkte ihnen nach, bis sie außer Sicht waren, und begab sich dann eilends an die Arbeit. Da das Wetter schön war, schaffte sie alles Bettzeug hinaus, hängte die Decken auf die Leine und breitete die Federbetten auf dem Rasen aus. Sie fühlte sich so wohl im Freien, dass sie beschloss, vorerst nicht ins Haus zurückzukehren, sondern ihre Glucke zu suchen. Das dumme Ding hatte seine Eier und sich selber so gut versteckt, dass sie ihm bis jetzt noch nicht auf die Spur gekommen war.

Sie ging über das Weideland und hielt Ausschau nach der Glucke, die irgendwo auf den warmen Eiern saß, träge und aufgeplustert vor sich hin döste und abwartete, bis es so weit war, dass sie das Nest verlassen und ihre gelben, piepsenden Federbällchen ausführen konnte. Callie lächelte bei diesem Gedanken. Auch eine dumme alte Glucke war stolz auf ihre Kleinen. Und dabei war es doch für so ein Tier nur eine halbe Sache – wie viel stolzer war man auf Kinder, die man aus Liebe bekam. »O Matthew!«, sagte sie laut und sehnsüchtig. Was war bloß mit ihrem Mann los; warum wollte er nichts mehr von ihr wissen? Er fehlte ihr so sehr. Und auch die Kinder – ihre Küken – fehlten ihr. Sie wünschte, sie hätte Leonie zu Hause behalten. Die Farm war heute so einsam. Das heißt, neuerdings war es hier auch einsam, wenn alle zu Hause waren. Callie seufzte und gab die vergebliche Suche auf.

Sie arbeitete in der Küche, als ein Geräusch, das von draußen kam, sie aufhorchen ließ. In der Hoffnung, sie könnte mit einer vorübergehenden Nachbarin ein paar Worte wechseln, rannte sie auf die Vorderveranda. Aber nein, es war ein fremder Mann, und er hatte eben die Pforte geöffnet. Seine Haut war sehr dunkel, er trug ein Zweiglein Rotdorn am Hut, und beim Gehen klirrte und klingelte es um ihn her. *Ein Zigeuner!,* dachte Callie erschrocken. Sie beruhigte sich jedoch sofort, als sie das umfangreiche Bündel sah, das er über der Schulter trug. Ein Hausierer. Kein Grund zur Aufregung also, wenn es auch für Hausierer noch ein bisschen früh im Jahr war. Trotzdem riegelte Callie instinktiv die Fliegentür zu, denn bei Fremden konnte man nicht vorsichtig genug sein. Unglücklicherweise hatte er sie schon entdeckt, sonst wäre sie in die Küche zurückgelaufen und hätte auf sein Klopfen nicht geantwortet.

»Guten Morgen!«, rief er und schritt leichtfüßig auf die Veranda zu – ein junger, ziemlich schmächtiger Mann. Das Klingeln kam von einer Schelle, die auf dem einen Schuh befestigt war. Nun sah Callie auch, dass er nicht so dunkel war, wie sie zuerst gedacht hatte; er war nur sehr stark von der Sonne gebräunt. Aber sein Haar und die Augen waren pechschwarz, und er hatte irgendetwas an sich, was ihn, wenn nicht als Zigeuner, so doch als Ausländer kennzeichnete. Er machte vor der Fliegentür halt, ließ das Bündel von der Schulter gleiten und nahm den Hut ab. »Herrlicher Tag heute«, verkündete er so strahlend, als sei das schöne Wetter ihm zu verdanken. »Wenn Sie gestatten – vor Ihnen steht der Marco Polo der Wildnis, die Einmannkarawane, beladen mit Schätzen aller Art, mit Seidenstoffen, Spitzen, Juwelen und orientalischen Perlen, des Weiteren mit Nadeln, Garn, Kautabak und« – er nahm den Rotdorn von seinem Hut – »Blumen für die Damen!«

Er hielt ihr den Zweig mit einem Lächeln hin. Aber

wenn er dachte, sie würde ihm daraufhin die Tür öffnen, dann irrte er sich. »Das sind keine Blumen«, sagte sie, »das ist bloß Rotdorn. Davon hab ich einen ganzen Wald voll.«

Er lachte wie über einen gelungenen Witz. »Ach, ist das da hinten Ihr Wald? Dann gehört Ihnen der Zweig sowieso. Ich habe ihn gestohlen«, bekannte er fröhlich. »Darf ich ihn hiermit unbeschädigt zurückgeben? Oder nein«, fügte er rasch hinzu, »eigentlich möchte ich den Rotdorn gern behalten. Sie haben ja einen ganzen Wald voll davon, und ich habe nur dieses winzige Zweiglein. Mit Ihrer Erlaubnis …?«

»Mir soll's recht sein.«

»Vielen Dank!« Er steckte den Zweig wieder in sein Hutband und sah dann heiter lächelnd zu Callie auf.

»Ist noch gar nicht die Jahreszeit für Hausierer«, meinte sie.

»Da haben Sie recht. Und ich wollte auch gar nicht so früh kommen – oder überhaupt in diese Gegend kommen.«

»Wieso sind Sie dann hier?«

»Ich hab mich verirrt«, sagte er und breitete die Arme aus. »Ich weiß, dass ich in Missouri bin und dass eine Viertelstunde von hier ein Rotdorn steht, aber im Übrigen habe ich keine Ahnung, wo ich mich befinde.«

»Ja, du lieber Himmel, wie sind Sie denn hergekommen?«

»Zu Fuß.«

»Woher?«

»Von einer Eisenbahnstation. Das heißt, Station ist ein bisschen zu viel gesagt. Der Zug hat irgendwo gehalten, mitten in der Wildnis.«

»Sie meinen wohl die Kreuzung *dort* drüben. Die Züge nach Renfro warten da manchmal.«

»Was ist Renfro?«

»Die nächste Stadt. Wollten Sie nicht dahin?«

»Nicht, dass ich wüsste. Ich wollte nach Süden, dem Sommer entgegen. Aber gestern – ach, war das ein schöner Tag, wie heute, nur ist es heute noch schöner –, gestern kam mir bei dieser … dieser Kreuzung der Gedanke, mich hier mal ein bisschen umzuschauen. Die Gegend war so hübsch und die Sonne so warm, und ich hatte das Fahren so satt. Da wird schon noch ein anderer Zug vorbeikommen, dachte ich und sprang ab. Ich bin die Straße entlanggewandert und hab mir gesagt, wenn ich ein Haus sehe, gehe ich rein und kann vielleicht was verkaufen. Und wenn nicht, ist es auch kein Unglück. Das Dumme war nur, dass ich mich dann in den Wäldern verirrt habe.«

»Warum sind Sie nicht auf der Landstraße geblieben?«

»Das fällt mir immer so schwer.« Er lächelte und legte den Kopf schief wie ein Rotkehlchen, an das er Callie überhaupt erinnerte, weil er blanke schwarze Augen und tänzelnde Bewegungen hatte und weil er schon so früh im Jahr kam. »Ich hab einen Seitenweg gesehen, und einem Seitenweg kann ich nie widerstehen. Ich denke immer, er führt vielleicht ins Märchenland. Na, dieser hat mich nur an einen Bach geführt, und da hörte er auf. Aber das war auch nicht schlecht. Ich fing nämlich einen prächtigen Fisch und hatte ein Abendessen.«

»Wie haben Sie den Fisch denn zubereitet?«

»Auf einem Holzfeuer. In einem Tiegel. Ich hab immer einen bei mir« – er stieß sein Bündel mit der Schuhspitze an –, »weil ich nie weiß, wann und wo ich esse. Hinterher hab ich mich neben dem Feuer in meine Jacke gewickelt und herrlich geschlafen.«

»Sie sind die ganze Nacht im Wald gewesen?«

»Ja, wo sonst?«

»Du meine Güte! War es nicht kalt?«

»O ja, gegen Morgen schon. Aber mit dem Feuerchen und der Jacke ging es. Ich bin abgehärtet, müssen Sie wissen. Heute früh hab ich sogar im Bach gebadet.« Er lachte, als er sah, dass es Callie schauderte. »Natürlich, hinterher ist man wie erstarrt. Aber im Sonnenschein taut man rasch wieder auf und fühlt sich großartig. Ja, und dann beschloss ich, zur Eisenbahn zurückzugehen. Also nahm ich meinen Kram und zog los. Aber wenn Sie sagen, dass die Kreuzung dort ist, dann bin ich genau in die falsche Richtung gelaufen. Na, Glück habe ich trotzdem gehabt, denn ich bin Ihnen begegnet.«

»Wenn Sie auch noch das Glück haben wollen, den Mittagszug zu erwischen, dann sollten Sie sich auf den Weg machen.«

»Fährt später auch noch einer?«

»Ja, aber erst um Mitternacht.«

»Wenn ich den einen versäume, nehme ich eben den

anderen. Bevor ich gehe, möchte ich Ihnen nämlich mit Ihrer Erlaubnis meine Waren zeigen.«

»Ich würde Sie ja gern für den langen Weg entschädigen«, sagte Callie, »aber ich brauche nichts. Sie verschwenden bloß Ihre Zeit.«

»Was heißt Zeit – ich habe den ganzen Tag vor mir«, entgegnete er mit einer schwungvollen Geste.

»Aber ich nicht. Ich habe zu tun.«

»Oh, und ich stehe hier herum und stehle Ihnen die Zeit! Entschuldigen Sie bitte.«

»Ist schon gut.«

»Wissen Sie was?« Er strahlte schon wieder wie ein blank geputzter Knopf. »Wenn Sie zu viel zu tun haben, könnte ich ja mein Päckchen den Kindern zeigen – nur so zum Spaß; Sie brauchen nichts zu kaufen. Sie haben doch Kinder.«

»Zwei kleine Mädchen. Aber sie sind in der Schule.«

»Dann hat vielleicht Ihr Mann Interesse?«

»Der arbeitet. In der Scheune«, fügte sie fest hinzu. »Und er braucht auch nichts, so leid es mir tut.«

»Bleiben also nur Sie«, sagte der Hausierer mit einem bittenden Lächeln. »Werfen Sie doch wenigstens einen Blick auf meine Sachen, ja? Es dauert keine Minute. Ich habe sehr schöne Seide – reine Seide für hübsche Kleider? Bänder? Goldknöpfe? Da ich nun einmal hier bin …«

»Hm …« Callie sah unschlüssig auf das Bündel, das sicherlich viele schöne Dinge barg. »Na meinetwegen, anschauen kann ich's mir ja. Aber nur anschauen. Dass ich was kaufe, kommt nicht infrage.«

»Machen Sie sich deswegen keine Sorgen«, erwiderte er und löste die Riemen.

»Sie können es hier vor der Tür ausbreiten. Ich sehe es gut genug.«

»Jawohl, Ma'am.« Das Bündel platzte auf wie eine reife Melone, farbenprächtig, mit Bändern, Garnrollen und anderen begehrten Kleinigkeiten gespickt.

»Sie schleppen aber viel mit sich herum!«, staunte Callie.

»Was das Herz sich nur wünschen kann – und ich kenne die Herzen der Damen.« Er schlug mit geübtem Griff Seidenstoffe vor ihr auf, einen himbeerroten, einen zartgrünen und einen mit breiten Purpurstreifen. Solides, praktisches Schwarz war nicht vertreten.

Callie schnalzte mit der Zunge. »Ach, ist das hübsch!«

Er zog einen anderen Stoffballen hervor und entrollte ihn mit einer raschen Drehung des Handgelenks. Es war Taft, rotgrün changierend wie das Gefieder eines Rhode-Island-Hahns. Die Farben schillerten in der Sonne, und der Stoff knisterte.

»Wie schön!«, hauchte Callie.

Der Hausierer nahm eine Handvoll Goldknöpfe und streute sie über den Stoff, als wären es Maiskörner. Dann brachte er Seidenband zum Vorschein – rosa, blau, gelb und rot. Callie, die an ihre kleinen Töchter dachte, bekam leuchtende Augen.

»Wie viel kostet das?«, fragte sie.

»Sechs Cent die Elle. Es ist schön breit, wie Sie sehen, und gute Qualität.«

Callie runzelte die Stirn und rechnete angestrengt. »Ich würde ungefähr vier Ellen brauchen …«

»Dann mache ich Ihnen einen Sonderpreis. Vier Ellen für zwanzig Cent.«

»Hm …« Sie nagte an ihrer Unterlippe. Blau für Jessica, gelb für Leonie – das würde hübsche Schärpen für ihre neuen Kleider geben. Aber wenn sie die Bänder kaufte, musste sie die Tür öffnen, und dieser Gedanke behagte ihr nicht. Obwohl der Hausierer einen anständigen Eindruck machte, war Vorsicht geboten. »Nein«, sagte sie, »es geht nicht. Tut mir wirklich leid.«

»Und mir erst! Ich sehe doch, dass Ihnen mein Band gefällt. Wie wär's mit fünfzehn Cent?«

»Sehr nett von Ihnen, aber ich brauche es nicht. Schade um Ihre Zeit.«

»Ach, um die ist es nicht weiter schade«, antwortete er mit seinem raschen Lächeln.

»Wenn Sie sich beeilen, können Sie immer noch rechtzeitig zum Zug kommen.«

Sie sah zu, wie er seine Schätze einpackte, hier etwas zusammenlegte, dort etwas in einen Hohlraum stopfte … Die schmalen braunen Hände glitten über die Seidenstoffe. Sonnenflimmer spielten auf seinem gebeugten Kopf. Er hatte sehr dichtes, glänzendes Haar, das sich im Nacken ringelte. Es müsste geschnitten werden, dachte Callie, stellte aber unwillkürlich fest, dass der Hals sauber war. Der Hausierer hatte inzwischen fertig gepackt und schnallte die Riemen des Bündels zu.

»Sie haben was draußen gelassen«, sagte Callie.

»Ich weiß.«

Sie betrachtete das blaue Band, das vor der Tür lag, sah dann ihn an, und in ihren Augen loderte Misstrauen auf. »Was soll das?«

»Ich möchte ein Tauschgeschäft mit Ihnen machen.«

»Was für ein Tauschgeschäft?«, fragte sie und wich ein wenig zurück. Die Schrotflinte hing in der Küche, und sie wusste, wie man damit umging.

Er war noch immer mit den Riemen beschäftigt. Als die letzte Schnalle geschlossen war, richtete er sich auf und hielt Callie das Band hin. »Wenn es nicht zu viel verlangt ist – würden Sie mir bitte hierfür ein Ei geben?«

»Ein Ei!« Callie lachte laut auf, belustigt und erleichtert, denn sie hatte etwas ganz anderes erwartet. »Wozu denn das?«

»Ich habe Hunger«, erklärte er, und seine Miene war so drollig, dass Callie abermals lachte.

»Herrje, richtig! Sie müssen ja hungrig wie ein Wolf sein, nachdem Sie so lange durch die Wälder geirrt sind.«

»Ich habe sogar auf eine Kuh Jagd gemacht, aber mit dem Melken hat's leider nicht geklappt.«

»Packen Sie Ihr Band ein«, sagte Callie. »So hartherzig bin ich nicht, dass ich Sie verhungern lasse.«

»Nein, nein, die Sache muss ihre Ordnung haben – das Band gegen ein Ei. Oder vielleicht – es ist ein schönes langes Stück, vier Ellen mindestens – zwei Eier?«

»Eier habe ich genug. Ich kann Ihnen so viele kochen oder braten, wir Sie wollen.«

»Das möchte ich Ihnen nicht zumuten, Ma'am.«

»Sie werden sie doch nicht roh essen! Schließlich sind Sie ja kein Opossum.«

»Rohe Eier schmecken gar nicht so übel.«

»Nein, das ist nichts. Ich würde sie Ihnen braten.«

»Aber ich habe Ihnen schon so viel Zeit gestohlen. Sie haben genug anderes zu tun.«

»Na ja, das stimmt«, sagte Callie zögernd.

»Wenn ich mir gestern den Fisch gekocht habe, kann ich mir heute auch Eier kochen. Ein Feuerchen ist schnell angezündet; einen Topf habe ich. Ich komme gut allein zurecht, bin's ja gewohnt.«

»Nun ...« Callie überlegte einen Augenblick. »Wenn Sie selber kochen wollen, können Sie's meinetwegen hinten im Hof tun. Da haben Sie auch gleich Wasser.«

»Ist Ihnen das wirklich recht?«

»Ja, ich hab's doch gesagt. Aber passen Sie auf, dass Sie nichts in Brand stecken.«

»Ich passe immer auf.«

»Sie brauchen Ihren Kram nicht wieder auszupacken. Ich borge Ihnen einen Kochtopf. Gehen Sie nur ums Haus rum.«

»Vielen Dank.«

Callie rannte durch den Salon und die Küche auf die hintere Veranda, riegelte auch dort die Fliegentür zu und wartete, bis er kam. »Da drüben, wo die Egge steht, können Sie Ihr Feuer anzünden«, teilte sie ihm mit. »Aber nicht so dicht am Hackklotz, hören Sie? Ich stelle Ihnen alles hier auf die Stufe; Sie können sich's dann holen.«

Während der junge Mann mit dem Feuer beschäftigt war, legte sie zwei große Eier in einen Topf und schnitt eine Scheibe Speck ab. Nach kurzem Besinnen gab sie ein drittes Ei dazu und trug den Topf hinaus. Als sie ins Haus zurückkehrte, riegelte sie sorgsam hinter sich ab.

Vom Küchenfenster aus konnte sie ihn gut beobachten. Er hatte seine Jacke ausgezogen und die Hemdsärmel aufgekrempelt. Binnen zwei Minuten hatte er das Feuer in Gang gebracht. Auf den Knien liegend, fachte er es mit dem Hut an. Als Callie sah, dass er auf das Haus zukam, trat sie vom Fenster zurück. Das Klingeln der Schelle wurde lauter, dann wieder leiser. Callie schlich zur Tür, spähte durch das Fliegengitter und erblickte das blaue Band, säuberlich auf einem Klettenblatt zusammengerollt und mit einem Ei beschwert. Er hatte nur zwei Eier mitgenommen.

Sie ging hinaus, winkte ihm lächelnd mit dem Band zu und rief: »Danke schön!« Er winkte zurück.

Eigentlich hätte sie ihm auch noch Brot geben können. »Warum hab ich daran nicht gleich gedacht?«, murmelte sie und lief eilig in die Küche. Sie schnitt eine dicke Scheibe ab, bestrich sie mit Butter und stellte sie auf einer Untertasse hinaus. »Hier ist etwas Brot für Sie!«, rief sie über den Hof.

Sie wartete an der Verandatür auf ihn; diesmal machte sie sich nicht mehr die Mühe, den Riegel vorzuschieben. »Zwei Eier sind nicht viel für einen hungrigen Mann«, meinte sie. »Ich dachte, ein Stück Brot dazu könnte nicht schaden.«

»Sie haben mir mehr als genug gegeben«, erwiderte er und fügte lachend hinzu: »Ich werde wohl noch ein bisschen Band herausrücken müssen.«

»Nicht nötig. So, und jetzt lassen Sie sich Ihr Frühstück gut schmecken.«

Wenige Minuten später trat Callie abermals vor die Tür, diesmal mit einem Schüsselchen Apfelkompott. Sie wollte ihn rufen, doch dann besann sie sich anders. Was sollte sie ihn wegen jeder Kleinigkeit hin- und herlaufen lassen? Sie ging über den Hof. Der junge Mann kniete vor dem Feuer, und da er ihr den Rücken zukehrte, sah er sie nicht kommen. »Hier ist ein bisschen Kompott«, sagte sie hinter ihm.

»Oh, hallo!« Er sprang auf. »Was ist denn das nun wieder?«

Er war nicht so hochgewachsen wie Matthew, aber immerhin größer als sie. »Apfelkompott«, antwortete sie und hielt ihm das Schüsselchen hin.

»Oh, Äpfel mag ich gern.« Er tauchte einen Finger in das Kompott und leckte ihn ab. »Hmm, gut!«

»Ich esse auch gern Äpfel. Manche Leute mögen sie nicht.«

Callie blieb noch ein, zwei Sekunden stehen. Dann, als sie nichts mehr zu sagen fand, wandte sie sich zum Gehen.

»Wollen Sie nicht bleiben?«

»Nein, nein, ich habe …«

»Sie haben zu tun, richtig. Ich weiß, wie das ist. Auch ich bin ja fleißig wie eine Biene – ich koche und fege und staube die Möbel ab ...« Er tänzelte herum und wedelte mit dem Taschentuch über den Hackklotz und den metallenen Sitz der Egge. »Nehmen Sie Platz, Ma'am!«, forderte er sie mit einem jungenhaften Grinsen auf.

Callie konnte nicht anders – sie musste lachen. »Ich hab wirklich keine Zeit mehr ...«

»Aber es ist ein so schöner Tag!«

»Na ja, das stimmt schon«, meinte sie und sah zum leuchtend blauen Himmel auf.

Der Hausierer breitete schwungvoll die Arme aus. »Sehet, der Winter ist vergangen«, deklamierte er, »die Sonne scheint, und die Vögel singen ... Pflücket den Rotdorn, eh er verblüht ... So steht's schon in der Bibel.«

»Sie bringen das ganz schön durcheinander«, sagte Callie lachend. »In der Bibel steht nichts davon, dass man Rotdorn stehlen soll.«

»Doch, bestimmt«, versicherte er feierlich.

»Bestimmt nicht.«

Er lief zum Hackklotz, griff nach seiner Jacke und zog ein kleines Buch aus der Tasche. »Hier habe ich eine Bibel, und der werden Sie ja wohl glauben.« Er klappte das Bändchen auf und tat, als lese er. »Aha, da haben wir's: ›Gehet hin in das Land, wo Milch und Honig fließet, und pflücket den Rotdorn, eh er verblüht.‹ Bitte, überzeugen Sie sich.« Er warf ihr das Büchlein zu. »Jedenfalls *klingt* es wie ein Bibelwort, nicht? Und die Sonne scheint heute so schön. Sie missachten die Gabe des Herrn, wenn Sie bei diesem Wetter ins Haus gehen.«

»Na gut, eine Minute will ich noch bleiben.« Callie

schwang sich auf den sonnenwarmen Metallsitz der Egge und rückte sich behaglich zurecht.

»Jetzt wird's gemütlich!«, rief der Hausierer. Er sprang auf den Hackklotz und jonglierte mit den Eiern, wie Callie es bisher nur auf dem Jahrmarkt gesehen hatte. »Ein Ei wollte ich eintauschen, und alles dies hab ich bekommen – Brot und Speck und Äpfel und angenehme Gesellschaft dazu.« Er fing die Eier auf und sang aus vollem Halse: »Lob sei dem Herrn, der mich so reich gesegnet!« Es war mehr gebrüllt als gesungen, und wenn Gott es nicht hörte, musste er stocktaub sein. Der rostrote Hahn brachte sich entsetzt in Sicherheit. »Sehet die Vögel unter dem Himmel an, sie säen nicht, sie ernten nicht, und der Herr in seiner Güte ernährt sie doch. Ich bin reicher als Salamo in all seiner Pracht!« Mit einem Salto sprang er vom Hackklotz herunter und landete wohlbehalten auf den Füßen.

Callie starrte ihn verblüfft an. Diese überschäumende Fröhlichkeit – kam sie von einem heimlichen Schluck im Walde oder nur von der Frühlingsluft? Jedenfalls war er ausgelassen wie ein Fohlen und brachte sie zum Lachen. »Wie können Sie bloß ohne Frühstück so munter sein«, sagte sie.

»Ach, ich bin gern hungrig, wenn ich weiß, dass ich gleich was zu essen kriege.« Er hockte sich vor das Feuer und schlug die Eier über dem Topf auf. Sie zischten in dem brutzelnden Fett und kräuselten sich an den Rändern. »Aber hungriger darf ich nicht mehr werden, weil ich dann nämlich vor Hunger sterbe – und es wäre doch ein Jammer, an einem solchen Tag und mit einem so köstlichen Frühstück vor Augen zu sterben. Auf Ihre Gesundheit, Ma'am, und auf meine.« Er nahm den Topf vom Feuer und stellte ihn vor sich auf den Klotz. »Der Mensch braucht nichts als Brot und Wein – Gott sei gesegnet – ich haue rein.« Nach diesem ›Tischgebet‹ machte er sich über die Spiegeleier her.

Er aß heißhungrig und doch manierlich, ohne zu schlingen und mit so großem Genuss, dass Callie die Eier, das Brot und den Speck förmlich mitschmeckte. Seine Art zu essen war ein Kompliment für sie, die Spenderin. Sie beobachtete ihn neugierig. Seine Bewegungen waren flink und geschmeidig, seine Haut und das Haar hatten den frischen, seidigen Schimmer der Gesundheit. Er musste noch jung sein – so um die zwanzig herum, dachte Callie, obwohl das schwer zu schätzen war. Manchmal benahm er sich wie ein zehnjähriger Junge, dann wieder wirkte er älter als sie. Trotz seines Übermuts machte er den Eindruck eines gut erzogenen, ja gebildeten Menschen.

»Mein Mann liest immerzu«, bemerkte sie und drehte die kleine Bibel in den Händen.

»Mhm?« Mehr konnte der Hausierer nicht sagen, denn er hatte den Mund voll.

»Ja, er liest in jeder freien Minute und oft sogar bei der Arbeit. Ich weiß kaum noch, wie er aussieht, weil er immer ein Buch vor dem Gesicht hat.«

Der junge Mann lächelte. »Und Sie? Lesen Sie auch gern?«

»Ach, ich hab ja so wenig Zeit. Hin und wieder schaue

ich mal in die Bibel. Wie schön, dass Sie sie immer bei sich tragen.«

»Gehört zu meiner Ware.«

»Oh …«

»Manchmal lese ich mir aber auch ein paar Verse vor. Die Bibelsprache klingt so gut, finde ich.«

»Sie lesen sie sich richtig laut vor?«

»Ja, und am liebsten im Freien.«

Callie lächelte. »Macht denn das einen Unterschied, ob man draußen liest oder drinnen?«

»Versuchen Sie's mal. Lesen Sie etwas.«

»Jetzt – so einfach drauflos?«

»Freilich.«

»Oh … Wollen Sie nicht lieber selber lesen?«

»Ich esse ja noch«, sagte er kauend.

»Aber … aber ich lese nicht sehr gut.«

»Das schadet nichts. Hauptsache, Sie lesen.«

Sie schlug widerstrebend das Buch auf. Der Druck war so klein, dass sie kaum die Buchstaben erkennen, geschweige denn die Sätze entziffern konnte. Sie blätterte eine Weile, blickte dann angestrengt auf irgendeine Seite und sagte, als stünde es dort geschrieben: »»Denn so hat Gott die Welt geliebet, dass er ihr seinen eingeborenen Sohn gab, und alle, die an ihn glauben, werden nicht sterben, sondern das ewige Leben gewinnen …« Da sie sich auf ihr Gedächtnis verlassen musste, wich sie ein wenig vom Wortlaut des Textes ab.

»Na, habe ich recht?«, fragte der Hausierer. »Hier draußen klingt's viel schöner, nicht wahr?«

»Es klingt gut.«

»Bitte lesen Sie weiter.«

Callie blätterte ein paar Seiten um. »»Richtet nicht, auf dass ihr nicht gerichtet werdet; verdammet nicht, auf dass ihr nicht verdammet werdet; vergebet, und euch wird vergeben werden.««

Sie hob den Kopf. Da ihr Gast offenbar auf mehr wartete, blätterte sie weiter und begann von Neuem.

»»Der Herr ist mein Hirte, mir wird nichts mangeln.

Er weidet mich auf einer grünen Aue und führet mich zum frischen Wasser.

Er erquicket meine Seele …

Und ob ich schon wanderte im finstern Tal, fürchte ich kein Unglück; denn du bist bei mir …

Du bereitest vor mir einen Tisch im Angesicht meiner Feinde, du salbest mein Haupt mit Öl und schenkest mir voll ein. Gutes und Barmherzigkeit werden mir folgen mein Leben lang, und ich werde bleiben im Hause des Herrn immerdar.«« Callie schloss das Buch und blickte auf. Der Hausierer lehnte am Hackklotz und sah sie mit halb geschlossenen Augen an.

»Sie lesen sehr gut«, sagte er.

»Ach, nicht besonders.« Callie klärte ihn nicht über den wahren Sachverhalt auf und rechtfertigte sich im Stillen damit, dass sie das Lob, wenn schon nicht für ihre Lesekünste, so doch für ihr gutes Gedächtnis verdient hätte. Sie lächelte den Hausierer freundlich an. Es war nett, in der Sonne zu sitzen und mit jemandem zu plaudern. Sie fühlte sich oft so einsam, denn Matthew war ja den ganzen Tag weg, und wenn er nach Hause kam, ging er stumm und mürrisch umher … Plötzlich fiel ihr auf, dass der junge Mann sie mit einem seltsamen halben Lächeln betrachtete.

»Was gibt's denn an mir zu sehen?«, fragte sie leicht beunruhigt.

»Einen Spinnenfaden.«

Sie wandte den Kopf. Über ihrer Schulter wehte im Lufthauch ein zartes Gespinst, einer jener langen Fäden, die vom Himmel herabzuhängen scheinen und die in Wirklichkeit die Überreste eines vom Wind zerrissenen Spinngewebes sind. Callie tippte mit dem Finger daran. Der Hausierer lachte leise.

»Warum lachen Sie denn?«, fragte sie.

»Weil es so glitzert.« Offenbar war ihm das Grund genug zur Freude.

Sie lächelte, lehnte sich zurück und blickte in die Runde. Die Luft war ungewöhnlich klar. Der grüne Wald, der blaue Himmel, der rostrote Hahn, der über den Hof stolzierte, sogar das silbrig verwitterte Holz des Kornspeichers – alles schien ein eigenes Leuchten auszustrahlen. Es war wie ein Chor, den die Sonne anführte und in den alles einstimmte, aber nicht mit Tönen, sondern mit schimmerndem Glanz. Selbst die Stille war wie Musik.

Der junge Mann streckte die Beine aus und verschränkte die Hände im Nacken. »Jetzt bin ich müde wie ein Hund, der sich den Bauch vollgeschlagen hat.«

»Na, so viel war's ja auch wieder nicht.«

»Es war gerade genug.«

»Sie werden unterwegs bald wieder Hunger bekommen. Soll ich Ihnen ein bisschen was mitgeben?«

»Vielen Dank, das ist wirklich nicht nötig.«

»Zwischen hier und der Bahnkreuzung sind aber keine Häuser mehr.«

»Notfalls fange ich mir noch einen Fisch«, sagte er mit geschlossenen Augen.

»Sie scheinen sich nicht viel Sorgen zu machen.«

»Wozu auch? Das hilft einem nicht weiter.«

»Na ja, mag sein. Aber schließlich möchte man doch wissen, wie man zu seiner nächsten Mahlzeit kommt.«

»Da vertraue ich auf den lieben Gott – oder auf eine gütige Dame.«

Sie lachte. »Sind Sie gern als Hausierer unterwegs, immer so von einem Ort zum anderen?«

»Ja, mir gefällt's.«

»Das viele Laufen muss aber müde machen.«

»Müde wird man, das stimmt.«

»Und immer so allein … Fühlen Sie sich nicht einsam?«

»Manchmal, ja.«

»Na, dafür verdienen Sie wahrscheinlich ganz gut.«

»Nicht übermäßig.«

»Ja, warum tun Sie's denn dann?«

»Weil ich gern so friedlich in der Sonne sitze wie jetzt.«

»Die Sonne scheint aber nicht alle Tage.«

»Irgendwo scheint sie immer.«

Damit hatte er allerdings recht. Callie betrachtete ihn.

Er lehnte, halb liegend, am Hackklotz, mit geschlossenen Augen und entspanntem Gesicht. Sie dachte schon, er sei eingeschlafen, doch plötzlich richtete er sich auf und sagte in munterem Ton: »Ja, es ist ein schönes Leben. Übrigens bin ich erst seit zwei Tagen Hausierer.«

»Das habe ich mir gedacht«, erwiderte Callie lachend.

»Und nun wird's Zeit, dass ich mich auf die Beine mache.«

»Ja, sonst schaffen Sie's heute nicht mehr.«

»Wie muss ich gehen, denselben Weg, den ich gekommen bin?«

»Quer durch den Wald? Ja, da schneiden Sie sogar ein Stückchen ab. Aber leichter geht sich's auf der Straße. Dort drüben den Hügel hinauf, sehen Sie, und immer geradeaus, bis Sie an einen Kreuzweg kommen, und da biegen Sie nach Norden ab. Alles in allem sind's etwa dreieinhalb Meilen zu gehen.«

»Ich werde mich schon zurechtfinden – vorausgesetzt, dass ich mich nicht wieder verirre.«

»Bleiben Sie nur auf der Straße, dann kann Ihnen das kaum passieren.«

Er stand auf und zog seine Jacke an. »Es war sehr hübsch bei ihnen.«

»Für mich war's auch eine nette Abwechslung. Wenn Sie mal wieder in der Gegend sind, kommen Sie hoffentlich bei uns vorbei.«

»Vielen Dank. Ich glaube aber nicht, dass ich noch mal in diese Gegend komme.«

»Nein?«

»Die Welt ist groß.«

»Ja, das stimmt.« Sie sah zu, wie er das Bündel auf die Schulter wuchtete. »Ist wohl mächtig schwer, was?«

»Es ist um vier Ellen Band leichter.« Er hielt ihr die Hand hin. »Ich danke Ihnen für das Frühstück.«

»Sie haben's ja bezahlt.«

»Trotzdem danke ich Ihnen.« Er beugte sich rasch vor, küsste ihr die Hand und blickte von unten her verschmitzt zu ihr auf. »Und ich danke auch Ihrem Mann – der in der Scheune arbeitet. Leben Sie wohl!« Er stülpte den Hut auf den Hinterkopf und wanderte unter Schellengeklingel davon.

Callie stand wie vom Donner gerührt, bei einer Lüge ertappt, die sie inzwischen gänzlich vergessen hatte. Und die Lüge war, wie sich jetzt herausstellte, dumm und überflüssig gewesen, denn der junge Mann hatte von Anfang an gewusst, dass sie allein war, und ihr trotzdem nichts angetan. Am liebsten wäre sie ihm nachgelaufen und hätte sich entschuldigt. Nun, wenn er noch einmal zurückblickte, wollte sie wenigstens winken. Aber er ging weiter, ohne sich umzudrehen, bis er hinter dem Hügel verschwand.

Sie nahm das Bettzeug von der Leine, trug es ins Haus und überlegte, was sie als Nächstes tun sollte. Der Vormittag war fast vorüber; der Hausierer hatte ihr so viel Zeit gestohlen, dass er ebenso gut zum Mittagessen hätte bleiben können. Sie ging durch die Zimmer, staubte den Klavierschemel ab, öffnete ein Fenster, kehrte in die Küche zurück, sah das Brot auf dem Tisch liegen und

schnitt sich eine Scheibe davon ab. Während sie geistesabwesend kaute, starrte sie in den Sonnenschein hinaus.
Im Haus war es kühl – und so unheimlich still ohne die
Kinder. Wenn sie da wären, dachte Callie, könnten wir
jetzt einen kleinen Ausflug machen.

Ein empörtes Gackern im Hof ließ sie aufhorchen.
Eine Henne, die dem Hahn entronnen war, rannte davon
und glättete ihr Gefieder. Bei diesem Anblick erinnerte
sich Callie an die vermisste Glucke. Sie sprang auf. Jetzt
war die beste Gelegenheit, nach dem Nest zu suchen. Sie
nahm ihren Strohhut und ging los, froh und dankbar,
dass sie einen Grund hatte, das Haus zu verlassen.

Fast eine Stunde lang stocherte sie vorsichtig in den
Büschen und Unkrautpolstern am Waldrand herum,
ohne die Glucke zu finden. Da sie Lust auf einen Spaziergang hatte, wanderte sie weiter, zwischen den Bäumen
hindurch, bis sie auf der anderen Seite des Waldes am
›alten Schornstein‹ herauskam. Rings um den von Feuer
geschwärzten Kamin wucherte ein Dickicht von Sumach,
Ginster und wilden Pflaumenbäumchen. »Da schau ich
auch noch nach«, murmelte Callie. Diese Wildnis war
ein ideales Versteck für eine brütende Henne.

Während Callie die Wiese überquerte, nahm sie den
Strohhut ab und knöpfte das Kleid am Halse auf, damit
sie die sanfte Frühlingswärme besser spürte. Die Sonne
stand hoch, und die Luft war voller süßer Düfte. Eine
Lerche, von Callies Schritten aus dem Gras gescheucht,
flog zur Landstraße hinüber, und ihr Ruf klang wie ein
heller Flötentriller durch die Einsamkeit. Sonst war alles

mittagsstill, in schläfriger Ruhe. Callie dachte an den Hausierer, und sie glaubte, ihn vor sich zu sehen: an den Hackklotz gelehnt, das Gesicht zur Sonne erhoben. Sie war ein wenig traurig, dass er fort war. Für sie war er ein Teil dieses strahlenden Tages gewesen, und nun fehlte ihr etwas.

Sie näherte sich dem Gebüsch, das die alten Grundmauern umschloss. Die Mulde in der Mitte war mit weichem, üppigem Gras bewachsen. Callie kannte den Ort gut, denn im Sommer kam sie oft mit den Kindern hierher. Nachdem sie eine Weile herumgesucht hatte, bog sie die Sträucher an einer bestimmten Stelle zur Seite und schlüpfte durch die Lücke. Das frühlingsgrüne Gras in der Mulde war mit Löwenzahn gesprenkelt. Und dort, höchstens sechs Schritte von ihr entfernt, lag der Hausierer in der Sonne, nackt bis zum Gürtel und friedlich schlafend.

Callie starrte ihn mit offenem Mund an, obgleich sie, um die Wahrheit zu sagen, nicht allzu sehr überrascht war. Es kam ihr vor, als hätte sie ihn mit ihren Gedanken dorthin beschworen.

So ein Vagabund! Er war also doch nicht auf der Straße geblieben! Callie stand mäuschenstill und betrachtete ihn mit heimlicher Freude, wie sie ein Rotkehlchen im Nest oder eine Eidechse, die sich sonnt, betrachtet hätte. Er lag auf dem Rücken, die Hände unter dem Kopf. In den Achselhöhlen krausten sich glänzende schwarze Haare. Das nach oben gewandte Gesicht lächelte, wie von einem schönen Traum verklärt. Sie durfte ihn nicht wecken; wenn er merkte, dass sie ihn beobachtet hatte, wäre es peinlich für sie und nicht weniger für ihn. Nach einem letzten, fast zärtlichen Blick machte sie kehrt und wollte sich leise entfernen.

»Hallo!«, sagte der Hausierer.

Sie schaute über die Schulter, und eine sonderbare, prickelnde Lähmung kroch von den Füßen her an ihr hoch.

»Wie nett, dass wir uns wiedersehen«, sagte er.

»Ich wusste nicht, dass Sie hier sind«, stieß Callie hastig hervor. »Ich … ich suche meine Glucke.«

»Ihre was?«

»Meine alte Glucke … Sie hat sich hier irgendwo zum Brüten verkrochen.«

»Ach, und ich hoffte, Sie hätten mich gesucht.« Er stand lächelnd auf. »Ich habe gerade an Sie gedacht.«

Ihre Knie zitterten. Leicht taumelnd trat sie einen Schritt zurück.

»Soll ich suchen helfen?«, fragte er und kam ein wenig näher.

»Nein danke … ich kann ein andermal …«

»Nanu, wohin wollen Sie denn?«

Ohne zu antworten, versuchte sie, sich durch das Gebüsch zu zwängen. Ihr Herz hämmerte.

Er war mit zwei Sätzen neben ihr und hielt sie fest. »Nicht weglaufen, bitte! Ich bin bestimmt netter als eine alte Glucke.«

»Lassen Sie mich los!«

Ihre heftige Armbewegung befreite sie nicht, sondern brachte sie ihm so nahe, dass er sie mühelos an sich ziehen konnte. Sie stemmte die linke Hand gegen seine nackte Brust und krallte ihm die Nägel in die Haut.

»Dann müssen wir also kämpfen«, sagte er betrübt.

Callie holte mit der Rechten zum Schlage aus. Er packte ihr Handgelenk, und sie begannen wortlos zu ringen. Die einzigen Geräusche waren Callies stoßweises Atmen und ab und zu ein leises Auflachen des Hausierers. Für ihn war das ein sportliches Spiel, ein Wettkampf, bei dem er gute Chancen hatte. Aber er musste ziemlich viel Kraft aufbieten, weil seine Gegnerin sich verzweifelt wehrte. Seine Griffe brannten wie Feuer, und ein stechender Schmerz durchzuckte Callie, als sie schließlich in die Knie brach. Er fiel mit ihr und drückte sie mit seinem Gewicht an den Boden.

»Gewonnen!«, keuchte er lachend, presste die Hände auf ihre Schultern und richtete sich halb auf, um Atem zu schöpfen. »Sie sind stärker, als ich dachte – bravo!« Er beugte sich rasch vor und küsste sie hart auf den Mund. Dann ließ er sie unvermittelt los und hockte sich neben sie. »Und nun, nachdem ich gesiegt habe, können Sie gehen.«

Diese Wendung kam so unerwartet, dass Callie im ersten Augenblick nicht fähig war, sich zu rühren. Sie starrte ihn nur ungläubig an.

»Ja, Sie können gehen«, wiederholte er. »Das heißt, wenn Sie wollen.«

Callie erhob sich mühsam, sank aber sogleich mit einem Aufschrei in sich zusammen, da das verletzte Knie unter ihr nachgab. Der junge Mann fing sie auf.

»Oh, Sie haben sich wehgetan!« Er zog sie an sich und raunte ihr in einer fremden Sprache Worte zu, die sie nicht verstand, aber deren Sinn sie erriet, weil er so sanft und zärtlich auf sie einredete, als tröste er ein Kind. Sie hing schlaff in seinen Armen und schluchzte hilflos.

»Nicht weinen«, bat er. »Lass uns für ein Weilchen glücklich sein. Du wirst mich gernhaben … Ich bin sauber und gesund, ich stecke dich mit keiner bösen Krankheit an. Ich gebe acht. Bleib bei mir«, hauchte er, und sein Flüstern klang an ihrem Ohr wie das Rauschen einer Seemuschel.

3

Callie ging schluchzend nach Hause. Sie atmete die weiche Frühlingsluft, sie spürte die Sonne und hörte die Feldlerche jubilieren, sie roch die Obstblüte. Der Tag war so schön gewesen – er war noch schön –, aber sie war ein Makel darauf. Ihr Leben lang hatte sie ihre Tugend gehütet; kein Mann außer Matthew hatte sie je berühren dürfen. Für ihn hatte sie sich aufgespart; voller Stolz, rein und unbefleckt war sie zu ihm gekommen. Und nun … Die glasklare Luft und die lieblichen Vogelstimmen schnitten ihr ins Herz. Zu Hause schloss sie die Tür hinter sich ab, verbarg das Gesicht in Matthews altem Mantel und weinte bitterlich. Sie weinte mehr um ihn als um sich. Denn das größte Unrecht war *ihm* geschehen. Etwas, was ihm gehörte, war besudelt worden.

Sie musste zu ihm. Auf der Stelle musste sie ihm alles beichten. Von diesem Gedanken getrieben, rannte sie in den Stall und nahm den Sattel vom Haken. Sie wollte Matthews Fuchsstute von der Weide holen und in die Stadt reiten. Aber eine plötzlich aufkeimende Angst hielt sie zurück. Ihr Blick war auf die Stelle gefallen, wo der Hausierer das Feuer entzündet hatte, und auf einmal sah sie das alles wieder vor sich: Sie, Callie Soames, saß gemütlich mit einem Fremden zusammen, plauderte und lachte und amüsierte sich großartig. Wie würde Matthew das auffassen?

Und diese Frage zog einen Rattenschwanz anderer Fragen nach sich. Sie hörte sie alle, und es war Matthew, der sie ihr stellte: Warum hast du ihn überhaupt in den Hof gelassen? Du warst allein, du hast dich mutwillig in Gefahr begeben. Warum bist du nicht im Hause geblieben? Warum bist du ihm nachgegangen? (In gewisser Weise war sie ihm nachgegangen, denn sie hatte gewusst, dass sein Weg am ›alten Schornstein‹ vorbeiführte.) Konntest du dir nicht an den Fingern abzählen, dass so etwas passieren würde? Hast du keinen Funken Verstand? Ja, so würde er wütend und anklagend fragen. Und was sollte sie darauf antworten?

Sie war sehr töricht gewesen, das sah sie jetzt ein. Für jeden, der die näheren Begleitumstände nicht kannte, musste es so aussehen, als hätte sie sich dem Hausierer *angeboten!* Und wenn Matthew auch wusste, dass sie dessen nicht fähig war, so konnte er ihr doch Dummheit und Leichtsinn vorwerfen, und er würde sicherlich nicht verfehlen, das zu tun. Neuerdings war er ohnehin ständig gereizt. Vielleicht verdiente sie seinen Zorn – aber die Aussicht auf die unvermeidliche Szene erfüllte sie mit Angst und Schrecken. Unvermeidlich? Wieso denn? Sie musste ihm doch nicht jede Einzelheit erzählen. Sie konnte die Sache mit dem Frühstück verschweigen; sie brauchte überhaupt nicht zu sagen, dass der Hausierer in den Hof gekommen war. Es genügte, wenn sie berichtete, sie sei ihm zufällig begegnet – und das stimmte sogar –, während sie nach der Glucke suchte. Mehr brauchte Matthew nicht zu wissen. Aber – sie schrak zusammen – wenn der Hausierer nun *seine* Geschichte erzählte? Ach was, so dumm war er bestimmt nicht! Er würde zweifellos auf den ersten besten Zug springen und machen, dass er fortkam. Angenommen jedoch – nur angenommen –, er blieb noch ein, zwei Tage hier in der Gegend, und Matthew alarmierte die Polizei! Möglich war alles. Mochte Matthew auch noch so friedfertig sein, er war immerhin ein Mann und hatte das Recht, seine befleckte Ehre reinzuwaschen.

Callie ließ sich erschöpft auf den Hackklotz sinken, bedrängt von Erinnerungen an ländliche Tragödien – betrogene Ehemänner, ertappte Liebhaber, Blutvergießen und ewige Schande. Wenn Matthew den Hausierer nun wirklich vor Gericht brachte? Der junge Mann würde die Sache auf seine Art schildern – ach, und selbst wenn er nichts als die Wahrheit sagte, reichte das aus, damit alle Welt sie verdammte. Gewiss, sie hatte sich gegen ihn gewehrt. Aber andererseits hatte sie sich mindestens eine Stunde lang so vertraulich mit ihm unterhalten wie mit irgendeiner Nachbarsfrau. Sie hatten geschwatzt und gelacht, und er hatte ihr die Hand geküsst! Nie könnte sie ihm in die Augen blicken und das ableugnen – ebenso wenig wie sie ableugnen konnte, dass er ihr gefallen hatte.

Voller Scham verbarg sie das Gesicht in den Händen.

Natürlich wollte sie ihn nie wiedersehen, aber solange er da war, hatte er ihr gefallen. Strahlend wie die Sonne selbst, hatte er mit Bibelversen verkündet: Gott ist die Liebe, und das Leben ist eine einzige Herrlichkeit. Alles an ihm sprach von Freiheit und Freude und kreatürlicher Unschuld. Wie konnte sie ihn dem Gericht ausliefern – so einen Jungen! Man würde ihn einsperren, ihn verprügeln, ihn grausam misshandeln oder gar töten, und dieser Gedanke war ihr unerträglich. Er hatte unrecht getan, und er verdiente Strafe, aber nur Matthews wegen. Nicht ihretwegen, und das war die bitterste Einsicht von allen. Sie hätte Ekel und Abscheu vor ihm empfinden müssen und empfand nichts dergleichen. Der junge Mann hatte etwas an sich gehabt, was selbst sein Vergehen nicht als ›Gemeinheit‹ erscheinen ließ. Er war dahergekommen, jubelnd und singend, frühlingstrunken – und sie, Callie, war nur eines von den schönen Dingen gewesen, die ihm seiner Meinung nach rechtmäßig zustanden. Er hatte sie übermütig genommen, nur so zum Spaß, nicht anders als er einen Rotdornzweig pflückte. Und für kurze Zeit, dort unter dem blauen Himmel, auf dem frischen grünen Rasen, hatte sie ihn geliebt.

Aber der Mann, dem ihre unwandelbare Liebe gehörte, war Matthew, ihr nüchterner, ernsthafter, fleißiger Matthew, der sich so sehr bemühte, das Rechte zu tun, auch wenn es ihm nicht immer gelang, und der in all den Jahren gut, freundlich und liebevoll zu ihr gewesen war. Der Gedanke, dass sie ihn betrogen hatte, brach ihr fast das Herz.

Nein, er durfte es nie erfahren. »O Gott«, betete sie in ihrer Bedrängnis, »ist ein Teil der Wahrheit nicht schon genug?« Es musste genug sein. Ganz gleich, was geschah – um aller Beteiligten willen durfte der Hausierer nicht erwischt werden.

Sie trocknete sich die Augen mit ihrem zerrissenen Rock, und da sie nun wusste, was sie zu tun hatte, machte sie sich sofort an die Arbeit. Als Erstes sammelte sie im Hof die verkohlten Holzreste auf und warf sie in den Küchenherd. Dann lief sie wieder hinaus, beseitigte die Asche und streute Sand über die geschwärzte Erde. Als jede Spur getilgt war, nahm sie einen Spaten und ging damit auf einen entlegenen Teil der Wiese. Sie grub ein tiefes Loch und legte das blaue Seidenband hinein. Es sah so sauber und hübsch aus, und als die feuchten Erdklumpen darauffielen, musste Callie weinen. Sie bedeckte die Stelle mit Gras und welkem Laub und ging nach Hause. Nachdem sie sich gewaschen und umgekleidet hatte, hielt sie draußen noch einmal Umschau und vergewisserte sich, dass nichts – wirklich nichts – an den Besuch des Fremden erinnerte. Nun war ihr schon leichter ums Herz. Die Unterredung mit Matthew stand ihr zwar noch bevor, aber das hatte Zeit. Morgen Abend wollte sie ihm sagen: So und so ist es mir heute ergangen. Bis dahin war der Hausierer gewiss über alle Berge …

Lange vor Sonnenuntergang fing sie an, nach Matthew auszuspähen. Vielleicht geschah ein Wunder, und er kam früher nach Hause als sonst. Gegen sieben Uhr gab sie den Kindern zu essen und brachte sie zu Bett.

Die Kühe kehrten unter Schellengeläut und mit vollen Eutern von der Weide zurück. Callie erbarmte sich der Tiere und melkte sie. Es war bereits dunkel, als Matthew in den Hof fuhr.

Sie stürzte hinaus. »Ach wie gut, dass du da bist!«

»Was ist denn los?«, fragte er scharf.

»Nichts, gar nichts. Ich bin bloß froh … das ist alles. Ich hab mir schon Sorgen um dich gemacht.«

Matthew stieg vom Kutschbock. »Mit dem Wagen dauert es immer viel länger«, sagte er, ohne sie anzusehen. »Sind die Kinder gut nach Hause gekommen?«

»Ja, alles in Ordnung. Geh nur hinein und lass mich das Pferd ausspannen.«

»Nein, das ist meine Sache.«

»Du bist doch müde«, widersprach sie zärtlich. »Geh, mein Schatz, das Essen wartet.«

»Ich möchte lieber erst melken.«

»Ist schon erledigt.«

»Kein Mensch hat das von dir verlangt«, sagte er gereizt. »Du wirst dich in deiner Unvernunft noch zu Tode arbeiten.«

»Aber wenn es so spät wird wie heute …«

»Ich hatte zu tun!«, fuhr er sie an. »Du brauchst mir das nicht dauernd vorzuhalten. Ich komme nach Hause, sobald ich kann.«

»Ich hab ja nur gesagt …«

»In meinem Beruf muss man immer mit unvorhergesehenen Zwischenfällen rechnen, das solltest du nun allmählich wissen. Erklärt habe ich's dir oft genug, aber was nützt das, wenn du dich nicht für meine Arbeit interessierst.«

Stumm und verbissen schirrte er das Pferd ab und brachte es in den Stall.

Callie lehnte die Stirn an den Wagen. Sie konnte tun oder sagen, was sie wollte – er legte ihr alles falsch aus. Jeder Anlass war ihm recht, sie mit Vorwürfen zu überhäufen und sich als Opfer ihrer Launen hinzustellen. Und warum? Weil er ein schlechtes Gewissen hatte. Natürlich steckte eine Frau dahinter. Sie schlug wütend mit der Faust an das Rad. Doch dann fiel ihr ein, dass sie selber nicht frei von Schuld war und dass sie Matthew vermutlich Schlimmeres angetan hatte als er ihr. »Aber nicht mit Absicht«, sagte sie leise. Nun, vielleicht kränkte auch er sie nicht absichtlich. Manches geschieht gegen unseren Willen. Wenn sie es so ansah, tat er ihr leid.

Beim Essen beobachtete sie ihn verstohlen über den Tisch hinweg. Er war in letzter Zeit abgemagert; die Backenknochen traten scharf hervor, und die Augen lagen tief in den Höhlen. Merkwürdigerweise stand ihm das gut. Er sah schön aus, trotz seines verstörten Blicks. Wenn es wirklich eine andere Frau ist, dachte Callie, dann geschieht's ihm recht, dass er sich so quält. Und doch tat er ihr leid. Ihr stummer Zorn verlagerte sich unmerklich von ihm auf die unbekannte Frau. Was mochte das für ein Weib sein, das ihn peinigte, bis er halb verrückt war und weder essen noch schlafen konnte!

»Du siehst müde aus«, sagte sie.

»Ich bin's auch.« Er legte Messer und Gabel auf seinen Teller und stützte den Kopf in die Hände.

»Ein Glück, dass die Ferien bald anfangen. Dann brauchst du nicht immer zweierlei zu tun.«

»Hm … ja …«

»Ist doch schön, wenn du den ganzen Tag zu Hause sein kannst, nicht wahr?«

»Ja.«

»Ich freu mich schon drauf. Manchmal krieg ich's ein bisschen mit der Angst, wenn ich so ganz allein bin.«

»Dazu besteht kein Grund«, erwiderte er kühl. »Für den Notfall hast du ja die Flinte.«

»Unterhalten kann ich mich mit der aber nicht.«

Eine Pause trat ein. Dann sagte Matthew: »Ich müsste eigentlich wieder einen Fortbildungskurs mitmachen.«

»Diesen Sommer?«

»Wenn ich auf dem Laufenden bleiben will …«

»Du hast das ganze Jahr schwer gearbeitet – ich finde, du musst dich auch mal erholen.«

Er sah sie streng an. »Callie, du solltest endlich begreifen, dass diese Kurse unerlässlich sind, wenn ich in meinem Beruf weiterkommen will.«

»Das mag ja sein.« Sie seufzte. »Aber Clarkstown ist so weit weg.«

»Ich … ich habe mir überlegt … Vielleicht gehe ich diesmal gar nicht nach Clarkstown.«

Diese Bemerkung rief sofort Callies Misstrauen wach. »Und wohin willst du?«, fragte sie und beobachtete sein Gesicht.

»Ach, ich weiß nicht …« Er blickte auf – unbefangen, wie er glaubte, in Wirklichkeit aber so schuldbewusst wie nur möglich. »Ich habe an St. Louis gedacht.«

»St. Louis? Wie kommst du denn darauf?«

»Es gibt dort vorzügliche Schulen, Seminare und Universitäten. Dazu noch das kulturelle Leben, die Atmosphäre der Großstadt, die Verbindungen, die man anknüpfen kann … Das ist mindestens ebenso wichtig wie das Studium.«

»Willst du … Würdest du uns mitnehmen, mich und die Kinder?«

»Nun«, sagte er zögernd, »das wäre eine ziemlich kostspielige Sache, fürchte ich. Vier Personen – ich glaube nicht, dass wir uns das leisten können. Wahrscheinlich muss ich allein fahren und sehen, wie ich zurechtkomme.«

Das also hatte er vor! Und von selber war er nicht auf diese Idee verfallen. Matthew hatte noch nie einen übereilten Entschluss gefasst, wenn ihn nicht jemand antrieb.

»Da werde ich sehr einsam sein.« Das war alles, was Callie dazu äußerte.

»Es sind ja nur ein paar Wochen.«

»Und was wird mit der Arbeit?«

»Hier auf der Farm? Vielleicht können Thad und Wesley einspringen. Dann hast du auch gleich Gesellschaft, während ich weg bin.«

Er hatte sich schon alles genau überlegt!

»Aber noch ist ja nichts entschieden«, fügte er hinzu

und stand auf. »Vielleicht geht's nicht. Wir werden sehen.« Er nahm die Laterne vom Haken. »Ich muss noch etwas Heu für das Vieh runterwerfen.«

»Sei vorsichtig mit der Laterne in der Scheune«, sagte Callie. Sie blieb am Tisch sitzen und starrte in die Petroleumflamme der Lampe. Er wollte sie also verlassen. Die Gefahr, die ihr drohte, war größer, als sie gedacht hatte. Hier handelte es sich nicht um irgendein dummes Landmädchen, sondern um eine Großstädterin, eine von der Sorte, die Bücher las und ebenso klug reden konnte wie Matthew. Eine *Gebildete*. Callie schaute sich ratlos in der Küche um. Gegen eine Gebildete kam sie nicht an.

Hätte sie doch wenigstens lesen gelernt! Sie war ja gescheit genug, und es wäre ihr gewiss nicht schwergefallen, wenn sie nur ernstlich gewollt hätte. »Ich will ja, Matthew, ich will!«, flüsterte sie vor sich hin. Aber es war ein bisschen spät dafür; in der Zeit, die sie zum Lesenlernen benötigte, konnte sie ihn verlieren. Und das durfte nicht geschehen. Sie brauchte ihn doch! Mochte er seine Fehler haben – die waren ihr immer noch lieber als die fragwürdigen Tugenden irgendeines anderen Mannes. Außerdem brauchte sie ihn jetzt mehr denn je, weil sie in Bedrängnis war. Vielleicht war das gut, dachte sie plötzlich. In der Not fanden die Menschen manchmal wieder zusammen. Das, was heute geschehen war, konnte zu ihrem Besten sein.

Sie sprang auf, um zu Matthew zu eilen und ihm alles zu gestehen. Aber sie kam nur bis zur Tür. Nein, nichts überstürzen – zuerst musste der Hausierer in Sicherheit sein. Morgen war auch noch Zeit …

Sie hatte die Spuren jenes Mannes gründlich verwischt. Nichts verriet, dass irgendein Fremder im Hof gewesen war. Doch am nächsten Margen schreckte Callie nach einer wirr durchträumten Nacht aus dem Schlaf und wusste plötzlich, dass sie eine Kleinigkeit vergessen hatte. Und diese Kleinigkeit war Leonie. Gestern war Leonie mit Jessica in der Schule gewesen; heute aber blieb sie zu Hause. Wenn jemand kam – besser gesagt, wenn niemand kam –, so konnte Leonie darüber Auskunft geben. Callie war der Verzweiflung nahe. Irgendwie musste sie das Kind für eine Weile loswerden. Eine Stunde genügte, schlimmstenfalls sogar eine halbe – aber so lange musste Leonie außer Seh- und Hörweite sein.

Normalerweise hätte das gar keine Schwierigkeiten gemacht. Die Kinder spielten oft so weit vom Haus entfernt, dass sie nicht hätten sagen können, ob inzwischen jemand da gewesen war oder nicht. Aber gerade an diesem Morgen war Leonie unausstehlich – weinerlich, quengelig, übermüdet von den Schulwonnen des Vortages. Callie konnte einfach nichts mit ihr anfangen. Sie richtete ihr ein schönes Spielplätzchen im Obstgarten ein – Leonie folgte ihr zum Hause zurück. Sie bat das Kind, ihr auf der Wiese einen Blumenstrauß zu pflücken – zehn Minuten später war Leonie wieder da. Sie schickte sie in den Heuschober – diesmal dauerte es nur fünf Minuten. Sie schlug ihr Sandkuchenbacken am Bach vor – Leonie wollte nicht allein gehen. Gegen den üblichen Mittagsschlaf sträubte sie sich mit Händen und Füßen. Sie war nicht hinters Licht zu führen – sie spürte genau, dass sie unerwünscht war, und sie rächte sich, indem sie den lieben langen Tag hinter ihrer Mutter hertrottete. Callie verlor schließlich die Nerven und schlug sie. Aber als Leonie mit traurigem, tränenüberströmtem Gesichtchen zu ihr aufblickte, schloss sie die Kleine in die Arme und weinte mit ihr. Es war ja nicht das Kind, das unrecht getan hatte!

Am Abend hatte Callie einen der schrecklichsten Migräneanfälle ihres Lebens. Die Qualen, die sie litt, löschten sowohl die Erinnerung an den Hausierer als auch Gewissensbisse, Reue und Angst aus. Ihr Kopf schrie vor Schmerz Halleluja, und der Brechreiz feierte Triumphe.

Später fiel sie erschöpft in einen totenähnlichen Schlaf, aus dem sie erst am nächsten Vormittag erwachte. Matthew hatte für sich und die Kinder Frühstück gemacht und war dann mit Jessica fortgeritten. Leonie, munter wie ein Kätzchen, planschte mit Abwaschwasser, um ›Mama zu helfen‹. Sie half Mama den ganzen Tag und war nicht abzuschütteln. Callie hatte weder den Mut noch die Kraft, den Kampf von Neuem aufzunehmen.

Zwei Tage und zwei Nächte waren nun vergangen, und mit jeder Stunde wuchs ihre Angst. Je länger sie wartete, desto unmöglicher wurde es, nur einen Teil der Wahrheit zu erzählen. Leonies wegen konnte sie nicht sagen, es sei heute oder gestern geschehen; sie musste also den richtigen Zeitpunkt angeben. Und wie sollte sie ihr langes Zögern rechtfertigen? Vielleicht, dachte sie in einem Aufflackern verzweifelter Hoffnung, vielleicht brauchte sie Matthew überhaupt nichts zu erzählen. Aber das war natürlich eine unsinnige Hoffnung … Stöhnend griff sie nach ihrem Leib, als hätten die Wehen bereits eingesetzt. Es konnte nicht sein! O doch, es *konnte* sein, ihr zur Strafe. Erst nächste Woche würde sie – ob nun so oder so – Gewissheit haben. Aber vorher musste sie mit Matthew sprechen.

Am Abend jedoch (er kam spät wie immer, wortkarg und schlecht gelaunt) ließ ihr Mut sie im Stich. Sie saßen einander schweigend am Tisch gegenüber. Hätte er nur einmal aufgeblickt, sie prüfend angesehen und sich mitfühlend erkundigt, was ihr fehle – sie hätte ihm voller Dankbarkeit alles gestanden. Aber er starrte unverwandt vor sich hin und war in Gedanken weit weg. Die Uhr tickte laut und unheilverkündend. Die Zeit verging, und Callie ängstigte sich.

Sonderbar und unheimlich, wie die Angst Matthew in ihren Augen veränderte. Früher hatte sie ihn immer vom Podest ihrer unantastbaren Tugend aus gesehen; jetzt aber, in ihrer Bedrängnis und von Schuldbewusstsein überwältigt, sah sie ihn aus einem anderen Blickwinkel, der das altvertraute Bild verzerrte. Seine Menschlichkeit schrumpfte zusammen, während die Intoleranz, die in seinem Wesen lag, sich vergrößerte. Callie hielt es kaum noch für möglich, dass er ihr vergeben könnte – zumal er sie nicht mehr liebte. Jeder Gedanke mündete in dieser traurigen Erkenntnis. Er liebte sie nicht mehr, er schämte sich ihrer, weil sie so ungebildet war.

»Matthew«, sagte sie zaghaft, »wenn ich den Tisch abgeräumt habe, willst du dann nicht mit mir Schönschreiben üben? Das hast du ewig lange nicht mehr getan.«

Er blickte stirnrunzelnd auf. »Ach nein, heute ist es zu spät. Ich bin müde, ich habe den ganzen Tag unterrichtet.«

»Aber ich möchte so gern …«

»Ein andermal. Heute muss ich ins Bett.«

Damit ging er hinauf. Bald darauf betrat Callie auf Zehenspitzen das Schlafzimmer. »Matthew«, flüsterte sie. Er antwortete nicht.

Dann lagen sie und kehrten einander den Rücken zu. Callie wusste, dass Matthew ebenso wenig schlief wie sie, aber nun konnte sie nicht mehr sprechen, und wenn es um ihr Leben und ihr Seelenheil gegangen wäre. Gegen Mitternacht hörte sie ihn hinausgehen. Es war eine mondhelle Nacht; vom Fenster aus sah sie, dass er im Hof stand und Umschau hielt. Nach einer Weile schritt er langsam in Richtung der Wiese davon. Callie nahm ihr Umschlagtuch und folgte ihm.

Sie fand ihn auf einer Lichtung, in der Nähe eines voll erblühten Weißdorns. Im Schatten des Buschwerks stehend, presste sie die Hände auf ihr laut klopfendes Herz. Nun musste sie es darauf ankommen lassen.

»Hilf mir, Gott«, flüsterte sie und trat in das Mondlicht hinaus.

Nachdem sie den Hausierer für einen Augenblick geliebt hatte, liebte sie Matthew wie nie zuvor. Von ganzem

Herzen wünschte sie, er möge der Vater des Kindes sein. Lange bevor es zur Welt kam, gab sie ihm schon Matthews Namen.

Als es dann in ihrem Arm lag, gesund, wohlgestaltet und ihr selbst wie aus dem Gesicht geschnitten, da dankte sie dem Herrn für das Unterpfand seiner Gnade … Der Ehebrecherin war vergeben worden, wie es in der Bibel stand.

Erst später, als Mathys Wesen sich zu enthüllen begann, wurde Callie mehr als einmal von Zweifeln geplagt. Aber sie hatte das Kind in ihrem Herzen zu Matthews Tochter gemacht, und daran hielt sie unverbrüchlich fest. Und sie betrachtete es als heilige Pflicht, ihrem Mann alles zuliebe zu tun, ihm alles zu geben und ihm – so schwer es ihr fiel – alles zu verzeihen.

Die Jahre gingen dahin. Die kleinen Begebenheiten des Alltags rieselten nieder wie Blätter und Schneeflocken und begruben die Erinnerung an Callies Fehltritt unter sich. Dann aber starb Mathy, und die Erinnerung erwachte zu neuem, wildem Leben, um Callie zu peinigen und zu verfolgen. Der Herr hatte seine Zeit abgewartet und sie zuletzt doch noch fürchterlich gestraft.

Nach langem Grübeln – das waren die Wochen, da Callie einsam umherwanderte und immer wieder gedankenverloren stehen blieb – kam sie jedoch zu dem Schluss, dass es nicht so sein könne. Wir sterben nicht für die Sünden anderer; nur Jesus Christus starb um unserer Sünden willen, aber nicht, damit wir gestraft, sondern damit wir erlöst würden. Für uns Menschen ist der Tod ein natürliches Ereignis, nicht anders als der Laubfall im Herbst oder das Erlöschen eines Feuers. Mathys Tod war ebenso wenig als Strafe für irgendjemanden gedacht wie ihr Leben. Sie hatte ihnen viel Freude geschenkt. Und obwohl ihr Tod für alle, die sie liebten, ein schwerer Schlag gewesen war, hatte Gott sie nicht deswegen sterben lassen. Das war nicht Gottes Art. Gott ist das Erbarmen und die Liebe. So stand es in der Bibel.

»Und es ist mir egal, was sonst noch darin steht. Ich *weiß*, dass es so ist.«

Als sie zu dieser Erkenntnis kam, saß sie in der grasigen Mulde beim ›alten Schornstein‹. Sie holte tief Atem und blickte auf.

»Ich möchte bloß wissen, wo die alte Glucke war!«, sagte sie laut und heiter.

Dann erhob sie sich und kehrte nach Hause zurück, frei und leicht in der Seele.

4

Das war nun schon lange her.

Jetzt, an diesem Augustmorgen, mit siebzig Jahren hinter sich und der Ewigkeit vor sich, fühlte Callie noch einmal die alten Sorgen in sich aufsteigen. Vielleicht waren ihr Gott und Matthews Gott doch nicht ein und derselbe. Sie hatte sich den ihren nach eigenem Gutdünken geformt. Aber Matthew war klug und konnte lesen – vielleicht war sein Gott des Zornes der wahre Gott; vielleicht traf alles zu, was darüber in der Bibel stand, mochte es auch bitter wie Galle schmecken. In diesem Fall war Mathys Tod tatsächlich eine Warnung gewesen, und sie, Callie, hätte gut daran getan, sie zu beherzigen. Vielleicht genügte es nicht, dem Herrn zu beichten – sie hätte auch Matthew ihre Schuld bekennen und die Folgen auf sich nehmen müssen, selbst wenn sie ihn dadurch verlor.

Stattdessen hatte sie sich Gott zurechtgeknetet, wie es ihren Wünschen entsprach. Sie war auf ihrer ›grünen Aue‹ geblieben. Sie hatte ihren Mann und ihr gemütliches Zuhause behalten. Sie hatte sich die Liebe und Achtung ihrer Kinder bewahrt.

»Ich bin glücklich gewesen«, sagte sie reuevoll.

Und sie war es noch heute. Vieles war ihr genommen worden, und vieles war nie gekommen, und doch war sie glücklich.

»Ist das nun Sünde, Herr, wenn man bedenkt, was ich getan habe?« Sie blieb mitten auf dem Pfad stehen und umkrampfte den Henkel des Beerenaimers.

Ein weißer Schimmer zwischen den Baumstämmen lenkte sie ab. Sie spähte durch die Zweige, dorthin, wo sich der Bach in mehrere Rinnsale teilte. Im grünen Schimmer der Weidenbäume stand ein großer weißer Vogel. Ein Reiher! Ein weißer Reiher – der erste ihres Lebens. Freudig ging sie näher heran, bemüht, kein Geräusch zu machen. Der Vogel stand im flachen Wasser, den Hals weit vorgestreckt, und beachtete sie nicht. Sie schlich weiter, bis sie nur noch wenige Schritte von ihm entfernt war. Ein seltsames Geschöpf – so groß und weiß und stolz! Jetzt stelzte er durch das seichte Wasser, hob zierlich die Füße wie eine Dame, die eine Pfütze überschreitet. Er suchte Frösche und kleine Fische. Plötzlich blieb er stehen, bog den Hals zu einem S und schien zu lauschen. Er sieht mich, dachte Callie. Vögel sehen einen, ohne dass sie den Kopf zu wenden brauchen. Lange standen sie so, Callie und der Reiher, und betrachteten einander. Dann senkte der Vogel langsam den Fuß und breitete die weißen Schwingen aus. Callie glaubte, er werde davonfliegen, aber stattdessen legte er die Flügel wieder glatt an, senkte den Schnabel zum Wasser und setzte seinen Weg fort.

Was für ein prächtiger Anblick! Callie nahm das als

gutes Vorzeichen. Während sie auf den Waldweg zurück-kehrte, zählte sie all die Freuden auf, die der Tag für sie bereithielt. Sie war so voller Glück, dass sie hätte springen und tanzen mögen. Mit ihrer dünnen, alten Stimme sang sie ein Lied, das ihr plötzlich in den Sinn kam.

> *»Wenn dich kein Baum erschlägt,*
> *Lebst du bestimmt noch lange …«*

Wie wunderschön es hier war! »Denn so hat Gott die Welt geliebet …« Sie stellte die Worte um: Denn Gott liebt die Welt so – so sehr, so sehr, wie ein Kind geliebt wird, mit Stolz und Hoffnung und auch mit Schmerzen. Wenn Gottes Liebe unendlich war, über allen Verstand – wie unendlich mussten dann auch die Schmerzen sein, die er um seiner irrenden Kinder willen litt.

Ach, sie hatte ihm sicherlich sehr wehgetan. Sie hatte gesündigt, und ehrlich gesagt, sie bereute es nicht ein-mal. (Und sie hatte bis zum heutigen Tage nicht lesen gelernt.) Was konnte sie jetzt noch tun, um das alles aus-zugleichen? Wie konnte sie Gott trösten?

Callie dachte ein Weilchen nach. »Ich liebe deine Welt«, sagte sie dann schlicht. Das war's, was sie tun konnte.

Sie schaute umher und überblickte die guten Dinge, die ihr gegeben waren: grünende Äcker, fette Weiden, strahlendes Wetter. Die Luft war frisch, die Vögel san-gen, und sie hatte einen weißen Reiher gesehen. Mat-thew wartete auf sie. Die Kinder kamen nach Hause. Sie würden gemeinsam die Mondblumen aufblühen sehen. Selbst wenn ihr der Himmel verschlossen blieb, war dies schon genug – diese schöne Erde mit ihrem Sonnenlicht und ihren Sommermorgen. Und immer gab es etwas, worauf man sich freuen konnte. (*Das* hatte die Erde dem Himmel voraus!)

Callie sah in das klare Blau hinauf. »Hab Dank«, sagte sie und ging heim zum Frühstück.

Auf den folgenden Seiten finden Sie Informationen über das Buch und die Autorin, außerdem Vorschläge für weitergehende Diskussionen in Lesekreisen.

Jetta Carleton über ihr Buch:

»Cyril Connolly meint, alle Schriftsteller schreiben entweder aus Zorn oder aus Sehnsucht. Da ich nicht besonders zornig bin, schreibe ich aus Sehnsucht. Ich schrieb über all das, was ich liebe – die Heimat, die Geborgenheit in der Familie und eine Zeit, die mir sicherer und unschuldiger scheinen will als die unsere. Ich bin in einer kleinen Stadt Missouris aufgewachsen: 500 Menschen, 5 Kirchen, ein paar Kühe, keine Jugendkriminalität; ohne Zweifel gab es auch Verbrechen, aber wir haben nicht viel davon gespürt, für die Jüngeren jedenfalls war das Leben sicher und angenehm.

Aber ich habe nicht nur aus Sehnsucht geschrieben. Ich wollte das Wetter, die Musik, das Frühstück, Gelächter, kurze Augenblicke der Freude, die ein Teil des Lebens sind, preisen, ja sogar Gewaltsamkeit und Enttäuschungen. In diesem Buch wie auch im Leben tun sich die Menschen gegenseitig weh; es gibt Kummer und Sorgen, aber auch Freude. Unter anderem dann, ›wenn die Mondblumen blühen‹. Die Form des Buches war mir von Anfang an klar, sie hat sich nicht geändert. Seine Menschen haben sich geändert. Zunächst nahm ich nur Vorbilder für sie aus meiner Familie. Aber schon bei Beginn der Niederschrift nahmen sie eigene Gestalt an. Ähnlichkeiten wurden geändert. Details unkenntlich gemacht oder intensiviert. Die einzige Ähnlichkeit zwischen der Soames-Familie und meiner eigenen sind schließlich die Landschaft, die Berufe, die Liebe zueinander und zu Gott geblieben. Meine Vorbilder waren also Menschen, die ich gut kenne; Landleute, die in einem geschützten Winkel Missouris leben, wo das 20. Jahrhundert kaum eindrang. Sie arbeiten hart, leben kärglich und glauben an Gott den Vater. Aber ihre puritanischen Überzeugungen hindern sie nicht daran, das Leben zu genießen. Der Himmel war ihnen auserkoren, aber schon der Weg zu ihm war die halbe Freude.

Das Buch endet mit einer Danksagung an das Leben. Und deshalb habe ich es geschrieben. Aus Sehnsucht.«

Wenn die Mondblumen blühen –
Von Jane Smiley

Die meisten Schriftsteller, so berühmt sie auch sein mögen, geraten irgendwann in Vergessenheit. Charles Dickens wurde erst einige Jahrzehnte nach seinem Tod gelesen; Anthony Trollope, dessen Produktivität fast unglaublich war, musste in den 1940er-Jahren wiederbelebt werden. Wer ist dieser Tage alles in Vergessenheit geraten? Haben Sie jemals von Rhoda Broughton gehört? Jemals Summer Locke Elliott oder Camilla R. Bittle gelesen? Und doch kommen manche Romane aufgrund sich ändernder Leservorlieben und verlegerischer Loyalität manchmal wieder ans Tageslicht. Einer davon ist Jetta Carletons *Wenn die Mondblumen blühen,* der nun zum ersten Mal seit über 20 Jahren wieder veröffentlicht wird.

Als der Roman, der in der ersten Hälfte des 20. Jahrhunderts im ländlichen Missouri spielt, zum ersten Mal erschien, war der Autorin sehr bewusst, dass er anders war als die meisten in jener Zeit erscheinenden Romane. In ihrer biografischen Notiz im *Reader's Digest Condensed Books* stellte sie fest: »Es ist tatsächlich sehr unmodern geworden, etwas zu mögen, und ich mag sehr viele Dinge. Jetzt sind die Angry Young Men in Mode, doch ich bin ein Glad Old Girl.« Vielleicht dachte Jetta Carleton, selbst beinahe fünfzig, dabei an Norman Mailer, James Baldwin und Gore Vidal – Autoren, die zehn oder zwölf Jahre jünger waren als sie und die sich durch ihre Rebellion gegen das System einen Namen gemacht hatten. Doch auch Carleton, die gute sechs Jahre an *Wenn die Mondblumen blühen* gearbeitet hatte, war alles andere als undifferenziert. Nachdem sie ihren Abschluss an der University of Missouri gemacht und beim Radio in Kansas City gearbeitet hatte, ging sie in den Osten, um in der Werbebranche zu arbeiten. 1962 lebte sie in Hoboken, New Jersey, war mit einem Werber verheiratet und arbeitete in Manhattan. Sie schrieb Fernsehwerbespots für die »Ivory«-Seife von Procter & Gamble – kurz gesagt, sie führte ein überaus modernes Leben. Ihre Familie in Missouri empfand sie als äußerst fortschrittlich; ihre Großnichte, Susan Beasley, erinnert sich: »Sie war aufgeschlossen und geistreich, der Star der Familie, die Exotische unter uns. Wir wussten immer, welche Werbespots von ihr stammten, weil sie sich einfach wie sie selbst anhörten; ihre Art, sich auszudrücken, war sehr originell. Sie war wundervoll, sie liebte es zu lachen, und sie liebte es, Spaß zu haben.«

Zweifelsohne wusste Carleton selbst, dass *Wenn die Mondblumen blühen* weit entfernt von einer nostalgisch-sentimentalen Amerikaverklärung war. Der Roman war komplex und wagemutig, und das ist er auch im 21. Jahrhundert noch – eine feinfühlige und liebevolle Erkundung einiger der sensibelsten Themen des Familienlebens, in einem geradlinigen Stil geschrieben, der in seiner Schönheit und moralischen Exaktheit außergewöhnlich ist. *Wenn die Mondblumen blühen* ist eines dieser Bücher, von dem die Leser wünschten, es hätte eine Fortsetzung.

Sogar Robert Gottlieb, einer der erfahrensten Verlagslektoren, war dieser Meinung. 1984 schrieb er: »Von den Hunderten Romanen, die ich lektoriert habe, ist dieser buchstäblich der einzige, den ich seit seiner Veröffentlichung mehrere Male wiedergelesen habe. Und jedes Mal, wenn ich ihn las, hat er mich wieder bewegt – durch die Menschen, durch ihre Lebensgeschichten; durch die Wahrheit und Klarheit und Großzügigkeit im Geschriebenen und im Gefühl.«

Wenn die Mondblumen blühen beginnt mit einer Ouvertüre – wir lernen die Familie Soames auf ihrer kleinen Farm im ländlichen Missouri kennen. Matthew und Callie, um die siebzig, haben ihre drei Töchter für deren jährlichen Sommerbesuch zu Gast: Jessica, um die fünfzig, Leonie, in ihren späten Vierzigern, und Mary Jo, ein gutes Stück jünger. Es ist ein heißer Sommer. Die Farm bietet – wie seit jeher – kaum Annehmlichkeiten, und die Töchter scheinen ihren jährlichen Besuch auch deshalb so genießen zu können, weil sie wissen, dass sie bald wieder abreisen und in ihre eigenen Leben zurückkehren werden. Die Stärke des Romans liegt allerdings unter anderem darin, dass wir von diesen anderen Leben nichts erfahren. Am letzten Tag des Besuchs werden die Pläne der Soames', am alten Bienenbaum ein Familienpicknick zu machen und Honig zu sammeln, durch verschiedene unangenehme nachbarliche Verpflichtungen zunächst bedroht und dann zunichtegemacht. Widerstrebend tun sie das, von dem alle wissen, dass es getan werden muss, bis sie den Nachbarn und Verwandten entkommen können und nach Hause zurückkehren, um das alljährliche abendliche Erblühen der Mondblume zu genießen (Mondblumen sind nachtblühende Verwandte der Prunkwinde).

Carletons Erzähltempo ist gemächlich – der Hitze des Sommers und den Umständen angemessen –, sie verleitet den Leser dazu, sich seine Gedanken über die Familie zu machen, aber verführt ihn auch dazu zu glauben, Matthew und Callie seien ein einfaches, altmodisches verheiratetes Paar, und ihre Töchter führten ein einfaches amerikanisches Leben, wie man es etwa in einem sentimentalen Kinofilm sehen würde, der auf dem Land im Mittleren Westen spielt.

Wenn dann durch die Struktur der folgenden Passagen die Handlung voranschreitet, zeigt sich durch den Blickwinkel (wenn auch nicht die Stimme) jedes einzelnen Familienmitgliedes allerdings, dass die Dinge nicht so sind, wie sie zunächst schienen – das eng verbundene Familienleben der Soames' ist, genauer betrachtet, genauso einzigartig und genauso sehr Triumph über die Widrigkeiten des Lebens wie bei jeder anderen Familie. Was dabei entsteht, ist eine bemerkenswert wahrhaftige Erzählung, die aber niemals voreingenommen oder engstirnig ist; die gleichermaßen mit Aufrichtigkeit und Liebe realisierte Anatomie einer Familie.

Das Versprechen der Kunstform Roman ist es stets, dass die Geschichte voller Komplexität erzählt wird und, wie Edith Wharton einst bemerkte, dass jedes Element so »gründlich durchdacht« ist, dass der Leser sich nicht vorstellen kann, dass irgendetwas ausgelassen wurde oder dem Autor unbekannt ist. Eine solche Vollständigkeit muss eine Illusion bleiben, aber es ist die essenzielle Illusion aller erfolgreichen Romane – sogar Teile der Geschichte, die der Erzähler nicht erwähnt, scheinen vom Autor verstanden und bedacht worden zu sein. Hierin ist *Wenn die Mondblumen blühen* herausragend.

Das eigentliche Thema des Romans ist die romantische Liebe. Der Erzähler erkundet die romantischen Entscheidungen, die jede Figur trifft, und ordnet diese direkt in den Kontext der Geschichte jedes einzelnen Charakters und deren Selbstwahrnehmung ein. Und auch wenn Matthew, Leonie, Jessica, Mathy und Callie es gut miteinander meinen und eine starke Bindung zu den verschiedenen Familienmitgliedern spüren, werden diese Bindungen immer wieder von ihren Entscheidungen belastet. Matthew ist derjenige, der mit einem fast tragischen Gespür für seine eigenen Schwächen den Ton vorgibt – sogar als er Callie für sich gewinnt, in seinen Augen das attraktivste und begehrenswerteste Mädchen, kann er sich nicht vollständig mit dem Familienleben oder mit der kleinen Welt, in der er lebt, aussöhnen. Sich seiner eigenen Verfehlungen bewusst, wird er strenger und unfreundlicher, und die Mädchen fühlen sich zu jungen Männern hingezogen, die ihnen Fluchtmöglichkeiten bieten. Carleton versteht es meisterhaft, die verschiedenen Temperamente der einzelnen Charaktere zu porträtieren – Mathy, die Wilde, ist auf überzeugende und entzückende Art anarchisch; Leonie, das brave

Mädchen, ist sich schmerzlich dessen bewusst, dass Gutherzigkeit sie nicht liebenswert macht; Callie wird zwar von ihrem Mann eingeschüchtert, kann ihn aber dennoch vollkommen verstehen. Das Porträt Matthews ist ein Kunstwerk der Empathie. Er ist ein Mann, der die Versuchung fürchtet und stets danach strebt, diese zu besiegen – seine Position in der Stadt und sein religiöser Glaube fordern absolute Rechtschaffenheit. Sowohl das Verlangen, das ihn vorantreibt, als auch die Schuld, die ihn aufzehrt, sind ehrlich und überzeugend porträtiert.

All diese Leidenschaften sind in eine wunderschön gezeichnete, ursprüngliche Landschaft aus Pflanzen, Blumen, Tieren, dem Wetter und den Konturen des Landes eingebettet. Die Farm der Soames' ist nichts Besonderes und hat nie floriert, aber sie hat den Blick der Töchter für die Schönheit der natürlichen Welt geschult, was ihnen oft als Trost und Inspiration dient. Einmal gehen die Mädchen von Matthew gepflanzten Salat holen, an einer Stelle, wo er einmal einen Haufen Gestrüpp verbrannt hatte, und »durch diesen Dünger angereichert, brachte der Boden eine fabelhafte Ernte hervor«. An anderer Stelle heißt es: »Callie [fand] den Sommer unsagbar schön. Konnte sie mehr verlangen als das Glück der langen, ausgefüllten Tage und der warmen Nächte, wenn der Duft des Geißblatts die Luft durchtränkte und ihr Mann mit den Kindern auf der Veranda sang?«

Einige Schriftsteller gelangen in ihrer genauen und liebevollen Betrachtung des Alltagslebens ihrer Figuren dahin, Lebensstile zu entwerfen, die bald wieder ver-

schwunden sein werden. Ihre Romane werden zu Arte-
fakten verschollener Orte und verlorener Welten. Carleton war sich offensichtlich dessen bewusst, dass *Wenn die
Mondblumen blühen* wie eine Art Zeitkapsel fungiert –
die Soames' leben trotz all ihrer Versuchungen weiterhin
in einem Miniatur-Eden, wo die Erde noch erstaunliche
Schauspiele bietet, in deren Genuss die Figuren durch
Glück oder Sensibilität immer wieder kommen.

Schriftsteller, die einen einzigen, großartigen Roman
schreiben, sind eine Seltenheit. Die bekanntesten amerikanischen Schriftsteller, die dies taten, waren Harper
Lee und Ralph Ellison, die beide, wie auch Carleton, für
ihre Geschichten aus ihrem eigenen Erfahrungsschatz
schöpften. Sowohl Lee als auch Ellison erkundeten die
privaten Auswirkungen eines politischen Themas, des
Rassismus, und sie erzielten damit den großen Effekt,
ihren Lesern nicht nur die überall vorhandene Unge-
rechtigkeit von Vorurteilen, sondern auch deren seelische
Kosten bewusst zu machen. Lee und Ellison scheinen
jedoch durch ihren großen Erfolg gehemmt worden zu
sein. Lee soll über die Rezeption von *Wer die Nachtigall
stört* gesagt haben, sie sei »irgendwie … genauso furcht-
einflößend wie der schnelle, gnadenvolle Tod, den ich
erwarte«. Ellison ging sogar so weit, zu behaupten, ein
Hausbrand habe Hunderte Seiten seines zweiten Romans
vernichtet, obwohl diese, wie sich herausstellte, niemals
existierten.

Wenn die Mondblumen blühen erkundet im Gegen-
satz zu *Der unsichtbare Mann* und *Wer die Nachtigall*

stört die privaten Konsequenzen der Leidenschaft und scheint sich nahtlos in die Kategorie von Romanen, die privat – nicht politisch – sind, einzufügen. Carletons eigene Bemerkungen für *Readers Digest* begünstigen diese Betrachtungsweise, und es mutet verlockend an, den Roman als eine bezaubernde kleine Geschichte über das Privatleben einer einzelnen Familie zu lesen. Doch *Wenn die Mondblumen blühen* bleibt deshalb aktuell, weil Carleton überzeitliche Themen des amerikanischen Lebens behandelt – Religion, Sexualität, Ambitionen von Frauen, Leben in der Kleinstadt und pastorale Landschaften. Tatsächlich wurden diese Themen, die 1963 noch privat waren, dank der Frauenbewegung bald politisch. Die Kontroverse, die Carleton durch einen kompakten Fokus, einen einfühlsamen Stil und ein sehr spezielles Setting zu ersticken vermochte, wäre zehn Jahre später nicht mehr einzugrenzen gewesen.

Carletons Großnichte, Susan Beasley, erinnert sich daran, dass ihre älteren Familienmitglieder schockiert, ja sogar bestürzt über das waren, was Jetta geschrieben hatte (die jüngeren dagegen »fanden es wundervoll«). 1962 begann sich die Sicht auf das Leben von Frauen dramatisch zu verändern. Etwa zur gleichen Zeit, als Carleton ihren Roman veröffentlichte, erschien ein kontroverser Artikel von Gloria Steinem über die Lebensentscheidungen von Frauen im *Esquire*. 1963, als *Wenn die Mondblumen blühen* ein Publikum unter den Lesern von *Condensed Books* gefunden hatte, veröffentlichte Betty Friedan *Der Weiblichkeitswahn oder Die Mystifizierung der Frau*. Steinem war allerdings zwanzig Jahre und Friedan acht Jahre jünger als Carleton. Der Autorin gelang es, ihren Roman auf eine nicht politische Art zu schreiben; ihr Sujet wurde dennoch ein politisches.

Wer die Nachtigall stört, Der unsichtbare Mann und *Wenn die Mondblumen blühen* teilen eine Besonderheit – sie haben Erfolg, weil sie zutiefst intime, gefühlsstarke Porträts sind und auf autobiografischem Material basieren. Die Leser lieben sie wegen ihrer Authentizität: Es sind Geschichten, bei denen Anstandsdenken hätte *verhindern* können, dass sie geschrieben worden wären – doch die Autoren haben es dennoch getan. Sie sind teilweise deshalb so überraschend, da sie keinen Bekenntnischarakter besitzen – die Autoren entziehen sich ihrem Material, um es mit größerer Objektivität zu untersuchen. Jeder Roman wirkt mit einer solchen Kraft wahrhaftig, die reinen Erinnerungen oder einer nichtfiktionalen Erzählung nicht innewohnen könnte. Debütautoren, auch so ausgereiften wie Jetta Carleton, ist vermutlich nicht bewusst, wie stark das Gefühl der Selbstenthüllung ist, das durch eine solche Intimität im Roman erzeugt wird. Andere Schriftsteller, wie etwa Dickens, wagen sich erst spät in ihrer Karriere – wenn sie schon daran gewöhnt sind, im Blickpunkt der Öffentlichkeit zu stehen – an autobiografisches Material.

In dem Umstand, dass Carleton Susan Beasley zufolge viele Jahre an einem Nachfolgeroman gearbeitet hat, liegt für den erwartungsvollen Leser eine besondere Ironie des Schicksals: Keiner von Jetta Carletons lebenden Verwandten hat diesen Roman jemals gesehen oder weiß, wo das Manuskript ist. Es ist wahrscheinlich, dass es sich bei ihren Papieren befand und mit diesen verloren ging, als die Stadt, in der die Papiere aufbewahrt wurden, 2003 zerstört wurde – von einem Tornado. *Wenn die Mondblumen blühen* jedoch dürfen wir genießen, und wir sind froh um diesen Roman.

Aus dem Amerikanischen von Friederike Achilles

Diskussionsvorschläge

Jetta Carleton zitiert in ihrem Text über ihr Buch den englischen Literaturkritiker Cyril Connolly mit der These, alle Schriftsteller schrieben entweder aus Zorn oder aus Sehnsucht. Für wie plausibel halten Sie dies? Kennen Sie weitere Autoren, die, wie Jetta Carleton, aus Sehnsucht schreiben?

Statt die Geschichte der Familie chronologisch zu erzählen, hat Jetta Carleton jeweils eine Figur in den Mittelpunkt eines Kapitels gestellt. Welche Absicht könnte dahinterstecken? Wie wirkt sich das auf das Leseerlebnis aus?

Das erste Kapitel ist in der ersten Person erzählt, alle weiteren in der dritten Person Singular. Aus welchen Gründen könnte sich die Autorin dafür entschieden haben? Welche Effekte werden so erzielt?

Die Kirchengemeinde spielt im Alltag der Familie eine große Rolle. Wie religiös sind die Soames? Fast alle Mitglieder der Familie begehen Sünden – in den Augen der Nachbarn und Bürger der Stadt oder der Familienmitglieder. Welche sind es? Und wie gehen die einzelnen Figuren damit um?

Die Handlung lebt besonders von den Geheimnissen, die die Familienmitglieder voreinander haben. Um welche geheimen Wünsche, Begierden und Erfahrungen handelt es sich bei den einzelnen Figuren? Was hindert sie jeweils daran, sie öffentlich zu machen?

Obwohl die vier Töchter ganz unterschiedliche Charaktere sind und sich ihre Leben in verschiedene Richtungen entwickeln, scheint allen doch die Familie wichtig zu sein – und zu bleiben. Worin zeigt sich das? Wie ist das zu erklären?

Besonderen Raum nimmt die Beschreibung der Natur ein. Inwiefern beeinflusst das Land die Familie? Und den Roman? Welche Bedeutung haben die Mondblumen? Was wird durch ihr Blühen symbolisiert?

»Mama, sei doch nicht altmodisch! Die Zeiten haben sich nun mal geändert, seit du ein junges Mädchen warst«, wirft Mary Jo ihrer Mutter bei einem Besuch vor. Hat sich Callie tatsächlich nicht geändert? Und die anderen Familienmitglieder? Welche Entwicklungen konnten Sie beobachten? Lassen sich Erfahrungen ausmachen, aus denen die Figuren verändert hervorgehen? Welche sind das?

»Wenn die Mondblumen blühen« ist ein internationaler Bestseller, der auch in Deutschland lange auf Platz eins der Liste der meistverkauften Bücher war. Welche Faktoren könnten dazu beigetragen haben? Was ist besonders amerikanisch an dieser Geschichte? Was möglicherweise universell?

Große Romane im kleinen Format

Jetta Carleton
Wenn die Mondblumen
blühen

Katharina Hagena
Der Geschmack
von Apfelkernen

Noëlle Châtelet
Die Klatschmohnfrau

Anita Lenz
Wer liebt, hat Recht
Die Geschichte eines
Verrats

Renate Feyl
Die profanen Stunden
des Glücks

Herrad Schenk
In der Badewanne

Alle Titel in bedrucktem Leinen
mit Lesebändchen

www.kiwi-verlag.de